D1125524

LA VIE D'IRÈNE NÉMIROVSKY

1903-1942

DES MÊMES AUTEURS

ROGER STÉPHANE, *enquête sur l'aventurier*, Grasset, 2004.

OLIVIER PHILIPPONNAT
PATRICK LIENHARDT

LA VIE D'IRÈNE NÉMIROVSKY

1903-1942

GRASSET – DENOËL

ISBN 978-2-246-68721-4

À mes chers parents.
À Malika et Kiran.

O. P.

À Christine, Théo et Pierre.

P. L.

« COMME D'AUTRES VIES DU MÊME GENRE, COMME TOUTES LES VIES, CELLE-CI EST UNE TRAGÉDIE. GRANDS ESPOIRS, NOBLES EFFORTS. SOUS LES DIFFICULTÉS ET LES OBSTACLES TOUJOURS CROISSANTS, NOBLESSE TOUJOURS POUR ELLE ET VAILLANTS EFFORTS, ET, COMME RÉSULTAT, LA MORT... (Carlyle)

Je voudrais que l'on mette ceci comme épitaphe quand je mourrai, mais c'est une pensée pleine de vanité. Et, d'ailleurs, les inscriptions tombales coûtent cher. »

(Irène Némirovsky, 1934)

AVERTISSEMENT

Irène Némirovsky a souvent indiqué qu'avant d'écrire, elle commençait par couvrir des cahiers d'indications biographiques sur ses moindres personnages, ce qu'elle appelait la « vie antérieure du roman ». Puis, elle les relisait en se censurant et en se commentant ; en livrant, aussi, de passionnantes réflexions sur son métier d'écrivain.

De ces brouillons, débordants de souvenirs personnels et de notations autobiographiques, rien n'avait subsisté en 2004 que le manuscrit de *Suite française*, l'un des moins caractéristiques de sa méthode de travail. Elle avait pourtant conservé la plupart. Notre chance fut de voir ressurgir, au cours de l'année 2005, les brouillons de *David Golder*, du *Pion sur l'échiquier*, du *Vin de solitude*, des *Échelles du Levant (Le Maître des âmes)*, des *Chiens et les Loups*, ainsi que les premières ébauches de *Captivité*, troisième volet de *Suite française*. Au milieu, un roman inédit, *Chaleur du sang*, jusque-là parcellaire, de nombreuses nouvelles, des textes de jeunesse et des pages isolées.

Or, des êtres réels qui lui servaient à composer ses personnages, elle-même n'était pas le moindre. Nombre de pages du journal de travail du *Vin de solitude* sont ainsi occupées par le souvenir de conversations, d'apostrophes entendues vingt ans auparavant, restituées par un effort de mémoire parfois douloureux, et que nous reproduisons scrupuleusement dans la première partie de ce livre. De sorte que la « vie antérieure » d'Irène Némirovsky dans la Russie impériale et révolutionnaire, celle de ses parents et grands-parents, son exil en Finlande puis en Suède, jusqu'ici connus par de rares pièces administratives et quelques entretiens accordés à la presse des années 1930, ont jailli de l'oubli avec un luxe de détails étonnant, parfois corroborés par de nouvelles sources archivistiques et des témoignages familiaux inédits.

Dans cette biographie, nous indiquons la provenance de toutes les citations tirées de l'œuvre publiée d'Irène Némirovsky. Celles dont la source n'est pas précisée, le plus souvent autobiographiques, sont issues de ces manuscrits, journaux et carnets de travail, tous conservés à l'Institut Mémoire de l'Édition contemporaine (IMEC), à l'abbaye d'Ardenne, en Normandie, dont la liste figure en bibliographie.

Prologue

JE CROIS QUE NOUS PARTONS AUJOURD'HUI...
(17 juillet 1942)

> *« Que des enfants, des femmes, des hommes, des pères et mères soient traités comme un vil troupeau, que les membres d'une même famille soient séparés les uns des autres et embarqués pour une destination inconnue, il était réservé à notre temps de voir ce triste spectacle. »*
>
> Mgr Jules Saliège, archevêque de Toulouse,
> lettre pastorale *Et clamor Jerusalem ascendit*, 23 août 1942

C'est un wagon pourvu d'un panneau coulissant, destiné au transport du bétail. On y a jeté de la paille et placé un seau d'eau. Les lucarnes sont tendues de barbelé, de sorte qu'il est impossible de s'échapper une fois le panneau refermé. Un cachot roulant, accroché à un autre, qui en tracte un troisième, et ainsi de suite. Ce convoi, le 17 juillet 1942, est le sixième à quitter la France. Ses neuf cent vingt-huit passagers n'ont pas demandé à partir, ils n'ont pas de billet, ils n'ont qu'une valise et quelques effets. Ils ignorent leur destination et leurs proches ne savent pas qu'ils s'en vont.

Certains de ces voyageurs ont été trompeusement « convoqués » lors de la rafle du 14 mai 1941, à Paris, pour « vérification de situation ». Ils croupissent depuis lors dans ce camp rudimentaire, d'où il leur aurait été si simple de s'évader s'ils n'avaient redouté d'exposer leur famille à des représailles. Depuis quelques semaines, on arrête aussi les femmes et les enfants. Tâche d'autant plus facile que tous ou presque se sont déclarés aux autorités : que risquait-on, en France, à être en règle avec la loi ? D'autres, comme elle, n'ont été arrachés à leur foyer que depuis quelques jours. Leur arrestation ne les a pas surpris : depuis octobre 1940, la force publique est autorisée à interner les Juifs dans des « camps spéciaux », à la discrétion des préfets.

Car tous sont juifs, tous étrangers : autant dire un délit en France occupée. Ils ont traversé Pithiviers en file indienne, une valise à la main, sous les fenêtres des habitants. Ils sont passés devant la sucrerie, ont enjambé les rails, ont franchi le portail de bois gardé par un gendarme. Une fois enregistrés, ils ont été conduits dans de grandes baraques militaires où des châlits garnis de paille pouvaient accueillir environ cent adultes. « Évidemment, le Loiret se fût bien passé de ce cadeau ! regrettait *L'Écho de Pithiviers*, le 24 mai 1941. Cependant, bien surveillés, les Juifs étrangers ne seront pas trop dangereux. Et il est bien préférable, à tout prendre, de les savoir derrière des fils de fer barbelés qu'à la tête de nos mairies et de nos grandes administrations [...]. L'épuration de la France est donc sérieusement commencée. Reconnaissons qu'elle était bien nécessaire et qu'elle n'avait que trop tardé [1]. »

Les gendarmes français préposés à la surveillance du camp ne sont pas très méchants. Seulement disciplinés. Certains facilitaient les visites, la réception de colis, posaient avec les détenus pour une photo souvenir. Mais depuis l'été 1941, le règlement s'est durci. Refusant le travail forcé dans les fermes avoisinantes, quelques centaines de détenus ont fini par prendre le large. Par mesure de rétorsion, plus aucune permission de sortie n'est accordée et les visites ont été supprimées. Il est devenu illusoire de déjouer la surveillance des gardiens, postés dans des miradors, derrière les clôtures. Les évadés, lorsqu'ils sont rattrapés, sont enfermés quelques jours dans une petite prison de tôle ondulée, en plein soleil. L'administration allemande a décidé de transformer cet ensemble de baraques et celles de Beaune-la-Rolande, bâties en 1940 pour accueillir d'hypothétiques prisonniers de guerre, en camps de transit vers le bagne industriel d'Auschwitz-Birkenau, en Pologne. Là-bas, tous ces Juifs pourront être parqués par dizaines de milliers, loin des regards, et le moment venu – parfois immédiatement – assassinés par le procédé des chambres à gaz, opérationnel depuis 1942.

Les 25 et 28 juin 1942, deux premiers convois d'un millier de personnes ont donc quitté le camp pour une destination inconnue. Et c'est pour maintenir le plein effectif que les rafles et les arrestations, bureaucratiquement qualifiées d' « opérations de regroupement », se multiplient en zone occupée. Entre les arrivées et les départs, le camp de Pithiviers, en ce début d'été, ressemble à un hall de gare. Dans la lettre qu'elle adresse à son mari dès son arrivée, l'après-midi du mercredi 15 juillet, elle ne manque d'ailleurs pas d'évoquer ce tohu-bohu :

Cher amour

Ne t'inquiète pas de moi. Je suis bien arrivée. Il y a du désordre pour le moment, mais la nourriture est très bonne. J'en étais même étonnée. Un colis et une lettre peuvent être envoyés une fois par mois.

Surtout, ne t'en fais pas. Ça se tassera, mon cher aimé. Je t'embrasse ainsi que les enfants de toute mon âme, de tout mon amour.

Irène

Elle n'est enregistrée que le lendemain matin, 16 juillet, par le lieutenant Le Vagueresse, « commandant provisoirement Pithiviers », qui ne s'embarrasse pas d'exactitude et inscrit sur son registre : « Epstein Irène Nimierovski, femme de lettres. » Cette liste est celle des cent dix-neuf femmes qui monteront dans quelques heures à bord du convoi n° 6 pour Auschwitz. Aussi, à quoi bon s'appliquer ? Toutes et tous ignorent cette destination, mais on ne leur a pas caché qu'ils partiront dans la nuit. Jukiel Obarzanek, un bonnetier polonais, engagé volontaire en 1939, écrit à sa famille : « Je viens vous dire que je pars aujourd'hui soir. Je crois que nous partons travailler. [...] Il y a parmi nous des femmes aussi, environ une centaine et elles sont aussi très courageuses [2]. » L'une d'elles est « Irma Irène Epstein, femme de lettres », ainsi que l'indiquait sa carte d'alimentation, confisquée après son arrestation. Elle aussi écrit un rapide billet aux siens, le dernier qu'ils recevront :

Jeudi matin

Mon cher aimé, mes petites adorées

Je crois que nous partons aujourd'hui. Courage et espoir. Vous êtes dans mon cœur, mes bien-aimés. Que Dieu nous aide tous.

Le départ est fixé le lendemain, 17 juillet, à 6 h 15, sous le commandement du lieutenant de gendarmerie Schneider. À l'aube, tout est plus discret. Irène Némirovsky n'est pas restée deux jours à Pithiviers. Il faut faire de la place, et vite, aux milliers de Juifs arrêtés la veille et le jour même à Paris, provisoirement entassés au Vélodrome d'Hiver.

Les déportés, « remis aux autorités d'Occupation », sont pressés à quatre-vingts par wagon, parfois plus. Les femmes n'en occupent probablement qu'un seul. « On ne savait pas où on allait, mais on savait qu'on était déportés, raconte Samuel Chymisz, un survivant. La blague courait qu'on allait au travail. Seulement, on nous a entassés à cent dix par wagon. Et rapidement, une idée nous courait en tête et a fait le tour de tout le wagon : "Si nous devons aller travailler en Allemagne, pourquoi nous a-t-on entassés à cent dix par wagon ? On va arriver en loques !" Et on ne nous a pas donné d'eau du tout. Au mois de juillet, dans des wagons fermés [3] ! » Cette fois, ils commencent à comprendre. Des lettres d'adieux tombent des lucarnes. Certaines parviendront à leurs destinataires.

Samuel Chymisz se souvient que la première étape fut la gare de Chalon-sur-Saône, à soixante kilomètres à vol d'oiseau d'Issy-l'Évêque. C'est dans ce bourg de Saône-et-Loire qu'Irène Némirovsky a vécu les deux premières années de l'Occupation et écrit ses derniers romans. En ce moment même, Michel Epstein, cloué à domicile par les lois du régime de Vichy, y multiplie les appels, les télégrammes et les courriers pour venir en aide à sa femme par tous les moyens. Il n'obtient que des réponses inquiétantes, tel ce télégramme reçu d'un intermédiaire de la Croix-Rouge, quincaillier à Pithiviers, ce même 17 juillet : « Inutile envoyer colis n'ayant pas vu votre femme. »

Le convoi n° 6 mettra trois jours et deux nuits à gagner Auschwitz-Birkenau. Samuel Chymisz : « On tendait nos mains à travers le grillage, il y avait des Français sur les quais... "Un peu d'eau, s'il vous plaît, un peu d'eau !" Pas un Français n'a bougé pour nous donner un peu d'eau. Pas un. Ils avaient peur ou ils s'en foutaient, je n'en sais rien [4]. » Et pas une seule fois à manger, alors que le dernier wagon, bizarrement, était chargé de victuailles. Passé la frontière, dans les gares allemandes, les civils rient en apercevant les mains et les visages par les lucarnes. Certains crachent.

Tous n'arrivent pas vivants à la *Judenrampe* d'Auschwitz-Birkenau, le 19 juillet vers 19 heures. Les uns, asphyxiés, piétinés ou déshydratés, ont été débarqués en chemin. D'autres sont tombés sous les balles de SS qui ont tiré sur les wagons pour faire cesser les plaintes. Les survivants, meurtris par la station debout, la privation de sommeil, la chaleur, la promiscuité, les inévitables bagarres, l'odeur suffocante, peuvent à peine marcher. Il leur faut pourtant parcourir la distance qui les sépare du camp, sous les coups de schlague, le fouet et les aboiements. « On voulait prendre nos bagages. *Keine bagage nicht !* On a dû les laisser dans le train. En descendant, on a vu des espèces de cadavres qui marchaient, habillés de costumes rayés, avec un ridicule petit chapeau sur la tête, qui montaient dans les trains et qui envoyaient les bagages par terre. Puis on nous a mis tout de suite en rangs. *Linkt, recht* [5] *!* »

Les femmes sont séparées des hommes. Leurs bijoux, leurs alliances sont confisqués. Elles sont fouillées, douchées, rasées, habillées de droguets rayés, tatouées des numéros 9550 à 9668. Les hommes, de 48880 à 49688. Près de deux cents dépendaient de la préfecture de Dijon, mais la plupart étaient des artisans parisiens : tailleurs, chausseurs, forains, maroquiniers, joaillier, teinturier, chauffagiste, ébéniste, drapier, boucher, riveur, fourreur, coiffeur, infirmier, brocanteur, ferrailleur... Vraiment rien à voir avec les « tout-puissants » Juifs « insinués aux meilleures places », dénoncés par la propagande [6].

Parmi ces hommes, un compositeur, Simon Laks, à qui les SS confieront l'orphéon du camp. Et parmi ces femmes, une romancière, Irène Némirovsky, qui pas une seconde n'a songé à s'enfuir de France, « le plus beau pays du monde [7] », parce qu'elle était soutien de famille et rêvait en français depuis très longtemps. Elle ne survivra pas un mois dans cette nouvelle Sakhaline. Aucun Tchekhov pour témoigner de sa misère, de « cette semence de folie, de cruauté, de haine et de mort » jetée à pleines poignées, et qui a levé « en de si terribles moissons [8] ». Le 19 août 1942 à 15 h 20, selon le certificat d'Auschwitz, Irène Némirovsky succombe à une « grippe ». En langage concentrationnaire, une épidémie de typhus. Elle avait trente-neuf ans et était asthmatique.

« Donc, je ne regrette rien, pensa-t-elle. Donc, j'ai été heureuse. Je ne le savais pas, mais j'ai été abreuvée de bonheur. J'ai été aimée. Je suis aimée encore, je le sais, malgré la distance, malgré la séparation [9]. » Elle laisse un mari et deux fillettes tendrement chéris. Ainsi qu'un roman inachevé, *Suite française*, dont le troisième volet devait s'intituler : *Captivité*.

PREMIÈRE PARTIE

UNE VIE ANTÉRIEURE

(1903-1929)

1

Le plus beau pays du monde

(1903-1911)

> *« Mais c'étaient là des temps légendaires, ces temps lointains où les jardins de la plus belle ville de notre Patrie abritaient une jeune génération insouciante. Alors, oui, alors dans les cœurs de cette génération s'ancrait la conviction que toute la vie se passerait en blanc, sereine, calme ; les aubes, les couchants, le Dniepr, le Krechtchatik, les rues ensoleillées l'été et, l'hiver, une neige sans froidure, sans rudesse, une neige épaisse et tendre... Et c'est tout le contraire qui est arrivé. »*
>
> Boulgakov, « La Ville de Kiev »,
> *Nakanounié*, 6 juillet 1923

À Kiev, vers 1910, un horticulteur à l'enseigne de *la Flore de Nice* vendait des hortensias et des roses de Noël. L'affaire fut-elle prospère ? Dans la capitale ukrainienne, les rues étaient « tellement entourées de tilleuls qu'au printemps on marchait sous une voûte de fleurs et sur un tapis de fleurs [1] ». Dès la fin de l'hiver, jacinthes et pissenlits bravaient les dernières bourrasques de neige. En quelques jours, les tilleuls du vieux parc Revni se remplumaient de blanc et le parc Marinski, en équilibre sur les falaises d'argile rouge s'éboulant vers le fleuve, se garnissait de bosquets mauves. Puis c'était une explosion de pollens, qui couvrait d'ouate le Krechtchatik, principale avenue de la ville.

Pas un auteur que n'ait frappé cette crue végétale inondant chaque année le quartier du Pétchersk, cœur haut perché de

Kiev. Lorsqu'il la retrouve en 1923, ravagée par quatre années d'assauts et de pillages successifs, Mikhaïl Boulgakov, qui est né là trois décennies auparavant, n'a pas oublié le joyeux éclat printanier : « Les jardins étaient blancs de fleurs, le jardin des Tsars s'habillait de vert, le soleil défonçait toutes les fenêtres, y allumait des incendies [2]. » Et Irène Némirovsky : « Qu'il est beau, le printemps, dans ce pays ! Les rues étaient bordées de jardins et l'air sentait le tilleul, le lilas, une douce humidité montait de toutes ces pelouses, de ces arbres pressés les uns contre les autres, répandant leur parfum de sucre dans le soir [3]. » Quel besoin y avait-il donc d'un horticulteur niçois dans la ville de Kiev, à ce point saturée de parfums que chaque soir, avant le concert en plein air au parc Koupetcheski, il fallait d'abord asperger les parterres de giroflées et de fleurs de tabac pour en rabattre les effluves et prévenir les quintes de toux ?

L'odeur des plaines

C'est dans ce vaste jardin botanique percé de larges avenues, agrémenté de kiosques à musique et de terrasses aux stores striés, que vit le jour, le 11 février 1903, une fillette prénommée Irma pour la synagogue, et Irina comme la nièce du tsar. Des innombrables bastions de verdure préservés au cœur de la ville, cette petite fille, devenue romancière, en énumère quatre : « le square Nicolas, le Jardin botanique, et, sur les collines, le Jardin du Tsar et le Cercle des Marchands [4] ». Le second, immense et raviné, pourvu d'un étang, traversé d'allées de tilleuls centenaires, lui a laissé la plus forte impression, peut-être parce qu'il était le plus proche de la rue Pouchkine où, lorsqu'elle avait sept ans, habitaient ses parents. « C'était un lieu assez sauvage et abandonné. Dans les cages de fer vivaient quelques bêtes somnolentes ; un aigle du Caucase rongé par la vermine, des loups, un ours qui haletait de soif [5]. » On pourrait encore mentionner le square Nicolas-Ier, le parc centenaire du Lycée n° 1, ou encore les terrasses de verdure suspendues sur le Dniepr, le Dvortsovy et le Koupetcheski d'où l'on embrasse la ville basse du Podol. Sans oublier les ponts plantés d'arbres numérotés, ni ces friches préservées au cœur de la cité, comme autant de remords de la steppe d'où provenait par bouffées une odeur de ruchers.

Or Irotchka, ainsi qu'on l'appelait en famille, était asthmatique. Affection héréditaire. Ses crises seront fréquentes, violentes. Un bouquet de fleurs suffit à l'étourdir. Il n'y aura jamais chez elle qu'une tulipe solitaire dans un vase ou des pois de senteur sur le balcon. À Paris, il lui faudra importer ses inhalateurs de Suisse. Et les souvenirs sensitifs de sa ville natale seront ceux d'une enfant capable de décomposer d'instinct « la saveur particulière de l'air[6] », acuité qui la rendra si réceptive à la distillation proustienne. À Kiev, se souvient donc la narratrice du *Vin de solitude*, « autobiographie mal déguisée » entreprise en 1933, « l'air embrumé de poussière sentait le crottin et les roses [7] ».

Les coupoles rococo de Saint-André et le palais Marie dont Rastrelli fils l'avait dotée en 1762, la profusion de théâtres, le trolleybus inauguré en 1892 ne pouvaient faire oublier que Kiev était la capitale d'un très vaste champ de seigle et de sarrasin. Le soir, aux moissons, une poussière de paille venue des labours prenait à la gorge. « Une trouble et rouge lumière errait au bas du ciel ; le vent ramenait vers la ville l'odeur des plaines ukrainiennes, une faible et âcre senteur de fumée et la fraîcheur de l'eau et des joncs qui poussaient sur les rives [8]. » Le Dniepr, hésitant dans cette glèbe, s'y répandait en méandres gigantesques. La débâcle repoussait la rive opposée loin derrière l'horizon. De la butte où la statue du prince Vladimir brandissait sa croix constellée de bulbes électriques pour guider les bateliers, s'étendait une mer aveugle de soleil. Bernard Lecache, venu recueillir en 1926 les témoignages de Juifs ayant survécu aux treize cents pogroms de la guerre civile, ne pourra s'empêcher de contempler un instant la splendeur de Kiev, « pleine d'arbres, vallonneuse comme un corps de femme, belle autant qu'une ville peut l'être [9] ».

Pour la petite fille au souffle court, ce paradis botanique serait à jamais une serre étouffante, variante olfactive du fameux excès russe. « Les jours chauds d'été, la sonnette du marchand de glaces, les fleurs écrasées sous les pas, froissées entre les mains, trop d'herbes, trop de fleurs ; un parfum trop suave, qui trouble et endort l'esprit ; trop de lumière, un éclat sauvage, les chants d'oiseaux dans le ciel : c'était son pays [10]. »

L'Ukraine. À Kiev, sa capitale, était née la Russie des tsars. Même Andréi Biély, moscovite de naissance, pétersbourgeois de cœur, pour qui les autres villes russes ne sont « qu'un misérable tas de bois », l'a reconnu sans détour : « La mère des cités russes, c'est Kiev [11]. » Le prince Oleg, au terme d'un siège victorieux, y installa la première dynastie *rus* en 882. Convertie au catholicisme un siècle plus tard, sous le règne de Vladimir, qui fit baptiser tout son peuple par immersion dans le Dniepr, Kiev aura connu les guerres, les sacs, jamais l'abandon : voie naturelle de la Baltique jusqu'à Constantinople, le fleuve n'aura cessé de réapprovisionner la ville en hommes et d'y entretenir le commerce. Aussi son statut de berceau de la Russie, fût-elle la Russie immémoriale et arriérée, ne lui a jamais été contesté.

Revoir Paris

Ce berceau était-il bien le sien ? En octobre, le départ des bateaux vers leurs bassins d'hivernage annonçait les gelées. Les Némirovsky faisaient alors leurs bagages pour un lointain pays. Vichy, Plombières, Vittel, Divonne... Les villes d'eaux où leur petite fille pouvait soigner son asthme offraient à ses parents, Anna et Leonid, les souverains bienfaits du casino. Préférant encore l'un de ces cercles niçois où Paul Bourget venait de situer son *Piège*, ils n'hésitaient pas, pour rejoindre la Côte d'Azur, à abandonner l'enfant aux soins d'une gouvernante. Irène Némirovsky se rappelle que, de retour à Kiev, son affairiste de père « jouait, jonglait ou s'absorbait sur une vieille roulette, ramenée de Monte-Carlo », symbole de son tempérament parieur. Quant à sa mère, une photographie qui l'exhibe en robe satinée, reins cambrés, les bras et les cheveux noués de perles noires, le front empanaché d'une aigrette, suggère l'agrément qu'elle recherchait dans les palaces et les salles de jeux : elle désirait d'autres regards que ceux de son mari, qui brasillaient d'intelligence et de volonté plus que de concupiscence. Mais un sourire satisfait trahit son vœu. C'est bien ce portrait que sa fille décrira en 1928 : « Petite mère, en toilette de bal, les épaules nues, avec son sourire naïf et triomphant qui semblait dire : "Regardez-moi ! N'est-ce pas que je suis belle ? Et si vous saviez comme ça me fait plaisir !" » En somme, une « ravissante poupée [12] ».

Ces hivers français duraient parfois quatre saisons. Ils commençaient à Paris où, fille unique, Irina débarquait en train avec parents et domestiques. « Depuis l'âge de quatre ans, jusqu'à la guerre, j'y suis venue tous les ans régulièrement. J'y avais séjourné la première fois pendant un an. J'ai été élevée par une institutrice française, et avec ma mère j'ai toujours parlé français [13]. » Aussi est-il permis de sourire lorsque Henri de Régnier, refermant en 1935 *Le Vin de solitude*, croit pouvoir dire que « Némirovsky écrit russe en français [14] ». Car elle était un écrivain français que le hasard fit naître à Kiev, et son russe, moins inné que livresque, devait demeurer imparfait. Pour Irène Némirovsky (« un nom russe, très difficile à prononcer [15] »), le russe restera cette « langue sauvage et douce [16] », mal policée, de l'Orient où elle est née. En comparaison de l'effervescence parisienne, du théâtre permanent de la Riviera, de la variété des paysages français, l'Ukraine, dont le nom même désigne les confins, lui paraissait un désert de labours ou de neige entrevu par le carreau d'une voiture, « un pays très plat, où le regard n'est pas arrêté aussitôt, comme en France, par une colline ou par les toits d'un village [17] ». On jurerait que Tchekhov pensait aux Némirovsky lorsqu'il écrivit : « pour eux, Paris, c'est la capitale, la résidence, tandis que le reste de l'Europe n'est que province ennuyeuse, incohérente, que l'on ne peut regarder qu'à travers les stores baissés des Grands Hôtels [18] ». En France, au contraire, régnait un éternel printemps. Aussi les premiers mots connus de sa main, griffonnés au revers d'une carte postale oblitérée à la gare de Vichy, un 12 août 1912 ou 1913, sont-ils en français : « Je vous envoie la source Chomel où je bois chaque matin. Maman vous remercie pour votre lettre mais je crois que nous irons à Biarritz. À bientôt. Irène Nemirovsky [19]. »

À Kiev, la mémoire des sens. À Paris, la nostalgie de l'âme. Car « Kiev était, à cette époque, une petite ville provinciale, sombre et tranquille [20] », tandis qu'Irène « sentait son cœur fondre de tendresse au souvenir de Paris, des Tuileries », de « cette lune jaune qui s'élevait lentement au-dessus de la colonne Vendôme [21] ». À Kiev gisaient des souvenirs imprécis, mystérieux, voire inquiétants : « Les cris du chouroum-bouroum, du marchand de tapis... Les petits enfants aux cheveux rouges, les acrobates qui venaient faire des tours, l'hiver, sous les fenêtres... Et le vieillard fou qui avait été chanteur de l'Opéra et qui croyait chanter encore, qui se couvrait d'oripeaux, une couronne de feuilles sèches sur la tête, qui faisait de grands gestes et s'imaginait qu'il chantait, mais pas un son ne sortait de ses lèvres [22]... » Du Paris de son enfance, Irène Némirovsky conservait en 1934 le souvenir non moins trouble « des singes du Jardin des Plantes et de leur sexe écarlate »; mais surtout, c'était là qu'elle avait joué, aux Tuileries ou aux Champs-Élysées, avec des petits Français. « Maman, ce n'est pas possible, objectera sa fille Denise, en 1936. Tu ne peux pas avoir connu ça autrefois, puisque toi tu es étrangère [23]... » Ainsi sa vie, « comme toutes les vies, avait son havre de lumière. Tous les ans, elle retournait en France, avec sa mère et Mlle Rose... Avec quel bonheur elle revoyait Paris!... Elle l'aimait tant [24]! »

Zézelle

Mlle Rose? En lui prêtant ce nom fragile, Irène Némirovsky précise en 1936 qu'elle a voulu faire « le portrait aussi fidèle que possible » de son ancienne préceptrice. « Je dis "aussi fidèle que possible", car ce personnage esquissé d'après la réalité m'a coûté bien plus de peine que si je l'avais inventé [25]. » Non que le souvenir s'en fît prier, mais elle craignait de flétrir le souvenir de sa pauvre gouvernante française, qu'elle avait fini par bouder. Comme elle devait regretter son ingratitude! « Pendant de si longues années et exprès, je n'ai pas prononcé son nom. Mes lèvres malhabiles se refusent à le dire. [...] Je n'ai plus envie de l'appeler Zézelle, c'est trop sacré. Je verrai. Mademoiselle Rose, c'est bien aussi... »

Peut-être Zézelle avait-elle un frère. Peut-être avait-elle grandi au couvent des Ursulines. Peut-être sa peau était-elle douce : si l'invention, dans *Le Vin de solitude*, vient au secours de la mémoire, elle ne la trahit pas. D'origine méridionale, « elle était ordonnée, exacte, méticuleuse, Française jusqu'au bout des ongles, un peu sur son "quant-à-soi", un peu moqueuse. Jamais de grands mots. Peu de baisers [26] ». Elle était si menue qu'à douze ans, Irotchka l'eut presque rattrapée. Anna Némirovsky, au goût du jour, avait recruté cette femme frêle et droite au Home français de Kiev, une agence de placement qui fournissait la bourgeoisie kiévienne en « petites bonnes » françaises.

À l'enfant qui lui fut confiée, Marie – ainsi qu'elle se prénommait en réalité – transmit les rudiments de sa langue. « Elle chantait d'une voix petite, mais si limpide et si juste. Elle m'a appris : "La tour prends garde", "Malbrough" et "Les bas noirs, les bas noirs..." puis "Nous n'irons plus au bois", "Valsez, fillettes, valsez coquettes, marionnettes du gai Paris". » Mais aussi les dictons français : « Aide-toi, le ciel t'aidera. » Une photo abîmée la montre, vêtue de noir, un journal parisien sur les genoux, quoiqu'elle eût plus souvent les mains à son ouvrage. On ne voit pas sa chaîne d'or en sautoir sur sa poitrine, mais, la taille « faite au tour d'autrefois », elle est telle qu'Irène Némirovsky – que l'on reconnaît derrière son épaule droite, un sourire désolé, deux faveurs blanches dans les cheveux – tentera de la décrire vingt ans plus tard : « Presque toujours, la chemisette blanche à petits plis, lingerie ou broderie anglaise et quelquefois un tablier de satinette noire, des pieds fins, chaussée de bottines noires à boutons. Sur le cou, un ruban de velours. [...] Un visage qui a dû être joli d'une gracieuse et fine beauté de grisette, "beauté du diable", vite passée, gardant encore la forme de la fort jolie bouche, en forme de cœur, souriante et bonne. De petites dents de souris. Le reste des traits fins, irréguliers, que l'âge, la cinquantaine couvre de petites "griffes" légères, des yeux noirs fatigués, et les cheveux malgré l'âge d'un châtain foncé léger, noir aux reflets bleuâtres, en anneaux de fumée, à l'ancienne mode, assemblés au-dessus du front découvert. » Le visage de la France, vertueuse et réservée.

Le savon fin et l'essence de violette

Irina pressentait que sa mère ne lui sacrifierait pas sa trentaine. Son *self made man* de mari, infatigable « chercheur d'or », promettait de devenir assez riche pour lui racheter une jeunesse. Si sa vanité avait pu prévoir cette fortune, aurait-elle commis la bêtise de s'encombrer d'une fillette « qu'il fallait traîner à travers l'Europe », un vivant et coûteux reproche qui ne cesserait de lui rappeler qu'elle n'était plus une jeune femme ? Grâce à Dieu ou à l'avortement, Irina resterait l'unique enfant de cette mère capricieuse.

Avant l'âge de dix ans, Irotchka comprit qu'elle ne pouvait espérer de tendresse que de « Zézelle », tandis que sa mère se réservait les gronderies et les remontrances, assenées vingt fois par jour :

— Tu as froid, et tu ne le dis pas, imbécile ! Mets ta jaquette ! Tout de suite, tu entends, tout de suite ! Fais voir ton pouls... Il ne manquerait plus que cela, que tu sois malade... Ne fais pas aller tes narines, je te prie, quand on te fait une observation... Tiens-toi droite !!! Combien de fois faudra-t-il te le répéter ? Je te jure, tu me feras mourir [27]...

Quant aux caresses, il n'y fallait pas songer, sinon pour acheter son pardon, car cette « mère hargneuse » se voulait magnanime. Voyant que Zézelle veillait seule sur elle, Irina lui reporta toute sa tendresse, vouant à Anna une haine délectable, suggérée par l' « odeur étrange » du chemisier « où se mêlaient le parfum haï de sa mère, un relent de tabac et une odeur plus riche, plus chaleureuse, qu'[*elle*] ne pouvait ni deviner ni reconnaître, mais qu'elle respirait avec étonnement, avec malaise, une sorte de sauvage pudeur [28] ». Au contraire Zézelle sentait « le savon fin et l'essence de violette », arôme même de l'arrière-pays niçois. Elle pardonnait tout. « Dans mon enfance, elle représentait le refuge, la lumière. Combien de fois elle m'a consolée, quand j'étais injustement punie, rudoyée, grondée. Elle m'apaisait, elle était pleine de mesure, de sagesse... »

Anna était jalouse. Sachant où frapper, elle usait chaque fois de la même « lâche menace » : « Il est vraiment temps qu'on te trouve une Anglaise pour t'apprendre à te tenir convenablement ! » Irotchka était ulcérée. « Est-ce que je peux, après tant d'années, bien décrire ce qui se soulevait en mon âme, quelle tempête de ressentiment, de douleur, d'orgueil blessé ? Ce n'était pas tellement les paroles qui, dites doucement, avec un sourire, auraient pu sembler tolérables, c'est l'accent haineux que je ne puis pas rendre, l'accent qui, d'avance, posait la mère en ennemie. » Et dire qu'il fallait encore embrasser cette joue crayeuse « qu'on avait envie de labourer de ses griffes » et dire : « Pardon, maman, je regrette, je ne le ferai plus. » Plusieurs romans ne tariront pas ce cœur gros de fiel, contraint à la comédie.

De sa mère, Irina hérita la petite taille, les yeux marron, le regard las. Mais, tandis qu'elle tenait de son père cette grande bouche qu'elle n'aima jamais, celle d'Anna était mince, petite à force d'être pincée, et ses lèvres étaient « pâles, jamais en repos, jamais naturelles, sauf dans le cri ». Elle avait le teint blanc et cette « mâchoire carnassière » qui lui composaient une « haïssable beauté ».

Lors de leurs premiers séjours parisiens, les Némirovsky ne pouvaient encore descendre dans les hôtels de luxe. Cependant, même lorsque Anna put passer une partie de l'année à Paris, laissant Leonid à son labeur obstiné, Irotchka et sa gouvernante étaient logées à part, le plus souvent dans un hôtel de seconde catégorie. La romancière aura tout loisir de se forger une enfance bohème dans *L'Ennemie*, l'un de ses premiers romans. « [*Elle*] savait qu'il n'était pas toujours opportun de venir se fourrer dans les jupes de Petite mère, quand celle-ci s'en allait lentement, sous les arbres, avec un monsieur inconnu [29]. » Elle fut pourtant cette demi-orpheline, même si l'abandon lui procurait un délice inconnu : celui d'observer sa propre vie à distance. En 1938, elle se rappellerait encore la Cité du Retiro, faubourg Saint-Honoré, où sa mère l'avait casée dans une chambre mal chauffée, car son bon plaisir n'avait pas besoin de témoin. « De tous les hôtels que j'ai connus dans mon enfance, celui-là était le plus affreux, justement parce que sa misère était froide et décente [...]. C'était... voyons... un quartier épatant (la Madeleine, c'est tout dire), des grilles que l'on fermait à la nuit au fond d'une cour, une espèce de pavillon noirâtre. [...] Mais ici le courant était coupé dans le jour par mesure d'économie, et on sentait l'odeur de la mauvaise cuisine, et on voyait des ombres passer, descendre l'escalier et traverser le petit salon. » Décor balzacien, qui resservira dans *Le Maître des âmes* [30] à abriter les débuts misérables du docteur Asfar.

Mais parmi ce sordide : Zézelle. « Elle avait un fond de gaîté qui, pendant longtemps, avait persisté sous la tristesse, sous la douleur. [...] Je n'aimais vraiment qu'elle au monde. » Anna dut haïr cet ange triste, tandis qu'elle-même s'efforçait de maquiller sa nature colérique. Enjeu de cette sourde rivalité, Zézelle devait chèrement payer son rôle de mère substitutive...

Carnaval de Nice

De Paris, *via* Vichy, les Némirovsky terminaient la morte saison à Cannes ou à Biarritz – où, comme dit Tchekhov, « tout Russe se plaint qu'il y a trop de Russes [31] ». À Nice, en février 1906, la fille et la mère purent assister aux festivités du carnaval. Le thème, cette année-là, était Arlequin-Soleil. Sa Majesté, dessinée par l'extravagant Mossa, représentait Arlequin chevauchant un aigle bleu. Mais le défilé des masques sur la promenade des Anglais frappa surtout la jeune imagination d'Irotchka, qui venait de fêter son troisième anniversaire, âge des premiers souvenirs tenaces. Lorsque, en décembre 1932, en marge de son roman *Le Pion sur l'échiquier*, Irène Némirovsky croque dans son cahier Gallia les « masques » de ses héros, c'est en souvenir des têtes grimaçantes [32] d'où ne dépassaient que les mollets et les pieds des carnavaleux. Pas étonnant que les premiers lecteurs de *David*

Golder, en 1930, furent frappés par les rudes faciès de ses personnages, types balzaciens aggravés, allant jusqu'à parler, comme Theodore Purdy, le réputé chroniqueur de *The Nation*, de « caricatures plutôt que de figures vivantes, mais dessinées avec quelle fermeté, quelle cruauté [33] ! ». Sans rien dire des personnages juifs de ses premiers textes, qui sembleront pétris dans du carton bouilli.

En prenant leurs quartiers d'hiver à Nice, les Némirovsky ne faisaient que suivre la mode lancée par la tsarine Alexandra en 1856 – quoique quelques hommes de lettres, Gogol, Lermontov, l'eussent précédée. Depuis son rattachement à la France en 1860, la baie de Villefranche-sur-Mer était devenue une petite Crimée, et c'est à l'église orthodoxe de Nice, depuis 1865, que reposait le tsarévitch. Ironiquement, la noblesse russe et la cour impériale y côtoyaient les nihilistes en exil qui œuvraient à leur extinction, au grand dam des Anglais en hivernage. À la faveur du dégel politique, on assisterait après 1905 au chassé-croisé des aristocrates en villégiature et des anarchistes de retour au pays, les poches pleines de tracts et d'explosifs. Irène Némirovsky s'en souviendra dans *L'Affaire Courilof*.

C'est entre 1900 et 1914 que s'épanouit la colonie russe de la Côte d'Azur. Les Némirovsky ne font pas partie des quelque six cents propriétaires répertoriés en 1914. Ils préféraient le confort du Terminus Hôtel ou du Ruhl, qui venait de succéder à l'ancien Hôtel des Anglais, et dont le *Journal de Saint-Pétersbourg*, feuille financière paraissant en français depuis presque un siècle, où l'on pouvait parfois lire des pages choisies de Vigny et Barrès, faisait inlassablement la réclame. Ces palaces donnaient des bals, organisaient des concours de chapeaux ou des expositions florales qu'Anna n'aurait manqués pour rien au monde. Aux courses de Nice, les élégantes étrennaient leurs tailleurs-jaquettes, dont la mode remontait à 1906. Là aussi, on pouvait apercevoir les princesses Paléologue ou Faucigny-Lucinge, le prince de Bourbon, le duc de Choiseul-Praslin, les Breteuil ou les Montebello, et croire un instant que, sur la baie des Anges, les privilèges n'étaient pas abolis. Ce frisson, qui lui faisait oublier le quartier juif d'Odessa où elle était née, le yiddish qui lui montait à la bouche lorsqu'elle s'emportait, valait tous les Noëls russes de la Côte d'Azur. Anna Némirovsky, alors, se prenait pour une

Française et, greffant un « j » ou un « f » à son prénom, se faisait appeler Jeanne ou Fanny.

Dans *La Vie mondaine*, « journal de la high-life » paraissant sur la Riviera, mensuel l'été mais hebdomadaire l'hiver, on pouvait consulter la « liste des étrangers » en résidence à Nice, Cannes ou Menton. N'en citons que quelques-uns, qui firent les beaux jours de la Côte entre 1880 et 1910 : les grands-ducs Wladimir, Alexis, Serge et Paul, frères d'Alexandre III ; le comte Serge Tolstoï, chambellan de l'empereur ; Mme de Dourousoff, qui tenait un salon très couru ; l'artiste ukrainienne Marie Bashkirtseff, partageant avec ses chats la villa Acqua-Viva, sur la promenade des Anglais ; ou encore Joseph Kessel, collégien au lycée Masséna. À ces noms, n'oublions pas d'ajouter celui d'Anton Tchekhov qui fit à la pension russe « L'Oasis » un séjour climatérique en mars 1898 ; « le carnaval, les livres français, jusqu'aux almanachs qu'il lisait avec délices, tout l'intéressait [34] », écrira Irène Némirovsky, en écho à son souvenir émerveillé de la Riviera : « Nice. Les pelouses du *Négresco*... Ce n'est pas le luxe qu'on admire. On imagine une vie parfaite où tout est ordre et beauté... le paradis, quoi ! »

Et voilà pourquoi, vers 1910, à Kiev, plus fleurie qu'un char de carnaval, s'était établi un horticulteur baptisé *À la Flore de Nice* : la France était en vogue dans la capitale ukrainienne, comme elle l'était à Saint-Pétersbourg où « il était de bon ton d'envoyer son linge à blanchir à Paris ou à Londres », tandis que la bonne société « affectait de parler français et de prononcer le russe avec un accent étranger [35] ». À Kiev, une femme de goût prenait le thé *À la marquise* et se fournissait *Au chic parisien*, rue Teatralnaïa. Dans un épisode écarté des *Chiens et les Loups*, Irène Némirovsky mentionne également *Aline*, modiste parisienne, sur le boulevard. Tant d'élégance ne pouvait que séduire Anna Némirovsky, qui aimait à se faire appeler Anna Ivanovna, comme la nièce de Pierre le Grand. La plus germanophile des tsarines – mais « la plus russe de toutes les tsarines russes » selon Rémizov [36] –, qui dirigea l'Empire d'une poigne d'airain de 1730 à 1740, était restée célèbre pour les milliers d'opposants arrêtés, torturés ou déportés en Sibérie sous son règne, mais aussi pour la faveur qu'elle accorda aux arts – le ballet en particulier.

La grande vie

« Raffinée et autoritaire [37] », telle devait bien demeurer « Fanny » dans la mémoire familiale, et telle l'a dépeinte sa fille dans le roman de son enfance amère : « Elle était grande, bien faite, "un port de reine" [38]. » Pourtant elle était petite, un mètre soixante tout au plus. Toujours poudrée jusqu'à un âge avancé, redoutant que les baisers de sa fille ne la défardent, enjouée aussi car « le chagrin vieillit et abîme la figure [39] ». Quoique son état civil indique la date du 1er avril 1887, Anna Margoulis était née vers 1875 [40]. Cet artifice réussit à tromper quelques amants, puis quelques gigolos, enfin quelques braconniers d'héritage. Mais, chez elle, la lasciveté et le mensonge égalaient la vénalité. À Kiev, déjà, elle faillit divorcer de Leonid car elle s'était éprise d'un riche Russe. Il fallut que l'amante de celui-ci, une jeunesse de dix-huit ans, fille d'un tailleur juif qui vivotait dans un entresol, vînt elle-même la supplier de lui abandonner ce parti pour qu'Anna, effarouchée, accepte de renoncer à son caprice [41].

Anna Némirovsky ne dut pas apprécier qu'une jeune Juive vienne ainsi lui mendier sa solidarité. Car, à son vif déplaisir, ses parents étaient juifs, tout comme Leonid. Or les Juifs, depuis Catherine II, étaient assignés à des zones de résidence hors desquelles ils s'exposaient à être arrêtés. Et leurs droits civiques n'étaient toujours pas reconnus dans la Russie de Nicolas II. Ces restrictions humiliantes étaient appelées « incapacités ». Ne serait-ce qu'à Kiev, sauf à bénéficier d'un passe-droit, à être pharmacien ou ancien soldat – partis fort prisés –, seuls les commerçants et financiers juifs de « première guilde » étaient autorisés à résider en ville, et non dans les faubourgs. C'était le cas du banquier Leonid Borisovitch Némirovsky, comme celui du bijoutier Aron Simonovitch, né à Kiev en 1873, qui devait s'élever jusqu'à devenir l'agent financier de Raspoutine. De tels privilèges avaient été accordés aux Juifs les plus évolués socialement par le libéral Alexandre II, mais son assassinat, en 1881, avait replongé le monde judéo-russe dans l'arbitraire et l'exception.

Bien consciente de cet apartheid, Anna prenait soin de choisir ses amants parmi les Gentils. Elle défendait aussi que l'on parle yiddish ou que l'on prépare des plats juifs sous son toit, coutumes archaïques, incompatibles avec les meubles français rapportés du faubourg Saint-Antoine, les romances françaises qu'elle chantait en s'accompagnant au clavier, les toilettes françaises achetées rue Auber et étrennées à Biarritz, les *Femina* et autres revues de mode imprimées à Paris. En cela, Anna ne déparait guère de tant de parvenus de la ville haute, « gonflés d'importance », uniquement préoccupés de donner le change aux bourgeois, tels que les a plaisamment décrits – en yiddish – Cholem Aleikhem, qui vécut à Kiev à la Belle Époque : « On va prendre les eaux à l'étranger ; les dames vont parées d'or et de velours ; les enfants roulent sur des "vélécipèdes" ; à la maison, on a des gouvernantes, on parle français et on joue du piano, on mange des confitures et on boit des liqueurs ; on dépense sans compter. En un mot, c'est la grande vie [42]... »

Mademoiselle Libellule

Anna avait reçu de ses parents une éducation parfaite. Médaillée d'or du Gymnasium de Kiev – l'école supérieure de jeunes filles –, elle put à ce titre y enseigner un temps. Des professeurs du Conservatoire lui avaient appris le piano. Coquette, elle adorait les fourrures, les parfums et les confiseries du Pétchersk, les fameuses *tsoukiernias* avec leurs pyramides de loukoums et de fruits confits. D'où, sans doute, sa « tendance à l'embonpoint qu'elle combattait par l'emploi de ces corsets en forme de cuirasse que les femmes portaient en ce temps-là et où les seins reposaient dans deux poches de satin, comme des fruits dans une corbeille [43] ». Gourmandise héritée de son père, Jonas Margoulis.

De lui, du moins, elle pouvait être fière. Né en 1847 à Odessa, Jonas – qu'on préférait appeler Iona ou Johann – se souvenait lui aussi avec nostalgie du carnaval de Nice, de l'Opéra de Paris dont il raffolait et, non loin, boulevard des Italiens, de la *Maison dorée*, meilleur restaurant de France jusqu'à sa fermeture en 1902, où il avait croqué son héritage. Irina, rêveuse, l'écoutait évoquer ce temps béni :

— J'allais toutes les après-midi prendre l'air sur le boulevard. Il est planté d'arbres, on y rencontre les plus belles femmes mollement étendues dans des calèches...

Tant d'années après, il parlait encore parfaitement le français, quoique avec une pointe d'accent : « Il disait : "Ma petite *file*" en appuyant fortement sur la dernière syllabe ainsi transformée... Sa conversation était la seule où se mêlât un souci de culture... » Il avait lu Racine, Voltaire, Hugo – qu'il prononçait « Hougo » – et pouvait encore réciter le « Songe d'Athalie » ou « La feuille » d'Arnault, languissant loin de France [44] :

De ta tige détachée,
Pauvre feuille desséchée,
Où vas-tu ? — Je n'en sais rien...

Iona n'avait pas seulement appris le français et la musique. Il avait fréquenté l'École de commerce Nicolas-Ier d'Odessa, dont il était sorti diplômé. En ce temps-là « il était jeune, bien portant, avec ses belles dents, ses mouvements vifs, la flamme de ses yeux, rayonnant d'intelligence [...] sous les gros sourcils touffus ». Déjà fringant, d'un soin maniaque, il portait une barbiche à l'impériale. Son épouse, Rosa Chtchedrovitch, dite Bella, petite femme très douce, timide et dévote, ne se séparait jamais de son livre de prières. D'elle, Irène Némirovsky conservera le souvenir d'une petite vieille blanchie, inquiète et désœuvrée, mal aimée de sa fille et de son mari, usée par les chagrins et les travaux ménagers, traitée en domestique, et qui n'avait jamais été jeune. « Pauvre femme, petite, mince, fluette, dans mon imagination, toujours semblant avoir 75 ans, boitant rapidement sur une jambe, un visage effacé comme une vieille photographie, les traits flous, jaunis, délayés dans les larmes... »

Rosa était née en 1854 dans la « ville nouvelle » d'Ekaterinoslav, capitale céréalière de l'Ukraine, mais sa famille était originaire d'Alexandrovsk [45], à cent kilomètres au sud sur le Dniepr. Ses parents, « de gros marchands de blé » fortunés, parents de douze enfants dont l'un était son jumeau, l'avaient pourvue d'une dot coquette. Néanmoins, elle reconnaissait volontiers que les Margoulis étaient d'une autre volée :

— Quand je me suis mariée, ton arrière-grand-père a fait bâtir une synagogue à Alexandrovsk... Ma robe de mariée a été commandée à Odessa et amenée par le fleuve, sur un navire prêté tout exprès...

Anna, leur fille aînée, avait dix-huit ans lorsque, en 1893, Rosa daigna mettre au monde une deuxième enfant, prénommée Victoria. Cette jeune tante fut pour ainsi dire la grande sœur d'Irina. C'est d'ailleurs ainsi qu'on les éleva. Lorsque Anna et Leonid omettaient d'emmener Irotchka en France, elle était confiée aux grands-parents et logée à la même enseigne que Victoria.

À son tour, celle-ci reçut la même éducation soignée que son aînée. Elle apprit le français. On l'inscrivit au Gymnasium de la rue Foundoukleev, au cœur de Kiev, à peu près à la même époque qu'Anna Akhmatova. « C'était une personne charmante et facile à vivre, très coquette, évoque Tatiana, sa petite-fille. On l'avait surnommée "Mlle Libellule". Parce qu'on l'avait vue à un bal d'officiers dans l'uniforme de son école, l'établissement fut contraint d'en changer le modèle. Et lorsqu'elle en revenait avec des fleurs, c'était tout un scandale à la maison [46] ! » Irène Némirovsky confirme ce trait de caractère dans « Le Sortilège », nouvelle ouvertement autobiographique : « Ma tante était jolie, avait la peau douce et la taille svelte, et pas plus d'esprit qu'une fleur [47]. » Cependant Iona avait tant déboursé pour asseoir Anna devant un piano que, lorsque Victoria voulut l'imiter, il lui répondit :

— Nous avons trop dépensé pour ta sœur. Tu demanderas à ton mari de te les payer, lorsque tu seras mariée.

Victoria convola donc très jeune, et très mal, avec un homme plus âgé. Anna ne s'en plaignit pas : il lui pesait de partager avec sa sœur et ses parents le grand appartement que Leonid avait fini par leur trouver rue Pouchkine. S'il n'avait tenu qu'à elle, elle aurait dissuadé son mari de recueillir Iona et Rosa, qu'elle aurait laissés seuls à Odessa, où tout rappelait aux Juifs, de toutes conditions, le ghetto où s'enracinait leur lignée. Irène Némirovsky mettra en scène, dans *Les Chiens et les Loups*, pareil personnage de parvenue, « qui mettait son point d'honneur à s'éloigner le plus possible de ceux que l'on appelait (avec quel mépris !) les simples Juifs, les pauvres Juifs [48] »... Victoria, à son tour, devait interdire à ses propres enfants d'épouser des Juifs, pour leur simplifier la vie. Et cependant, par la force des usages, les Némirovsky ne fréquentaient à Kiev que leurs semblables – hypocrisie qu'Irène se plaira à railler dans *Le Bal* en multipliant les Nassan, Moïssi, Birnbaum, Rothwan, Levinstein et autres Lévy de Brunelleschi sur les cartons d'invitation émis par les Kemp, couple de Juifs parvenus qui sont les fantômes d'Anna et de Leonid...

De la boue et des cochons noirs

C'est à Odessa, lorsqu'elle vivait encore chez ses parents, qu'Anna avait fait la connaissance de Leonid Némirovsky, à la veille du siècle. Il avait vu le jour le 1er septembre 1868 à Elisavetgrad, une capitale provinciale fondée au XVIIIe siècle pour briser les élans des Turcs et des Tatars de Crimée. L'année précédente y était née la mère d'un autre écrivain français, judéo-russe comme Irène Némirovsky : Nathalie Sarraute. En 1885, la cité aux toits verts, tout juste électrifiée, attendait son premier château d'eau. Elisavetgrad, c'était encore « de la boue et des cochons noirs », de basses échoppes aux vitres bosselées de gel, une « enfance libre et misérable [49] » que Leonid consentait à évoquer lorsqu'il était d'humeur ou, comme David Golder, quand le tenaillait la nostalgie du pain dur : « un bout de rue sombre, avec une boutique éclairée, [...] une chandelle collée derrière une vitre gelée, le soir, la neige qui tombait et lui-même [50]... » Il riait encore en racontant à Irotchka le jour où, pour éteindre une maison en flammes, il était sorti dans la rue avec d'autres enfants pour faire la chaîne :

— On jetait l'eau sur les pieds des voisins, sur les jupes des femmes, puis les uns sur les autres !

Mais à Elisavetgrad, un enfant sur deux mourait avant l'adolescence. Les Juifs étaient un quart des cinquante mille habitants recensés. Aucun ne fréquentait le lycée en 1860 ; vingt ans plus tard, sur un total de cent trente-quatre élèves, ils étaient cent quatre, signe de grande ascension sociale. Dans les dernières années du siècle, les Juifs en étaient venus à représenter un tiers de la population d'Ukraine. Leurs ancêtres, souvent, n'étaient pas des enfants d'Israël, mais de lointains descendants des Khazars, tribu turcophone convertie au judaïsme au milieu du VIIIe siècle. Parce qu'ils toléraient les mariages mixtes, les Khazars avaient permis en Russie méridionale un extraordinaire épanouissement du judaïsme, et d'un judaïsme plus spirituel – et matériel – qu'ethnique.

Leonid Némirovsky ne compta pas sans doute parmi les heureux écoliers juifs d'Elisavetgrad. Encore enfant, il perdit son père, Boris, qu'Irina ne connaîtra pas. Leonid n'en dira d'ailleurs jamais un mot, se contentant d'un pudique : « À dix ans, mon père m'a mis dehors [51]... » Il restait seul avec sa mère, Eudoxia, ses frères et sa sœur Anna Borisovna. Très vite, il dut se mettre au travail et subvenir à leurs besoins. Il fut d'abord garçon de courses dans un hôtel, puis commis dans une fabrique de Lodz, en Pologne, l'un des principaux centres textiles d'Europe orientale, réputé pour son drap imprimé et son ghetto misérable [52]. Une nuit, la fabrique prit feu. Il ne chercha pas à circonscrire le sinistre, ayant deviné que « l'incendie avait été allumé pour toucher les primes d'assurances ». À vingt ans, ce garçon rusé avait fait tous les métiers, vagabondé à Moscou et traversé la Russie jusqu'au Pacifique, se soignant à grandes rasades d'alcool fort. De ces années de fièvre, il conservait un trou au poumon, qui causerait plus tard son naufrage. Aux yeux d'Irina, son père ne cessera de personnifier la hardiesse, pour elle spécifique du génie juif, pliant le destin à son orgueil quand d'autres ne sont courbés que par le hasard, la jouissance ou la fatalité. Pour certains auteurs, ce tempérament conquérant serait l'héritage des « Juifs des steppes », descendants des lointains Khazars, infidèles aux rites – caractéristique d'un Trotsky ou d'un David Golder; tandis que la caricature du Juif de ghetto ployant sous le joug séculaire, mais reconnaissant à Dieu de son malheur, cette « médiocrité résignée [53] » comme la nomme Irène Némirovsky en 1927, serait d'un modèle plus ancien, façonné par vingt siècles de persécutions [54].

Un petit Juif obscur

Que pouvait bien vouloir ce Leonid Némirovsky, de si basse extraction, à la distinguée Anna Margoulis, élevée par ses parents dans la vénération de la culture française, encore si prégnante à Odessa? Il ne parlait que le russe et le yiddish. En un mot, c'était « un rustre [55] » qui ne méritait pas sa chance. Il n'était pas de « bonne famille », mais d'une de ces lignées aux racines indiscernables, « qui montent tortueusement, capricieusement, comme certaines plantes aquatiques », jusqu'à « percer la surface verte, épaisse et boueuse de l'étang ». Au moins avait-il émergé. Il venait de prendre en gérance une usine de cotonnades dont Irotchka se rappellerait longtemps les motifs criards. Elle conservait également le souvenir d'une fabrique à Schlüsserburg, à l'est de Saint-Pétersbourg, et aussi d'une usine de goudrons aux « pièces basses, sombres, au plancher en terre battue », dont les ouvriers n'étaient à ses yeux d'enfant que « des ombres sans consistance, sans voix ».

L'audace de Leonid, son « expression de force et de feu » n'avaient pas manqué d'intriguer Anna. « Il avait gagné subitement assez d'argent et on lui offrait une bonne place stable et sûre. Il avait vu la jeune fille, l'avait trouvée belle, avait fait un pari après boire, l'avait épousée, consommant ainsi, sans le savoir, le malheur d'une vie entière. » À défaut d'aristocrate russe, les Margoulis auraient souhaité pour leur fille un parti moins douteux. Mais Anna se faisait déjà une idée pragmatique de ce qu'est une « bonne famille » : « Lorsque pendant trois générations personne n'a volé, ni été en prison, et que l'on savait lire et écrire. »

Et plus encore rapporter de l'argent. Or, malgré son indéniable réussite matérielle, Leonid ferait toujours tache dans les milieux bourgeois de Kiev. Considérant la « vieille bouilloire ternie » dont il se contentait, Anna ne pouvait s'empêcher de la comparer aux services en argent de leurs connaissances. « Sont-ils plus riches ou moins riches, plus ou moins considérés ?... Un seul sentiment défini, mais très vif. Ils sont autres, ils sont à part, et, bizarrement, un peu en marge. »

Vers 1902, Leonid mit donc à son doigt une grosse alliance. Victoria, qui avait espionné les manœuvres du prétendant autour de sa sœur aînée, fut leur demoiselle d'honneur. Leonid gravissait un nouvel échelon. Anna était à son goût, robuste et charnue. Cependant, à la fierté de forger son destin, se mêlerait la vexation d'être toléré par les parents d'Anna, puis par elle-même. À cause de son teint de tabac, on l'avait surnommé « l'Arabe », comme Pouchkine qui avait du sang abyssin. Irène héritera son hâle. À son poignet droit, une tache brunâtre, comme un poinçon, lui rappellera toujours que, si elle tenait de sa mère une pernicieuse pointe de snobisme, c'est à son père, ce « petit Juif obscur », qu'elle devait à la fois sa ténacité, son grand orgueil, son astuce et, surtout, son énigmatique aptitude au succès.

Petit à petit, jonglant avec les actions, Leonid devint riche. Il possédait une usine d'allumettes dans les États baltes, l'un des premiers centres de production d'allumettes non phosphoriques après le gouvernement de Novgorod [56]. La période était propice aux entrepreneurs, depuis que Serge Witte, ministre des Finances de 1894 à 1902, avait ouvert l'Empire aux capitaux étrangers. En dix ans, la production de pétrole et d'acier venait de connaître une expansion spectaculaire. L'extension du réseau ferroviaire et la mise en service du transsibérien faisaient de l'Extrême-Orient une nouvelle Amérique. L'Ukraine était devenue un eldorado industriel. On y extrayait la moitié de la fonte, du fer et de la houille russes. La spéculation favorisait l'émergence d'une classe bourgeoise florissante, qui s'appuyait sur la création du parti constitutionnel-démocrate – ou « Cadet » –, loyal aux nouvelles institutions, mais favorable à des réformes libérales de type occidental. Comme dans les partis révolutionnaires, on comptait d'ailleurs nombre de Juifs dans les rangs des Cadets, conséquence de l'immuable antisémitisme des tsars. Cette illusion d'optique ne manquerait pas d'être dénoncée par les orthodoxes réactionnaires.

Les hommes sont des loups...

Le libéralisme des Cadets était à peu près l'école de pensée de Leonid Némirovsky, dont l'unique préoccupation était de prospérer sans entrave et d'élever un rempart d'or entre lui-même et son enfance. Il se mit à cultiver une moue décourageante sous une « courte moustache américaine » à la Douglas Fairbanks. S'il brassait de grandes affaires, ce n'était pas l'appât du gain, mais l'habitude très tôt acquise de lutter pour vivre, d'acheter les droits qui ne lui étaient pas octroyés et le désir d'offrir à sa fille l'enfance qu'il n'avait pas eue.

— Je n'avais pas le temps de m'amuser. Il fallait travailler. Tu ne sais pas ce que c'est, toi... Tu as tout. Toi, *tu es une enfant heureuse*... Tu manges à ta faim, tu as chaud l'hiver... Tu apprends, tu seras une femme instruite...

Et s'il se souciait peu des frasques d'Anna, c'est que la chose ne l'intéressait pas. Certes, « il ne détestait pas les femmes, mais les traitait avec mépris. Une seule chose au monde lui plaisait, l'or, la soif terrible de l'or le consumait ». Le sabir boursier, avec le vocabulaire français de la mode, est bien le premier langage qu'Irène Némirovsky ait entendu. Ce brouhaha berça son enfance : « Des chiffres seuls... Le cours du sucre et du blé... "Millions, millions"... [...] "Dix millions..." "Un million." "Cent vingt-cinq mille millions." [...] puis deux mots... "Traites" et "millions". Tantôt l'un dominait et tantôt l'autre. Mais, habituellement ils s'accompagnaient, comme un chant alterné. »

Parce qu'il avait été pauvre et avait fait vivre tous les siens, Leonid subviendrait même aux études de ses neveux, Ekaterina et Gricha. Il répondrait aux caprices toujours plus exorbitants d'Anna, finirait même par héberger et entretenir ses amants. Ayant trimé toute sa vie, quelle autre raison d'être lui resterait-il que de s'échiner encore, jusqu'à l'exténuement, pourvu qu'on vécût à ses dépens ? « Le seul devoir qu'il reconnût envers Dieu et les hommes était celui-ci. Faire vivre les siens, élever les enfants, soutenir les vieillards et ceux qui étaient encore en âge de travailler, donner de l'argent – avec du sarcasme, de l'ironie, des blessantes paroles souvent [...] mais donner, donner jusqu'au dernier sou. » Mais il n'était pas dupe des écornifleurs.

— Ma fille, répétait-il chaque jour à Irotchka, les hommes sont des loups. Quand vous êtes fort, ils ont peur de vous, ils vous flattent, et dès que vous êtes tombé, ils vous dévorent...

Et cependant il avait été un jeune homme gai, rempli d'espoir et de force. « Parfois, il chantait, en pinçant les cordes de la guitare, en manière de plaisanterie, car il n'avait pas d'autre éducation musicale que celle de son oreille sensible à l'harmonie. Les chansons tziganes, ukrainiennes et, surtout, ces merveilles de Moldavie. »

Le spectre du ghetto

Après la naissance d'Irina, la situation de Leonid s'était améliorée. Il possédait des entrepôts à Odessa. Longtemps, la ville avait été dominée par les armateurs grecs et le négoce des grains, activité qui avait enrichi les grands-parents maternels d'Anna. Au détour du XXe siècle, le grand port de l'Ukraine, fondé par Catherine II à mi-chemin d'Athènes et de Pétersbourg, était devenu une Babel méridionale de quatre cent mille âmes, la population ayant doublé en vingt ans. Non seulement s'y mélangeaient sans heurts tous les peuples de la Russie méridionale et de la Méditerranée, « peuples du Levant qui sentent l'ail, la marée et les épices, que la mer avait ramassé[*s*] dans tous les coins du monde et jeté[*s*] là comme une écume [57] », mais encore on pouvait y troquer à peu près tout et n'importe quoi, blé, laine, denrées coloniales, harengs, noix et pastèques, sans oublier les premiers tracts sionistes.

Les Juifs d'Odessa, presque un tiers de la ville, vivaient pour la plupart dans le quartier réservé de la Moldavanka. Ils parlaient russe et le taux de scolarisation de leurs enfants était cinq fois plus élevé qu'à Kiev. Depuis 1870, cependant, leur situation s'était dégradée. Avec le développement du chemin de fer, Odessa vit son activité portuaire concurrencée par Rostov ou Sébastopol. La récession s'étendit sur la ville, rejetant les chômeurs et les nouveaux arrivants vers les ghettos, tandis que les commerçants enrichis redoutaient que la malédiction juive ne vienne à les rattraper.

Car les persécutions n'avaient pas manqué de s'abattre sur ces Juifs un peu trop nombreux. En mai 1871, un premier ouragan de haine avait ravagé le quartier juif, provoquant la mort de six personnes et jetant à la rue des milliers de sans-abri. Ces représailles irrationnelles visaient à dévier la fureur populaire vers des épouvantails et portait le nom de *pogrom*, qui signifie « mise à sac ». Régulièrement, le régime déclenchait l'orage sur le ghetto. Tous les prétextes étaient bons : « la paix, la guerre, une victoire, une défaite, la naissance d'un héritier impérial longtemps attendu, un attentat, un procès, des troubles révolutionnaires ou un grand besoin d'argent [58]... » Dans ce carnaval d'apocalypse, les pires atrocités étaient encouragées, dignes de la Conquista. Ne citons qu'un témoignage, celui de Zangwill, au sujet du pogrom de Milovka : « un vieillard scalpé avec une louche tranchante ; un tisonnier chauffé à blanc crevant l'œil à une femme ; un crâne d'enfant piétiné par le talon d'un vrai Russe [59] ».

Ces boucheries avaient redoublé après l'assassinat d'Alexandre II, le 1er mars 1881, sous les balles d'un révolutionnaire. En guise d'expiation, les « juiveries » – comme on disait alors – d'Elisavetgrad, Odessa, Kichinev et de cent soixante autres localités furent passées par le fer et la furie. Aucune spontanéité : le plus souvent, les « émeutiers » étaient guidés par des émissaires du gouverneur, tandis que les sapeurs étaient casernés pendant la durée des « désordres », ainsi qu'ils étaient pudiquement rapportés au pouvoir impérial. Souvent, il suffisait d'en répandre la rumeur pour récolter des rançons et singer la clémence. Mais il fallait bien, à intervalle régulier, donner corps à la menace. Les pogroms étaient en somme une méthode de gouvernement par l'absurde, l'expression ultime d'un État retardé.

En trente ans, ce fléau ruina Odessa, première ville juive de Russie, en y semant la précarité et l'exil. C'est à peine si Irène Némirovsky cède à la caricature lorsqu'elle évoque, en 1927, les enfants du ghetto aperçus dans son enfance : « Ils poussaient dans la rue ; ils mendiaient, se querellaient, injuriaient les passants, se roulaient demi-nus dans la boue, se nourrissaient d'épluchures, volaient, jetaient des pierres aux chiens, se battaient, emplissaient la rue d'une infernale clameur qui ne s'apaisait jamais. [...] Dès qu'ils devenaient un peu grands, [...] ils vendaient des pastèques volées, demandaient l'aumône et prospéraient comme les rats qui couraient sur la plage, autour des vieux bateaux [60]. » La comparaison paraît infâme ; c'est celle dont use Isaac Babel, la même année 1927, pour montrer la synagogue des Voituriers envahie par les rats [61]. C'est en outre une réminiscence de Gogol, qui dans *Tarass Boulba* a décrit la « juiverie » de Varsovie en termes presque identiques [62].

En 1910, une épidémie de choléra avait décimé la Moldavanka. À Odessa, la réalité décourageait vraiment la caricature. Dans *David Golder*, Irène Némirovsky décrira de la même façon le quartier juif du Marais, à Paris, avec ses « échoppes noires qui sentaient la poussière, le poisson, la paille pourrie [63] ». Le premier à tracer cette voie fut Israël Zangwill, fils d'immigré letton, qui dépeignit en 1892, sans mépris ni faux orgueil, le ghetto de Whitechapel, dans l'East End londonien, ses « hommes crasseux », ses « femmes mal lavées », ses enfants « se traînant dans les ruisseaux ou dans les ruelles [...] sur de la boue, des épluchures », toute une « race d'êtres à moitié barbares », qui était la sienne. « Jamais les Juifs n'ont été aussi maltraités que par ce Juif, écrit à son sujet André Spire. Et, cependant, rien ne ressemble moins que son œuvre à celle des antisémites professionnels [64]. » De même, dès ses premiers écrits, Irène Némirovsky s'interdira l'apitoiement, sans toutefois détourner les yeux de ce que Spire appelle « la face grave du ghetto ». C'était aussi le souci des écrivains yiddish « éclairés » – Sforim, Peretz, Aleikhem – de ne montrer aucune nostalgie du *shtetl* et des lieux de la misère juive, quitte à les noircir.

Dans ces conditions, on comprend que les Margoulis aient vu d'un œil inquiet s'approcher d'Anna un orphelin sans passé, une bête de somme qui avait gâté sa santé à des labeurs suspects, de Lodz à Vladivostok. Son nom même, Némirovsky, résumait les siècles d'avanies entassés sur les Juifs de Russie. Nemirov, ancienne ville fortifiée de Podolie, s'était longtemps enorgueillie de l'érudition de ses rabbins. C'était avant le 10 juin 1648, lorsque l'hetman Chmielnicki, chef des cosaques Zaporogues auxquels les princes polonais avaient concédé une relative autonomie en Ukraine, donna l'ordre à trois cents de ses ruffians, brandissant des drapeaux polonais en guise de leurres, d'égorger un à un les quelque six mille Juifs de Nemirov, hommes, femmes et enfants, avec le concours des Grecs de la ville. Nombre de malheureux furent jetés dans le Dniepr ; seuls survécurent ceux qui voulurent se convertir. La synagogue fut incendiée, les livres saints piétinés ou découpés pour servir de sandales. Les cosaques prétendaient ainsi s'affranchir du fermage octroyé aux Juifs par les seigneurs polonais, qui les avaient cyniquement chargés de lever les taxes, y compris sur les mariages et les baptêmes, et pour cela dotés des clés des églises – quoique cette légende, colportée par Sholem Asch dans sa chronique romancée de la chute de Nemirov, ne repose sur aucune pièce historique. Le souvenir du pogrom de Nemirov, le plus terrible de cette époque, n'en demeura pas moins si vif que les Juifs de Pologne le commémoraient encore par un jour de jeûne, le 20 du mois de Sivan [65].

La racaille

Du ghetto, Anna se faisait une idée écœurante : crasse, misère et vice, englués dans une épaisse rumeur de yiddish. Leonid ne gagnerait jamais assez pour éloigner ce spectre. En réaction, elle cultivait un idéal de pureté porté à la névrose, dont l'une des formes fut l'avarice – à la maison, Anna économisait le beurre et le sucre –, une autre la coquetterie maladive et le goût des toilettes immaculées. Ne pas vieillir pour ne pas enlaidir. Sa figure était toujours pommadée, ses cheveux noirs lustrés, ses sourcils dessinés. « Je retrouve très bien l'image de ma mère, écrit Irène

Némirovsky en 1934. Comme c'est drôle que, jusqu'à présent, je ne puisse pas écrire ce mot sans haine. » Anna, tout comme Bénia des *Contes* de Babel, devait penser : « N'était-ce pas une erreur de la part du bon Dieu d'établir les Juifs en Russie pour qu'ils y soient tourmentés comme en enfer ? Qu'y aurait-il eu de mal à ce que les Juifs vivent en Suisse, où ils auraient été entourés par des lacs de tout premier ordre, l'air de la montagne et rien que des Français [66] ? » Elle, il lui faudrait toujours plus de bijoux pour surmonter la hantise de la « race ». Car, expliquait-elle à Irotchka, « si papa cessait de travailler, s'il ne faisait plus des affaires, ils redeviendraient tous des petits Juifs de province, qui sait ? Semblables, peut-être, aux Juifs du Podol ». Cela, c'était la grande peur des Juifs russifiés, qu'ils fussent de Kiev ou de Saint-Pétersbourg [67].

Le Podol, au bord du fleuve, était le cœur historique de la capitale ukrainienne. Depuis, c'était devenu le quartier des Juifs proscrits dans les hauteurs de Kiev, réservées aux aristocrates, aux hauts fonctionnaires et aux Juifs arrivés par le mérite, l'astuce ou le portefeuille : le séjour des Némirovsky. Dans le Podol, on pouvait entendre le marteau des cordonniers, les roues des chariots débarquant la farine, les boniments des camelots et les cris des gosses débraillés en casquette et *paéys*, armés de lance-pierres, courant dans les ruelles cabossées sous les guirlandes de linge. « Étranges images... Cette rue nauséabonde, et ces gamins dorés qui courent avec la chemise sale pendant par la fente de la culotte... » Tandis que Leonid et Anna avaient oublié depuis longtemps de satisfaire aux obligations rituelles – parce que le loisir lui en avait manqué, parce qu'elle avait mieux à faire –, au Podol se rencontraient des Juifs observants à chapeau de fourrure et lévite, jaloux de leurs coutumes, « de telle sorte qu'il paraissait aussi impossible de s'en défaire que de vivre sans son cœur de chair [68] ». Dans *Les Chiens et les Loups*, Irène Némirovsky les donnera à voir tels que les regardaient les « riches Israélites » de la ville haute, autrement dit tels que les voyait Anna : c'était « la racaille, les Juifs infréquentables, les petits artisans, les locataires des boutiques sordides, les vagabonds, un peuple d'enfants qui se roulaient dans la boue [69] ». Des intouchables.

Dans la description qu'elle donne de la Kiev juive de son enfance, Irène Némirovsky a discerné le drame vertical qui se jouait entre les exclus et les élus, ceux-ci liés aux premiers par un désagréable instinct de consanguinité ; « peut-être, écrit-elle, contemplaient-ils la confusion et l'horreur du Ghetto comme au théâtre, avec ce petit frisson superficiel qui saisit le spectateur d'un drame, mais qui s'apaise aussitôt dans un confortable sentiment de sécurité : "À moi, cela n'arrivera jamais. Jamais." [...] Elle ne descendrait pas [70] ».

Hélas ! nul n'était besoin de descendre jusqu'au Podol : il lui arrivait parfois de s'inviter au cœur de la ville, dans un remous de sang et de feu. Irotchka ne pouvait se rappeler que le pogrom, en octobre 1905, rompit ses digues et sauta jusqu'aux rues du Pétchersk. Sa violence fut telle qu'elle contraignit Cholem Aleikhem, le « Mark Twain juif », à prendre le chemin de l'exil. Qu'était-il donc arrivé qui lui rendît la vie impossible à « Yehoupets » – c'est-à-dire Kiev ? Après la défaite militaire de la Russie contre le Japon en 1905 (pour prix de laquelle deux Némirovsky de Kiev avaient payé de leur personne), seul un rideau de sang juif pouvait occulter le délabrement du tsarisme, la nullité de ses généraux et la corruption qui gangrenait l'État. Car, cette fois, le mécontentement populaire prit une forme insurrectionnelle. D'Odessa, la grève générale essaima dans toutes les villes de l'Empire. À Pétersbourg, la bonne société dut faire son propre service dans les cafés et assurer elle-même le tri postal. À Kiev, le bataillon des sapeurs, essuyant les balles des cosaques, ouvrit le feu sur les casernes et le palais du gouverneur, avant de s'égailler dans les marais et les forêts. Le 17, la contagion était telle que Nicolas II, à contrecœur, dut promulguer le manifeste instituant la Douma d'Empire et garantissant à ses sujets l'égalité et les libertés civiles. Mais dès le lendemain, à Odessa, sous la protection de la police, des nervis et des dockers saccageaient puis incendiaient méthodiquement la Moldavanka. C'était le septième pogrom depuis 1821, mais il les dépassa tous en intensité : trois cent deux morts, dont un sixième dans les rangs de la *Samouborona*, le groupe d'autodéfense juive où se distinguèrent les pionniers du sionisme armé. À Kichinev, à Ekaterinoslav et dans l'ensemble des villes d'Ukraine et de Russie, huit mille Juifs périrent en moins de huit jours.

Dieu était loin…

À Kiev, le même 18 octobre, le général Bezssonov n'eut qu'un mot d'ordre : « Vous pouvez détruire, vous ne devez pas piller. » Il s'agissait de montrer que la rage antijuive n'était animée que par la volonté de réprimer l'anarchie répandue par la « racaille juive », ainsi que le tsar l'expliquerait à sa mère dans une lettre datée du 27 : « Le peuple s'est indigné de l'insolence et de l'audace des révolutionnaires et des socialistes et comme les neuf dixièmes sont des Juifs, toute la haine s'est portée contre eux – d'où les pogroms juifs [71]. » En vertu de ce devoir politique, les maisons du Podol furent dévastées l'une après l'autre, rue par rue, avec une sauvagerie calculée, et leurs habitants livrés à l'arbitraire. Le Pétchersk ne fut pas oublié. « Les rues de Kiev sont pleines de lamentations, rapportait un témoin ; les Cosaques, les hooligans abattent, égorgent nos frères et personne n'est là pour nous défendre [72]. » Comme ce vent d'Apocalypse se moquait que ces Juifs fussent de première ou de seconde guilde, ou qu'ils eussent monnayé leur droit de résidence, il se trouva nombre de Kiéviens pour protéger leurs voisins en les plaçant sous la protection des saintes icônes exhibées aux fenêtres. Dans un chapitre écarté des *Chiens et les Loups*, Irène Némirovsky imaginera qu'Ada, l'héroïne qui lui ressemble tant, a trouvé refuge pendant une semaine dans une famille orthodoxe, dans une vieille maison délabrée où les soucis d'argent étaient inconnus. « On avait avec eux l'attitude traditionnelle de la bonne société russe que les circonstances mettaient en contact avec les juifs : "Tous les youpins sont des salauds mais nous sommes de pauvres pécheurs. Chacun a ses défauts et Salomon Vronovitch, mon médecin, ou Arkady Israélitch, mon homme d'affaires, ne ressemblent pas du tout à un juif." » Irina Némirovsky n'eut pas elle-même cette chance : c'est Macha, la cuisinière, qui dut lui passer une croix orthodoxe au cou et la cacher derrière un lit, en priant pour que le sort l'épargne [73]. Ce qu'il fit.

La fillette n'avait alors que deux ans et demi. Ce n'est donc pas de mémoire, mais sur la foi de récits que lui firent plus tard ses parents ou ses grands-parents, qu'Irène Némirovsky put reconstituer la chevauchée barbare dans *Les Chiens et les Loups*. « Ça, ce sont des vitres qu'on brise. Tu entends les éclats qui tombent ? Ça, ce sont des pierres qui volent, sur les murs, sur les rideaux de fer du magasin. Ça, c'est la foule qui rit. Et une femme qui crie comme si on l'éventrait. Pourquoi [74] ?... »

On estime à quarante mille le nombre d'édifices détruits et à deux cent mille le nombre de Juifs russes qui choisirent l'exil dans les douze mois de répression qui suivirent les troubles de 1905. À Kiev, en quatre jours d'octobre, près de huit mille passeports furent délivrés par le gouverneur. Ainsi les Némirovsky, malgré les efforts d'Anna pour déjudaïser son foyer, ne pouvaient-ils oublier qu'ils étaient et qu'ils resteraient juifs aux yeux des popes fanatiques et des politiciens sans scrupule. D'autant plus que l'antisémitisme doctrinal, endurci par cette première semonce révolutionnaire, connut ensuite une radicalisation inouïe. Plusieurs organisations de propagande et d'exaction virent le jour, les plus agitées étant l'Union de Saint-Michel Archange du député Pourichkevitch et l'Union du peuple russe de Pierre Ratchkovsky, ancien chef des services secrets de Kiev, plus réputée sous le nom de Cent-Noirs, dont le tsar en personne était membre d'honneur. Le slogan de ces Templiers antijuifs, distribué par milliers de tracts dans tout l'Empire, ne coupait pas les cheveux en quatre : « Lynchez les Juifs, sauvez la Russie. »

Loin de resserrer la fibre juive d'Anna et Leonid, la menace antisémite finit par décourager en eux toute expression traditionnelle, a fortiori religieuse. « Dieu était loin. » Pour eux, en effet, comme pour tant de Juifs en voie d'assimilation, l'émancipation n'irait pas sans renoncer à la foi. « Bien marquer que la religion n'existe pas dans la vie d'Hélène, note Irène Némirovsky en marge du *Vin de solitude*. Sauf la prière du soir, le côté religieux de la vie est néant. » Chaque soir, Leonid apparaissait donc dans la chambre de sa fille, s'agenouillait avec elle sur le tapis et récitait cette oraison matérialiste :

— Il faut prier Dieu de donner la santé à ton père, à ta mère et le pain quotidien [75]...

Irotchka, mains jointes, observait les pupilles noires de son père. « Mon malheureux papa... Le seul dont j'aie senti que je suis sortie, mon sang, mon âme inquiète, ma force et ma faiblesse. Ses cheveux d'un blanc d'argent, dont le reflet était un peu verdi, comme un rayon de lune, la figure foncée, même dans la jeunesse un peu ridée, déjà plissée par l'effort, la réflexion, les yeux profondément enfoncés, j'ai voulu dire brûlants... [...] on ne peut pas décrire cet éclair, ce feu d'intelligence et de passion. » Il fallait bien cette détermination pour s'extraire du piège de mort tendu aux Juifs par un régime à l'agonie.

Le désœuvrement du dimanche

C'est donc au cœur même du Pétchersk qu'avaient emménagé Leonid et Anna, bientôt rejoints par Victoria, Iona et Rosa. Défendue par des grilles dorées, « la maison à colonnes, spacieuse et noble, à l'ombre des vieux tilleuls [76] » dépeinte dans *Les Chiens et les Loups* correspond assez bien à celle du 11 rue Pouchkine [77], richement ornée, où les Némirovsky vinrent habiter vers 1910 un appartement spacieux mais sans luxe, car cet aspect n'intéressait pas Leonid Némirovsky. Du balcon, bordé de bacs fleuris, suffisamment large pour y prendre le souper, la vue s'étendait sur la ville et le Dniepr, jusqu'aux collines.

Dans la sinistre salle à manger au parquet usé, Irotchka endurait sans broncher les semonces de sa mère prélassée sur un divan de cuir défoncé dont sortait l'étoupe. « Combien de repas achevés dans les larmes, le goût salé des larmes qui brouillent la vue, coulent le long du visage jusque dans l'assiette, se mêlent au goût de la viande... » À la cuisine, les hôtes de Leonid s'installaient pour jouer aux cartes à la chaleur du fourneau. La nuit, Macha y dormait derrière un vieux paravent. C'était une « très brave femme » à qui l'on ne connaissait qu'un défaut, que nul n'avait vérifié : celui de coucher avec son fils. Irotchka ne s'aventurait dans son domaine qu'à la faveur du « désœuvrement du dimanche », parmi « les écailles de poisson, les grosses bottes de radis noirs sur les tables, et le couteau qui nettoyait les pépins des melons d'eau ».

La rue Pouchkine était réellement « une des rues les plus riches et les plus paisibles de la ville [78] ». Le tohu-bohu du boulevard Krechtchatik, à mesure que l'on s'en éloignait vers le sud, s'estompait doucement. Il reprenait plus bas, dans l'ancienne rue des Cadets, rebaptisée Foundoukleev en 1869, en l'honneur d'un gouverneur, et qui serait la première de Russie à prendre le nom de Lénine. C'était l'artère des étudiants, qui surnommaient le quartier « Petite Suisse », à cause des bungalows de location dans la verdure, à l'ouest, près de la faculté d'anatomie. Sur le boulevard Bibikowski parallèle, le long du jardin botanique, s'alignaient les lycées Alexandrovski. Le dimanche, les jeunes filles « en canotier plat, le tablier bien tendu sur la poitrine naissante, la robe bouffant sur les reins », retrouvaient au kiosque à musique les garçons « en blouses claires, le ceinturon marqué de l'aigle impériale sanglant la taille et le képi posé d'un air vainqueur en arrière sur la nuque [79] ».

Au croisement de la rue Pouchkine s'élevait le théâtre Bergonnier, du nom de son architecte français, où l'on assistait depuis peu aux premières séances d' « Illusion », de petits films Lumière projetés sur une toile tendue. Non loin, la terrasse du *Café François* où Iona, déployant un journal français, emmenait Irotchka déguster des glaces en souvenir de *Tortoni*, boulevard des Italiens. Tout en savourant, ils écoutaient le *charmanchtchik*, un perroquet sur l'épaule, tourner la manivelle de son orgue de Barbarie, ou le joueur aveugle de luth – la *kobza* –, guidé par un adolescent aux pieds nus, colporter de vieilles légendes ukrainiennes, couvert par le grincement d'un tramway bringuebalant. Un vendeur de cure-dents chauve amadouait les clients. Mais la mendiante la plus réputée était une accordéoniste italienne édentée qui, pour quelques pièces, jouait *La Marseillaise*.

Leonid se pliait volontiers, chez lui, à l'étiquette française imposée par sa femme. À Pâque, s'il venait à Iona l'envie de déguster un brochet farci, il lui fallait emmener Leonid dans un restaurant juif, Anna ne tolérant pas cette odeur. Dans la journée, toutefois, on avait plus de chance de trouver Leonid devant une table en marbre chez *Sémadani*, salon de thé à la mode sur le Krechtchatik, où se retrouvaient les affairistes pour discuter argent, plus volontiers qu'à la Bourse de commerce.

Tel fut le décor quotidien d'Irène Némirovsky au cours des dix premières années de sa vie. Elle ne fut pas, comme sa mère et sa jeune tante, élève au Gymnasium. Anna était trop soucieuse d'en faire une petite fille modèle pour lui permettre d'avoir des camarades. Dès son plus jeune âge, Irotchka connut « les leçons ennuyeuses, la tyrannie de l'institutrice qui ne vous quitte pas plus qu'un geôlier, une discipline de prison, les devoirs quotidiens que l'on parviendrait à aimer, rendus haïssables à force d'imbécile contrainte [80] ». Dans sa chambre, toute seule avec ses grands livres « remplis d'ombre », elle se fabriquait « un défilé de montagne, entre des rochers éboulés, où l'armée était tapie » ; elle y récitait de mémoire « des phrases du *Mémorial de Sainte-Hélène*, son livre préféré qu'elle connaissait presque par cœur [81] ». Elle se rejouait *Guerre et Paix* en miniature, guerroyant contre l'ennui dominical à la tête d'une armée française, et laquelle : la Grande Armée de Napoléon, songeant peut-être à la « Vie de l'impératrice Joséphine » qu'elle entreprendrait un jour [82]...

Parlait-elle vraiment le russe, l'allemand, l'anglais et le français à quatre ans, et les écrivit-elle à cinq [83] ? Une chose est certaine : le français fut son langage d'élection, car c'était celui de Zézelle et, selon son grand-père, l'idiome même du paradis perdu. « J'ai parlé le français avant de parler le russe, indiquera-t-elle en 1940. [...] Je pense et je rêve même en français. Tout cela est tellement amalgamé à ce qui demeure en moi de ma race et de mon pays, qu'avec la meilleure volonté du monde, il m'est impossible de distinguer où finit l'un, où commence l'autre [84]. »

Un oiseau qui vient de France

Anna eut sa part dans cette inclination. Parce qu'elle était à la fois friande de mondanités et de culture française, on la voyait au théâtre Bergonnier applaudir les dernières créations d'Edmond Rostand. Depuis l'Exposition universelle de Paris, en 1900, Iona vouait un culte à Sarah Bernhardt, qu'il avait vue incarner le rôle épuisant de l'Aiglon au Théâtre de la Renaissance. Pour sa première venue dans la capitale ukrainienne, en 1882, la tragédienne avait dû être accompagnée jusqu'à son hôtel par les cosaques à cheval, afin d'écarter la foule massée sur son passage ; cet accueil délirant ne lui épargna pourtant pas les quolibets – parce que le public, contrairement aux foules américaines, parlait si parfaitement le français qu'il s'estimait qualifié pour blâmer la troupe [85]. À Odessa, c'est avec des pierres qu'on l'avait reçue, afin que nul n'ignorât son origine juive [86]. En attendant, Anna élevait Irotchka dans l'adoration du vers français. Elle lui fit donner des leçons de musique et de déclamation, dans l'espoir chimérique de la voir un jour monter sur les planches.

La légende familiale prétend qu'en 1911 Sarah Bernhardt en personne entendit Irotchka au cours de sa nouvelle tournée russe. En réalité, si la fillette déclama bien du Rostand, ce fut lors de l'annuelle fête de charité au Home français, en présence du général Soukhomlinov [87]. Le gouverneur militaire de Kiev, Volyne et Podolie, pour ainsi dire le « roi incontesté du pays » depuis 1905, était redouté de tous les Juifs de la ville, ayant sur eux tout pouvoir. Vêtue d'une réplique de l'habit blanc à col noir créé pour Sarah Bernhardt par le tout jeune Paul Poiret, Irina déclama devant ce héros de la guerre contre les Turcs la tirade du duc de Reichstadt. Elle prolongeait son « rêve de sang, de gloire », seule dans sa chambre, manœuvrant ses soldats de bois parmi les reliures élevées en forteresses :

Oui. Chaque jour, un livre.
Dans ma chambre, le soir, je lisais : j'étais ivre...

« À cette époque, expliquera-t-elle, j'avais huit ans, j'étais folle d'Edmond Rostand. [...] Après la représentation, le gouverneur général qui y assistait voulut me féliciter et me voir. J'étais très émue de me trouver en face de cet être qui, pour nous, symbolisait la terreur, la tyrannie et la férocité. À ma grande surprise, je vis un homme charmant qui ressemblait à mon grand-père et qui avait les yeux les plus doux qu'on puisse voir. Il me demanda comment il se faisait qu'une petite Russe parlât si bien le français ; je lui expliquai que j'allais avec mes parents tous les ans en France. Il me dit alors textuellement : "Ah ! ma petite enfant, comme je vous envie et comme je voudrais y retourner et y vivre tranquille toute ma vie[88]." »

Ne pas juger autrui sur la mine : la romancière retiendra la leçon. Et s'inspirera de ce souvenir pour dresser la scène du grand spectacle amateur de l'Alliance française, dans *Les Chiens et les Loups* : « Les mères avaient des nuques épaisses, de gros chignons noirs et des diamants aux oreilles, plus ou moins blancs selon le rang et la réussite sociale de leurs maris. Au-dessous de la position de banquier, un collier de perles eût été considéré comme une impertinence, mais les diamants étaient admis, à partir de la plus infime catégorie : celle des marchands de la 2e Guilde[89]. » Ce soir-là, sur la scène, vingt-cinq petites filles chantèrent en chœur la chanson de Soubise et Boissière :

Sentinelles, ne tirez pas,
C'est un oiseau qui vient de Fra-a-ance !

Alors, pour la première fois sans doute, sous les guirlandes et les fanions tricolores, Irotchka se sentit française de plein droit, celui que donne l'amour d'une langue et d'une culture. Et, de retour à la maison : « Chantez, s'il vous plaît, mademoiselle Rose. Chantez *La Marseillaise*. Vous savez ? Le couplet des petits enfants : "Nous entrerons dans la carrière..." Oh ! comme je voudrais être française ! — Tu as raison, approuvait Zézelle avec nostalgie. C'est le plus beau pays du monde[90]... »

2

Un vague et meurtrier espoir

(1912-1917)

« Seules les eaux du canal s'agitaient ; cette silhouette de femme qui s'était engagée sur la passerelle, qui allait se suicider peut-être, n'était-ce pas la Lise de Pouchkine ? Non, ce n'était rien, une simple passante ; elle franchit le canal du Palais d'Hiver, s'éloignant de la demeure jaune du quai de la Moïka... »

Andréi Biély, *Pétersbourg*

Vers 1912, l'activité de Leonid et son adresse aux « *combinazione* » portèrent leurs fruits. « Rongé d'une sorte de longue et confuse ambition », il pourrait bientôt garnir sa carte de visite des titres flatteurs de président du conseil de la Banque de commerce de Voronej et d'administrateur de la banque de l'Union de Moscou, laquelle avait des filiales dans toute la Russie. Il se mit à faire de l'or comme une mine, d'abord par influx vital, puis par habitude, par goût enfin. Or, « est-ce qu'on joue pour gagner [1] ? » La source même de sa fortune et la nature de ses affaires, quant à elles, restaient « passablement embrouillées [2] ». « Il avait trouvé une place de gérant de mines d'or en Sibérie, dans la taïga asiatique [3] », suggère *Le Vin de solitude*. Était-ce plutôt le commerce et l'export vers l'Europe du bois d'Irkoutsk et d'Ienisseisk, alors en plein essor ? On ne sait pas si cet exil fut un pari ou, au contraire, la conséquence d'un revers de carrière. Pour Irina, seul changeait le timbre des conversations, aussi indéchiffrable que le yiddish dont il usait parfois pour n'être entendu que des adultes : « Cuivre, mines d'argent, mines d'or... phosphates... millions, millions, millions [4]... », tout cela prononcé sans ferveur ni vice. « Cette ardeur lassée, ce désenchantement, plein de flamme, voilà ce qu'il faut rendre. Le côté matériel, seul, de la vie l'intéressait. » Ainsi, pour son anniversaire, comme pour Pâques et Noël que fêtaient les Némirovsky, Irina avait reçu des bijoux, avec cette recommandation :

— Garde-les bien, fais attention de ne pas les perdre en jouant. On l'a acheté la semaine dernière, et ça vaut déjà le double.

Un extrait d'acte de naissance vivant

Elle allait sur ses dix ans. Ses cheveux abondants étaient retenus par un nœud ou fourrés sous un chapeau. Elle portait « une robe blanche de broderie anglaise, à trois volants, ornée d'une ceinture de moire, avec deux grandes coques fragiles, larges ouvertes, bien fixées par des épingles doubles au jupon de tarlatane empesée [5] », et des souliers vernis. Elle apprenait le piano, sans égaler Anna dans la *Chanson érotique* de Grieg. Et, comme sa mère, elle s'ennuyait de la France. « Être née et grandir là... Être chez soi, à Paris... [...] Ne pas rouler cinq jours en wagon pour rentrer dans un pays barbare où elle ne se sentait pas non plus tout à fait chez elle [...], parce que ses robes étaient taillées sur des modèles de Paris [6]... »

Taillant ses ongles sur le divan, Anna soupirait : « Il y en a qui ont de la chance. Les Porgès [7] ont passé trois mois à Paris, l'heureuse femme... » Leonid pestait : « Tu n'es jamais contente, bon Dieu de... L'argent, l'argent... Se décarcasser pour ça... » La grand-mère, chétive et boitillante, tentait maladroitement de consoler sa fille : « Je ne comprends pas de quoi tu te plains... Tu es belle et jeune... Tu as ta fille... Moi, tu m'as toujours consolée. »

Irotchka n'oublierait jamais le sourire contrit de sa petite *babouchka*, trop heureuse d'être tolérée sous le toit familial, ni ses yeux rougis par les larmes, « toujours portant la main à son corsage plat, comme si chaque mot lui faisait sauter le cœur ». Et quels mots : « L'enfant ! Ah oui, l'enfant... Mais non je ne l'oublie pas. Grand Dieu, il n'y a pas de danger qu'elle se laisse oublier... Je ne peux donc jamais penser à moi, à moi, non ?... »

Rosa ne voyait pas qu'Irina, loin d'attendrir sa mère, la vieillissait, ni que la maternité entravait son rêve d'éternelle séduction. De toute évidence, cette enfant n'avait pas été désirée. Elle suggérera, dans *David Golder*, « la peur, l'épouvante qu'elle [*sa mère*] avait d'un enfant [8] », mais aussi le soupçon pesant sur la paternité de Leonid. Toujours placée entre elle et ses fantasmes, Irina était pour Anna le rappel de son mariage, la mesure de son âge, un « extrait d'acte de naissance vivant [9] ». Pis, une rivale : « Je ne demandais pas grand-chose, témoigne Irène Némirovsky en 1934. Mais je me rends compte, à présent, que j'ôtais aussi pas mal de choses, d'abord de l'argent, puis des soins... » D'où l'obstination d'Anna à revêtir sa fille, jusqu'après sa majorité, de jupes de fillette. N'eût été Leonid, Irina eût été déposée sans remords dans un pensionnat français, comme il advint à Nathalie Sarraute.

Une écrasante tristesse

À Kiev, l'été, Irina attendait la tombée du jour pour aller jouer au parc voisin. En revenant, elle trouvait « du lait froid dans un vieux bol bleu ébréché sur la table de toilette » : parfum inoubliable. Ou bien, accompagnée de Victoria, elle prenait le tramway pour rendre visite aux Datiev, des connaissances de ses parents, dénommés Manassé dans *Le Vin de solitude*, qui habitaient une datcha en bois dans un faubourg verdoyant, décrite avec précision dans « Le Sortilège ». Les Datiev étaient orthodoxes et d'ancienne souche russe. « Je n'avais jamais vu de maison aussi vieille, écrit Irène Némirovsky. [...] Le désordre, le délabrement et la négligence se marquaient partout [...]. La maison sentait le tabac fort, la fourrure mouillée, les champignons, car elle était humide. » Manger dans sa chambre à toute heure, se coucher après minuit, courir pieds nus sur le plancher ou dans le jardin : au contact de Nina, la jeune fille de la maison, Irina, parfois reçue pendant deux ou trois jours, jouissait chez les Datiev de toute la liberté d'une existence insouciante, à la russe, au grand scandale de Zézelle : « Mais, enfin, ils ne travaillent donc jamais [10] ? »

Pour les vacances d'été, on choisissait les stations balnéaires de Crimée, séjour favori de l'aristocratie pétersbourgeoise. Le voyage paraissait plus long que celui de Paris. « En ce temps-là, il n'y avait pas de chemin de fer pour relier Simferopol et Jalta, notre Nice. Il y avait douze heures de voiture à chevaux et on couchait à Simferopol [11]. » Après quelques jours, on se transportait dans la station moins animée d'Alouchta, sur la côte Sud de la péninsule. C'était une petite baie rocailleuse sous des monts écorchés, bordée de maisons basses blanchies à la chaux, où il n'y avait rien à faire que respirer l'air salin embaumé de thuya et déchiffrer le vol des chauves-souris. Les galets étaient jonchés d'épluchures de pastèques que se disputaient les rats. Ces maigres souvenirs de la mer Noire se révéleront utiles, en 1940, pour dresser le décor de sa *Vie de Tchekhov* : « C'est un mélange de Riviera et d'Asie. [...] Les fruits sont magnifiques, l'air pur et léger. Sur l'eau brillent, le soir, les feux des navires. La Crimée est inoubliable [12]. » Ainsi, même là, tout lui rappelait la France : la pâtisserie *Chez Florin* de Yalta et, dans l'air, ce parfum suffocant de Côte d'Azur, mélange d'iode, de lauriers-roses et de pins dévalant des sommets.

L'automne venu, il fallait pourtant remonter à Kiev, retrouver « le silence de cette ville de province endormie, perdue au fond de la Russie, [...] pesant, profond, d'une écrasante tristesse [13] ». Dans trois mois, dès 16 heures, on allumerait les lanternes dans les rues. Les boutiques paraîtraient « fantastiques et mystérieuses, un peu effrayantes, avec leurs rares petites lumières se balançant sous l'enseigne [14] ». Irotchka retrouverait le ballet ennuyeux des loisirs encadrés et des cours particuliers, triste privilège de petite fille riche. « Lorsque je regarde mon enfance en Russie, au déclin du régime tsariste, je vois une succession de leçons et de professeurs. Jamais de temps pour rêver ou se détendre. Pas de distractions frivoles. Le dimanche, une heure de patinage, c'est tout. Je crois que c'est de cette enfance assez triste que vient le fond de pessimisme qui vous a frappée dans mes livres [15]. »

Un frisson indistinct

Pour se distraire, toujours les mêmes jeux, dessin ou découpage, le soir, en écoutant Zézelle fredonner de vieilles chansons françaises, « Malbrough s'en va-t-en guerre » ou « Plaisir d'amour ». Le dimanche, les livres, engloutis avec avidité, la ramenaient en France : petits volumes de Stendhal, Balzac ou Maupassant que l'on pouvait se procurer à librairie Idzikovski, au coin de la Foundoukleev ; romans de gare, qui lui procuraient l'illusion de deviner sa mère ; « récits de voyage, quelques conteurs libertins du XVIIIe siècle et beaucoup de romans modernes, des meilleurs et des pires [16] », gloutonnés à la veilleuse, en cachette, sous l'oreiller, ou assise en tailleur sur le plancher, une main dans les cheveux, dans un rayon de lumière filtrant par l'entrebâillement de la cuisine, au son des souris dans les cloisons. Quels démons l'ennui libérait-il dans son cœur solitaire ? Quelles réponses, vraies ou fausses, trouvait-elle dans les livres à ses énigmes ? Et, au fait, « d'où pouvait bien venir sa mère dépeignée ainsi, les yeux brillants [17] » ?

« Il était vrai que, par moments, l'excès de lecture agissait sur [*elle*] comme une lourde ivresse [18]. » Une fois, en fouillant, elle mit au jour « un lot de livres érotiques, jeté là sans doute, au retour du voyage de noces des parents ». Jaunis, mais intacts. Au fil des pages, femmes en corset, hommes à demi nus, couples obscènes en parures chinoises s'étalèrent sous ses yeux. « Deux femmes étendues sur un lit, les bras noués, se baisaient à pleines lèvres. » Aux aguets, Irotchka tournait les pages, sans hâte ni honte. À la curiosité studieuse succéda l'amusement : « Qu'ils sont laids, qu'ils sont comiques... » Puis la répulsion, à la vue de cette « fille en chaussettes et tablier d'écolière, de longues jambes nues, au-dessus des bas roulés et devant elle, un homme énorme et ventru en caleçon ». Était-ce là, ces « images de triste et morne débauche », l'immondice que sa mère appelait l'amour, ce trésor convoité de toutes les femmes ? « L'amour... Quelle saleté. »

Cependant, un « frisson indistinct » lui remuait les entrailles, « l'amorce d'un plaisir aigu, indécis, qui l'irrita brusquement » car il la faisait complice. « C'est une femme, elle est faite pour l'amour », disait parfois Anna. Si l'amour c'était cela, Irotchka en savait assez. Trop tôt instruite du « mystère ignoble » de la chair, elle se crut dispensée d'éducation sentimentale. Ce ne serait pas son moindre grief à l'égard de sa mère – puisque, comment en douter, celle-ci s'était livrée à ces mascarades. Irotchka prit dès lors en horreur les « beaux bras blancs et poudrés », les « mains blanches et oisives », les « joues fardées [19] » d'Anna, paravents de sa luxure. Zézelle, si chaste, ne lui parut que plus maternelle, et sa peau « huilée, fripée, tendre, froissée », plus douce que la « chair de neige » d'Anna. Pour dissimuler à sa mère ce qu'elle avait appris, Irotchka consentit à jouer les fillettes, ravalant les termes d'adultes appris dans les livres pour n'user en famille que de mots enfantins. Alors Anna :

— Cette enfant est idiote...

Lorsque, à sa joyeuse surprise, Leonid disparut du foyer pendant de longs mois, Anna crut atteindre au zénith de sa féminité. Cette assoiffée des sens, comme son mari l'était du gain, ne se croyait pas née « pour être une bourgeoise placide, satisfaite, entre son mari et son enfant [20] ». Jusqu'au printemps 1914, elle vécut presque continuellement en France, entre Paris, Biarritz et Nice, croyant cacher à Irina son secret de jouvence. Celle-ci n'en fit pas le décompte, mais c'était chaque fois un « gras Levantin » ou un « Arménien gras et sombre » au « cheveu plat et bleu, le nez crochu, de grosses lèvres framboise [21] », avec des façons de vendeur de cacahuètes. Enfin, tout ce qu'Anna faisait mine de ne pas tolérer en Russie, et que les Français désignaient alors du nom de « métèques ». Mais comment refuser des pierres, de l'or, des perles ?

Au moins, ce mode de vie éloignait d'Irotchka les scènes de ménage et les remontrances, car Anna ne se souciait plus d'elle. Lorsqu'elle la retrouvait le matin allée des Acacias, au bois de Boulogne, Irina choisissait de « ne pas voir sa mère, avec sa jaquette d'Irlande, sa voilette à pois, ses jupes balayant les feuilles mortes, s'avancer avec cet air empanaché, "cheval de corbillard", des femmes en ce temps-là, à la rencontre de son nouvel amant [22] ». Mais le soir, dans la prière apprise de Leonid, elle remplaçait désormais le nom de « petite mère » par celui de Zézelle, « avec un vague et meurtrier espoir [23] ». Elle songeait parfois, distraitement, à la Sibérie reculée où son père machinait Dieu savait quoi. Puis, elle l'oubliait. Elle fermait les yeux pour mieux rêver et entendre, « au fond de son âme, cette musique du vent qu'elle devait tant aimer, plus tard... et qui traversait son sommeil d'une houle large et profonde, la roulait, l'ensevelissait dans ses plis, s'apaisait, demeurait dans son cœur comme le frémissement d'argent d'une flûte, et l'endormait ». Comme elle était seule !

Une fade odeur d'eaux corrompues

Rêvant dans son lit, dans quelque hôtel de France, Irina ignorait qu'elle ne reverrait jamais le Dniepr rutilant, les sorbets du *Café François* et l'épée flamboyante de Vladimir. Un jour de mars 1914, après deux années d'absence, Leonid reparut à Nice, fortune faite, et annonça qu'avant l'automne tous trois emménageraient à Saint-Pétersbourg, capitale d'Empire, avec les grands-parents et les domestiques. « Il était plus fort, le teint bruni, les lèvres rouges. [...] Quand il riait, son visage s'éclairait d'un feu d'intelligence et d'une sorte de gaieté malicieuse [24]. » Sur une photo, prise sans doute à cette époque dans un palace niçois, on reconnaît Anna, bras nus, plusieurs colliers sur sa poitrine gainée de blanc nacré, lèvres bridées, teint de lune, l'air fat, soupesant un alcool. Leonid, en smoking à revers de lustrine, tassé, revenu de tout, pince une cigarette. Il semble indifférent au danseur mondain à faux col et fine moustache, toutes dents dehors, qui fait probablement du pied à sa femme. S'il est à bout de patience, il le cache bien. Et Irotchka ? À l'hôtel, avec sa gouvernante, dans « l'état d'âme d'une malle oubliée à la consigne [25] »...

Cette fois, Leonid ne l'oublierait pas. Il venait d'entrer au conseil d'administration de la Banque privée de commerce de Saint-Pétersbourg. L'adresse dut faire pâlir Anna : 1 perspective Nevsky. Cet établissement unique était pourtant loin de figurer parmi les premières banques de Russie. Dès l'été, vaincue par sa propre vanité, Fanny prenait possession de la maison que Leonid venait d'acquérir sur la perspective des Anglais, suivie, quelques semaines ensuite, de Zézelle et Irina, chassées de France par la fin des vacances – ou par la déclaration de guerre. Elles quittaient l'été méditerranéen pour l'automne d'une Florence boréale, moisie de l'intérieur par le vieux marais finnois. On n'avait pas tenu compte de la mise en garde de Dostoïevski : « Il n'y a guère de lieu où l'âme humaine soit soumise à des influences si sombres et si étranges [26]. » Irotchka sut immédiatement à quoi s'attendre ; il lui suffit de se fier à son odorat : « C'était un des plus sombres, des plus humides jours d'une triste saison, où, sous ces climats, le soleil paraît à peine [...]. Comme il soufflait, ce jour-là, ce vent cinglant du nord et quelle fade odeur d'eaux corrompues montait de la Néva [27] ! »

Depuis l'étouffement de la première révolution et le renvoi de la Douma de 1906, la Russie était bel et bien redevenue ce « pays barbare » auquel il était inutile de prétendre s'habituer, de surcroît si l'on était un Juif heureux en affaires comme Leonid. À Kiev, en 1911, l'assassinat au couteau d'un enfant de treize ans avait été aussitôt imputé à un ouvrier juif, accusé d'avoir rituellement « calomnié » un sang chrétien pour le mêler aux *matzos* de la Pâque ; grâce à la propagande obstinée des Cent-Noirs, le procès de Mendel Beiliss, en 1912, connut un écho retentissant.

Dans la capitale des tsars, les gages exigés des Juifs étaient encore plus draconiens que partout ailleurs. On pouvait y entendre le moine Iliodore prêcher la croisade contre les « *yids* ». En 1911, la proportion d'enfants juifs dans les écoles primaires de la ville n'excédait pas 1 %. Et si l'on ne voyait pas de Juifs pauvres dans les rues, c'était, dira Gorki, « par le fait que la police ne permettrait pas à un Juif de mendier et plus encore, je pense, parce que les orthodoxes et les catholiques si charitables mettraient sans doute une pierre ou un serpent au lieu de pain dans la main d'un mendiant juif [28] ».

Si la propagande antisémite était plus virulente à Pétersbourg, elle y faisait aussi moins de victimes, car c'était avant tout un article d'exportation, confectionné dans les officines réactionnaires de l'Union du peuple russe, à destination des provinces « enjuivées » de l'Empire. C'est à Pétersbourg, en 1903, qu'avaient été trafiqués et publiés les fumeux *Protocoles des sages de Sion*, présentés comme la preuve par neuf du « complot juif »; mais c'est à Kiev, Kichinev ou Odessa que fut pris au sérieux l'avènement concerté d'un « royaume judéo-maçon ayant à sa tête un tsar antéchrist ». Il ne servit à rien qu'en 1910, une enquête de police commandée par le Premier ministre Stolypine démontre que ce « document » était de pure fabrication ; et c'est à l'Opéra de Kiev, l'année suivante, que fut assassiné le même Stolypine, qui avait mis à pied Iliodore et menaçait de déloger Raspoutine, le parasite débauché de la cour impériale. Le Premier ministre fut abattu par un agent retourné de l'Okhrana (la police secrète), le 1er septembre 1911. Qui accusa-t-on ? Les Juifs.

Satisfaire aux critères de résidence était en revanche l'assurance de jouir à Pétersbourg d'une existence paisible et protégée. Dans cette ville encore jeune, sans ghetto archaïque, on n'avait pas à redouter le déferlement de cosaques ivres. De ce fait, c'était à « Piter » que l'on trouvait la plus grande proportion de Juifs privilégiés : avocats, entrepreneurs, industriels, riches commerçants et banquiers, à l'instar du baron Moïse Gunzburg, de Boris Kamenka ou de Dmitri Rubinstein, président du conseil d'administration de la Banque franco-russe. Ce dernier, qui passait alors pour être l'homme le plus riche de Russie, était un intrigant, bien introduit dans les cercles gouvernementaux, qui n'hésiterait pas, en 1915, à s'acquitter du loyer du moujik Raspoutine, sans la bénédiction duquel plus rien d'important n'était faisable en Russie. « Mitka » Rubinstein accéda également, en 1915, à la tête de la Banque où Leonid venait de prendre ses tickets [29]. Enfin, il était fondé de pouvoir du grand-duc Andréi

Vladimirovitch, dont la liaison avec la ballerine Matilda Kchessinskaïa, ancienne favorite de Nicolas II, était notoire. Or, c'était à celle-ci que Leonid venait d'acheter sa maison, au cœur de la capitale. On voit, à ce nœud de relations, que le « petit Juif obscur » d'Elisavetgrad avait grimpé des échelons. En exil à Paris, ne lui arrivera-t-il pas de recevoir les grands-ducs Alexandre et Boris ?

Une incohérente demeure

Au 18 perspective des Anglais, dans le quartier Kolomna, s'élevait une bâtisse d'un étage en brique jaune, large de dix fenêtres, coiffée de deux chapiteaux à chaque extrémité et flanquée d'un garage – puisque Leonid, luxe rare, disposait maintenant d'une automobile. Ce quartier était celui de la nouvelle synagogue, dont l'édification résumait à elle seule la situation des Juifs de Saint-Pétersbourg : la première pierre n'avait pu en être posée, à plus de cinq cents mètres de toute église, qu'à la condition que tous les autres lieux de culte juifs fussent préalablement rasés. Plus huppé était le quartier de Pétersbourg, où résidaient plus de 60 % des « citoyens à statut privilégié » ; cependant, dans la seule perspective des Anglais, avaient résidé jusqu'en 1910 le jeune compositeur Stravinsky, qui venait d'ébahir Paris, puis, depuis octobre 1913, le *starets* Raspoutine en personne, qui tenait salon au numéro 3, quand il n'arpentait pas le quartier en quête de prostituées.

Dans le souvenir d'Irène Némirovsky, cette maison sans caractère devait toutefois demeurer « une grande et belle maison ». L'intérieur tenait du « repaire de voleurs » : une succession de pièces ainsi agencées que, depuis le vestibule, « par de larges portes entrouvertes, on pouvait voir une enfilade de salons blancs et or ». La chambre d'Irina était paisible « avec ses murs roses, ses meubles laqués, sa petite lampe de porcelaine allumée dans un coin ». Esturgeon, caviar, domestiques, service à la française...

« L'or ruisselait, le vin coulait », mais pas plus qu'à Kiev on ne se souciait de la provenance ou de l'agencement des meubles de seconde main. La vaisselle, les bibelots, les livres étaient achetés par lots à l'hôtel des ventes. Partout s'entassait un bric-à-brac nimbé de poussière, qui faisait de cette habitation une « incohérente demeure [30] ». Au milieu de cette existence capricieuse, Irotchka, au clavier d'un piano aussi blanc que les toilettes de sa mère...

Des affaires saines

À Saint-Pétersbourg convergeaient les vins fins de Champagne, les œillets de la Riviera et les parfums de Grasse. Pourquoi se rendre encore à Paris, puisqu'il y avait *L'Ours*, *Le Palmyre*, *La Fontanka* et tous les cabarets des îles, où il faisait si bon flamber ? D'ailleurs, la France était en guerre. Depuis le 18 août, la banque de Leonid était rebaptisée Banque de commerce privée de Petrograd, à la russe. Derrière ce patriotisme de façade, qui feignait d'ignorer que le général Soukhomlinov, ministre de la Guerre, ne courait pas après la victoire, ou que Mitka Rubinstein aidait la tsarine à transférer des fonds à sa famille, en Allemagne, pour l'aider à supporter les privations ?

Pour la bourgeoisie éclairée, comme pour une partie de l'intelligentsia, cette guerre était porteuse d'un grand espoir, celui de revivifier le corps malade de l'autocratie en lui transfusant un sang libéral. Pour les Juifs – soutenus par quelques *intelliguents* comme Gorki –, brillait la perspective, par leur patriotisme affiché, de jouir bientôt de droits normaux, tout en faisant l'économie d'une révolution à laquelle beaucoup avaient d'abord aspiré. Le 8 août, parmi les autres « populations allogènes » de l'Empire, les représentants juifs de Russie avaient proclamé à la Douma leur absolu « dévouement à l'État et au peuple russe ». Et pas moins de sept cent mille Juifs s'étaient enrôlés dans l'armée. Ces calculs n'étaient pas l'affaire de Leonid, qui préférait compter les millions. « Il s'agissait de livres sterling, de marks, de valeurs aux noms biscornus. » Du sanskrit aux oreilles d'Irotchka, mais Anna, « attentive, écoutait et traduisait en chiffres, et en images précises de robes et de bijoux [31] ».

Le bel élan patriotique n'empêcha pas que fussent fusillés ou jetés sur les lignes ennemies nombre de Juifs que les troupes, en pénétrant en Galicie, s'empressèrent de tenir pour allemands, du simple fait qu'ils parlaient yiddish. Elles firent de même quelques mois plus tard en battant retraite, mais cette fois, les Juifs avaient retrouvé leur rôle de boucs émissaires. Espions, saboteurs, spéculateurs, anarchistes, profiteurs de guerre : tout parut préférable, dès la déroute militaire de décembre 1914 – un million de morts ! –, plutôt que de reconnaître l'incompétence parfois délibérée de l'état-major, la pénurie organisée ou la corruption des grands marchands qui fournissaient sans parti pris tous les belligérants. Leonid Nemirovsky, banquier d'affaires, fut-il « convié à rejoindre le Comité des industries de guerre, qui tentait de hâter la fabrication d'armements et, surtout, leur transport », comme inclinera à le penser sa petite-fille, Élisabeth Gille [32] ? Ou fut-il des spéculateurs de farine, d'armes et de bottes, comme porte à le croire *Le Vin de solitude* et la constante curiosité d'Irène Némirovsky pour les marchands de canons tels que Basil Zaharoff [33], qui firent leur gain, sans états d'âme, des larges horizons commerciaux ouverts par ce conflit sans précédent dans l'histoire humaine ? « Il était très riche depuis la guerre, et chacun le flattait [34] »...

Cependant Boris Karol, double romanesque de Leonid, était aussi capable de déclarer : « Je ne comprends pas pourquoi on ne fait pas plus volontiers des affaires saines [35]. » L'une de ces affaires se présenta mi-septembre 1915, lorsque le prince Alexandre Nikolaïevitch Obolensky, nommé commissaire régional pour l'approvisionnement de la ville, fut chargé de convoquer une conférence régionale consultative au sujet du ravitaillement en vivres de la capitale. Il est fort possible que Leonid y fut convié puisque, indique sa fille : « Quand nous habitâmes Pétersbourg, mon père, par sa situation, eut affaire bien souvent aux gouverneurs et je vis de près tout ce monde-là [36]. » Alexandre Obolensky était le gouverneur civil de la ville depuis 1914. En tant que major général de la suite de Sa Majesté impériale, il avait un accès direct à

Nicolas II. Né à Saint-Pétersbourg en 1872, il avait été gouverneur général de Kiev avant la guerre. En 1916, devenu préfet de police de Petrograd, il était dans les meilleurs termes avec l'ambassadeur français, qui dit de lui dans son journal : « C'est un excellent serviteur de l'empereur et j'ai pour lui beaucoup d'amitié [37]. » Coïncidence : son fils épousera en 1924, à Paris, la meilleure amie russe d'Irina, faisant d'elle à son tour une princesse...

L'époque était bénie pour les financiers. Depuis la désignation au ministère des Finances de Pavel Bark, un des leurs, en janvier 1914, l'État subventionnait généreusement les banques privées, encourageant ainsi la spéculation à la baisse et les opérations de Bourse les plus funambulesques. La Banque de commerce privée de Petrograd, à cet égard, était l'une des plus dynamiques. Du 30 novembre 1912 au 1er novembre 1915, son actif était passé de 137 à 200 millions de roubles. En août 1917, il serait de 319 millions. Cinq fois moins, certes, que les premières banques russes. Dans l'entrepôt de brocanteur qui tenait lieu désormais de domicile aux Némirovsky, « soir et matin, des hommes venaient, tiraient des paquets de leurs poches », comme dans un tripot. Ceux qu'Irène Némirovsky revoit dans ses souvenirs étaient juifs, mais il y avait aussi « le fils de l'un des éphémères ministres de la Guerre de l'époque [38] ». Le 31 mai 1916, Maurice Paléologue voyait déjà la ville aux mains d' « une bande de financiers juifs et de spéculateurs tarés, Rubinstein, Manus, etc. », ayant partie liée à Raspoutine et œuvrant « notoirement pour l'Allemagne [39] ». En Russie, les préjugés antisémites contaminaient jusqu'aux ambassadeurs français.

Sentiment d'insécurité

Homme de cœur, Leonid n'entendit pas jouir seul de sa fortune. Anna accepta qu'il verse une pension à Iona et Rosa, façon d'éviter qu'ils ne s'installent chez eux. Irina ne devait les revoir qu'en 1922, mais la Révolution de 1917 faillit bien les lui enlever. Quant à Victoria, elle avait trop à cœur de ne rien devoir à sa sœur aînée, malgré les tentatives de Leonid de lui venir en aide.

Pauvre grand-papa Iona ! « C'est drôle, je le revois surtout vieux, se raidissant pour ne pas paraître courbé, [...] des yeux encore vifs, des cheveux blancs autour du grand crâne nu. » Et pauvre Rosa, si effacée, si maigre, « avec son cou sec et fané, ses cheveux blanchissants toujours défaits qui coulaient, abondants, entre les dents d'acier du peigne ». Sa voix timorée, lorsqu'elle demandait :

— Macha, servez vite le samovar, Macha, donnez les côtelettes... Allons, allons, viens embrasser ta grand-maman, mon petit... Va, ma fille, tu as bien raison. Jouis de la vie tant que tu peux. On vieillit et il ne reste rien. Mange, tu veux ceci ? Tu veux cela ? Tu veux ma place, mon couteau, mon pain, ma part ? Prends. Prenez, Léon... prenez... Prenez mon temps, mes soins, mon sang, ma chair...

Vains sacrifices, si mal récompensés.

À Pétersbourg Irotchka se retrouva aussi seule qu'à Nice avant guerre, le soleil en moins. « Sans la lecture, elle serait tombée malade d'ennui. Les livres remplaçaient pour elle la vie réelle [40]. » Sa vie était monotone. « Demain, qu'y aurait-il demain ? Eh bien, mais, la leçon d'anglais, la promenade, les problèmes d'algèbre, le déjeuner, la tasse de chocolat à cinq heures, toutes choses qui avaient existé en tout temps, qui continueraient d'exister, comme la terre continuerait de tourner. » Les dimanches étaient longs, surtout l'hiver, qui durait six mois. Ses voisines, deux grandes sœurs poitrinaires, si maigres et si tristes qu'Irina ne leur adressa qu'une fois la parole, vivaient seules avec leur père, mais celui-ci, un petit notaire, préférait les enfermer pour aller faire la noce.

Et si Anna, mettant son chantage à exécution, venait à remplacer Zézelle par une *miss* anglaise, plus stricte, afin de discipliner cette enfant orgueilleuse qui avait lu Stendhal avant Tolstoï ? Irotchka était grande maintenant : douze ans ! « Ce qu'on peut être vieux à douze ans [41]... » Aurait-elle longtemps besoin d'une gouvernante ? Cette vague appréhension avait l'odeur croupie de cette « ville de fumier, de brouillards », à demi désagrégée dans les eaux bilieuses du golfe, comme un cauchemar nervalien.

L'époque était instable. Des ministres débiles se succédaient, jusqu'à ce Protopopov, nommé à l'Intérieur mi-septembre 1916. Le prince Obolensky lui-même venait d'être destitué, au motif infamant qu'il avait perçu des pots-de-vin – plus certainement pour avoir, à son tour, émis des réserves sur Raspoutine. Depuis la fin 1915, Petrograd était sous la menace permanente d'un siège allemand. Le bois, les vivres, le pain manquaient, et l'hiver 1916 avait été particulièrement rigoureux. Au front, les désertions se multipliaient. On redoutait que les mouvements de grèves sporadiques observés dans la capitale ne prennent un tour insurrectionnel – ce qui se produisit dès le 31 octobre aux usines Baranovski, puis à l'usine Renault, aux cris inouïs de : « À bas les Français ! Assez de la guerre ! » Tandis qu'Irotchka, elle, priait : « Faites que les Français gagnent la guerre [42]... », puisqu'elle était à demi française.

Une haine abominable

« Maintenant que j'y pense, écrit-elle en 1934, ce n'est pas étonnant que me soit resté pour la vie cette peur, ce sentiment d'insécurité et de menace. [...] on n'oublie jamais le goût de certaines larmes... Seulement, il faut attendre que le vin soit devenu vieux. » Plus amères sont les vendanges précoces.

Parfois, Irotchka entendait rentrer sa mère au petit matin. « D'elle, je vois surtout une image, lorsqu'elle sort, le soir, avec des officiers, et que la femme de chambre lui jette sur les épaules une énorme, lourde, profonde [*pèlerine* [43]] en drap, [...] et le bruit des grelots dans la neige. » Crûment rapportée dans *L'Ennemie*, puis dans *Le Vin de solitude*, la scène où Irina surprit sa mère en indécente compagnie a tout lieu d'être authentique. Cette forfaiture, alors même qu'on jugeait le ministre de la Guerre pour haute trahison, acheva de transformer Anna en adversaire, poursuivie désormais d'une rancune muette. Irina se sentait salie. Longtemps après, les pages du *Bal*, de *David Golder*, de *Jézabel* trembleront de cette « haine abominable [44] », libérée d'un coup dans son cœur.

Comment s'abstenir encore de juger cette femme ? Comment lui obéir ? « Moi, moi, Napoléon, et demander pardon comme un gamin ! » À huit ou dix ans, Irotchka était inconsolable de ne pas obtenir l'absolution maternelle, si coûteuse à son orgueil ; désormais, c'était à elle de réclamer des comptes. Le plus infime indice physique d'Anna la révulsait, « le vague parfum qui demeure après son passage, ou même la forme de ses gants ». Le cœur de cette fillette, où Zézelle avait su deviner un démon, s'emplit d'une bile rageuse, prête à jaillir, « vindicative, irritée, haineuse, bravant les lois ». Regardant le portrait de sa mère enfant, qui redoublait sa jalousie, il lui venait des envies de meurtre : « Elle sent si bien que celle-ci, enfant, elle l'eût rouée de coups, elle eût été la plus forte, elle eût enfoncé ses ongles dans les gros bras mous. Et, par un caprice inouï du sort, elle est *sa* fille, et doit lui obéir. Pourquoi n'est-elle pas morte ? [...] Morte, morte... Quel bonheur... »

« Qu'aurais-je ressenti si j'avais vu mourir ma mère ? note Irène Némirovsky en 1938. Ce que je dis : la pitié, l'horreur, et l'épouvante devant la sécheresse de mon cœur. Sachant désespérément au fond de mon âme que je n'avais pas de chagrin, que j'étais froide et indifférente, que ce n'était pas une perte pour moi, hélas, mais, au contraire... »

À la trahison, Irina répondit par la trahison. Il n'était pas encore question, à treize ans, d'attraper Anna à son propre jeu en lui chipant un amant, comme la chose se produit dans *L'Ennemie* et dans *Le Vin de solitude*, mais simplement de montrer qu'elle n'était plus dupe. Dans *L'Ennemie*, c'est par une lettre que la petite Bragance fait savoir à Léon, son père, que sa femme le trompe. Dans *Le Vin*, c'est par un griffonnage accusateur, sur une page de grammaire allemande, que Bella se sait devinée par sa fille. « Dans chaque famille il y a le lucre seulement, le mensonge et l'incompréhension mutuelle. C'est partout pareil. Et chez nous aussi, c'est pareil. Le mari, la femme et l'amant [45]. »

Cette scène libératoire, si elle eut lieu, comme son caractère obsessif porte à le croire, eut les conséquences les plus inattendues.

Le triomphe d'Irotchka ne dura pas : outre une prévisible explosion de colère, les foudres d'Anna s'abattirent sur la pauvre Zézelle. C'était d'elle, cette sainte-nitouche, qu'Irina tenait son insolence ! Eh bien, elle ne reverrait plus jamais « la charmante figure douce et fripée de Mademoiselle » ! La séparer d'Irina, presque sa fille, elle qui n'avait jamais eu d'enfant ? Zézelle, dont le climat morbide de Petrograd et l'idée même de la guerre en France avaient entamé la raison, ne put le supporter.

Je voudrais bien mourir...

Irène Némirovsky a choisi, dans *Le Vin de solitude*[46], d'engloutir dans le brouillard sa douce gouvernante, terrifiée par « les premiers éclats de la Révolution ». Dans *Les Mouches d'automne*, elle la fait pénétrer tout doucement dans la Seine, sous l'apparence d'une vieille *niania* russe rendue folle par l'exil. « Il faut bien montrer ce que j'ai cru sentir en elle, comment toute cette incohérente demeure, ces gens, ces cris, jusqu'à ce pays sans mesure, devaient la choquer, l'épouvanter, et, moi-même, mon âme, tout ce qu'il y avait en moi [...] de sauvage, d'emporté. Oui, tout cela devait l'attrister, l'effrayer. »

Trop française pour ce « pays barbare », Zézelle se précipita dans l'eau glacée de la Moïka, au cours de l'année 1917. Victoria s'en souvenait encore cinquante ans plus tard. Dès 1931, toutefois, dans le prière d'insérer des *Mouches d'automne*, Irène Némirovsky levait le voile :

> *Il est une chose que je voudrais signaler. Ces* Mouches d'automne *ont paru dans une collection à tirage limité, et les critiques qui en ont parlé, ont désapprouvé la fin, invraisemblable et « mélo ». Il me paraît assez intéressant de préciser que le suicide de la vieille tante Tatiana est le seul fait authentiquement, absolument réel du récit.*
>
> *Ainsi est morte ma gouvernante, une femme au cœur simple et dévouée qui m'a élevée, que j'aimais comme une mère. Par hommage à sa*

mémoire et parce que je crois que l'on doit répondre de ses erreurs, je n'ai rien voulu changer à la présente édition.

Gabri se jetant par la fenêtre dans *L'Ennemie*... David Golder à l'agonie dans « une eau noire et bourbeuse [47] »... Tatiana Ivanovna glissant inaperçue dans la Seine malodorante [48]... Éliane songeant à se jeter à l'eau dans « Film parlé »... L'étang de la Berche où disparaît l'amante d'Henri dans « La Comédie bourgeoise »... Les « sombres remous [49] » où s'ira jeter Ginette dans « Les Rivages heureux »... La « peur de l'eau » qu'avoue Colette et la « rivière profonde » où disparaît Jean Dorin dans *Chaleur du sang*... La « boue liquide, verdâtre [50] » qui engloutit Grayer dans « Le Spectateur »... Et l'étang où s'enfonce l'abbé Péricand dans *Suite française*, sous une grêle de pierres... On se suicide et on se noie souvent dans l'œuvre d'Irène Némirovsky, dans une eau toujours plus froide, plus noire et plus fétide : celle, à jamais corrompue, de Saint-Pétersbourg, dont l' « odeur empoisonnée » était pour elle « l'haleine même de la ville [51] ».

Zézelle survit dans l'œuvre d'Irène Némirovsky sous le nom fragile de Mlle Rose. De vénale, ce suicide acheva de transformer Anna en criminelle. Et Leonid en complice, puisque aux alertes désespérées d'Irotchka – « Oh, papa, papa, si tu savais!... » –, il s'enferma dans la dénégation : « Assez... tu ne sais pas ce que tu dis, mon enfant [52]... » Il lui fallut enterrer dans son cœur le lourd secret que nul ne voulait entendre. Jusqu'au jour de 1934 où, rhabillant ses souvenirs pour les mettre en scène dans un grand roman d'apprentissage, ce secret mal tué lui bondit soudain à la conscience. Et si l'œuvre d'Irène Némirovsky reposait tout entière sur un aveu réprimé ?

À ce point de délaissement, il eût été surprenant que le désir de rejoindre Zézelle ne l'effleurât pas. « Elle regarda longuement l'eau du canal. — Je m'y jetterais bien, songea-t-elle, je voudrais bien mourir [53]... » Mais elle avait prononcé ou écrit ce mot : « l'amant », l'avait exhibé comme un talisman. Elle avait sifflé la mauvaise comédie conjugale et, d'une réplique, l'avait changée en tragédie. Cela lui faisait devoir de dénoncer cette « caricature de foyer [54] ». Leonid était résigné ? Il revenait donc à Irina de punir l'offense maternelle. Son cœur brassait le sang maternel, sa peau avait le teint bistre du père, son âme vibrait d'un « mal héréditaire [55] » qui la faisait vaniteuse, insolente et jalouse ; mais elle avait l'orgueil de le savoir, de prendre en faute les adultes et de les manipuler à distance. Car « [*s*]on âme était plus vieille que [*s*]on corps, et c'était [*s*]on âme qu'on offensait ». En songe, ses parents devenaient ses jouets dociles. Quelle revanche ! Quelle consolation ! « Une petite fille se raconte des histoires, le soir, en s'endormant. Elle associe les grandes personnes qui l'entourent à mille aventures singulières où leurs visages familiers prennent parfois des traits fantastiques. Cette petite fille s'enchante chaque jour de son imagination. [...] Mme Irène Némirovsky semble bien placée pour le savoir. Car c'est ainsi qu'elle commença d'écrire [56]. »

On était en décembre 1916. L'industrie de guerre avait ébranlé l'économie russe. La famine cernait les villes. Un moine fou magnétisait le couple impérial. L'État passait de main en main. Les journaux sortaient criblés de colonnes vierges, au point qu'on s'attendait à les voir disparaître du jour au lendemain. « Naturellement les grandes personnes "savaient" ; elles attendaient quelque chose. Quoi ? » Bientôt, la révolte mentale d'Irina Némirovsky serait placée « en face des réalités les plus brutales, les plus cauchemardesques ». Or comment croire au mot « révolution », quand on ne croit déjà plus au mot « amour » ?

3

Le bouleversement de toute la vie

(1917-1919)

> *« Ô toi ma ville insaisissable,*
> *Pourquoi es-tu née sur un abîme ? »*
>
> Alexander Blok, *La Némésis*, 1914

L'an 1917 entra par effraction dans la vie rêvée d'Irina et l'éjecta dans un présent convulsif. À presque quatorze ans, elle portait encore ces grandes blouses informes, si laides, achetées à Berlin avant guerre. Mais son collier était de vraies perles, ce qui la consolait. « Comment la vie a-t-elle cessé tout à coup d'être quotidienne ? Quand la politique, désertant les journaux, s'est installée dans notre existence ? Quand a-t-on senti enfin jusque dans ses os que l'Histoire, "les temps historiques", n'était pas uniquement le privilège des générations précédentes, [...] mais pouvait se mêler à votre vie à vous troubler votre sommeil, modifier votre avenir, vous entourer de toutes parts, vous cerner comme de sombres flots ? »

L'an I de la révolution

Quand ? Leonid Némirovsky devait savoir, sans doute, que depuis le 10 février un mouvement de grève s'était propagé depuis les usines métallurgiques Poutilov, dans les faubourgs. L'hiver était exceptionnellement rude, quarante degrés sous zéro. Déjà quelques boulangeries, la plupart vides, avaient subi des assauts en règle. Chacun s'attendait à une rude réplique de 1905. Le 14, sur la perspective Nevski, avait retenti la *Marseillaise des ouvriers*, chantée par de jeunes voix de femmes : « Nous rejetterons le vieux monde... » L'empereur était ouvertement défié par les tracts appelant à la grève générale. « Abandonnez le travail et descendez dans la rue – réclamez la paix et du pain, et l'abdication du tsar – et au diable toute la bourgeoisie [1] ! » On devine quel accueil Leonid et Anna firent à ces revendications.

Le jeudi 23 février, les manifestations trouvèrent une ampleur majestueuse. L'après-midi, sous prétexte de la « Journée internationale de la femme », des milliers d'ouvrières du textile et de mères de famille envahirent en bon ordre les rues de la ville, mugissant des slogans d'une effarante platitude : « Nos enfants meurent de faim ! Nous n'avons rien à manger ! » Les passants, les fonctionnaires et même les cosaques les regardaient passer sans hostilité, avec une curiosité grave, comme autrefois les processions déguenillées de moines vagabonds qui parcouraient trois mille kilomètres à pied pour baiser les saintes momies de la laure de Kiev. Une multitude de pèlerines noires se massait sans heurts devant la Douma et sur la Nevski, pour une kermesse sans pain ni musique, en foule si compacte que les automobiles étaient arrêtées. Dans l'une d'elles se trouvaient Leonid, Anna et Irina. Une ouvrière se pencha à leur carreau. « Elle portait sur ses cheveux un châle de laine grossière, et dans le pan de son châle, dans le creux de son bras un petit enfant endormi. Je regardai l'enfant et le trouvant gentil, le dit tout haut, et la femme sourit à demi, de ce sourire presque involontaire qui touche à peine le coin des lèvres et éclaire les yeux, sourire à la fois fier et timide qu'ont toutes les femmes au monde, riches ou pauvres, lorsque dans la rue devant elles, un passant a regardé leur petit. »

— Que veulent-elles ? Que disent-elles ?

Pas de réponse à la curiosité d'Irina, sinon que cette assemblée de femmes n'était pas la première, mais que celle-ci dépassait en nombre les précédentes. « Et, en effet, j'avais beau me hausser sur la pointe des pieds, regarder au loin, je ne voyais que des femmes en fichus, des femmes en jupes grises, des femmes tenant des enfants sur leurs épaules, et qui passaient du même pas lent et cadencé. Nous ne vîmes pas la fin du cortège. La police fit pousser notre voiture dans une des rues latérales, nous rentrâmes. »

Le lendemain et le surlendemain, les cortèges reprirent, plus revendicatifs. La moitié des ouvriers de Petrograd – deux cent mille hommes – étaient en grève et affluaient vers le centre, franchissant la Neva gelée pour contourner la police, postée sur les ponts. « À bas la guerre ! À bas l'autocratie ! » Les femmes, toujours elles, imploraient la troupe de baisser ses armes. Sur la Nevski, sous un franc soleil, des bandes d'étudiants et de jeunes filles confisquaient les clés des tramways. Les quartiers résidentiels furent envahis par les manifestants. Comme éclataient les premières grenades et des coups de feu, les cosaques firent pleuvoir la *nagaïka* (la schlague), comme au temps jadis. La troupe prit le relais des « pharaons », tua et arrêta, mais en réalité elle était sur le point de basculer en faveur des émeutiers, qui conservaient un calme affreux. Seuls les élèves sous-officiers, frais disciplinés, ne voyaient pas ce qu'ils eussent gagné à désobéir.

On annonçait pour la nuit du 25 le retour précipité du tsar, non pour distribuer du pain – « autant demander du lait à un bouc [2] », dira Trotsky –, mais pour se rendre au chevet du chétif tsarévitch. Irina, à qui l'on n'avait rien expliqué, n'était pas davantage consciente de la gravité des événements. Mais l'après-midi du 26 février, un de ces dimanches d'éternel ennui, tandis qu'elle étudiait seule son piano à la maison, la révolte sociale vint battre à sa fenêtre. Dans la rue retentirent « des cris et des coups de sifflet ». Trop heureuse d'abandonner ses gammes, elle se précipita au carreau. « Je vis d'abord des femmes qui se querellaient, me sembla-t-il, à la porte d'une boulangerie fermée. Tout à coup ces femmes commencèrent à rire et à battre des mains. En face de notre maison s'élevait une caserne. Sur le haut du mur parurent un, deux, trois, dix soldats, leurs fusils à la main et avec des cris, des lazzis, ils sautèrent dans la rue, acclamés par les femmes, entourés de gamins. Ainsi, je vis les premiers soldats se joindre aux révolutionnaires, toute cette foule grossit en un instant, courut vers la place voisine, disparut. »

Le soir, tout Petrograd était dans les rues, couvertes de placards promettant l'écrasement des troubles par la force. Le palais de Justice avait brûlé. Les mitrailleuses étaient en position sur les toits. Restaient à prendre l'Arsenal, l'Amirauté, l'Okhrana, la forteresse Pierre-et-Paul, le Palais d'hiver et, surtout, les grandes casernes. Irina s'était couchée, pas encore inquiète, mais intriguée, confiante dans l'apparente sérénité des grandes personnes. Ce fut alors, pour la première fois, qu'elle entendit claquer les armes. C'était le régiment Pavlovski, pris sous le feu des mitrailleuses, qui répliquait. L'armée venait de tourner ses canons contre le dernier atout répressif du régime.

— Tu n'as pas peur ? s'enquit Leonid, de retour à la maison.

Non, elle n'avait pas peur. Les Français avaient pris la Bastille et depuis, la France était un éden. « Ce n'étaient que les toutes premières heures de la Révolution. On se croyait à l'abri chez soi. Vers minuit tout se tut. » Le lendemain matin, tous les régiments étaient mutinés. Les détenus politiques, comme ceux de droit commun, sortaient des prisons. Des automitrailleuses sillonnaient la ville. Un soviet d'ouvriers et de soldats défiait le pouvoir que la Douma avait d'abord hésité à prendre et proclamait la victoire de la Révolution. Douillettement calfeutrée depuis le 23, encore émue par les beaux visages des ouvrières, Irina jugea ce spectacle merveilleux. « La ville était pavoisée de rouge et à ce signe on reconnut qu'on était en Révolution. [...] Il n'y avait pas de sang versé ; pas une maison détruite ; le soleil brillait ; on vendait des fleurs de papier rouge dans les rues et les tramways s'ornaient de banderoles écarlates. Le peuple était joyeux, magnanime, plein d'espoir. » D'ailleurs, on entonnait *La Marseillaise*, et le prince Lvov, ministre-président du gouvernement provisoire formé le 2 mars, faisait imprimer en français ses cartes de visite. Le 10 mars, était abolie la peine de mort – ce qui n'empêchait pas les exécutions sommaires. Et le 14, la Russie lançait un fraternel « appel à la paix aux combattants du monde entier ». Un 1789 universaliste et généreux se reproduisait donc en Russie. C'était méconnaître la prédiction d'Engels : « Lorsque 1789 survient dans un tel pays, 1793 ne tarde pas à suivre. »

Un cri de haine et de folie

Le conte de fées tourna court. Irina comprit soudain « “qu'il se passait quelque chose”. Quelque chose d'effrayant, d'excitant, d'étrange qui était la Révolution, le bouleversement de toute la vie ». Ce fut le jour où, de la salle d'étude, elle vit crépiter sur les toits les mitrailleuses irréductibles, arrosant la foule oisive qui avait pris possession de la ville, « faisant de la semaine un dimanche » et prenant la révolution pour une foire. « J'entendis pour la première fois les cris de frayeur, de douleur des blessés et ce long hurlement qui monte de la foule et qui demande le sang, ce cri inoubliable, qui ne contient plus rien d'humain, ce cri sombre de haine et de folie. » Puis ce fut la curée. Sur les toits, des soldats et des étudiants en brassard rouge pourchassaient les tireurs embusqués pour les livrer au lynchage. Irina, au carreau, observait avec stupeur ce déchaînement de bestialité, quand elle entendit une cavalcade dans les murs mêmes. On recherchait le *dvornik* Ivan, car il avait marié sa fille à un policier. Ce concierge redoutable, « vieil homme corpulent en chemise blanche à la russe », avait trouvé refuge sous le lit de son beau-père. Il en fut sorti par une escouade de soldats goguenards mais intraitables, puis traîné dans l'arrière-cour. Irina, pâle comme un linge, courut à la fenêtre du couloir.

— Ne regarde pas ! criait Anna.

Elle regarda tout de même car elle n'avait jamais rien vu. On avait collé Ivan contre un mur, lui priant de dire adieu à ses enfants, des bambins qui sanglotaient, puis on lui banda les yeux et les fusils crachèrent. Le *dvornik* s'effondra, visage en sang. Puis il rouvrit les yeux et sourit stupidement. « On avait voulu seulement lui faire peur, le punir, ou, peut-être, les soldats avaient-ils mal visé. » Après cette cruelle correction, le ressuscité était pansé et réconforté par ses exécuteurs, comme si le régisseur de cette farce macabre avait omis de baisser le rideau. Sortant des coulisses, la femme d'Ivan portait à boire aux soldats hilares. À la fenêtre, Irina hésitait à applaudir cette bouffonnerie. Comment les foules béates de février s'étaient-elles changées en hordes sauvages, les innocents en forcenés, les justiciers en comédiens ? « Bien plus tard seulement, je compris que j'avais vu naître la révolution. J'avais vu le moment où l'homme n'a pas encore dépouillé les habitudes de l'humain, où il n'est pas encore habité par le démon, mais, déjà, celui-ci, s'en approche, trouble et cerne son âme. Quel démon ? Tous ceux qui ont vu de près ou de loin la guerre, l'émeute, le connaissent ; chacun lui donne un nom différent, mais il a toujours le même visage, hagard et fou, et tous ceux qui l'ont aperçu une fois ne l'oublieront plus [3]. »

Passant cet épisode à l'estompe en quelques lignes du *Vin de solitude*, Irène Némirovsky ne laissera aucune chance au *dvornik* Ivan : « Il était tombé, on l'avait emporté, comme on avait emporté, un autre jour, sur un brancard, une femme inconnue, morte, roulée dans son châle noir [4] ». De voir en vrai les effets pervers de la liberté, lorsque ivre de s'exercer elle devient l'arbitraire, l'emplit de scepticisme sur les bienfaits du Grand Soir. Non qu'elle méconnût la sclérose féodale de l'autocratie : « Une censure stupide, des mœurs féroces, les révolutionnaires et le gouvernement rivalisant de cruauté dans l'attaque et la répression, tel était à peu près le tableau de la société russe dans les années 80-90 [5]. » Mais ce gâchis de vies humaines illustrait la fragilité des justes causes et la pertinence du vieux *nitchevo* russe : « "Détruire les injustes pour le bonheur du plus grand nombre." Pourquoi ? Et qui est juste ? Et, à moi, que me font les hommes [6] ? » Oui, à quoi bon, au juste, bâtir sur du sang ? À quoi bon réparer le mal par le mal ? Ainsi le « mal héréditaire », qui faisait des petites filles les répliques haïssables de leur mère si elles n'y prenaient garde, était un principe universel, puisque de pauvres gens pouvaient à leur tour se transformer en assassins, et qu'il y aurait bientôt des « petits-bourgeois bolchevistes [7] ». « La révolution me donna des vacances... mais m'incita à méditer [8] », résume Irène Némirovsky en 1935, avec un art consommé de la litote.

Un pied-à-terre à Moscou

Tout le temps que dura le gouvernement provisoire, rassuré par la dérive autoritaire du nouveau régime, Leonid Némirovsky poursuivit ses affaires, « timidement d'abord », puis avec entrain. Le ministre de la Justice, le socialiste Kerensky, grand harangueur dont les âmes bien nées ne manquaient pas d'assurer qu'il s'appelait en réalité Aaron Kirbis [9], jouissait d'une ferveur populaire presque égale à celle du tsar déchu. Tandis que plus une aigle impériale, plus une statue de Nicolas II n'était intacte, les portraits d' « Alexandre IV » se mirent à fleurir avec le printemps. En avril, il était devenu à la mode de s'offrir des « bonbons Kerensky », friandises infectes à la cannelle et au chocolat façonnées à son effigie [10]. Le 7 avril, la *Pravda* avait publié les « Thèses d'avril » de Lénine, revenu d'exil, qui préconisait la « fusion immédiate de toutes les banques du pays en une banque nationale unique placée sous le contrôle des Soviets des députés ouvriers ». Mais Kerensky paraissait sûr. Successivement ministre de la Guerre, puis chef du gouvernement, il sortait du bois en juillet, réprimait les démonstrations de marins et d'ouvriers, affrontait les bolcheviks et imposait à Lénine un nouvel exil. Fin août, il déjouait une tentative de putsch militaire et proclamait la République.

La Russie, malgré la guerre, devenait-elle enfin un pays raisonnable ? Comme en France sous la Convention, les dispositions antijuives étaient abolies. Une « tache sanglante et boueuse d'infamie [11] », écrit Gorki, était enfin lavée. Dans l'esprit des leaders bolcheviks, qui guettaient l'heure de saper les institutions bourgeoises, le « problème juif » n'existait tout simplement pas : il disparaîtrait de lui-même avec l'émancipation de toute la société [12]. Même là, Irina s'en remettait à son nez : depuis février, la puanteur des canaux, « que personne depuis la révolution de février ne songeait à nettoyer [13] », était devenue intolérable. Que présager de bon d'une ville qui se néglige? « À Pétersbourg, on vole, on pille », observait la poétesse Zinaïda Hippius, dont l'appartement – une antichambre de la Douma – offrait une vue plongeante sur le palais de Tauride; « dans l'armée, c'est la décomposition générale, l'indiscipline, les révoltes [14]. » Et comme toujours en pareil cas, en dépit des réformes et des déclarations, les Juifs étaient accusés de tous les maux présents de la Russie, comme ils l'avaient été des maux passés. Quelques jours avant octobre, on pouvait lire sans surprise sur les murs de Petrograd ce slogan extraordinaire : « À bas le Juif Kerensky, vive Trotsky [15] ! »

Était-ce une révolution? Les bolcheviks, s'appuyant sur la masse impatiente des matelots, des anarchistes, des droit commun et de la plèbe désœuvrée, avaient promis pour le 25 octobre un chahut général visant à préparer le transfert du pouvoir total aux soviets. Il survint. Sur le passage des ministres arrêtés au Palais d'Hiver et conduits à la forteresse Pierre-et-Paul, une foule scandait : « À l'eau! » Journaux censurés, téléphone coupé, ville bouclée sous le feu des blindés et des cuirassés, saccage du Palais d'Hiver, pillages, rapine, règlements de comptes... « Dans les guerres et les révolutions, rien de plus extravagant que ces premiers instants où l'on est précipité d'une vie dans une autre, le souffle coupé, comme on tomberait tout habillé du haut d'un pont dans une rivière profonde, sans comprendre ce qui vous arrive, en conservant au cœur un absurde espoir [16]. »

Une apocalypse se répandit dans Petrograd, libérant les pulsions de mort. Les officiers et les junkers loyaux à Kerensky, objets de tortures inouïes, furent noyés avec les princes qui n'avaient pas fui ou ne s'étaient pas teints en rouge. À la foire de février succédait un infernal Mardi Gras : gamins en armes fouillant les armoires, concierges promus au commandement de leur immeuble, brigands déguisés en inquisiteurs, expropriations à la tête du client, petits malfrats lynchés en place publique sous les yeux des enfants et de l'impuissante milice de ville, formée d'étudiants incapables d'armer un revolver...

Les Némirovsky n'eurent pas le loisir de savoir si le *dvornik* Ivan, comme ses semblables, fut nommé commissaire d'immeuble. Le 3 novembre, le nouveau pouvoir décrétait la fermeture de tous les établissements financiers et, quatre jours après, faisait procéder au pillage de la Banque d'État. Lénine avait promis d'en finir avec le « pouvoir des banquiers » : il était donc temps pour Leonid Némirovsky de fuir Saint-Pétersbourg. Mais dans l'état de décomposition où le pays avait sombré en une semaine, il ne pouvait être question de gagner Téhéran ou Constantinople. Parant au plus pressé, Leonid mit le cap sur Moscou, dans l'espoir de regagner Petrograd lorsque les troubles auraient cessé ou lorsque Kerensky, introuvable, aurait ramené l'ordre *manu militari*. Leonid disposait en effet, dans la capitale de l'ancienne Russie, d'« un pied-à-terre, un logement qu'il sous-louait, tout meublé, à un officier de la garde qui se trouvait alors détaché à Londres, à l'ambassade sans doute ». Ce simple fait témoigne encore de son entregent, comme de l'aversion qu'il dut concevoir pour la révolution bolchevique, car le régiment des chevaliers-gardes, affecté depuis la Grande Catherine à la protection de la résidence impériale, était un corps d'élite et d'apparat, qui se distinguait par ses mœurs civilisées. Signe qui ne peut tromper : son hymne était tiré d'un opéra français, *La Dame blanche* de Boieldieu.

Il ne faut donc pas s'étonner si Irina, confinée à domicile, trouva chez ce lieutenant « Huysmans, Maupassant, Oscar Wilde et Platon ». C'est peut-être un catalogue de sa bibliothèque qu'elle établit pêle-mêle dans un petit calepin noir qui ne la quittera plus jusqu'en 1942 : *Le Portrait de Dorian Gray, Une maison de grenades, À rebours, Le Livre de la jungle*, des vers de Ronsard, du Bellay, Vigny, Verlaine, *Les Fleurs du mal, Claudine en ménage, Aphrodite* et les *Chansons de Bilitis* de Pierre Louÿs, *Les Hors-Nature* de Rachilde... *À rebours*, auquel elle ne comprit pas tout, lui fournit un lexique pour inventorier le capharnaüm de sa maison pétersbourgeoise, « mais ce livre me fut cependant une révélation : il m'introduisait au cœur de la plus haute littérature française contemporaine [17] ». *Mont-Oriol* put l'instruire sur les affaires paternelles, et *Bel-Ami* sur les mœurs maternelles. Oscar Wilde, sur la comédie bourgeoise, dont elle recopia les aphorismes dans son calepin : « *Men marry because they are tired, women because they are curious; both are disappointed* [18] »... C'est pourtant Kipling qu'elle citera en 1932 comme ayant le plus marqué son enfance [19].

The aim of my life…

L'appartement moscovite présentait toutes les garanties de sûreté. Il se trouvait dans une « maison intérieure », à laquelle on accédait en traversant successivement deux enceintes d'habitations, au cœur desquelles elle était sertie comme « le donjon dans un vieux château français ». Leonid n'avait pas manqué d'intuition en choisissant pour abri une place forte, comme s'il avait redouté un assaut. Car à Moscou, le « khouliganisme », comme on disait, se déchaîna plus sauvagement qu'à Petrograd. Dans la nuit du 26 au 27 octobre, le Kremlin avait été sous le feu des batteries positionnées sur le mont des Oiseaux. Depuis, junkers et gardes rouges s'affrontaient quotidiennement en bataille rangée. Le 31, les insurgés tiraient dans les rues à l'arme lourde. « Le bombardement fut si terrible que des soldats ayant fait la guerre m'ont affirmé que c'était plus effrayant qu'au front [20] », se rappelle Irène Némirovsky. Le 4 novembre, la victoire bolchevique était acquise. « Mais la vie, écrit Gorki, n'en continuait pas moins son cours normal : lycéens et lycéennes allaient en classe ; on se promenait ; on faisait la queue devant les magasins ; des badauds s'attroupaient par dizaines aux coins des rues, cherchant à deviner d'où on tirait [21]. »

Entre deux mitrailles, la princesse Irina descendait de son « donjon » recueillir des douilles et des cartouches, vestiges du ravage extérieur. Puis elle remontait parfaire son apprentissage, s'armant de grammaires latines pour déchiffrer dans le texte « ces auteurs de la décadence qui faisaient les délices du héros de Huysmans ». Lectures de circonstance : dans les rues, les dépôts de vin étaient assiégés comme s'il s'agissait d'arsenaux, les hôtels pilonnés comme des objectifs militaires. Triomphe de l'anarchie. « Pelotonnée sur un divan, j'étais très fière de lire *Le Banquet* pendant que la fusillade faisait rage. Ma mère était outrée de mon indifférence et, chaque fois qu'elle passait devant moi, me faisait des remontrances [22]. » Mais ce fut *Le Portrait de Dorian Gray*, plus que tout autre livre, qui ravit son âme et donna un contour à son tourment. « Ce sont en effet les passions dont nous méconnaissons l'origine qui nous tyrannisent le plus, écrivait Wilde. Et les influences qui s'exercent sur nous avec le moins de force sont celles dont nous saisissons la nature. Que de fois il arrive qu'en croyant expérimenter sur autrui, nous expérimentons en réalité sur nous-mêmes [23]. » Vu ainsi, l'obscur ressentiment qu'elle éprouvait pour sa mère pouvait devenir une force d'exploration de soi. Dans son calepin noir, elle inscrivit : « *The aim of my life is self-developement* [24]. » Une issue existait donc au labyrinthe mental où Anna l'avait enfermée. Y en avait-il une à la forteresse où Leonid avait eu la curieuse inspiration de réfugier sa famille ? Car pendant cinq jours de novembre 1917, les Nemirovsky y soutinrent un vrai siège, passibles d'être sommairement dévalisés, dénoncés ou exécutés par quelque commissaire zélé. « Nous avons vécu à Moscou, enfermés dans notre maison avec un sac de pommes de terre, des boîtes de chocolat, des sardines. Heureusement, nous avions des domestiques fidèles qui ne nous trahirent pas [25]. »

Le 10 novembre, les confiscations bancaires entreprises à Petrograd atteignirent Moscou. On saisissait l'or. À l'évidence, plus aucune place n'était sûre. Leonid résolut d'organiser leur fuite et de transférer sans tapage ses avoirs à l'étranger. « Dès que nous le pûmes, indique Irène Némirovsky, nous revînmes à Saint-Pétersbourg, mais bientôt la tête de mon père était mise à prix ; il fut obligé de se cacher ; il ne pouvait plus habiter avec nous [26]. » À la mi-décembre, le système bancaire était déclaré monopole d'État. Les banques privées cessaient d'exister. Leonid n'avait plus, s'il restait en Russie, qu'à jeter au feu ses cartes de visite. Et, s'il attendait encore, il se verrait confisquer tous ses portefeuilles d'actions, c'est-à-dire le cœur de sa fortune. Mais sa tête « mise à prix » ? S'était-il, comme « Mitka » Rubinstein, rendu coupable d'enrichissements frauduleux en temps de guerre ? Était-il à ce point compromis avec l'Ancien Régime ? On ne sait.

Les fumées du vin

Un mois après le soulèvement, Petrograd était défigurée. On commençait à y mourir de faim. « Les bougies coûtaient une fortune, le pétrole était rare, et il faisait nuit de trois heures de l'après-midi à dix heures du matin, raconte John Reed. Les vols et les cambriolages se multipliaient. [...] Pour avoir du pain, du lait, du sucre ou du tabac, il fallait faire la queue durant des heures sous la pluie glaciale [27]. » Et puis, il y eut cette orgie, la *pianka* : continuel pogrom, de jour comme de nuit, des épiceries, marchands de vin, chais de restaurants, celliers bourgeois, sans oublier cet eldorado de l'éthylisme, les mythologiques caves des tsars. Officiellement, il s'agissait de « socialiser » l'opium liquide et de « piller les pillards », selon le mot fameux de Lénine ; en pratique, ce fut une interminable bacchanale, qui débuta dans les derniers jours de novembre pour ne décliner qu'en janvier 1918. Pendant deux mois, la liberté guida le peuple, et le vin la soldatesque. La *Pravda*, inquiète de cette déplorable propagande, eut beau dire qu'il s'agissait de « provocations bourgeoises » : les cadavres d'hommes et de bouteilles gisaient par centaines dans la Moïka, le fracas des fûts brisait la nuit, même les pharmacies et les parfumeries étaient saccagées pour s'y abreuver d'alcool. « Toutes les voies publiques se trouvaient arrosées de vin et j'ai vu moi-même une rue lavée au champagne », rapportait un témoin [28]. Dans certaines caves où les foudres étaient énormes, on rapportait des cas de noyade et d'asphyxie. Jusqu'aux marches du palais Smolny, siège du gouvernement, qui étaient verglacées d'excellent bordeaux. Un remugle de vinasse et de vomi flottait sur la ville. Mais surtout, les meurtres de sang-froid étaient plus aisés la gueule chaude. Tout bourgeois avait une tête de bouchon de liège. Combien de paisibles « contre-révolutionnaires » furent estourbis, volés, abattus pour s'être dédoublés dans le regard d'ivrognes ?

Dix-sept ans après ces débordements, Irène Némirovsky humait encore la puanteur de ces journées d'automne lorsqu'elle les mit en scène dans « Les Fumées du vin ». « Les fumées de l'ivresse avaient enfiévré toute la ville [29] », résumera, dans ses *Notes sur la guerre civile*, le commandant militaire de Petrograd, pour rappeler ce jour où les prestigieux régiments Préobrajenski et Pavlovski sombrèrent à leur tour dans l'ivrognerie. La façon, dans « Les Fumées du vin », dont les « camarades » appelés à vandaliser les caves et détruire « cet alcool maudit qui a asservi [*leurs*] pères », bientôt « se battent, se jettent sur le sol, se couchent dans la neige, boivent le vin mêlé à l'eau glacée du ruisseau [30] », traduit le scepticisme d'Irène Némirovsky face à la Révolution, qui est à l'Histoire ce que l'adolescence est à la vie : un spasme d'orgueil qui rend supportable le faix de l'hérédité. Comme les traits paternels sur le visage de l'enfant révolté, la « Terreur rouge » ne pourra longtemps dissimuler le tribut même de « Nicolas-le-Sanglant ». Aux déportations de terroristes nihilistes par l'autocratie, succéderont les déportations de mencheviks par le pouvoir léninien. Quand Irène Némirovsky comprit-elle que la Révolution bafouait ses idéaux ? Car voici le sacrilège qui résumait cette orgie : « des hommes qui lancent à la ronde les bouteilles d'un vieux bourgogne plein du soleil de France [31] ». Bien entendu, dans « Les Fumées du vin », la « fête répugnante et sauvage » s'achève par une noyade. Le jeune officier Ivar, trahi par les jalouses demoiselles Illmanen – analogon des tristes voisines pétersbourgeoise d'Irina –, disparaît dans les eaux du golfe avec les bohémiennes et les jeunes hommes qui fuyaient la horde avinée. « Camarades, ne noyez pas la Révolution dans l'alcool », avaient averti les affiches à l'étoile rouge.

Si la romancière choisit de situer en Finlande ces scènes de décadence, c'est bien à Petrograd qu'elle en fut le témoin, comme l'indique cette note en marge du « Mercredi des cendres » : « La Révolution, et tout ce qu'elle fait lever dans les âmes, et ce côté fou de la Révolution, qu'on a presque honte de montrer et qui a existé [...]. Le soir, les nuits, la sensation que tout va finir, et la nuit, où le torrent des Rouges envahit la ville terrifiée, [...] avec quelques soldats, [...] l'alcool dans les rues [...]. » Mais c'est bien pour la Finlande, au plus tard début janvier 1918, que les Némirovsky abandonnèrent définitivement Petrograd, comme plus de quarante mille Russes jusqu'en 1922. Le 12 janvier, en effet, était bouclée la frontière [32], alors distante d'une quarantaine de kilomètres. Peu avant cette date, mandaté par la Banque russe pour le commerce étranger, Leonid tentait encore de racheter à 115 % les parts détenues par Jonas Lied, directeur de la Compagnie sibérienne et consul de Norvège en Sibérie, dans les compagnies fluviales de l'Ob et de l'Ienisseï, soit 3,1 millions de couronnes suédoises. Vain coup de poker d'un « spéculateur optimiste [33] », qui ne se résolut à quitter la Russie qu'en tout dernier ressort.

Mustamäki

Annexée en 1808, la Finlande avait joui d'une certaine autonomie, sévèrement confisquée au début du règne de Nicolas II, puis reconquise sans violence en 1905. Mais depuis mars 1917, le pays que Dumas comparait à une éponge, las d'être pressuré, rêvait d'arracher son indépendance. Ce rêve se brisa contre Kerensky, dont une Finlande rouge, au nord-ouest de Petrograd, aurait signifié l'étranglement. Les socialistes finlandais, s'estimant trahis, basculèrent dans le camp insurrectionnel. Dès lors, la guerre civile était inévitable. Mais à compter de novembre 1917, ce fut le pouvoir bourgeois qui criait à l'indépendance : quarante mille soldats russes stationnaient alors dans le pays, désormais sous commandement bolchevique. Occupé à négocier la paix avec l'Allemagne, Lénine accorda toutefois l'indépendance, sans renoncer à soviétiser l'arrière-cour des tsars. Nullement dupe de la manœuvre, le lieutenant-général Mannerheim ouvrit les hostilités contre les rouges dans la nuit du 27 au 28 janvier, en Ostrobotnie. La « guerre de libération du sol national » s'engageait [34].

Avant ce nouvel affrontement, les Némirovsky avaient déserté en pleine nuit leurs appartements. Ils n'emportaient que le strict nécessaire, les bijoux d'Anna cachés dans les revers de leurs vêtements les plus usés. Leonid reviendrait très vite liquider ses affaires à Petrograd et récupérer ce qui pouvait l'être. Or « chaque voyage à Pétersbourg était un tour de force et un trait de folie et d'héroïsme [35] ». Leur trajet jusqu'à la frontière n'est pas précis : « D'abord, se remémore Irène Némirovsky en 1933, je me souviens du départ de Pétersbourg, le premier jour, la nuit, la sensation des cahots, dans une bousculée, la neige, [...] une odeur d'abandon, le froid, moi, assise dans le traîneau, et la sensation du châle sur ma bouche, mais c'est singulièrement vague. Ensuite l'arrivée à Moustamiaki, la gare. Cela, je me rappelle surtout la sensation coupante de froid, de glace, et la neige oblique... »

Mustamäki, dont le nom en finnois signifie « colline noire », était une localité frontalière de Carélie où nombre de Pétersbourgeois, avant la Révolution, possédaient une datcha. Nina Berberova, qui y séjourna en 1915, a décrit dans ses mémoires les étangs gelés, les congères et les pavillons alignés le long de la voie ferrée, « avec ses rails endormis, près de la petite fenêtre éclairée de la gare [36] ». Dans le proche hameau de Neivola avait plusieurs fois séjourné Lénine, dans la maison d'été des Bontch-Brouievitch, avant l'insurrection d'Octobre. Et c'est à Mustamäki que le romancier expressionniste Leonid Andreev s'était fait bâtir une imposante datcha noire et rose, où il trouva la mort le 12 septembre 1919. Cette demeure fut ensuite saccagée. Or c'est dans une de ces « habitations de plaisance », incendiée par les rouges, que la narratrice d'« Aïno [37] » – récit puissamment autobiographique – découvre des livres abandonnés de Maeterlinck, Wilde et Henri de Régnier. Et c'est dans ce village, plus russe que finlandais, que les Némirovsky posèrent leurs bagages, un jour de janvier 1918. Le choix de Mustamäki – aujourd'hui Yakovlevo, à une vingtaine de kilomètres en amont de Terjoki, actuelle Zelenogorsk [38], sur le golfe de Finlande – prouve en outre que Leonid gardait espoir de regagner Petrograd dès que possible. Un autre exilé s'y trouvait au même moment : le jeune George Sanders, douze ans, qui avait lui aussi fui Pétersbourg avec ses parents. Il deviendrait l'un des plus célèbres acteurs britanniques du XXe siècle [39].

Comme Sanders et sa famille, c'est en traîneau que les Némirovsky parvinrent à Mustamäki. Irina découvrit en arrivant

« un village composé d'une maison et d'une boutique [40] », ainsi qu'une vieille auberge où Leonid avait trouvé des chambres. C'était « une maison basse et jaunâtre, longue, avec deux ferrons disjoints de bois ». L'électricité était coupée depuis novembre. Irina fut immédiatement saisie par le suave arôme de sève suintant des rondins. Au rez-de-chaussée, un petit salon mal éclairé, aux fenêtres engourdies de gel par lesquelles on pouvait deviner la neige tombant sur d'énormes sapins mugissants. « Rarement vu quelque chose d'aussi misérable, d'aussi *sickety*, des fauteuils de velours usé avec des têtières en guipure, un rocking-chair en bambou, une plante verte mourante, une table sous une lampe à pétrole, jaune, un tapis d'une extrême minceur. Un piano droit toujours ouvert, la petite bibliothèque de bois noir ou de bambou, avec des livres déchirés. À côté la salle, la table d'hôte, propre cela, un plancher de frêne ou de bouleau, du bois blanc, un balcon de bois, où la neige était empilée à hauteur d'homme [41]. » La chambre d'Irina, à l'étage, en forme de rotonde, garnie de meubles souffreteux, donnait sur un jardin garni d'un kiosque rouge. Des traces de traîneaux sur la neige, luisante « comme un mur de diamants ou de mica », fuyaient vers la nuit. Au loin, en contrebas, on pouvait entendre la canonnade et apercevoir les flammes ravageant la ville-frontière de Terjoki.

Paysage finlandais

Ce provisoire dura des mois, mais il régnait à Mustamäki une paix reposante. « Un paysage finlandais, écrit Irène Némirovsky en 1939, c'est une lande d'un blanc étincelant sous un ciel lumineux ; ce sont des forêts magiques ; car la glace transforme chaque sapin, chaque bouleau en un édifice fragile et merveilleux qui semble fait de sucre, de parcelles de miroir et d'éclats de diamant ; c'est une odeur de bois fraîchement coupé, de fumée qui s'élève d'une toute petite maison solitaire au bord d'un grand champ de neige. » Et comment oublier la glissade de la *potkukelka*, fine chaise fixée sur de longues baguettes de bois, sous le ciel vide de nuages ? Et les profonds traîneaux qui vous brisaient les reins, où l'on s'allongeait sous les fourrures comme dans son propre lit, à la clarté d'énormes étoiles ?

« Je n'avais pas d'amis », regrette la narratrice d' « Aïno » [42]. Pourtant les Némirovsky n'étaient pas les seuls occupants de l'auberge. Ils y trouvèrent d'autres exilés de conditions diverses, avec lesquels il fallut bien sympathiser. Certains semblent n'avoir laissé aucune trace dans l'œuvre d'Irène Némirovsky : les Tobias, le docteur Rabinovitch, les dénommés Simon, Bleaky et Isaac Lievshitz (ou Liepshitz), sinon sous l'apparence de ces « Juifs de bonne famille » décrits dans *Le Vin de solitude*, « qui parlaient anglais entre eux et suivaient avec une orgueilleuse humilité les rites de leur religion [43] ». D'autres, au contraire, ont surnagé : le raffiné baron Roehmer et sa virago, rebaptisés Lennart, judéo-russes d'origine suédoise ; le « gros Salomon Lévy », tel qu'en lui-même ; enfin, Rudolf et sa femme Bluma qui, soumis au prisme romanesque, deviendront Fred et Xénia Reuss. « Quel dommage s'il faut changer ces noms », déplore Irène Némirovsky en 1933...

Tout ce petit monde, qui se serait ignoré à Saint-Pétersbourg, soudé par l'exil et l'ennui, fut contraint de fraterniser autour d'une partie de bridge. Le soir venu, c'est-à-dire dès trois heures, Irina, les enfants de Bluma et les autres jeunes gens jouaient, comme dans « Magie », à faire tourner les tables [44]. On tuait le temps à épier par les fenêtres les allées et venues des bûcherons ou des soldats en vadrouille. Bluma pianotait sur un vieil instrument désaccordé. L'odeur du bois frais évoquait « un cercueil de campagne ». Parfois la jeune servante annonçait un bal au village. Irina s'y laissait conduire par le beau et turbulent Rudolf – surnommé « Roudia » –, pour voir les gardes rouges vider leurs chargeurs dans la nuit blanche. Roudia était un grand gamin de trente ans, au visage moqueur, aux beaux yeux noirs brûlants de désir. Une fois, il l'emmena danser dans une grange ou une étable en sapin. « La musique ? Je ne me souviens plus. Je me rappelle que les fenêtres étaient hautes et longues, et que la nuit nous apparaissait à travers les vitres. Je suppose que c'était chauffé par le poêle, et je me rappelle les filles qui dansaient en jupons rouges, et les gars hérissés d'armes comme les bandits de cinéma. »

Contes de fées

Le 1er février 1918, pour se conformer au grégorien en usage en Occident, le calendrier russe avait comblé son retard de treize jours. Il n'y eut donc pas de 11 février, ce qui n'empêcha pas Irina d'avoir quinze ans. Pour ses parents, c'était encore une fillette, « maigre, brune, les bras bruns, trop minces », habillée pour sortir de bottines, d' « un gros chandail à poil chamois », ses deux longues tresses brunes « ramenées sur les oreilles pour ne pas être mouillées par la neige » et nouées de rubans noirs sitôt de retour à l'auberge. Mais pour le fringant Roudia cette enfant avait déjà les charmes d'une femme : « Une peau brune, un visage discret, si mince qu'on ne la remarque pas, trop pâle, le teint olivâtre des enfants de Pétersbourg. Seulement en regardant de plus près, on dit : Quelle peau ! C'est merveilleux ! de grands, longs yeux verts, plus clairs que la peau avec des sourcils d'une jolie forme, une petite bouche serrée qui s'ouvre difficilement, sur la rangée de dents fines, étroites, d'aspect fragile, vraiment des perles, avec le haut légèrement transparent. »

Irina ne prit pas garde, d'abord, à l'intérêt que lui portait ce diable de Roudia, un homme marié, mais « fou de chaque femme qui passait à sa portée ». Elle était trop occupée à lire Dumas, Gautier et les vieux Balzac dépareillés qui voisinaient dans le placard du salon avec les pots de confiture, « hélas, vides pour la plupart [45] ». Elle put même apprendre et retenir des bribes de finnois. Mais c'est à la faveur de l'ennui, plus pur et plus vaste qu'à Kiev ou Pétersbourg, qu'elle se mit à se raconter des histoires, « toutes sortes d'histoires, précisera-t-elle, qui faisaient ma joie, que je reprenais jour après jour. Je me mis à les écrire, et depuis, j'ai toujours continué [46] ». À l'en croire, ce n'était que des « choses informes » et qu'elle ne reprit jamais « parce qu'elles n'en valaient pas la peine [47] ». « Ce n'était pas très original : des contes de fées, des poèmes en prose imités de Wilde [48]... » Néanmoins elle ne les déchira pas tous. Son calepin noir recueille des poèmes en langue russe, d'ailleurs hésitants, dont certains datent vraisemblablement de cette période, d'autres plutôt de 1920. Bien entendu, ils ne tiennent aucun compte de la réforme orthographique du 11 mai 1917, qu'elle n'observera jamais. Il y est question de lettres d'amour serrées dans des corans, de coffrets à bijoux doublés de soie, de califes languissant de désir, de chats verts, d'elfes en bottillons et de farfadets tous droits sortis du folklore nordique :

L'obscurité est derrière la fenêtre
Les crépuscules sont dans le salon
Le gnome à longue barbe
Marche sur le parquet.

Dans un de ces poèmes, l'âme damnée d'une marquise, en exil au XXe siècle, rêve mélancoliquement de bals masqués, de menuets et de portraits ovales :

C'est pourquoi maintenant, après tant de siècles
Née parmi tous ces gens différents
Il m'arrive de me croire étrangère ici
Et j'aurais pu avoir un autre destin
Ce destin auquel je consacre tous mes rêves.

Dans un autre, intitulé « Contes », Irina, qui a pris l'habitude de converser avec elle-même pour tromper sa solitude, s'invente « quinze, vingt, cent » historiettes pour peupler ses nuits de merveilles :

Je vous conterai comment le cavalier noir
S'est brisé contre le parquet
On l'a mis dans un petit cercueil en coton
Et les souris l'ont enterré pendant la nuit
Dans un tiroir du buffet, niche intime et douillette
Avant d'effacer leurs traces [49].

Irène Némirovsky ne commet donc qu'un mensonge véniel lorsqu'elle confesse en 1931 : « Écrire des vers me paraît un sport, dans lequel je n'ai nulle adresse... Non, j'écrivais d'abord des contes de fées... Dans mon imagination, je les faisais aller, venir. Après, je transcrivais ces visions [50]. » Car ces vers dépareillés, pleins d'ennui et de fantaisie, tenaient autant de la poésie que du conte. Quant aux « nouvelles plus ou moins longues » et aux romans auxquels, à l'entendre, elle se serait consacrée « tout de suite [51] », ce sont les récits qu'elle s'inventait en manipulant les spécimens de la « petite colonie » de Mustamäki : l'accouchement de Bluma « couverte de sang » qui lui resservirait dans « Nativité » en 1933 ; les diamants de Lievshitz ; « les Juifs qui jouent aux cartes et font des affaires fictives pour ne pas en perdre l'habitude » ; mais surtout, le contact inattendu d'une « joue fraîche, rougie par le vent glacé », puis le « baiser brûlant couleur de feu » que lui vola cet effronté de Roudia dans le vestibule enneigé de l'auberge, lèvres qui éveillèrent en elle, d'un coup, « toutes les sensations poétiques et exaltantes de l'amour ».

Cette faveur d'homme mûr la révolta tout d'abord, puis la laissa perplexe. « Faire perdre la tête à quelqu'un est le second plaisir du monde, la perdre soi-même, c'est le premier », écrira-t-elle en français dans son calepin. Dans le journal du *Vin de solitude*, Irène Némirovsky laisse planer un doute sur les suites de ce chaste baiser : « Ses douces, longues mains de femme savaient si bien caresser, endormir. » Et dans le roman achevé : « Elle se laissa embrasser, lui tendit elle-même son visage, ses mains, ses lèvres, jouissant de ces vagues de délice, de ces ondes aiguës de félicité qui pénétraient son corps [52]. » L'écho de ce flirt, fugace puisque initial, résonnera longtemps dans l'œuvre à venir : « C'est sans doute à cause de lui que tous mes héros ont une jolie bouche et de belles mains. » Elle venait d'entrevoir les voluptés que sa mère recherchait. Et de trouver une arme déloyale pour se venger d'elle. Une arme féminine à laquelle Anna, la quarantaine passée, ne pourrait toujours opposer ses onguents : l'adorable fraîcheur de la jeune femme.

À Helsingfors

Irina n'eut pas le loisir de mettre son plan à exécution. Au début du printemps 1918, la ligne de front, qui n'avait guère varié depuis janvier, ploya brusquement vers le sud. Le 12 avril, tandis que les Allemands entraient dans Helsingfors, le général Mannerheim, sans attendre leur renfort, encerclait les Russes sur l'isthme de Carélie, où les combats s'intensifièrent. « Dès que le crépuscule tombait, les sentiers de la forêt devenaient dangereux : les rebelles fuyards se cachaient derrière les arbres, dans les ravines pleines de neige, et les soldats de l'armée adverse les poursuivaient, les traquant de taillis en taillis. Des coups de feu étaient échangés, et si une balle perdue touchait un voyageur russe qui s'était réfugié dans ce pays, loin de sa révolution à lui... eh bien ! nous n'avions pas de consul pour nous défendre ou avertir notre famille d'un trépas prématuré [53]. » Par les fenêtres de l'auberge, les naufragés de Mustamäki voyaient des femmes chercher des cadavres dans la neige. En mai, soixante-dix mille gardes rouges étaient acculés à la reddition ; huit mille autres étaient exécutés ; douze mille étaient morts de faim ou de blessures. Le 16, Mannerheim était porté en triomphe dans les rues d'Helsingfors. Une régence monarchique était établie.

À cette date, les Némirovsky avaient prudemment gagné la capitale finlandaise, au terme d'un voyage mouvementé à travers bois et lacs, sous une aube perpétuelle. *Le Vin de solitude* donne à penser qu'Irina fut placée en pension « chez la veuve d'un pasteur » nommé Martens, qui lui enseigna l'allemand et lui lut *Mère Courage* de Hawel « à haute voix [54] ». En 1939, elle se rappelait surtout le « confort tout nordique » de cette ville « propre, belle et froide d'aspect », les « beaux magasins » et « ces téléphones installés partout » qui ébahirent ses quinze ans. Mais ce qui lui demeura inoubliable était « une librairie si grande et si riche que je ne crois pas en avoir jamais vu ailleurs de semblable », présentant une large éventaire de livres français, « des classiques aux plus modernes ». Comme elle devait rester à Helsingfors près d'un semestre, c'est donc instruite des plus neuves avancées du roman français qu'elle poserait bientôt le pied à Paris. Néanmoins les livres n'effaçaient pas le souvenir des lèvres de Roudia, de ses bras. Le 9 septembre 1918, elle inscrivit en russe dans les pages de son carnet :

> *Difficile de lire (rêver), cette nuit ivre*
> *Pleine de langueur de chaleur*
> *Et de désir d'amour*
> *Inquiète l'âme.*

Il n'était plus question de retourner à Saint-Pétersbourg. Tout d'abord, les conseils d'administration du secteur bancaire avaient été dissous d'autorité par un décret du 1er avril 1918 ; tout détenteur d'actions russes était désormais passible de mort s'il refusait de les remettre à la Banque d'État. Ensuite, la maison de la perspective des Anglais avait été réquisitionnée pour servir de commissariat militaire [55]. Enfin, si l'antisémitisme russe était combattu, les dispositions prises par les bolcheviks n'étaient pas pour rassurer. Ainsi, le 27 juillet, ce décret répressif signé de Lénine, qui affirmait : « Les bourgeois juifs ne sont pas nos ennemis parce qu'ils sont juifs, mais parce qu'ils sont des bourgeois. » Le 30 août, une tentative d'attentat contre le leader de la Révolution donna le coup d'envoi de la « Terreur rouge », annoncée en ces termes dans la *Krasnaia Gazeta* : « Mille têtes de bourgeois pour celle d'un bolchevik ! Assez patienté ! Mort aux bourgeois ; c'est le mot d'ordre du jour ! » La Russie entrait dans une guerre civile qui, à cause de la famine qu'elle entraîna, fit en trois ans plusieurs millions de morts.

C'est en Ukraine que les affrontements furent les plus meurtriers. Les forces allemandes, progressant vite, eurent tôt fait d'installer une fausse République, sous la direction de l'hetman Skoropadski, comme les accords de paix de Brest-Litovsk leur en donnaient le privilège. Mais dès l'armistice du 11 novembre, l'Ukraine évacuée devint un champ de bataille où s'affrontèrent jusqu'en 1922 des armées antagonistes, constamment alimentées en combattants par le prix modique du pain, moins rare qu'à

Moscou. Le 26 janvier, les rouges avaient repris Kiev au général Petlioura, proclamateur de l'indépendance. Comment s'imaginer que cette ville radieuse fut prise, perdue, reprise et violée dix-sept fois au cours de la guerre civile par quatre cavaleries d'Apocalypse : rouges de Boudienny, blancs de Denikine, nationalistes du « petit père » Petlioura, anarchistes de Nestor Makhno – sans parler des troupes polonaises de Pilsudsky ? Et c'est à Kiev, capitale de la tourmente, que refluaient par milliers, venant de Moscou et Petrograd, les réfractaires au bolchevisme. « On voyait fuir des banquiers aux tempes grises avec leurs femmes, fuir des hommes d'affaires de talent qui avaient laissé procuration à leurs collaborateurs de Moscou ainsi que l'ordre de garder le contact avec ce nouveau monde en train de naître dans le royaume moscovite », raconte Boulgakov dans *La Garde blanche* [56]. « Des détachements se battent un peu partout, consigne quant à elle Irène Némirovsky. Une femme, anarchiste, se battit deux jours dans les rues d'Elisavetgrad avec la population contre-révolutionnaire. Les bandes d'officiers blancs, partis au front roumain, traversaient l'Ukraine pour se rendre au Kouboun (la troupe de Drosdovski [57]). Les villages, hérissés de mitrailleuses, se défendaient rageusement contre tout le monde. [...] En quatre ans 1918-1922, une succession à Kiev d'invasions et de soulèvements [58]. » Et, au passage ou au reflux de chacune de ces armées, systématiques, des pogroms débridés, d'une ampleur inconnue. Ainsi à Piatigori, en juin 1920, tous les Juifs de la cité furent réunis dans la synagogue, qui fut arrosée de pétrole puis incendiée. Souvent commises à titre d'exercice, ces atrocités firent plus de trois cent mille victimes juives.

Une tempête terrible

En mars 1919, Kiev était passée sous domination bolchevique, et les Némirovsky avaient quitté Helsingfors pour Stockholm, en Suède, dernière station de leur exil avant Paris. On peut supposer qu'ils firent entre-temps un bref séjour en Europe continentale, peut-être à Lodz, où Leonid avait pu conserver des intérêts, ou encore dans les Pays baltes où se trouvait sa fabrique d'allumettes. C'est ce que semble suggérer cette interview de 1931, dans laquelle Irène Némirovsky mentionne les étapes de leur odyssée : « Oui, j'ai déjà eu une vie mouvementée. La Russie, la Suède, l'Europe centrale... et Paris. On ferait un scénario plein d'accidents avec ce qui m'est arrivé [59]. » De Finlande, « le pays le plus mystérieux du monde [60] », elle emportait le souvenir de « beaux jeunes gens » et d'hommes « forts et sains », farouchement patriotes, capables de couper les poignets d'un voleur, comme elle l'avait de ses yeux vu ; et de femmes indépendantes et émancipées, aptes à « prétendre à toutes les places, à tous les diplômes à l'égal des garçons », ce qui n'était pas une petite leçon.

Dans la capitale suédoise, avaient déjà trouvé refuge nombre d'exilés russes qui vivotaient du dépôt de leurs tableaux, porcelaines, bronzes ou tapis chez les antiquaires. « Je suis arrivée à Stockholm un matin d'hiver, de pluie glacée mêlée de neige, de vent sauvage, raconte Irène Némirovsky en 1930. Je venais de Finlande et je gardais encore dans ma mémoire l'image d'un lumineux hiver. Stockholm me paraissait noir, froid, triste. Je me souviens de ma première promenade dans Drottninggatan, je crois, une rue vaste, large, bien éclairée, où après des mois de révolution, de famine, et une année entière écoulée au fond d'un village perdu de Finlande, je retrouvais – avec quelle stupeur ! – l'Europe, la richesse, le confort, la civilisation. (Je revois encore aux vitrines d'énormes langoustes écarlates que nous regardions avidement comme des naufragés.) Tout cela était presque trop beau, nous faisait un peu peur. Ainsi j'abordai Stockholm avec une sorte d'hostilité et de méfiance [61]. »

Les Némirovsky posèrent leurs valises au Grand Hôtel, un palace monumental donnant sur le port, dont le *Journal de Saint-Pétersbourg* faisait la réclame depuis le début du siècle. De cette forteresse aux centaines de chambres, Irina regardait passer les étudiantes en béret blanc et écoutait chanter dans les cours les « petites bonnes », coiffées de bonnets, qu'elle apprit à appeler *fröken*. À ce moment-là, Leonid avait déjà quitté la Scandinavie au départ de Bergen, pour anticiper la venue de sa famille à Paris.

C'est du moins ce que suggèrent les dates énigmatiques consignées par Irina dans les dernières pages de son calepin : Helsingfors 5 janvier, Bergen 8 janvier, France 9 février 1919. D'autres sont plus difficiles à interpréter : « Jérusalem ? 9 mai » et « Mar. 1er mars 1920 Petrograd ». Mais il est vrai que Leonid ruinait sa vie en déplacements, comme le fera sur son modèle David Golder et, dans *Le Vin de solitude*, Boris Karol qui « avait traversé la Finlande, perdu cinq millions de couronnes suédoises sur le change, en avait regagné deux et était reparti pour Paris, où sa femme, sa fille et Max devaient le rejoindre [62] ».

Enfin, au début du printemps suédois, qui n'éclate vraiment qu'en mai, Leonid fit signe à sa femme et à sa fille de venir à Paris. Comme tout enfant russe, Irina n'ignorait pas que le printemps nordique est « brusque, ardent, ivre » et qu' « il faut se hâter de le savourer, de le boire comme du vin ». Ce qu'elle fit, avant l'embarquement programmé autour du 20 juin, en arpentant les rues de la ville, couvertes en une nuit de lilas mauves. Puis, la visite d'Uppsala, sa cathédrale, et ses lilas, ainsi qu' « un très vieux monument de pierre qui est, je crois, le tombeau des premiers rois de la Suède, des sapins, l'eau tranquille [63]... ». Aux rudiments de finnois emportés d'Helsingfors, elle pourrait ajouter quelques fragments de suédois, et les premières mesures de l'hymne national lui restèrent à jamais en mémoire.

Le printemps s'achevait. Anna et Irina prirent un premier bateau pour Norrköping, à cent kilomètres au sud de Stockholm, où les attendait un « petit cargo » en partance pour la France. « J'ai beaucoup aimé ce pays [64] », dut-elle murmurer en regardant s'éloigner la côte. La traversée fut rude : « dix jours sans escale, avec une effroyable tempête dont je dois m'être souvenue dans *David Golder* [65] ». Quitte, en tout cas, pour une frayeur de l'eau qui vint s'ajouter à sa terreur de la noyade. De son propre aveu, le souvenir de cette navigation périlleuse demeura, avec les scènes d'anarchie à Pétersbourg, la plus profonde cicatrice de cette âme juvénile. « Peur ? Peur ? Mais je n'ai jamais peur... Je n'ai jamais eu peur. Sauf une fois en Russie pendant la Révolution... Et une autre fois sur un petit cargo qui m'amenait de Suède à Rouen. [...] Nous essuyâmes une tempête terrible, le bateau dansait, j'avais peur de tomber dans l'eau verte [66]... »

Le cargo n'ayant pu débarquer au Havre à cause du gros temps, c'est de Rouen qu'Anna et Irina gagnèrent Paris à travers la campagne normande, si souriante lorsqu'elle est en fleurs. Irina était de retour en Arcadie, « cette douce terre, la plus belle au monde [67] ». Et pour longtemps.

Leonid les attendait à la gare. Il avait perdu cette corpulence qu'on lui voit sur les photos d'avant guerre et paraissait efflanqué, la moustache maussade, les tempes argentées, le regard tombant, détaché, presque triste. C'était l'effet de ces vingt mois passés à rassembler ses avoirs dispersés par une tourmente comme le vieux monde n'en avait jamais connu. Encore bon nombre s'étaient-ils volatilisés, quand ils n'avaient pas été spoliés par les bolcheviks.

Irina avait seize ans. L'âge auquel, en Russie, on était une femme. En posant le pied sur le pavé parisien, Anna devint Fanny, Leonid, Léon. Et Irma Irina devint Irène Némirovsky.

4

Miss Topsy et mademoiselle Mad

(1919-1924)

> *« Puisse l'écho de ces nuits frénétiques et merveilleuses percer le mur sourd des années. »*
>
> Joseph Kessel, *Nuits de princes*, préface à la 2e édition

En traversant de nuit la place Vendôme pour rejoindre l'hôtel où Léon les avait provisoirement établis, les Némirovsky passèrent en auto devant l'Hôtel Vendôme où, trois mois auparavant, l'homme qui sans le vouloir avait précipité le déclin de la Russie impériale, le prince Youssoupov, s'était installé dans un confortable exil avec sa fiancée Irina, nièce du défunt tsar abattu avec sa famille à Ekaterinbourg.

La paix venait d'être signée à Versailles. Le 14 juillet 1919 promettait d'être le plus beau depuis longtemps, en dépit des milliers de foyers détruits et de gueules cassées. Dans les rues de Paris, la liesse fut si dense que les autos restèrent clouées à la chaussée. Partout résonnait *La Marseillaise*, que nombre de Russes ne pouvaient plus entendre sans frémir. Certes, le gouvernement d'Aristide Briand avait pris parti pour les blancs et envoyé à Odessa un corps expéditionnaire de vingt mille hommes, mais ils avaient dû battre en retraite. Et sous l'Arc de Triomphe, l'ancien drapeau russe ne flottait pas, quoique des millions de soldats fussent morts sur le front de l'Est contre l'ennemi commun, avant et après février 1917.

Des étrangers loufoques

Fanny se plaignait que Paris eût changé. C'était elle qui avait vieilli. Léon, après la tempête, évaluait le sinistre. Il avait eu « la chance de retrouver la succursale d'une de ses banques et put partir de là pour réédifier une fortune réduite à zéro [1] ». Lorsqu'il annonça son départ pour affaires, Fanny ne le retint pas : elle ne se sentait plus tenue par les liens du mariage. Avant de repartir, compréhensif, Léon lui offrit une jolie voiture pour se pavaner au bois de Boulogne, prendre des verres au pavillon Dauphine, dévaliser les tailleurs, dîner au Ritz, changer de toilette deux fois par jour. C'était la grande nouveauté de l'après-guerre : il y avait au Bois plus d'autos de luxe que de cavaliers en selle. Irène, un œil mauvais sur le manège de sa mère, se rappelait tout, les monuments, les parcs, la lumière, le dôme des Invalides, le Jardin des Plantes, l'odeur de la Seine. « J'avais déjà séjourné à Paris tout enfant. En y rentrant, j'ai retrouvé les souvenirs qui m'attendaient [2]. » Ce paradis perdu la ramenait des années en arrière, presque au siècle passé, avant le tomber de rideau de 1914. « À peine quelques ombres parmi toute cette clarté : des enfants en deuil, un soldat aveugle, un autre dans une petite voiture, des femmes qui se hâtaient ; leurs longs voiles de crêpe flottaient derrière elles. C'était déjà tout ce qui restait de la guerre [3]. »

Afin de se sentir encore plus libre de ses mouvements, Fanny escorta sa fille d'une bonne anglaise, vieille menace sursise par les événements de 1917. Irène prit aussitôt en grippe la « longue figure de cheval [4] » de Miss Matthews, ses yeux caves, sa bouche avare et son air lugubre. Sans compter que, désormais, la leçon d'anglais durait du matin au soir, dedans comme dehors ! « C'était une femme typiquement anglaise, très racée, très british, très maigre : un sac d'os, raconte Denise Epstein. Je ne lui ai jamais connu d'homme. Elle suivait maman comme son ombre [5]. »

À son contact, Irène gagna un rien de maintien, une réserve de sentiments, « une certaine sobriété de paroles et de gestes qui achevait de la rendre charmante [6] ». À l'usage, Miss Matthews se révélerait d'ailleurs moins sinistre, et même d'excellente compagnie, puisque Irène Némirovsky la gardera à son service après son mariage. L'un de ses vices, qu'elle ne put garder secret, était l'éthéromanie. On la surprendra, alitée dans une clinique, vidant une bouteille d'eau de Cologne pour tromper le manque.

Une autre « dame de compagnie », grande et boitillante, était apparue. Irène et Fanny ne la virent pas longtemps car Léon l'emmena aussitôt avec lui à New York, où l'appelaient ses affaires. Julienne Dumot serait désormais sa secrétaire. Cette Landaise de trente-quatre ans avait de solides références : elle avait servi en 1902 chez le plus pétersbourgeois des jeunes auteurs dramatiques français, Sacha Guitry, qui l'avait ensuite recommandée à l'auteur de *Triplepatte*, Tristan Bernard. Ces dispositions prises, Léon put abandonner sa famille au confort hétéroclite d'un appartement qu'il avait déniché dans l'ouest parisien, au 115 rue de la Pompe, en face du lycée Janson-de-Sailly. Ce meublé n'était pas loin de Passy, de l'Étoile et de la Muette, où des milliers de Russes en exil avaient déjà trouvé refuge dans des pensions de famille, qu'ils fussent médecins, journalistes, officiers, écrivains, étudiants ou princes de sang, jusqu'à former un cinquième de la population de ce quartier.

« Ne pas oublier non plus la loufoquerie de la maison. À Paris. » Cette note de 1934, en marge du *Vin de solitude*, laisse à penser que le tableau qu'y donne Irène Némirovsky du premier domicile parisien de ses parents n'est pas exagéré. Garni de fauteuils en velours aux armes d'un duc italien marié à une Américaine, il dénotait un mauvais goût et un laisser-aller que, pas plus qu'à Pétersbourg, Léon et Fanny ne songèrent à corriger. Les ampoules des lustres, poisseuses, étaient à moitié grillées. « Les roses que personne ne soignait mouraient dans leurs vases ; un piano dont personne jamais ne soulevait le couvercle était poussé dans un coin, entre des rideaux de dentelle déchirée qui coûtaient mille francs le mètre et qui étaient brûlés par les pointes des cigarettes. La cendre parsemait les tapis ; le domestique méprisant et silencieux versait le café sur un coin du bureau et disparaissait avec un aigre sourire qui jugeait sévèrement "ces étrangers loufoques" [7]. » Irène avait connu ce provisoire en Russie, mais maintenant qu'ils avaient retrouvé « le plus beau pays du monde », à quoi bon ? Léon, comme tous les Russes de Paris qui vivaient assis sur leur valise, attendait-il la tournure ultime de la guerre civile ? Au cours de l'année 1920, la France, seule parmi les nations occidentales, ferait encore naître un ultime espoir en encourageant les victoires de Wrangel, puis en reconnaissant son gouvernement. Ceci explique, sans doute, qu'avant la complète déroute des armées blanches, en novembre 1920, les Némirovsky ne crurent pas nécessaire de quitter l'antre saugrenu de la rue de la Pompe pour un appartement plus cossu. Irène, elle, avait déjà pris ses dispositions en se jetant sur les livres français, surtout les modernes : Proust, Larbaud, Chardonne, Maurois...

Ships that pass in the night...

En février 1920, retour de voyage, Léon emmena sa femme et sa fille passer l'hiver et le printemps à Nice. De cette époque date une série de photos prise sur la promenade des Anglais, qui tenait à la fois du défilé de mode et de la foire aux vanités. Devant un casino aujourd'hui disparu, qui évoque Ispahan plutôt que la baie des Anges, Léon, l'œil vague, porte un chapeau melon et un beau manteau croisé, des gants et des souliers bicolores à empeigne vernie, des guêtres à la mode d'avant guerre. Miss Matthews, habillée en corbeau, monte une garde indulgente près d'Irène. Celle-ci, un réticule entre ses gants blancs, d'épaisses anglaises brunes sous son chapeau noir, les pieds sanglés dans d'incommodes souliers Louis XV, arbore un sourire mutin auquel il ne faut pas se fier. Un de ses camarades l'accusera bientôt « de sourire aux gens en pensant d'eux des vilaines choses [8] ». Ce sourire doit être pour sa mère, une ombrelle appuyée sur l'épaule, vêtue d'un intrépide cafetan blanc à motifs géométriques. Une troisième photo réunissait le père, la mère et la fille : Irène

Némirovsky l'a déchirée pour n'envoyer à sa tante Victoria, à Moscou, que sa propre image ; en robe blanche sans taille sous une veste décorée de triskèles, un bob noir vissé sur la tête, elle va d'un pas assuré. Au dos, ces simples mots : « À ma chère tante Vika de la part de sa nièce qui l'aime. »

À l'*Excelsior Hôtel Regina*, un colosse de quatre cents chambres édifié en 1896 pour accueillir la reine Victoria, Irène fit la rencontre d'une jeune camarade russe, de deux ans sa cadette, qui avait fui Saint-Pétersbourg après l'assassinat de son père à Cronstadt, le 30 août 1918. Valerian Boutourline n'avait que trente-deux ans et sa femme, pour vivre en France, avait dû ouvrir à Paris un atelier de couture, si l'on en croit la nouvelle « Destinées » où Irène Némirovsky a glissé nombre de détails véridiques sur son amie Olga Valerianovna Boutourline [9]. Olga apparaîtra encore, plus âgée, dans une autre nouvelle de 1940, « encore belle, aux yeux noirs, aux joues maigres, l'air brusque et timide [10] », mais gagnée dans l'exil par « ce qu'on appelle en France le mysticisme slave [11] ». Les deux amies promirent de se revoir à Paris. Superstitieuse et détachée comme tous les témoins de la Révolution, Olga inscrivit toutefois dans le calepin d'Irène, le 5 février 1920, ces lignes de Longfellow :

> *Ships that pass in the night, and speak each other in passing, only*
> *a signal shown, and a distant voice in the darkness ;*
> [So on the ocean of life, we pass and speak one another [12],]
> *only a look and a voice, then darkness again and a silence.*

Olga demeura, jusqu'à la débâcle de 1940, la plus chère des amies russes d'Irène. Ses autres camarades, pour la plupart, ne nous sont connus que par leur nom ou leur prénom, au gré de son calepin ou de ses lettres : Sonia, Mousia, Dichran, Vidoff, Mlle Lütolff, Nirode, Tania, le beau Choura Lissianski et Mila Gordon, une jeune fille trapue, de l'âge d'Irène, qui avait vécu la Révolution cachée dans une cave d'usine. Son père, Boris Gordon, qui avait dirigé *Les Nouvelles de la mer d'Azov* et se déplaçait en Benz, avait détenu sous Nicolas II le quasi-monopole du commerce des tabacs. Mila était le genre de « snobinette », dans les bals de charité, à se pâmer dans les bras du vieux prince

Gagarine, qu'Irène au contraire trouvait « moche comme tout et vieux ». Sa sœur aînée Hélène ne pouvait non plus faire un pas sans sa gouvernante anglaise, « comme dans les pièces de Tchekhov [13] ». De retour à Paris, Irène les fréquenta toutes deux, dans ce grand appartement de l'avenue d'Iéna qui était l'un des rendez-vous de la diaspora russe de marque, celle des milieux d'affaires, qui avait le moins pâti de l'exil et spéculait sur la fin de l'aventure soviétique, convoitant les immenses marchés – notamment pétroliers – qui s'ouvriraient alors aux investisseurs.

Dans le cercle de danse

Tous les sujets de la « Russie fantôme » – cent cinquante mille réfugiés en 1921 – ne vivaient pas sur un tel pied. Dans la capitale française, comme à Stockholm, sévissait un véritable marché parallèle de joaillerie et d'argenterie, le plus souvent bradées par des aristocrates ruinés, mais aussi en provenance directe de « Bolchevie », volées dans les musées ou fruits de la rapine générale de l'an I de la Révolution. L'atelier de Mme Boutourline n'était donc pas un cas isolé. Michel Tolstoï, fils de l'auteur de *Guerre et Paix*, dirigeait un ensemble vocal qui se produisait dans les thés mondains et les music-halls ; et il ne sera pas question ici des comtesses en livrée, des grands-ducs portiers d'hôtel, des officiers en bleu des ateliers Citroën, des enfileuses de perles comme Elsa Triolet, ni du populaire *« izvochtchik ! »* par lequel il n'était pas rare de héler l'un des trois mille taxis russes de la capitale. Le comble de ce pittoresque est atteint dans les récits de Joseph Kessel, qui a su enfermer dans les minuscules cabarets de Montmartre un peuple entier de violonistes juifs, cavaliers *djiguites* du Caucase, guitaristes des îles de « Piter », chanteuses tziganes, précepteurs de la noblesse, princes à demi fous d'exil, tous déclassés ayant vendu jusqu'à leur âme à *Pigal*, chef-lieu de cette « tribu sans patrie et sans ville [14] ».

Chaperonnée par Miss Matthews, promenée de palaces en villes d'eau, apprêtée comme une gravure de mode, Irène Némirovsky, à dix-sept ans, paraissait bien loin du « peuple hystérique, pervers et naïf, hors de l'humanité, matériel à plaisir [15] » de la Russie montmartroise. Le 8 novembre 1920, une équivalence du baccalauréat en poche, elle s'inscrivait en littérature russe à l'université, pleine de studieuses intentions : « Et ce fut enfin Paris, l'évasion, le travail librement accepté, l'atmosphère de la Sorbonne, la licence de lettres et la soif inextinguible de lectures propres à l'adolescence [16]. » Paradoxalement, c'est à la Sorbonne, sous les fresques vaporeuses de Puvis de Chavanne, qu'elle découvrit avec émerveillement la grande littérature russe – Tourgueniev, mais surtout les poètes du Siècle d'Argent. La jeune étudiante cite, dans son carnet, les noms de quelques-uns de ces « spoutniks éternels » : Merejkovski, arrivé de Finlande début 1920 ; Balmont, également en exil à Paris ; et un troisième, Kliouiev, le poète-moujik décadentiste. Plus loin, dans ces mêmes pages étroites sous couverture noire, elle se hisse sans façon à leur hauteur : « L'unique tort de génies comme Oscar Wilde, Nietzsche, Merejkovsky, des aristocrates de la Pensée fut, non pas d'écrire des livres dits amoraux, mais de les publier. Ils auraient dû les garder pour eux, jalousement, comme un avare fait d'un trésor sans prix, au lieu de les distribuer *"margarita ante porcos"*. »

Bien entendu, Irène était à la fois trop jeune, trop française, mais aussi elle appartenait à une sphère trop singulière – le milieu financier – pour avoir pu fréquenter la frénétique et parfois famélique intelligentsia russe de Paris, les Zaitsev, Bounine, Kouprine, Rémizov, Ossorguine, Chestov, Weidlé, le salon des Vinaver ou de Mikhaïl Tseltine, enfin tous ceux que Lénine, en 1919, avait qualifiés d'« excréments de la nation ». Pour la génération montante – les Tsvetaeva, Khodassevitch et Berberova –, les époux Merejkovski étaient des gloires périmées. Pas pour Irène Némirovsky, qui découvrait leurs poèmes comme s'ils n'étaient pas d'avant guerre. « Je n'ai jamais écrit en russe que des rédactions scolaires », indique-t-elle en 1940 [17]. C'est pourtant dans un style syncopé, résolument moderniste, qu'elle écrivit en russe les vers suivants, témoins mélancoliques de ses virées dans les boîtes de Montmartre :

Il n'y a que l'ennui et la fatigue
Sur votre visage si beau
Mais chaque fois aux sons de la musique folle
L'opale de votre bague étincelle nerveusement

Des cernes bleus sous vos yeux
Parlent d'une vie de honte et de privations
Vraiment c'est à peine croyable
Que vous ne puissiez résister au fox-trot

Votre fume-cigarette d'ambre
Tremblote entre vos lèvres pâles et douces
La danse chic et le cri du jazz-band a-a-a-a
Vous séduit et vous attire

Uniquement par habitude
Vous venez ici chaque soir
Regarder les couples danser
Et songer qu'il viendra peut-être

Il y a longtemps vous et lui
Entriez dans le cercle de danse
Oubliant que dans le bar nocturne
On attendait la voix saisissante [18].

Cette voix était celle des tziganes, aux râles desquels tous les Russes de Paris, déchirés de stupeur, sentaient bouillir leur sang comme sous un feu de steppe. Quant à Irène, qui n'avait entendu à Kiev que sa mère préludant au piano et son père chantonnant à la guitare, qui n'était jamais sortie du giron de ses gouvernantes, la fureur élémentaire du chant tzigane la secoua d'un « frisson nerveux »; elle n'en comprenait pas le sens, mais « cette musique de fièvre et de rêve ne ressemblait à rien qu'elle eût entendu jusqu'à ce jour [19] ». Dans cette urgence, ce jaillissement indomptable, elle reconnut ce don inné de poésie qui est le sujet de *L'Enfant génial*, l'un de ses premiers textes publiés. Où donc entendit-elle cette « musique barbare qui n'a pas sa pareille au monde [20] »? Dans un concert au profit de Russes sans ressources, comme elle l'imagine dans *L'Ennemie*? Irène, à cette époque, fréquentait encore les bals du Cercle russe, comme tous les exilés de son âge ; ou bien, pour le Nouvel An russe et les bals de charité du Cirque de Paris, elle vendait des billets de tombola en faveur des réfugiés indigents. Mais elle courait aussi danser aux bals costumés que donnaient ses nouveaux amis, où on la voyait désormais paraître « le front ceint d'une couronne de médailles, en caraco de velours noir gansé d'or, corsage de dentelle couvert de bijoux en toc et jupons à fleurs, un tambourin dans une main, l'autre gracieusement levée vers le ciel [21] », à la façon gitane.

Une volupté sans danger

Irène s'était prise de passion pour la danse. On n'avait jamais tant osé de pas et de déhanchés nouveaux que depuis l'apparition des jazz-bands noirs, principale arme de conquête des libérateurs américains. « Ne croyez pas, précise-t-elle en 1935, que mon adolescence n'ait été que salles de cours et examens... Je n'ai nullement méprisé les plaisirs de la jeunesse, j'ai beaucoup voyagé et... beaucoup dansé [22] ! » Fox-trot, tangos argentins, *shimmies* apportés d'outre-Atlantique dans les cuivres nègres : le tumulte qui s'était déversé sur Paris depuis la victoire endiablait toute une génération, couvrant l'écho des obus. « Le monde entier dansait cette fiévreuse farandole commencée au lendemain de la guerre, et qui devait finir entre 1930 et 1931 aussi soudainement que cesse dans un cinéma permanent le film à grand spectacle. » Après tout Katherine Mansfield, dont Irène découvrait alors les délicates nouvelles, dansait le ragtime comme personne...

Elle se mit donc à fréquenter les lieux où l'on s'amuse, le Château-Madrid, les tréteaux de Paris-Plage au Touquet où, les cheveux dénoués, on se déguise en pêcheuse de crevettes, les music-halls, les tours de chant de « l'incomparable Mistinguett avec 60.000 fr. d'aigrettes », les cigarettes fumées en cachette de Miss Matthews, le dernier Charlot chaque fois plus drôle... Mais, par-dessus tout, la danse : « Pour cette petite fille intacte la danse, c'était presque l'amour, qu'elle ne connaissait pas. Ces enlacements, ces corps à corps, ce lent balancement rythmé, ces frôlements, le silence des danseurs et cette musique sauvage, tout cela, c'était une volupté sans danger, poétisée, voilée, sournoise [23]. » C'était aussi, ce flirt jerké, une revanche sur l'odieux privilège de Fanny : faisant ainsi tourner quelques cœurs, elle avait l'illusion de lui voler un sortilège. Bientôt, ce pouvoir tout entier serait sien.

Cette pente l'orienta vers les lieux les plus équivoques, qu'elle traversa sans rien voir que les dents et les bras des danseurs, l'or des saxophones sur les visages noirs, les robes aveuglantes des femmes. Elle dut s'habituer à la mixture de gomina, de champagne, de fumée et de sueur qui était l'odeur de ces « années folles ». Dans les boîtes, les restaurants russes et les cabarets qu'elle se mit à fréquenter – le *Perroquet*, le *Caveau*, le *Café de Paris*, le *Poisson d'or*, repère de Kessel, et le *Pré Catelan* où se produisaient des tziganes à demi frelatés – se mélangeait un public d'Américains ivres, de vendeuses russes de poupées de chiffon, de cocaïnomanes, de souteneurs endimanchés, de « couples bizarres qui paraissaient enlacés » et de « grosses dames maquillées qui serraient contre elles, avec une tendresse effrayante d'ogresses, de petits jeunes gens trop bien mis [24] ». Et puis, « naturellement, les clients boches. Les vieilles Américaines aux dents d'or ! Les gigolos, tous les gigolos ». Ceux-là, des étudiants fauchés qu'elle retrouvait dans les soirées privées, nourris « de foie gras et de sandwiches au caviar [25] », se vexaient si Irène, qui adorait leur bonne humeur, faisait mine de les payer. Car avec elle, ils dansaient pour le plaisir. « Époque de joie brute. »

Music-halls

Pour les Russes, surtout, les cris du premier jazz furent comme la découverte d'un continent ; « ils ressentaient une sorte de vague épouvante, de ravissement insensé. C'était un autre monde [26]... » En ce début des années 1920, Irène Némirovsky avait trop la tête à danser pour deviner le bal maudit autour d'elle, la dépravation des sens, cette nargue à la mort qui suivit les quatre années de boue où l'ancien monde avait croupi.

À Vichy ou Plombières, la jeunesse dorée prenait les eaux et le bon air ; de retour à Paris, elle s'emplissait de tabac et de *sherry-goblers*, s'abrutissait de *strides* dans les caveaux à la mode. Des cocottes de l'âge de Fanny, dont les robes étaient bonnes à jeter après cinq années de placard, défiaient la nature, les rires et les rhumatismes, tendant « leur petit derrière rond bridé par la jupe » – un de ces *« white bottoms »* que Sem croquera en 1927 dans son dernier album. En février 1934, jetant quelques souvenirs en vue d'une grande nouvelle sur l'époque des cabarets, c'est un tableau de Grosz qui s'esquisse sous le crayon d'Irène Némirovsky, une vanité placée sous l'éclairage cruel des années de récession :

> [...] *Le règne des vieilles femmes est commencé. Elles ont rejeté les jupes longues, les chignons, les corsets, toutes les entraves.* [...] *Elles songent « Cinquante-cinq ans... Soixante ans... Bah, qui le sait ? Quand le cœur est jeune, que signifie l'extrait de naissance ? Combien d'actrices, de vedettes ont soixante ans, et davantage ? » Elles passent sur leur bouche* [...] *plissée le bâton de rouge* [...] *allument la cigarette – quand elles tendent le bras vers le briquet, sous la clavicule une ombre se dessine, et, un instant, sous la clarté du jour qui pénètre à travers le* [...] *seuil du* Caveau, *le masque de mort semble posé sur leurs traits, et, lentement, s'efface...*

Ces quelques lignes serviront à composer l'édifiant portrait de Fanny qu'est « Ida », qui conte la chute, réelle et figurée, d'une meneuse de revue rattrapée par la vieillesse et la xénophobie – « une gueule pour jouer Phèdre [27] », colmatée de crèmes, mais possédée par le démon d'un sang juvénile toujours ardent derrière le plâtre du fard. Le masque de la mort rouge finit toujours par s'inviter aux bals donnés par Irène Némirovsky pour les personnages faustiens de son œuvre, condamnés à nier leur âge ou simplement, comme Ida, obligés par le serment d'une enfance humiliée, d'une enfance affamée – d'une enfance juive.

Le passé n'existe plus

En février 1921, Irène avait eu dix-huit ans. Âge des grisantes virées en voiture ou landau de louage, excursions campagnardes ou « vikendes » champêtres dont la liste serait longue à établir : l'étang à grenouilles de Ville-d'Avray, les rochers de Fontainebleau, les plages normandes de Deauville, Trouville ou Honfleur (« un patelin charmant »), Juan-les-Pins, Saint-Jean-de-Luz et, toujours, les palaces : le *Rond-Royal* de Compiègne ; le luxueux *Hôtel du Palais* de Biarritz édifié pour l'impératrice Eugénie, rebâti après l'incendie de 1903 et fort prisé des aristocrates russes pour sa cour d'honneur en faux Versailles ; les cent vingt-cinq chambres de l'*Eskualduna* de Hendaye-Plage, de style néo-basque, cerné de galeries marchandes sous arcades, juste en face du casino, coincé entre la mer et la baie de Chingoudy... « Ils étaient délicieux, ces courts voyages. À Paris on étouffait, la ville fumait comme une étuve, une espèce de sirocco grillait les marronniers. Mais, dès que les portes de Paris étaient dépassées, on apercevait de vrais arbres verts, pleins d'ombre et d'oiseaux, des rivières limpides et froides [28]. »

Ses amis s'appelaient maintenant Lili, Marc, Albert, Mlles Renaud et Jouarre, Suchard, Adrienne, tous ces noms français si tendres à prononcer, qu'elle aurait tant aimé porter : « S'appeler Jeanne Fournier, ou Loulou Massard, ou Henriette Durand, un nom facile à comprendre, facile à retenir [29]... » L'un de ses camarades avait ce genre de nom : René Avot. Il était étudiant en sciences, mais il fréquentait la Sorbonne, « peut-être pour avoir un complément culturel [30] ». Né en 1903, comme Irène, il était l'héritier d'une austère dynastie de papetiers du Pas-de-Calais. C'était un garçon raisonnable, discipliné, peu porté aux excès. Mais il était gai, svelte, souriant, dévoué, et surtout il dansait le one-step à la perfection, « ce qui, en ce temps-là, était une qualité précieuse, à l'égal de la plus grande intelligence et de la plus haute vertu [31]... ». Si l'on ajoute que le fief des Avot était situé à quelques kilomètres de Paris-Plage, et que René possédait un side-car, on mesurera son immédiat attrait. Irène fixera, en 1933, le « visage aigu et fin », le « profil de renard [32] » de René Ponsard, portrait craché de son modèle.

De cette époque date l'apparition, dans son carnet, d'apophtegmes qui reflètent à la fois son ivresse et une précoce conscience de la fugacité, qui lui venait d'avoir perdu ou laissé en Russie des êtres chers : sa douce Zézelle, sa jeune tante Victoria, ses grands-parents. Ces aphorismes malicieux, parodies de La Rochefoucauld ou des manuels de civilité, professent un *carpe diem* au goût du jour : « Sache apprécier à son prix exact une grande vérité philosophique et la forme inédite d'un corsage. » D'autres, un peu conventionnels, sont cintrés de sagesse : « Souviens-toi chaque matin en te levant et chaque soir en te couchant que la minute que tu vis est peut-être la dernière, que la Mort te guette à chaque tournant de tes jours. Le passé n'existe plus. À quoi bon s'inquiéter d'un avenir problématique ? Jouis du présent et connais la valeur du caprice. » D'autres, encore, ne lui serviront pas : « Souviens-toi que les amis d'hier sont les ennemis de demain. » Enfin, résultant de ce moralisme dont les formules continueront d'emplir ses futurs romans, une résolution qui devait orienter le cours de sa vie : « Si le bonheur n'existe pas, il y en a du moins une contrefaçon assez exacte ici-bas – créer ; créer de la vie ou de l'art, peu importe, créer est un plaisir plus qu'humain, créer est le passe-temps des dieux... »

Nonoche et Louloute

C'est par désœuvrement, et pour le plaisir, qu'au cours de l'année 1921 Irène Némirovsky griffonna, la nuit, ses premiers textes en prose. Ces désopilantes saynètes mettent aux prises deux garçonnes dessalées, qu'il faut imaginer en chapeau cloche, longs colliers de perles au cou, le verbe canaille, filant à toute bombe dans une Hispano et grimaçant à l'énoncé de la S.D.R.C. : « Société de la Régénération par la Chasteté ». Si Nonoche – du nom d'un chat célèbre de Colette ? – présente plus d'un trait commun avec l'auteur, Louloute, quant à elle, est peut-être imitée d'une certaine Loulou de Vignoles, citée dans sa correspondance de jeune fille, probable modèle du personnage enjoué de Babette dans *L'Ennemie*.

Dans « Nonoche au vert », Irène Némirovsky dépeint déjà la faune interlope des « nouveaux riches » de Biarritz, un tableau qui virera au vitriol dans *David Golder*. Dans « Nonoche au ciné », une petite grue s'adresse à son chevalier servant sur le ton roquet d'Arletty : « J'suis d'après guerre, moi, où qu'ça va vite et qu'on est pressé... Pour s'aimer, pour se le dire, pour se le prouver, pour s'plaquer, faut moins d'magnes qu'de ton temps... Et l'théâtre, il l'est, d'ton temps, mon pauvre vieux, en plein... Il va tout dou-tout-dou tout doucement... L'train omnibus quoi ?... » Le parigot, sixième langue d'Irène Némirovsky !

Dans « Nonoche au Louvre », guidée par sa camarade, cette nunuche de Louloute tombe en arrêt devant le *Jean-Baptiste* de Vinci, croyant reconnaître la plus célèbre des Juives ukrainiennes de Paris, la danseuse Ida Rubinstein [33]. Une variante, platement scolaire, de la même visite au Louvre figure en six points dans le carnet d'Irène. Voici les deux derniers : « 5. Le *Portrait d'un Sculpteur* par Bronzino et enfin, et surtout le *Saint-Jean Baptiste* (6) de Léonard de Vinci, une pure merveille, vaguement androgyne, qui me rappelle Ida Rubinstein. » À dix-huit ans, Irène Némirovsky savait donc, pour les rendre dignes de littérature, ironiser sur les objets qui lui tenaient le plus à cœur. Ceux des critiques maussades qui, en 1930, recevront fraîchement les Soifer, Fischl et autres Juifs grotesques de *David Golder* ignorent ce trait de caractère. Mais il est vrai qu'Irène Némirovsky, avec une inconscience juvénile, exerçait son autodérision sur tous les sujets, n'ayant cure de s'épargner. « La vie est une comédie ; insensé celui qui en fait un drame », peut-on lire encore parmi ses maximes de jeune fille.

Les dialogues de « Nonoche et Louloute » témoignent d'une étonnante connaissance du monde : « Vois-tu, mon loup, il y a une chose dont tu n'te rends pas compte, les Espagnols, les Russes, les Américains, tout ça, c'est du chiqué ! Ça n'existe pas ! Parle-moi d'un bon "nouveau riche", d'un bourgeois bien cossu, qui soit dans le sucre ou dans le charbon. Pas d'épate, ni d'esbroufe, mais c'est mieux ; pas de petit hôtel, mais un bel appartement dans le seizième, pas de perles, mais de beaux diamants qui les valent bien... » Comment s'étonner que ces lignes revêtent la signature finale de « Topsy », qui signifie étourdie, dissipée, tête-en-l'air : c'était le surnom que lui avait trouvé Miss Matthews ! Qu'Irène Némirovsky ait aussitôt adopté ce sobriquet montre encore son sens de l'autodérision, mais aussi l'affection qu'elle avait fini par porter à l'Anglaise choisie pour la chapitrer.

Un magazine gai

Le quatrième de ces dialogues eut un destin différent des trois premiers, qui ne furent pas publiés. « Nonoche chez l'extra-lucide » parut sans amendement le 1er août 1921 dans le bihebdomadaire *Fantasio*, « magazine gai » pour amateurs de « petites mousmés », à l'image du gros M. Prud'homme représenté sur chacune des couvertures. Plutôt le genre de littérature de fumoir pour « cercleux » invétérés comme l'était Léon, qui, pour être trompé, n'avait pas son œil dans sa poche. Ainsi, dans le même numéro 348 où parut le dialogue de « Topsy » sur une pleine page discrètement illustrée par Del Marle, on pouvait admirer un dessin suggestif ainsi légendé : « Pourquoi des robes ? Un maillot suffit. » D'autres pages étaient consacrées à un reportage coquin sur « L'amour à Venise » ou encore à des « photos galantes en stéréo ». Les modèles déshabillés, les réclames pour la crème aphrodisiaque Minos ou les greffes de glandes de bouc s'adressaient sans équivoque à des messieurs d'âge mûr ; cependant, celles pour la « pilule orientale » (« seins développés, reconstitués, raffermis en deux mois ») montrent que cette petite publication racolait aussi des épouses telles que Fanny, soucieuses de paraître encore vierges à quarante-cinq ans. On pouvait en outre y lire les derniers cancans de Biarritz, Deauville ou Trouville. Bref, *Fantasio* était « un journal très parisien [34] », euphémise Irène Némirovsky en 1931. Pour ne pas dire gaulois.

Peut-on imaginer la stupéfaction de Felix Juven, *alias* « Félix Potin », *alias* « La Potinière », le directeur, échotier et éditorialiste de *Fantasio*, fondateur du fameux hebdomadaire *Le Rire*, lorsqu'il vit entrer dans les locaux du journal, 1 rue de Choiseul, le jeune auteur des « dialogues comiques » qu'il avait reçus par le courrier, venue percevoir ses cinquante ou soixante francs de droits ? « J'étais encore une gosse, pouffe Irène Némirovsky en 1935, j'avais les cheveux dans le dos et une respectable Anglaise m'accompagnait partout. Vous me voyez arrivant à *Fantasio* dans cet équipage ? Il fallut d'abord inventer un prétexte pour se débarrasser de l'Anglaise, ce qui ne fut pas si facile, puis, dans l'escalier, fourrer les cheveux sous le chapeau [35] ! »

Par une pudeur inexplicable, Juven, dont tous les collaborateurs étaient des hommes, choisit de publier le moins leste de ces dialogues, sous la signature erronée de « Popsy ». « C'était enfantin et gai... Pensez... je n'avais que dix-sept ans [36]. » Dix-huit, en réalité : deux de moins que Tchekhov lorsque parut dans *La Libellule* son premier conte drolatique. D'ailleurs *Fantasio*, sous ses airs égrillards, cachait parfois une revue littéraire de bonne tenue, qui publiait des nouvelles de Louis Delluc, Maurice Dekobra, Henry Bataille, Louis Guilloux, ou encore Pierre Veber et Jean-Jacques Bernard, respectivement beau-frère et fils de Tristan Bernard.

Un autre aspect de cette publication n'était pas pour déplaire aux Némirovsky : son antibolchevisme goguenard. Lénine y était présenté comme « le plus grand massacreur d'hommes » que le monde eût connu. Quant à la rubrique « Tête de Turc », elle était illustrée par Barrère, créateur du fameux bolchevik hirsute au couteau entre les dents. Sur un ton toujours facétieux, *Fantasio* était aussi antimoderne, anti-Dada, anti-Freud, anti-Proust, anti-mode, anti-nègres, anti-« Gna Koués », anti-métèques et, partant, d'un antisémitisme grivois mais prononcé, procédant le plus souvent de l'antibolchevisme. Car, n'est-ce pas, les « bolchevistes » étaient « tous des Juifs [37] ». Charles Rappoport, anarchiste russe devenu communiste français, était naturellement doté de « l'horrible grasseyement et des intonations rauques des ghettos de Galicie [38] ». Pour s'en tenir aux numéros antérieurs au 1er août 1921 qu'Irène Némirovsky avait pu avoir sous les yeux, et parmi les nombreux exemples que le « magazine gai » offrait de cette tendance, on avait pu lire en novembre 1920, sous la plume de l'ancien combattant René Benjamin, ce reportage édifiant glané dans une rue du Marais : « Longs nez, longues barbes, grandes jambes, longs pieds; ils s'étirent pour mieux prendre. Sont-ils Boches ? Sont-ils Russes ? Sont-ils de la terre de Sion ? Comment sont-ils venus ? De quelle vermine font-ils le commerce ? Soudain, d'une de ses poches l'un d'eux encore tire une casquette. Ah ! Trotsky ! Serait-ce donc lui le successeur du grand homme de Moscou [39] ? » Encore était-ce la prose d'un prix Goncourt ; Jean Bastia et Félix Juven, dans ce registre, ajoutaient le calembour et la grossièreté. Dans ce jeu de massacre, quelques trognes demeuraient intactes, celle, notamment, du vainqueur de Verdun, le maréchal Pétain, spécialement vénérée par Juven.

Il fallait qu'Irène Némirovsky, encore vêtue de fanfreluches, fût particulièrement étourdie pour penser publier de petits textes frivoles dans une revue aussi chauvine. Mais quel journal, à part *L'Humanité*, quel parti n'était pas un peu antibolchevique, un peu antisémite dans la France de 1921 ? De *La Croix* à la *Revue des Deux Mondes*, le bruit avait couru que même Lénine s'appelait en réalité Zederblum. Les frères Tharaud répandaient à plus de cent mille exemplaires l'idée que Moscou était la « Jérusalem nouvelle » des Juifs révoltés. A la Sorbonne, les étudiants d'extrême droite et les « Camelots du Roi » faisaient régulièrement le coup de poing contre les « métèques » révolutionnaires. La Chambre élue en novembre 1919 était dominée par un « Bloc national » fédérant tout l'échiquier politique, de la droite nationaliste aux républicains socialistes, autour de l'argument patriotique et anticommuniste. À la faveur de cette coalition, des hommes de lettres aussi notoirement antisémites que Léon Daudet avaient d'ailleurs fait leur entrée au Palais-Bourbon. Au Sénat, on discutait si les bacilles de la peste déclarée à Aubervilliers n'étaient pas dus à « l'existence en plein Paris d'un vrai ghetto », peuplé d'Orientaux inassimilables – distincts des Israélites français d'ancienne souche – apportés « de tous les pays où la faim et les pogroms rendent leur vie intenable : Ukraine, Roumanie, Pologne, Hongrie, Russie soviétique, Russie antisoviétique [40] ». Dans l'*Action française*, Maurras annonçait l'invasion des « nouveaux bohémiens » déferlant d'Europe centrale, porteurs de « microbes pathogènes [41] ». Et les Tharaud, encore eux, dans *L'Ombre de la Croix* reparu en 1920 avec un immense succès, puis dans *Un royaume de Dieu* publié la même année, ouvraient au lecteur français les « juiveries » archaïques de Hongrie, de Galicie et d'Ukraine, popularisant au passage le cliché du Juif en caftan, loqueteux mais pétri d'orgueil religieux et rétif aux lois civiles.

Nous avons dit ce qu'il fallait penser de ces ghettos de Paris ou d'ailleurs : que c'était des ghettos, non des clubs. Mais le publiciste Urbain Gohier, dans *La Vieille France*, venait juste de publier les défraîchis *Protocoles des sages de Sion*, ce fallacieux « programme juif de conquête du monde » qui donnait un sens aux absurdes années de guerre. Même Albert Londres, dans les colonnes d'*Excelsior*, sacrifiait à l'antibolchevisme, cette Grande Peur des années 1920, prétexte à tous les fantasmes : « Alors, qui règne ? écrivait le grand reporter. Règnent : le Sibérien, le Mongol, l'Arménien, l'Asiatique, et au détour de tous les couloirs de commissariats, derrière les paravents, entre deux buvards, sous la corbeille à papier, le roi : le Juif [42]. » L'intoxication antisémite était si ordinaire, dans la France de 1921, que Félix Juven dut s'étrangler de rire en lisant cette inoffensive réplique de Nonoche, « ravie » : « Pas que j'en ai, du talent ? Et ce cochon de Moïse qui refuse de me donner un rôle dans la revue de Février... » Croyant faire du Sem, la caricaturiste en herbe faisait du Caran-d'Ache sans le vouloir. Et son talent, bien réel, était surtout de mimétisme.

Mélancolie noire

L'année 1921 fut en outre celle où mourut pour les exilés russes tout espoir de retour. En mars, la révolte inattendue des marins de Cronstadt, fer de lance de la Révolution, prétendument fomentée par le contre-espionnage français, avait été férocement matée. En septembre, Léon se résolut à s'installer plus bourgeoisement dans un hôtel particulier au 18 de l'avenue du Président-Wilson, sur la place d'Iéna. Par les fenêtres, on pouvait voir briller sur la tour Eiffel les sept lettres géantes du mot « C.I.T.R.O.Ë.N ». Irène Némirovsky décrit, dans *Le Vin de solitude*, un décor non moins loufoque que celui de la rue de la Pompe, quoique plus tape-à-l'œil : « C'était le règne du stuc ; le tapis à carreaux bleus et blancs imitait un dallage ; les fleurs artificielles étaient piquées dans des urnes de marbre et répandaient une légère et âcre odeur de poussière ; des fruits d'albâtre dans une conque étaient allumés intérieurement à l'électricité. La table de marbre glaçait les doigts sous le napperon de dentelle [43]. » Sur cette table, les Némirovsky dînaient de homard et de champagne. Un étage entier, sans doute le rez-de-chaussée, en faux Directoire « rose garance et vert d'eau », perméable aux bruits de la ville, était habité seul par Irène et sa gouvernante. À Madeleine Avot, la jeune sœur de René qui était devenue sa confidente, elle fit néanmoins le récit de son installation avec une certaine exaltation : « Arrivée à 2 heures du matin au grand ahurissement du concierge, nous avons trouvé la maison vide, les draps enfermés dans un coffre qu'il a fallu casser avec les pinces à charbon, mon père ne pouvant plus retrouver les clefs qui étaient d'ailleurs dans sa poche comme nous l'avons constaté le lendemain. Oh, les hommes ! » Dès l'année suivante, afin de jouir pleinement de leur nouvelle demeure, ses parents lui cherchèrent dans le quartier un appartement bien à elle.

À l'automne 1921, « Irma Némirovsky » s'inscrivit en licence ès lettres, afin de transformer en diplôme ses acquis en littérature russe. Pour sceller leur amitié, Madeleine l'avait invitée à passer la Toussaint à Lumbres-lez-Douais, dans la demeure familiale. Si ce n'est le capharnaüm où elle vivait et le couple mal assorti que formaient Léon et Fanny, rien ne disposait « Topsy » à goûter l'atmosphère bourgeoise, provinciale et néanmoins hospitalière de la maison Avot, dans une bourgade de deux mille habitants. Quel répit ces quelques jours de tranquillité durent pourtant ménager dans le cours d'une « vie ballottée, menacée, excitante [44] », qui n'avait manqué que d'un foyer stable, aimant et chaleureux... C'est sans doute un portrait de cette maison aux murs « tendus de perse rose et grise » qu'Irène Némirovsky a voulu restituer dans « Nativité », que la chanson *Always* d'Irving Berlin permet de situer en 1925, et où Madeleine semble percer sous les traits vigoureux d'Yvonne Armand. « Ses cheveux, d'un blond éclatant, étaient coupés court, mais ils étaient si fins et si abondants qu'on ne pouvait s'empêcher de les imaginer liés en un gros chignon, suivant le vœu de la nature. Son teint était blanc, le sang aux joues sous une belle peau, le nez un peu gros, les yeux gris et limpides [45]. » Ce bon visage dévoué était celui d'une France qu'elle ne connaissait pas et qui la bercerait longtemps d'illusions – le visage de la France rurale, catholique, industrieuse, la France barrésienne des clochers, des socs et des fabriques, cadre de ses ultimes romans. Ce village Potemkine à la mode de chez nous s'écroulerait à la première tempête de l'Histoire.

« Vous ne pouvez pas vous figurer quel vide j'ai senti en rentrant de la gare », écrivit Irène à sa nouvelle amie dès son retour à Paris, le 11 novembre. « La maison me paraissait triste, maussade, et je me sentais seule. » Compréhensifs, les Avot l'invitèrent de nouveau pour Noël. « Miss », qui devait passer les fêtes en Angleterre, la déposerait à Boulogne sur la route de Calais. Depuis la Toussaint, Irène éprouvait, sans l'identifier, un ennui sophistiqué. « Ma vie est toujours la même : promenade, thé, Sorbonne. [...] J'ai passé la journée de mercredi au lit et depuis je me bats contre une mélancolie noire. La raison ? je n'en sais rien ! Peine de cœur ou indigestion de homard, je ne suis pas très fixée. » L'invitation de Madeleine mit le comble à sa joie.

Après ce premier minuit chrétien, son cœur était changé. Au Cercle russe, pour le bal du Nouvel An, elle se sentit brusquement « dépaysée, presqu'étrangère » – ce qui ne l'empêcha nullement de se trémousser jusqu'à deux heures et demie dans les bras de sept cavaliers ! Le jeune sang dans ses veines finissait toujours par triompher. Mais c'est à Lumbres, avouait-elle à son amie sitôt de retour à Paris, qu'elle venait de découvrir cette patrie inconnue : un cercle de famille. « Je me rappellerai longtemps avec douceur de vous tous, soyez-en sûre. » Madeleine, elle, n'était pas mécontente d'avoir échappé quelques jours à l'atmosphère empesée de Lumbres et à la surveillance de son grand-père, l'intraitable capitaine d'industrie qui devait régner sur ses usines jusqu'à l'âge de quatre-vingt-neuf ans. C'est au casino de Paris-Plage, ou sur les planches du Touquet, que Madeleine décrocha le surnom affectueux de « Mad » que lui fabriqua « Topsy » : deux toupies au cœur des Années folles !

Flirts

Irène allait au théâtre, toujours escortée de Miss Matthews. À l'Œuvre, en 1922, elle applaudit *Hedda Gabler* d'Ibsen, dont l'héroïne cabocharde n'est pas sans annoncer celle du *Vin de solitude*. Excursions dans l'arrière-pays niçois, réceptions au cercle du *Negresco*, et des bals, des bals, des bals... « Les journées passent si vite dans ce pays béni qu'on n'a le temps de rien faire. Je m'agite comme une toquée, j'en suis honteuse. Je danse soir et matin. Il y a chaque jour dans différents hôtels des galas très chics, et ma bonne étoile m'ayant gratifié de quelques gigolos, je m'amuse bien. » Mais quoiqu'elle pût en dire à « Mad », le luxe s'affadissait. D'autres lettres, écrites dans le but évident d'épater la « petite Madeleine », tiennent davantage des dialogues de « Nonoche » : « J'ai mon danseur, Mademoiselle, et bon danseur, quoi ! L'année prochaine à Paris il faudra s'en servir. [...] Si vous saviez ce qu'il est bien ! J'aurais le béguin si c'était quelqu'un de mon monde, parole. [...] Je ne veux pas vous "shockinger" plus longtemps, chérie. » La prude « Mad » devait pouffer à la lecture de tels aveux. C'était leur but.

Les études excitaient son appétit d'écriture. Sans le deviner, Topsy s'éloignait déjà de Mad, « toujours bien sage », qu'elle instruisait en ces termes : « Je pourrais chanter "Ma seule joie, mon seul bonheur, c'est la Sorbonne" sur l'air de "Mon homme". On travaille beaucoup, on ne s'y ennuie pas trop – nous sommes une bande sympathique, jeunes gens et jeunes filles, tous russes. Des flirts s'ébauchent à l'ombre des dictionnaires si j'ose m'exprimer ainsi. » À cette vie de bâton de chaise, Mila et Choura étaient les plus assidus. Mais, hormis quelques « noubas carabinées » auxquelles elle n'osait inviter René « de peur de le choquer et de le pervertir », Irène se mit à réviser d'arrache-pied en vue des examens de juin 1922. En juillet, elle obtint son certificat d'études pratiques supérieures – c'est-à-dire sa licence de langue et de littérature russes – avec les mentions « bien » et « assez bien ». En langue, ses notes d'oral, 18 et 16, étaient remarquables. À l'écrit et en littérature, elle n'eut que des 13, mais elle était première de son cours. Noceuse et bosseuse : Madeleine n'en reviendrait pas !

C'est à l'*Hôtel de la Paix*, à Plombières, qu'Irène poursuivit ses marivaudages jusqu'à la mi-août, entre deux verres d'eau fluorée, une douche et un massage, tandis que Léon vaquait à ses affaires et Fanny à ses essayages dans quelque suite de la Riviera. La romancière a décrit le décor suranné de cette « morne petite station des Vosges, resserrée entre deux montagnes d'un vert de cimetière [46] », avec son cinéma démodé, ses halls lugubres et son casino « jaune pâle et tendre comme un sorbet qui semblait luire doucement sous l'averse [47] ». Mais à dix-neuf ans, elle ne manquait pas de remèdes à son ennui : « Le casino est infect, les danseurs sont lamentables. J'ai décidé de ne plus mettre les pieds là-bas. J'y gâterais ma danse et je préfère économiser pour m'offrir à St Jean de Luz une bonne nouba. [...] Dieu, qui met toujours le remède à côté du mal, a envoyé dans notre hôtel une famille d'usiniers des Vosges. La maman, la petite sœur, et deux fils, vingt-cinq et dix-huit ans. Ils sont très gentils tous les deux, ont une belle auto, m'y promènent tous les jours et flirtent à qui mieux mieux. J'ai un faible pour le plus jeune. Vous savez que j'ai pour les gosses un goût bien au-dessus de mon âge. Et puis, il est beau à peindre, une petite figure de page et tout aussi effronté. » Yvonne Comesse, la sœur de ce « petit usinier », n'avait pas oublié, en 1992, le « doux regard de myope » d'Irène Némirovsky, sa voix « si musicale », sa « silhouette gracieuse couronnée d'une toison noire disciplinée à grand renfort de peignes et résilles dont s'échappe toujours quelque folle bouclette », ni, surtout, sa rayonnante bonne humeur : « Vive, rieuse, simple, saine surtout, elle avait en un clin d'œil fasciné tous les pensionnaires de l'hôtel, et rameuté les jeunes en un groupe dont elle organisait avec intelligence et fantaisie les jeux et les sorties. Pas une minute d'ennui avec "grand'mère", comme elle aimait à se faire appeler par jeu [48] [...]. »

De retour de la côte basque, où elle avait dû rejoindre Fanny, Irène retrouva Paris à l'automne. « Nous étions une bande sympathique qui partageait son temps entre la Sorbonne, le dancing et les parties de plaisir sur l'herbe », avait-elle écrit à Madeleine en juin 1922, comme si elle ne devait plus remettre les pieds à l'université. Piquée au jeu, elle se réinscrivit pourtant le 28 octobre, en littérature comparée cette fois, sous la houlette du vénérable Fernand Baldensperger, qui se souviendra d'elle dans son tableau de la littérature moderne [49]. Un autre de ses professeurs n'avait rien d'un rabat-joie : Fortunat Strowski, universitaire respecté, membre de l'Institut, apprécié de ses étudiants, était également critique dramatique à *Paris-Midi* et fort versé dans la vie littéraire de son temps. Éminent spécialiste de Montaigne, c'est peut-être à son enseignement que l'on doit, dans *L'Ennemie*, tel écho des *Essais* [50], effet d'une patiente acclimatation aux lettres classiques. Les nouveaux amis d'Irène, cette année-là, s'appelaient Walter (« éternel soupirant »), Édouard, Maurice, Jules. Sa voisine de gradin Jeanne Reuillon, future traductrice de Keats et Spender, auteur d'essais sur Proust et Colette, interviewera sa condisciple en 1934, sous le pseudonyme radiophonique de Marie-Jeanne Viel.

L'exil de la niania

Au même moment, un événement imprévu vint ternir l'insouciance de « Topsy » : Iona et Rosa, ses grands-parents, venaient de débarquer en France. Léon, qui n'avait jamais cessé de leur envoyer de l'argent, s'était débrouillé pour leur obtenir des billets de bateau. Mais Victoria, qui vivait à Moscou avec son second mari, avait dû arracher à Vorovsky en personne, ministre des Affaires étrangères, les autorisations de quitter le paradis soviétique, plaidant : « Avez-vous donc besoin de la mort de ces deux vieillards ? »

Iona et Rosa n'étaient âgés que de soixante-quinze et soixante-huit ans, mais la solitude les avait diminués. Iona, qui souffrait d'une inflammation pulmonaire, avait dû être embarqué sur une civière [51]. Fanny ne vit pas d'un bon cœur lui revenir le grabataire et la vieille *babouchka* qu'étaient devenus ses parents. Aussi, lorsqu'ils auraient fort bien pu vivre avenue du Président-Wilson, Léon fut contraint de les installer à Nice. Iona finira ses jours dans une pension de Neuilly. Et Fanny devait rester sourde à la demande de Victoria d'accueillir son fils Iakov, pour lui permettre de suivre des études. Irène n'aura de cesse, jusqu'en août 1939, de correspondre régulièrement avec sa jeune tante, prise au piège soviétique. Elle n'en maudit Fanny que davantage.

Iona et Rosa, qui venaient de traverser quatre années de guerre civile et de privations, avaient d'étranges souvenirs à raconter. « Mais qui, parmi les Russes réfugiés à Paris, n'avait pas une histoire capable de faire un roman [52] ? », dira Kessel. Tous les évacués de Crimée pouvaient dire comment, durant l'hiver 1918, à Yalta, les cadavres d'officiers blancs jetés à la mer enchaînés à des boulets étaient remontés à la surface pour obstruer le port. En écoutant ces récits, Irène commença d'imaginer un conte éternel qui traduirait la déréliction d'une vieille *niania* tchekhovienne en exil à Paris, loin du château où elle aurait toujours servi. L'évocation de la Révolution, « qu'on n'attend jamais, pas plus que la mort », serait prétexte, pour la première fois, à mettre en mots son obsession de la noyade : « Dans l'étang, une nuit, on jeta des cadavres encore chauds, et, parmi eux, ceux des deux fils aimés ; l'eau mélancolique et sombre, comme un miroir terni, ne refléta plus que le squelette noirci de la maison, une plaine calcinée et une vieille barque abandonnée qui pourrissait parmi les nénuphars blancs. » La petite fille des seigneurs s'appellerait Natacha, mais elle suivrait des cours à la Sorbonne et habiterait un appartement « au cinquième, près des Ternes ». Quant à la *niania*, elle aurait les traits mêmes de grand-maman Rosa, « petite et maigre, courbée sur son bâton », ses « yeux pâles [...] usés par toutes les visions qu'ils avaient reflétées, par toutes les larmes qu'ils avaient versées ». Et, de fait, Rosa avait commencé de perdre la vue lorsque Irène la retrouva à Nice, blanchie et rabougrie, après huit années de séparation. À la fin du récit, le désespoir et l'odeur trompeuse de la Seine attireraient la *niania* sous les roues d'un taxi.

Est-ce ce conte cruel et nostalgique, première traduction littéraire du suicide de Zézelle, qu'Irène adressa au *Matin* en 1923, sans omettre d'ajouter à la fin son adresse : « Irène Némirovsky. 18, Avenue du Président-Wilson. Paris » ? L'époque était aux témoignages édifiants en provenance de l'ex-Empire russe, qu'ils fussent signés d'acrimonieux officiers blancs ou d'actrices françaises en mal de public. La presse fourmillait de révélations sur la tuerie d'Ekaterinbourg, les frasques de Raspoutine ou les mœurs dissolues des nouveaux maîtres de la Russie. Dans *Le Matin* du 21 octobre 1923, on pouvait lire cette nouvelle sensationnelle : « Les têtes du tsar, de sa femme et de ses enfants auraient été coupées, placées dans l'alcool et portées à Moscou. » Le « goût russe » s'étendait toutefois aux pittoresques récits de la taïga sibérienne, pleine de moujiks, de barines et d'isbas. Dans *Le Matin*, dont Colette dirigeait les pages littéraires, Liberty et Nina Mdivani étaient les spécialistes de ce genre en vogue, qu'elles agrémentaient pour la circonstance de rossignols énamourés et d'amants fantômes [53]. Or l'enluminure naïve d'Irène Némirovsky, quoique sobre et nette, lui fut retournée à l'adresse indiquée, soigneusement pliée en quatre. Un simple examen de la rubrique quotidienne des « Mille et un matins », qui publiait alors de courts récits d'auteurs féminins tels que Colette, Whip ou Marguerite Moreno, en donne l'explication : « La Niania » était trop long. En 1930, avec un bel aplomb, son auteur choisit pourtant de révéler à Frédéric Lefèvre : « C'est de la même façon qu'en 1923 j'envoyai un conte au *Matin*, qui le publia [54]. » Irène Némirovsky était orgueilleusement attachée à sa « Niania », premier récit ambitieux qu'elle eût mené à terme, et qui se ressent de ses humanités russes. Il lui tenait tant à cœur qu'elle le reprit quelques années plus tard, de fond en comble, pour l'offrir à l'éditeur Kra sous la forme parfaite des *Mouches d'automne*, l'un de ses récits les plus simples et bouleversants.

Un sabbat des cent mille diables

Lorsqu'elle eut vingt ans, Léon installa sa fille dans un meublé rue Boissière, à cinq minutes à pied. Écartée des avenues de grand passage, c'était une artère assez calme, presque provinciale, où s'élevait au numéro 24 un immeuble de rapport. Irène y occuperait un « appartement de vieux célibataire », au premier étage. Ivre de cette liberté nouvelle, elle se mit à mener une vie de patachon. « Mad » fut plusieurs fois priée de venir habiter avec elle, en vain. « Topsy » avait pourtant une excuse imparable : « Pas d'examen pour moi cette année. Finalement je n'ai rien fichu et je ne veux pas m'exposer à un échec certain. Je continue donc à ne rien faire, bravement. » Elle se levait à midi, allait en cours, revenait à quatre heures avec René, à pied, pour prendre le thé, puis chaque soir, jusqu'aux petites heures du matin, elle recevait ses amis russes et faisait « la nouba ». Quant elle n'était pas en voyage au Maroc avec sa « petite bande » de crâneurs, qu'une photo de cette époque représente en cravate et pantalon blanc, c'était vingt-cinq gosiers chauffés à blanc qui venaient chanter chez elle des airs slaves jusqu'à l'aube... « La nuit, dans une maison russe, personne ne songe à dormir, écrira-t-elle. [...] L'hospitalité russe est sans limite [55]. »

Or, à l'entresol, dans un appartement tout blanc qu'il fallait pourtant éclairer le jour, vivait depuis 1911 un homme de soixante ans, courtois et discret, mais plein de curiosité pour les jeunes vierges de vingt ans dont il peuplait ses romans libertins, au goût du XVIIIe siècle. Irène le croisait parfois en dévalant l'escalier, sans le reconnaître. C'était, dit Paul Léautaud, « un homme grand, maigre, un peu dégingandé, [...] les pommettes saillantes, une bouche aux lèvres minces surmontée d'une longue moustache tombante, le front déjà dégarni et le menton très accusé », l'œil gauche embusqué derrière un monocle qu'il avait la manie d'assurer avant tout entretien. « Rien, à le voir, de l'homme de lettres [56]. » Léon Daudet, qui n'aimait pas les vers de ce parnassien, disait qu'un assassin distrait avait dû oublier sous la pluie ce « cadavre au menton de galoche, [...] en habit d'académicien [57] ». Qui pouvait-il être pour mériter pareilles amabilités ? Irène, qui n'en avait aucune idée, poursuivait ses quatre cents coups. Quelle serait sa confusion, le 21 juin 1934, en ouvrant *Le Figaro*, de tomber sur cet article saluant la parution du *Pion sur l'échiquier* :

> *Il y a quelques années, l'appartement situé au-dessus de celui que j'habite, étant devenu vacant, fut loué par une « famille russe ». Un changement de locataires dans une maison est toujours un petit événement qui n'est pas sans importance, surtout quand ces locataires sont des locataires « supérieurs » et que leur parquet est en contact immédiat avec votre plafond. Leur vie se mêle forcément à la vôtre. Sans se connaître, on dépend un peu les uns des autres, et je m'aperçus bientôt qu'il faudrait compter avec ces nouveaux venus et qu'ils ne seraient pas de tout repos. À peine installés, en effet, leur présence se manifesta par des allées et venues inquiétantes, des claquements de portes retentissants, des conversations bruyantes, des piétinements sonores, des sarabandes et des galopades sans pitié, non seulement durant la journée, mais aux heures nocturnes les plus avancées. À quels exercices pouvaient bien se livrer la redoutable « famille russe » ?*
>
> *Je l'ignorais, mais je me mis à la détester cordialement et à la maudire de tout mon repos troublé. Si turbulente d'ailleurs qu'elle fût, elle demeurait à peu près invisible. Le seul représentant que j'en rencontrais dans l'escalier était une charmante jeune fille d'allure discrète et timide.*

Était-ce elle qui déchaînait le tumulte presque quotidien dont j'étais la victime et qui heureusement ne dura pas très longtemps, car la famille russe quitta la maison au bout de quelques mois. J'oubliai mon tourment et la jeune fille de l'escalier et lorsque, plus tard, je fis la connaissance de Mme Irène Némirovsky, l'auteur admiré de David Golder *m'avoua qu'elle avait été ma voisine et reconnut ses jeunes méfaits. Il va sans dire que je les lui ai pardonnés.*

Le monsieur affable de la rue Boissière était Henri de Régnier, figure des Lettres françaises et gendre de Hérédia, aussi célèbre pour ses vers que par les infidélités de son illustre épouse [58]. Et c'est de cet auguste académicien que « Topsy » avait piétiné les nuits durant des mois entiers, menant sur sa tête « un sabbat des cent mille diables »! Accablée de remords et de gratitude, elle lui fera le jour même parvenir un billet rougissant : « Cher maître, [...] J'ai pour vous une telle admiration. Chaque mot d'éloge que vous m'adressez me remplit d'une fierté très profonde et très douce... et aussi de confusion lorsque je pense à la détestable gamine qui troublait votre repos rue Boissière, il y a dix ou douze ans [59]... » Henri de Régnier, en retour, saluera dans *Le Figaro* chacun des nouveaux romans d'Irène Némirovsky.

Elle ne put, en 1923, tirer profit de ce voisinage. Elle se conduisait encore comme une enfant gâtée. Le meilleur portrait d'elle à cette époque est l'esquisse qu'elle-même brossera dix ans plus tard d'Hélène Karol, son double du *Vin de solitude* : « Elle semblait s'être arrêtée dans sa croissance et gardait à vingt ans un corps fragile et menu d'enfant. [...] Un visage mobile et expressif, mais à l'ovale arrondi, enfantin, un joli nez fin, une vilaine bouche, des dents éclatantes, des yeux perçants et doux. [...] Je voudrais donner l'impression d'un être silencieux, où tout se passe en dedans, qui ne daigne donner aux autres que les rares éclats de sa gaieté, assez ironique, aimant s'habiller simplement, en robe blanche, les bras toujours nus, heureuse seulement lorsque, partie tôt de l'hôtel le matin, après une nuit de danse, elle courait dans l'humide fraîcheur du matin, jambes nues en espadrilles, en jupe bleue, le béret basque sur la tête, mordant dans une pomme. Pour le reste, elle était semblable aux autres, elle dansait, se laissait caresser sur la terrasse, faisait partie de ces jeunes filles fardées, qui tournent dans le vestibule du privé, trop jeunes encore pour entrer dans la salle de jeu, qui ont de trop beaux bijoux, qui fument, montrent leurs jambes, leurs seins, leur dos, ces filles à moitié nues, brûlées de soleil le jour, épuisées de danses et de caresses la nuit, dépensant avec une sorte de folle et vaine ardeur leur corps et leur temps. Elle eût éprouvé une sorte de fausse honte à ne pas les imiter. »

Une joie horrible

Cet autoportrait à distance, presque celui de Joyce, la fille effrontée de David Golder, est si proche de la vérité qu'au tournant de l'année 1924, ce badinage faillit virer au drame. En juillet 1923, Irène avait passé quelques jours à Deauville, Plombières, Hendaye puis à l'*Hôtel du Palais* de Biarritz, avant d'atterrir à Vittel pour le restant de l'été, laissant ses parents à Vichy. Toujours aussi « toquée », elle dormait une nuit sur deux et présentait à Madeleine sa dernière tocade, un dénommé Henry La Rochelle : « Si vous saviez les bêtises qu'on a faites ! » Elle entendait par là les flirts prolongés dans le foin, dans une grange où son petit groupe d'amis s'était fait porter le goûter par une bonne ahurie. « Miss dit que je suis devenue un vrai voyou ! »

Or, début 1924, Irène ne plaisantait plus lorsqu'elle rapportait à Madeleine que son « flirt de vingt ans » était venu la voir rue Boissière « pâle et les yeux hors de la tête, l'air méchant et un revolver dans sa poche », ajoutant : « Avec ce petit cerveau brûlé je risquais presqu'aussi bien de recevoir une balle dans la peau que de le voir se trouer la sienne. Enfin, heureusement, des amis sont venus et il est parti. » Que s'était-il passé ? Peut-être ce garçon amoureux s'était-il formalisé d'avoir servi de gigolo estival à Miss Topsy, qui ne songeait déjà plus qu'à sa Sorbonne et à ses leçons d'espagnol. Un épisode semblable sert de pierre de touche à *L'Ennemie* : le comte Génia Nikitof, danseur mondain place Pigalle, ne supporte pas d'être éconduit par la petite Gabri, qu'il croyait conquise ; il se fait menaçant : « Vous ne me connaissez pas... Je vous ferai du mal... » Or, cette volte-face fait suite à « une longue lutte brutale, odieuse » : le viol de Gabri par cette « bête mauvaise » de Génia. « C'était quelque chose d'horrible, d'innommable, de douloureux, comme un cauchemar... [...] Un dégoût pareil à une nausée [60]. »

Dans *L'Ennemie*, à vingt-cinq ans, Irène Némirovsky a jeté, avec une rare acerbité, toute la rancœur accumulée depuis l'enfance contre une mère suffisante, vaniteuse, jouisseuse et méchante. Faute de pouvoir lui exprimer sa haine, sa rage s'était retournée contre elle-même. Jusqu'à quel point ? Les brouillons du *Vin de solitude*, où s'ébauche à la première personne le plus analytique des romans d'Irène Némirovsky, laissent peu de doute à ce sujet : « Il faut, la nuit qui suit le viol, bien marquer la souffrance et l'horreur d'Hélène. Chose extraordinaire, je sens avec plus d'intensité et plus de vérité les souffrances de David, *dear old man*, ou de Courilof que ceci dont pourtant j'ai souffert. Je me souviens seulement d'un malaise physique, la douleur dans le corps, la fièvre, mais ce n'est pas ceci qui est intéressant, ce qu'il faut essayer de montrer, c'est l'impératif catégorique. C'est-à-dire, elle sent qu'elle est coupable, qu'elle a tort d'agir ainsi. Il faut – oh, comme c'est difficile – qu'il y ait en elle une lutte pleine de colère entre ce qu'elle sent bon, qui est comme dicté par une présence invisible, et ses interrogations : “Mais pourquoi ? Qu'est-ce qui est mal ? Qu'est-ce qui est bien ? On ne m'a jamais appris... Puisque cela me fait plaisir de les humilier, [...] pourquoi ne pas le faire ?” »

Or que faisait-elle d'autre, depuis son arrivée à Paris, qu'accuser le déclin physique de Fanny par sa frénésie de flirts ? que prendre sa revanche sur cette femme volage et dédaigneuse, avec ses propres armes ? « Oh, peut-être montrer cette joie horrible qui l'envahit, elle, qui est devenue paisible et sage, et détachée de tout, quand elle voit la déchéance épouvantable de la mère », s'ausculte Irène Némirovsky en 1933. « Cela, c'est vraiment une autobiographie. Mais comme disait le fou, ce matin : “J'en ai assez souffert pour m'en servir.” »

Le chemin du devoir

L'expérience dégradante du viol, si elle l'écœura, lui répugna moins que la responsabilité de Fanny. Car la fille était humiliée de reproduire les errements de la mère. Désormais, lorsqu'elle contemplait avec délectation « le visage ravagé, flétri » de Fanny, qu'elle avait si ardemment travaillé à rendre jalouse, elle pouvait presque l'entendre crier : « Parricide, parricide [61]. » C'est ce qu'elle ne lui pardonna pas : de lui avoir transmis le gène de l'inconstance. D'où, dans *L'Ennemie*, ce nom de « Génia », la « brute » qui personnifie la malédiction héréditaire. « J'ai passé ma vie à me battre contre un sang odieux, mais il est en moi. Il coule en moi, [...] et si je n'apprends pas à me vaincre, ce sang âcre et maudit sera le plus fort [62]... » D'être ainsi passée de bras en bras, de s'en être tant vantée en prenant à témoin l'innocente Madeleine, quitte à la « schockinger », Irène eut le brusque sentiment d'avoir trahi son père. On conçoit qu'à la fin de *L'Ennemie*, Gabri, au comble de la honte, se jette par la fenêtre Et il est presque certain que cette tentation traversa Irène Némirovsky, à l'âge de vingt ans : « Souvent j'ai désiré être morte aussi [63]... » D'autant plus que le 24 février 1924, jour de son anniversaire, elle avait appris le suicide de l'ancien gouverneur de Petrograd, Alexandre Nikolaïevitch Obolensky, avec qui Léon avait été en rapport. Cette mort brutale ne pouvait lui être indifférente : Alexandre Alexandrovitch, le fils du gouverneur, venait de prendre pour fiancée son amie Olga...

Seul un sursaut d'orgueil pouvait la sauver. Miracle de l'hérédité, elle n'en manquait pas. Avant tout, pour se tenir à distance de cette turpitude, elle avait l'écriture. Ce ne fut d'abord pas un roman, mais quelques apophtegmes, plus désabusés que les précédents : « Il est dit que l'on ne viole une femme que quand elle le veut bien; j'ajouterai qu'à mon avis ce n'est jamais l'homme qui viole la femme, mais la femme qui viole l'homme. » Forte de cette morale féministe qui lui rendait la main sur son destin, Irène reprit, sérieusement cette fois, le chemin de la Sorbonne. Le 2 janvier 1924, trois semaines avant d'aller rendre visite à ses grands-parents à Nice, elle annonçait à Madeleine rentrer « avec difficulté dans le chemin du devoir ». Le 10 juillet, elle décrochait péniblement son certificat d'études supérieures de littérature comparée. Interrogée à l'oral sur les origines du romantisme russe et sur Pouchkine, elle n'obtint que de passables 11 et 13 sur 20.

Deux circonstances l'aidèrent à faire le deuil de ces quatre années de bamboche : tout d'abord, les fiançailles de Madeleine, accueillies en avril avec un rien de froideur (« Je suis très heureuse, chérie, de votre bonheur ; je forme des vœux bien sincères pour votre félicité ») ; puis, le 25 août, le mariage d'Olga et d'Alexandre Obolensky, union qui faisait désormais de son amie une princesse russe. Irène n'assista pas au mariage de Madeleine, à qui elle écrivit encore, en 1925 probablement, distante : « Voici quelque temps que je n'ai pas eu de vos nouvelles. Que devenez-vous ? Chez nous, la saison des fêtes est décidément terminée. Je ne danse plus. Je me contente de recevoir dans la plus stricte intimité. » Cette dernière formule signifiait qu'après quatre années d'intempérance, l'étude et la fidélité étaient devenue ses vertus cardinales ; mais aussi, qu'elle avait à son tour rencontré un garçon qui ne serait pas uniquement son « flirt de vingt ans »...

5

Le démon de l'orgueil

(1925-1929)

« Sur cette peinture, ses péchés exerceraient l'office des vers sur le cadavre. Ils en attaqueraient la beauté, ils en rongeraient la grâce, ils en feraient, à force de souillures, un objet de dégoût, mais qui subsisterait quand même et resterait toujours vivant. »

Oscar Wilde, *Le Portrait de Dorian Gray*

« Je ne sais pas si vous vous rappelez de Michel Epstein, un petit brun au teint très foncé qui est revenu avec Choura et nous en taxi par cette mémorable nuit ou plutôt ce mémorable matin du 1er janvier ? écrit Irène Némirovsky à son amie Madeleine, au début de l'année 1925. Il me fait la cour et, ma foi, je le trouve à mon goût. Alors, comme le béguin est très violent en ce moment, il ne faut pas me demander de partir, vous comprenez ? »

Michel Epstein avait vingt-huit ans et, en effet, il n'était pas grand. Il portait l'un des plus anciens noms judéo-russes. Sans lui, Irène eût-elle résolu de réformer son existence d'immigrée fantasque ? Elle était encore une enfant, guère plus haute que son chat : un mètre et demi tout au plus. Elle vivait avec une périlleuse désinvolture et se débattait dans les rets maternels contre l'emprise d'un « sang âcre et maudit ». Comme elle ressemblait à Marion, la vierge folle que Morand venait de camper dans *L'Innocente à Paris*, si mal affranchie de papa et maman ! Michel lui permit de se projeter dans l'avenir et d'échapper au contrôle distant mais tyrannique de Fanny. Laquelle n'apprécia pas d'apprendre par un mauvais plaisant que sa fille était sur le point de se fiancer, ce que celle-ci avait soigneusement omis de lui annoncer. Une fille mariée, cela signifiait qu'elle serait prochainement grand-mère. Léon, pendant ce temps, était en voyage d'affaires en Pologne. La nouvelle dut moins l'affecter : il ne pouvait ignorer que Michel Epstein était le fils d'un important banquier russe, plus réputé que lui.

Exils

Michel Epstein était né à Moscou le 30 octobre 1896 et vivait à Paris avec ses parents, son frère et sa sœur depuis l'hiver 1920, dans un très grand appartement avenue Victor-Emmanuel III (l'actuelle avenue Franklin-Roosevelt). À vingt ans, il avait entrepris des études à la faculté physico-mathématique de Saint-Pétersbourg. Replié à Kiev en 1918, il avait fait l'École des Hautes Études, puis venait d'entrer comme attaché au ministère des Finances au moment où se déclenchait la guerre civile, livrant la capitale au ravage. Du 17 au 20 octobre 1919, un pogrom plus effroyable que celui de 1905, venant après ceux de Petlioura, décimait le cœur de la capitale, œuvre cette fois des volontaires de Denikine, relief de l'ancienne armée tsariste. Leurs violences aveugles, et le pilonnage systématique de Kiev par les armées antagonistes, précipitèrent l'exil de Michel et de sa famille : son frère aîné Samuel, né en 1887, qui rejoignit la France avec sa femme Alexandra Guinzbourg et leur fille Natacha, au terme d'une fuite rocambolesque ; sa sœur Sofia, dite Mavlik, née en 1895, et son fils Victor ; enfin, Paul, son petit frère, né en 1900, ami personnel du grand-duc Dimitri, qui sera employé à la banque Lazard.

« Micha » avait le menton pointu, le regard rieur et le sourire aigu de son père, Efim Epstein, administrateur délégué de la puissante Banque de Commerce d'Azov-Don, forte de soixante-deux succursales, ce qui avait permis sa survie après le putsch bolchevik. Efim Epstein était un ami personnel du comte Kokovtzov, ancien ministre des Finances de 1904 à 1914. En août 1917, le total des actifs de la banque s'élevait à 1,289 milliard de roubles, ce qui en faisait l'une des cinq premières de Russie. En octobre, son président Boris A. Kamenka, conseiller financier des gouvernements Lvov et Kerensky, se trouvant en Finlande, n'avait pu revenir à Pétersbourg, où se trouvait le siège de la banque, 3-5 rue Morskaïa, dans un monumental bâtiment Art nouveau en granite anthracite. Appelé par le gouvernement français comme « spécialiste des problèmes économiques russes », Kamenka s'était luxueusement installé à Paris, avenue du Parc-Monceau, déléguant tout pouvoir en Russie à ses collaborateurs Auguste Kaminka et Efim Epstein. Ce dernier fut nommé vice-président du Comité central des banques de Petrograd, dont les six membres furent chargés de négocier avec le pouvoir bolchevik le maintien des administrateurs à leurs anciens postes, en coexistence avec la Banque du Peuple nouvellement instituée. Une conférence de la dernière chance, mi-avril 1918, se solda par un échec complet : de ce jour, on vit les administrateurs de banques privées fuir Pétersbourg en ribambelle. Depuis, Efim Epstein avait maintenu l'existence de la banque, au prix de plusieurs arrestations. Replié à Kiev, Rostov puis Odessa, il n'avait toutefois pu empêcher les bolcheviks de réclamer à la Stockholm Enskilda Bank le stock de 12,5 tonnes d'or que la Banque d'Azov-Don y avait déposé quelques jours avant Octobre, en gage d'un crédit de 30 millions de couronnes suédoises.

En mars 1920, sa tâche étant devenue impossible du fait de la débâcle des blancs, Efim Epstein gagnait la France avec Michel, Paul et Sofia. Le 20 de ce mois, square du Trocadéro, à Paris, se tenait la première réunion du conseil d'administration de la Banque d'Azov-Don en exil. Jusqu'en 1925, s'appuyant sur la Banque des Pays du Nord pour transférer ses fonds, la Banque d'Azov-Don n'aura de cesse de venir financièrement en aide à ses anciens collaborateurs, employés ou clients en exil, souvent à perte, tout en continuant de parier sur l'effondrement de l'URSS. Dans cet espoir, au sein du Comité de banques russes présidé par le comte Kokovtzov, Efim Epstein peaufinait son projet de dénationalisation des banques russes et de rétablissement des valeurs mobilières. Mais en 1924, l'Union soviétique était reconnue par la France, qui accordait aux Russes en exil le statut de réfugiés. Quant à la mort de Lénine – régulièrement annoncée depuis 1921 [1] –, elle n'avait nullement fissuré l'édifice bolchevik, tout au contraire. Les Epstein ne retourneraient jamais en Russie.

Dans un opuscule publié en août 1925, préfacé par l'ancien ministre Yves Guyot – ex-directeur du *Siècle*, dreyfusard de la première heure – et appelant à la création d'un équivalent du Federal Reserve Board pour la Russie, Efim Epstein croit encore un retournement possible. Son petit livre, plein de rage froide, est surtout un témoignage de première main sur la « confiscation » des banques russes – l'auteur se refusant à parler de « nationalisation ». Epstein ironise sur l'incompétence des soviets qui, ouvrant les coffres des banques, n'y trouvèrent le plus souvent que des titres et des portefeuilles d'escomptes dévalués, au lieu des tas d'or qu'ils espéraient. Au passage, il dévoile sa philosophie financière : celle d'un libre-échangiste convaincu que les travers du capitalisme eussent été moins durables que ne le seront ceux de la « tyrannie bolchéviste » sur « la route infiniment longue qui mène vers le but suprême », c'est-à-dire le progrès social, la liberté politique et le bien-être universel. « Voici pourquoi les éléments qui aspirent à interrompre de force le cours naturel de l'évolution capitalistique, sous prétexte de la soi-disant nécessité d'extirper ce stimulant, mais qui, en fait sont mus précisément par un sentiment de rancune égoïste qui revêt chez eux des formes monstrueuses, – ces éléments mènent inévitablement l'humanité vers le cataclysme économique et social le plus effrayant que le monde ait connu. Puisse ce qui arriva à la Russie servir d'avertissement au monde civilisé [2] ! »

Malgré ces prophéties, Efim Epstein était un petit homme enjoué, à la moustache en croc. Il avait épousé une femme enrobée qui était tout l'inverse de Fanny Némirovsky : tendre, maternelle et amicale. À Saint-Pétersbourg, où les Epstein habitaient quai de la Moïka, Efim avait eu semble-t-il des responsabilités consistoriales, mais son fils Michel n'avait pas hérité de sa religiosité. Raïssa Timofeievna, une proche parente, avait épousé quant à elle un Juif converti au protestantisme, Alfred Adler, « le seul psychanalyste que j'aie connu » écrira Irène Némirovsky en 1938. Féministe, socialiste et athée, liée à la première femme de Trotsky, « tante Raïssa » avait dû s'exiler à Zurich pour y suivre des études en biologie et zoologie, l'université russe lui refusant ce luxe. Puis elle s'était installée à Vienne avec Adler, éminent disciple de Freud.

Quant à Samuel Epstein, l'aîné de la fratrie, dès son arrivée à Paris, il avait fait tandem avec Alexandre, le fils aîné de Kamenka, ancien directeur de l'École d'art dramatique de Pétersbourg. Ensemble, ils finançaient les films des Studios Pathé Albatros de Montreuil, ainsi baptisés parce que leur fondateur, Ermoliev, avait fui Yalta à bord de l'*Albatros*, avec toute sa troupe et son matériel. Les premières années, les Films de l'Albatros restèrent spécialisés dans l'orientalisme slave, en produisant de grands réalisateurs en exil. Ils obtinrent même de réels succès grâce au talent expressif d'Ivan Mosjoukine, le plus célèbre des comédiens russes du muet. À partir de 1925, l'Albatros, qui avait conservé sa devise d'origine, « Debout malgré la tempête », pouvait produire Feyder et Marcel L'Herbier, en attendant René Clair et Jean Renoir à la fin des années 1920. Ainsi, Samuel participait à l'une des plus exaltantes aventures du cinéma français avant le raz de marée du parlant [3]. Et la famille Epstein s'implantait progressivement dans la vie économique parisienne.

Un rêveur du ghetto

Avant de rencontrer Michel, Irène avait écrit en 1923 [4] un nouveau conte, dans la veine russe de « La Niania », recourant cette fois à sa seule imagination. Pourtant, comment ne pas rapprocher d'Irma Némirovsky le petit poète Ismaël Baruch, dont le nom est l'équivalent yiddish de Boris, prénom de son grand-père maternel ? Né « un jour de mars » dans le quartier juif d'« une grande ville marine et marchande du sud de la Russie », il porte autour du front les *paéys* bouclés, tandis qu'Irina a conservé ses longues anglaises jusqu'à vingt ans. Le père d'Ismaël, un ferrailleur du ghetto, finira par couper ses papillotes et porter « une courte moustache à l'américaine » pour se lancer dans la spéculation, à l'instar de Leonid. L' « enfant génial » a commencé par composer des vers sans même y penser. Il gâche son talent dans les cabarets « mal famés » et s'enivre de « sournoises caresses ». Comme elle, il a été saisi par la verdeur élémentaire du chant tzigane. Soudain conscient de son don, il a cru pouvoir le stimuler par l'étude des maîtres, lui Pouchkine et Lermontov, elle les poètes du Siècle d'Argent. Lui aussi a mené « une vie aisée, luxueuse », qui ne l'a pas prémuni contre la déveine. Car il n'ignore pas non plus qu'il est juif, aussi lourde à porter soit l' « espèce d'angoisse indéterminée » de retomber dans le ghetto, aussi vain l' « orgueil inconnu » d'échapper à son lignage.

Les descriptions les plus douteuses de *L'Enfant génial*, celle de ces Juifs « vêtus de leurs houppelandes graisseuses, bavards, obséquieux, qui sautillaient comme de vieux oiseaux, des échassiers déplumés, et qui comprenaient tout, connaissaient tout, vendaient de tout et achetaient davantage », doivent un peu au souvenir effarouché qu'Irotchka avait conservé des « juiveries » du Podol et de la Moldavanka, mais bien davantage à Gogol et aux populaires clichés de Jean et Jérôme Tharaud, qu'elle avouera placer « au tout premier rang » des auteurs français [5]. Elle avait probablement lu, en 1920, le tableau de la Russie juive que les frères reporters avaient rapporté d'Ukraine ; il y était à la fois question des colères antijuives du gouverneur Trépov, et des Juifs du *shtetl*, « tout un peuple maigre, affamé, crispé, tordu, courbé en six, sous le poids de sa destinée, qui pousse partout sa défroque, sa souquenille noire et boueuse, s'en va à longues enjambées du marché à la synagogue et de la synagogue au marché, à la chasse d'un maigre profit [6] ». De même se souvenait-elle d'avoir rencontré, dans *Le Portrait de Dorian Gray*, ce cauchemardesque directeur de salle de Whitechapel, une « horreur de vieux Juif » dont les cheveux « retombaient en boucles graisseuses [7] ». « Ai relu “Dorian Gray”, notera-t-elle vers 1933. [...] Ne pas oublier la réalité terrible de la laideur. Il y a dans ce livre que j'ai tant aimé un seul chapitre qui me touche profondément – celui des docks de Londres, [...]. » Pourquoi ce passage la touchait-il autant, sinon parce qu'il lui rappelait la laideur fascinante des ghettos entraperçus dans son enfance ?

Ce type d'images, dans *L'Enfant génial*, n'exprime jamais d'opinion, comme chez Binet-Valmer. Ainsi, dans la livraison des *Œuvres libres* où parut enfin cette « grande nouvelle inédite » en avril 1927, figurait également le dernier « roman inédit et complet » de l'auteur des *Métèques*. On y rencontre un personnage de banquier juif, le baron Kaufmann, dont la jolie fille découragerait l'antisémitisme si celui-ci n'était politiquement indiqué. Car, assure un personnage français de Binet, « nous sommes les adversaires de ce qui existe. La force juive existe, nous sommes ses adversaires [8] ». Ce postulat, qui était celui de l'Action française et des Jeunesses patriotes, ne trouve strictement aucun écho dans l'œuvre d'Irène Némirovsky. Dans *L'Enfant génial*, sous l'atmosphère de parabole, perce au contraire une réelle connaissance des rites et des coutumes juives, ainsi que de la réalité sociale du ghetto. Les jeunes filles y sont déshonorées par les officiers goys « sans peur ni remords », et quant à l'obséquiosité du père, elle répond au sentiment de supériorité des Russes, ces ivrognes « avec leurs longues barbes pouilleuses et leurs yeux doux dans des faces simples ».

Riches ou pauvres, persécutés ou parvenus, les Juifs dans l'œuvre d'Irène Némirovsky seront à jamais des « rêveurs du ghetto ». Comme le disait André Spire de Zangwill en 1913, « ses Juifs ne sont pas de la clique du Parc Monceau [9] ». Et ses caricatures, parfois découpées dans une presse où nul ciseau ne pouvait les éviter, ne sont après tout que des *ghetto comedies*, sans dessein caché [10]. D'ailleurs, elle n'était pas satisfaite du « petit récit symbolique » de *L'Enfant génial*, peut-être parce que le symbole, celui de sa métamorphose, y était trop voyant. « Ne m'en parlez pas, bougonnera-t-elle en 1930. Je viens d'y jeter un coup d'œil et j'ai refermé le livre bien vite : je le trouve si mauvais [11] ! » Benjamin Crémieux, l'un des rares critiques à s'être donné la peine de lire cette œuvre de jeunesse, lui trouvera l'excuse de la précocité : « *L'Enfant génial* était une œuvre d'adolescence, bouillonnante de romantisme [12]. » Car de quoi y est-il réellement question ? Enlevé à ses parents par la veuve d'un ancien gouverneur militaire, arraché à son sang, soustrait au ghetto où son orgueil se plaisait à flâner, Ismaël, sans l'avoir su, est devenu un poète de cour. Toute inspiration l'a fui. Il ne retrouve plus en lui l' « inconscient écho des tristes chants juifs, venus du fin fond des siècles comme un immense sanglot, grossi d'âge en âge, jusqu'à son âme d'enfant ». Si *L'Enfant génial* est une fable, sa moralité est limpide : c'est celle de la grâce dénaturée. Ce sont ses gènes qui font d'Ismaël un « petit enfant génial ». Il n'y a d'art véritable qu'enraciné dans le sang, fût-il lourd et âcre [13]. C'était la leçon tzigane. Faute d'avoir compris plus tôt qu'aucun minerai n'égale en pureté la boue aurifère de la longue mémoire juive, Ismaël finira par se mettre la corde au cou. Et c'est aussi pourquoi, à cet instant, Irène Némirovsky se détourne des exercices littéraires pour embrasser ce qui fait son génie propre : le roman.

Un sentiment de luxe

On trouve encore des aphorismes, des pastiches et des échos autobiographiques dans *Le Malentendu*, premier roman d'Irène Némirovsky. Ainsi, cette formule qui lui sert de devise : « L'amour qui naît de la peur de la solitude est triste et fort comme la mort [14]. » Imaginé « en ce mois d'août de l'an de grâce 1924 [15] » sur la plage de Hendaye, cette étude de mœurs met aux prises une femme du monde et un employé sans fortune, épris à la faveur de l'été basque, qui les a montrés l'un à l'autre « agiles et dévêtus » comme Adam et Ève. De retour à Paris, leur flirt ne survit pas aux contingences de l'après-guerre. Yves Harteloup, archétype du « rond-de-cuir », freiné dans sa carrière par l'inertie d'un confort médiocre, prend en haine la vie opulente de Denise Jessaint, le gai Paris, les cabarets coûteux, « tout cet enfantillage idiot, cette gaîté forcée, tout, jusqu'à Denise [16] » que ses poches vides lui font voir de l'œil maussade du moraliste. Ajouté à la vie de bureau et à la gêne pécuniaire, l'amour lui est souci plus que consolation, voire invitation au suicide : « Un effort... la chute... la fin de tout... c'était très simple [17]. » Denise, elle, tarde à comprendre que le fonctionnaire 1920, lessivé par l'orage des tranchées, est en réalité le « nouveau pauvre [18] » : Yves est déjà fauché lorsque la soudaine pitié de sa maîtresse ajoute à son humiliation. Ces amants contraires se repoussent en raison même de leur pouvoir d'attraction. Bientôt Yves, englué dans sa bile noire, n'est plus qu'un pion parmi les jouets pascaliens de Denise. Le déterminisme social refera d'elle une cocotte et de lui un raté, contraint de fuir son servage en Finlande, tel un émigrant.

La morale de la fable est pessimiste : le pur amour s'étiole dans la vie moderne, les conventions sociales l'asphyxient, ce qui rapproche ce roman réaliste de *L'Opinion publique* de Chaplin (1923), l'un de ses cinéastes favoris. « Ah, l'amour est un sentiment de luxe, ma chérie [19]... » Irène Némirovsky voit bien que ce « mesquin mal du siècle » est un contrecoup de la Grande Guerre, qui a épargné les oisives de la Belle Époque pour les jeter dans les bras de jeunes vétérans, aigris par la boucherie de Verdun. Pour cette raison, *Le Malentendu* renouvelle le roman bourgeois : « Il est passé le temps des héros de Bourget, qui collectionnaient les femmes et les cravates et ne faisaient rien. Ne rien faire ! Ils mourraient de faim, les héros de Bourget [20] !... » Ce regard si perçant, porté par une jeune étrangère sur la société française, est le don qui étonnera le plus son premier lecteur averti, Frédéric Lefèvre : « J'admire qu'à vingt ans, vous ayez assez réfléchi sur la vie pour avoir de ces problèmes complexes une vision lucide et synthétique [21]. » Cette faculté est aussi celle d'un auteur juif ukrainien débutant, Emmanuel Bobovnikov, dit Bove, dont les récits, contemporains de ceux d'Irène Némirovsky, dépeignent l'inadéquation de la vie moderne aux sentiments élevés, toujours de rigueur dans le roman français [22]. Comme lui, Irène Némirovsky s'intéressera à la corruption des valeurs en milieu hostile, qu'il s'agisse du salariat dans *Le Pion sur l'échiquier* ou du patriotisme dans *Suite française*. Le sujet du déclin moral, présent dans chacune de ses œuvres, se matérialise dans la métaphore du miroir révélateur, qui trouve ici sa première déclinaison, en droite ligne du *Portrait de Dorian Gray* : « Son âme, ce matin-là, était tellement pareille à celle des matins radieux de son enfance que son image reflétée dans le miroir lui causa une impression de surprise pénible [23]. »

Sous ses dehors de roman de mœurs, *Le Malentendu* dissimule quantité d'emprunts à la vie d'Irène Némirovsky. L'oncle d'Yves, « richissime industriel du Nord » dont l'usine a subi les bombardements de 1915, est inspiré du patriarche Prudent Avot, fondateur des papeteries-cartonneries qui portent son nom. Les cartes postales de Paris n'évitent pas le cliché, mais éludent joliment la visite guidée de Montmartre : « Je reviendrai demain [24]. » Témoignent encore de ce souci d'adoption le nom de jeune fille de Denise, Franchevielle, et le prénom de sa fille, Francette. Plus véridiques sont les paysages émerveillés de la côte basque, avec son « parfum de cannelle et d'orangers en fleur qu'y apporte le vent d'Andalousie [25] ». Irène Némirovsky y passera dorénavant presque tous ses étés, jusqu'en 1939. La traversée de la Bidassoa, la procession de Fontarabie, les sentiers à flanc de montagne, le « merveilleux vin d'Espagne », « la petite maison de Pierre Loti avec son jardin touffu et ses volets verts déteints [26] » : autant de détails pittoresques peints sur le motif.

La foire cosmopolite

Michel Epstein était-il un bon parti ? Rien n'indique qu'il devint un banquier de haut vol. Au milieu des années 1930, les revenus d'écrivain d'Irène Némirovsky seront deux fois plus importants que ceux de son mari à la Banque des Pays du Nord. Boris Kamenka, qui siégeait au conseil d'administration de cet établissement depuis avril 1914 en remplacement d'Horace Finaly, y avait facilité l'entrée de « Micha », officiellement sollicitée par une requête en date du 26 mars 1925, achevée sur ces mots : « Je possède bien le français et le russe et assez bien l'anglais et l'allemand. » Ces atouts linguistiques finiraient par assurer à Michel Epstein une charge honorable auprès de la direction, se voyant notamment confier « les relations françaises et étrangères et le service des crédits documentaires », avec une « signature de première catégorie [27] ». Lorsqu'on sait qu'en octobre 1926, sous la direction de son président Charles Laurent, la Banque des Pays du Nord choisit d'abriter le Comité franco-allemand d'information et de documentation, fondé par l'industriel Émile Mayrisch pour rapprocher les deux peuples et dissuader une nouvelle guerre, on comprend que Michel Epstein n'ait éprouvé ni difficulté ni prévention, sous l'Occupation, à servir d'interprète aux officiers allemands campés à Issy-l'Évêque, le village de Bourgogne où sa famille avait trouvé refuge.

En 1912, un an après sa création par le banquier et politicien suédois Knut Wallenberg, aux fins de drainer des capitaux français vers les sites industriels d'Europe du Nord et de Scandinavie, la Banque des Pays du Nord – ou Norebank-Paris – avait installé son siège à l'angle de l'avenue de l'Opéra et de la rue Gaillon. En 1920, elle était passée sous la coupe du groupe Schneider, au sein de l'Union européenne industrielle et financière. Dès son arrivée, Michel Epstein se trouva placé sous la houlette de Gabriel Brizon, vice-président du directoire, et de ses quatre codirecteurs, Ferdinand Prior, Henri de Sigalas, Joseph Koehl et Cyrille Besson [28]. Ses fonctions ne furent d'abord pas de première importance. Irène s'inspira-t-elle des débuts forcément modestes de Michel pour restituer, dans *Le Malentendu*, l'atmosphère laborieuse du bureau, « le cliquetis des machines à écrire », et ces « colonnes de chiffres qui s'alignent et grandissent toujours [29] » ? La chose est d'autant plus vraisemblable qu'elle n'acheva qu'en 1925 ce roman entrepris l'année précédente.

Le 28 octobre 1924, elle s'était réinscrite une dernière fois à la Sorbonne, mais il semble qu'elle fut plus assidue à son « violent béguin » car là se perd sa trace dans le dédale de l'université. Chaque soir, après son travail, elle retrouvait Michel dans un troquet de copains, *Chez Martin*, avenue George-V, où les attendaient souvent Paul Epstein et Choura Lissianski. « C'était un bar anglais, minuscule, brillant de propreté, avec un air "respectable" et sérieux [30] », suggère *Le Malentendu*. Michel, s'il était plus posé et raisonnable qu'Irène, n'avait rien du bonnet de nuit. Il aimait Mistinguett, Joséphine Baker, le champagne, la fine et ses amis. Parmi ceux-ci, Daria, la fille de Boris Kamenka, qui fit une carrière de traductrice littéraire. Et « Micha » savait vivre : quand il avait retenu trop tard Mlle Ginoux, sa secrétaire, il la faisait reconduire à Saint-Mandé en taxi, avec un bouquet de roses.

L'été 1925 fut probablement le dernier qu'Irène passa près de ses parents, dans un de ces palaces de la côte basque qu'elle avait désormais en horreur, les trouvant aussi factices que le couple de Fanny et Léon. S'y mélangeait, échouée du globe entier, une société décadente qu'il lui était pénible de contempler, puisqu'elle lui rappelait ses excès passés. À Biarritz, « reine des plages et plage des rois », on apercevait certes Chaplin ou Guitry, mais aussi des bandits et des politicards ramollis au soleil d'Espagne. L'un des oiseaux rares de cette volière était un truand de grand ramage, dont les parents avaient fui les pogroms en 1889. On savait qu'il avait mis beaucoup d'argent dans le colossal hôtel-casino de La Roseraie, édifié de 1926 à 1928 à Ilbarritz, près de Bidart. Quelques années plus tard, l'étrange suicide de cet homme – Stavisky – manquerait d'engouffrer dans le discrédit la république parlementaire elle-même.

Le Vin de solitude énumère quelques spécimens de l'aquarium doré où nageaient ses parents : « marchands de pétrole, financiers internationaux, fabricants d'armements, danseurs professionnels, jadis élèves du Corps des Pages, femmes chères ou en soldes, marchands d'opium et de petites filles [31]... » Dans *Le Malentendu*, auquel elle mit un point final avant de l'adresser par simple courrier aux *Œuvres libres*, elle désignait Biarritz comme l'un des « deux centres les plus aimables de la foire cosmopolite [32] », avec Saint-Sébastien. Observation si juste que lorsqu'il paraîtra en février 1926 dans la revue des éditions Fayard – un « recueil littéraire mensuel ne publiant que de l'inédit » –, ce roman voisinera avec une comédie mondaine d'Alfred Savoir, *Un homme*, précisément située à l'*Hôtel du Palais*, à Biarritz !

C'est dans ce même établissement de grand luxe, où elle avait encore séjourné deux ans plus tôt, qu'Irène logera Gabri, la jeune héroïne de *L'Ennemie*, dans une chambre donnant sur « l'Océan magique, plein d'ombres et de reflets, de parfums salins et de chants rudes [33] ». Biarritz, dans ce deuxième roman, est une nouvelle Sodome, livrée à une « foule de marionnettes qui dansaient et faisaient l'amour avec une désarmante inconscience », au rythme de la « musique nègre, qui vibrait éternellement sous le ciel trop bleu, transformait le cerveau en une espèce de grelot vide et sonore [34] ». À ces plaisirs artificiels, l'héroïne du *Vin de solitude* préférera les courses matinales sur la plage ; de même, fuyant la mascarade, Irène découvrit, dans les longues balades solitaires au grand air, le remède au dégoût de ce monde frelaté. « Le meilleur moment était lorsque de grand matin, surtout au palace endormi, ses cheveux dénoués flottant sur les épaules, vêtue d'une jupe bleue et d'une chemise Lacoste, chaussée d'espadrilles, jambes nues, bras nus, elle montait sur les collines [...]. » Elle goûtait alors, tout simplement, aux bonheurs gratuits que lui avait cachés le matérialisme de ses parents.

David Town

L'une des figures les plus en vue de Biarritz, en 1926, tranchait sur le tout-venant des nouveaux riches. Sa luxueuse villa Bégonia, immanquable en bordure de falaise, flanquée d'un hangar d'aviation, ne pouvait échapper à aucun promeneur. Ce magnat belge, irréligieux mais de père juif, avait bâti sa fortune dans la soie artificielle et les réseaux d'électricité. Alfred Lœwenstein, usé avant cinquante ans, venait sur la côte basque reposer son cœur malade, non s'exhiber parmi « la foule de ces médiocres qui se croient riches parce qu'ils ont à dépenser quelques centaines de mille francs [35] ». Faute d'avoir convaincu son gouvernement de lui concéder le monopole des chemins de fer, Lœwenstein nourrissait à Chiberta, entre Biarritz et Bayonne, un faramineux projet d'aménagement, une sorte de Xanadu collectif, avec champ de courses, casino, dancings, terrains de golf et de tennis, boutiques de luxe. Dans cet éden, raconte Daniel Halévy, n'eussent été « admis à vivre que les vrais rois et les princes de l'or [36] ». Et pour lancer ce nouveau Monte-Carlo, Lœwenstein comptait offrir vingt villas de très grand luxe à vingt personnalités en vue, en guise de réclame.

Ce projet, resté inaccompli, défraya la chronique. Il coïncida avec les premiers signes de déroute de Lœwenstein, qui avait compté parmi les trois hommes les plus riches du monde. Son caractère utopique, mélangé aux aventures de Leonid, pourrait avoir inspiré à Irène Némirovsky une nouvelle idée de roman. Son personnage principal, David, est un financier juif qui, parti du foyer familial avec les vingt mille roubles d'assurance-vie touchés à la mort de son père, a fait fortune à New York et se lance dans un gigantesque projet immobilier consistant à créer de toutes pièces, sur une étendue de marais asséchés, une ville baptisée « David Town ». Ce David a tout fait : « dormi dans les soutes à charbon des bateaux de la Volga », vendu du sucre, de l'orge, du froment et même du caoutchouc de Pologne jusqu'en Sibérie. Sa femme ne lui a demandé qu'une chose : l'emmener loin d'Ukraine et l'appeler Bella plutôt que Ruth, « cet affreux nom juif ». Leur fille, une jolie créature évaporée, sans égard ni gratitude pour son forçat de père, s'appelle Joy, ou bien Joyce. Elle jette à sa mère, qui ne l'écoute pas, des phrases telles que : « Mummy, je vais rentrer avec Salvador et Pachito ! » Mais les affaires de David sont variables, car « le Juif est riche aujourd'hui et pauvre demain ». À la fin, âgé de cinquante-quatre ans et tétanisé par l'ombre de la mort, l'infatigable « Davidouchka » rétablira la situation, jusqu'à devenir à Biarritz l'hôte du prince Stephany, ex-gouverneur russe. Les deux époux, tout en menant grand train, pourront évoquer en soupirant le temps cruel des pogroms, lorsqu'ils étaient sans le sou. « Tu te rappelles ?... Tu étais petit, pauvre... On faisait des rêves... et le pont du bateau, et les émigrants, tu te rappelles ? » Le tout forme une parabole : une famille juive déracinée, désunie par la richesse et l'arrivisme, mais ressoudée par le souvenir des humiliations. Hélas ! la fortune et la maladie font mauvais ménage, et « quand le Bon Dieu nous donne des noix, on n'a plus de dents pour les casser »...

Ces linéaments, extraits d'un manuscrit de cent soixante pages noué d'un ruban rose, sont l'esquisse d'une satire à laquelle Irène Némirovsky va travailler de 1925 à 1929, jusqu'à en faire une variante de l'Ecclésiaste dans le domaine de la haute finance. Dans *David Golder* – titre qu'elle finira par lui donner – un banquier brutal et temporel, haï, flatté ou moqué par les siens, sera rappelé par la mort au serment de son enfance misérable et à la foi de ses pères, toujours palpitante sous la chape d'or. « Je l'ai écrit et récrit plusieurs fois, indiquera Irène Némirovsky. Je peux dire que j'y ai travaillé pendant quatre ans. Il est né à Biarritz, du spectacle de tous ces oisifs, détraqués et vicieux, de tout ce monde mêlé de financiers, de banquiers douteux, de femmes à la recherche du plaisir et de sensations nouvelles, de gigolos, de courtisanes, etc. [37]. » Il est frappant que, presque seuls parmi les hommes de lettres qui accueillirent ce roman en 1930, Benjamin Crémieux et André Maurois, qui étaient juifs, surent en saisir la profondeur morale, au lieu de s'arrêter à l'apparente abjection de ses personnages, tous sous l'empire d'un cocktail de péchés. « On pense à certaines phrases de Proust sur la vieillesse de Swann qui, lui aussi, à l'approche de la mort, revenait au nihilisme de l'Ecclésiaste [38] », écrira Maurois, tandis que Crémieux, plus explicite, relève que cette vanité mise au goût du jour, celui de la spéculation financière et de la débauche, est aussi une allégorie de « l'âme juive » : « David Golder exprime, à la fois, toute l'avidité et toute la satiété du juif quand il s'abandonne entièrement à la terre : il veut tout en sachant que tout n'est rien. C'est pourquoi il peut tout conquérir et tout renoncer, montrer tour à tour l'ambition du David biblique et le détachement de l'Ecclésiaste [39]. » C'est bien ce qu'a voulu Irène Némirovsky : inviter un Commandeur au festin parasitaire de Biarritz. Avec, dans le rôle de la statue vengeresse, Léon lui-même, renversant les tables garnies grâce à son argent, à sa vie même. David Golder, le « faiseur d'or », Samson révolté, brisant les chaînes d'or cadenassées à ses poignets par une épouse cupide et une fille volage, enchaînées au vice...

Irène Némirovsky n'entrevit que progressivement le parti qu'elle pouvait tirer du destin absurde de Léon en le présentant sous les traits d'un homme de peine, qui voit son ultime dignité – la paternité – bafouée par d'odieuses révélations. Tous les critiques de *David Golder* ont souligné le caractère cynique de Joyce, qui joue au père illégitime la comédie de l'amour filial afin de lui extorquer une auto ou cinquante billets de mille. Nul n'a perçu que c'était un sévère autoportrait. Car Joyce, c'est Nonoche, petite grue sans cervelle mais sachant compter. Il se murmurera d'ailleurs que Joyce n'était pas une créature de fiction. Ainsi, le critique persifleur de *Chantecler* : « On dit que votre propre père, banquier juif également, vous a servi de modèle pour *David Golder*, que, s'étant reconnu, il vous garde une rancune tenace, que Joyce a réellement existé, aussi jolie, aussi "déchaînée" que votre héroïne, et qu'elle s'est suicidée, à dix-huit ans, terminant logiquement, en somme, une vie d'exception... » L'auteur de ces lignes ne pouvait savoir comme il frappait juste [40]. « Je regrette de ne pas avoir fait Joyce plus sympathique », confiera-t-elle en 1930.

La méthode Tourgueniev

En 1925-1926, *David Golder* était dans les limbes. Il n'avait pas trouvé cette expression ramassée, ce ton hargneux, cette crudité de langage ni cette ampleur morale qui intimideraient ses lecteurs. C'était encore l'histoire d'un aventurier d'affaires, qui n'empruntait à la vie réelle d'Irène Némirovsky que ses aspects les plus visibles. À a fin de l'année, « toujours sans recommandation [41] », elle adressait aux *Œuvres libres* le manuscrit du *Malentendu*. La revue d'Arthème Fayard, qui avait prépublié aussi bien Proust ou Carco que Morand, Guitry et Bernstein, accepta de produire en fin de volume ce « roman inédit et complet ». *Le Malentendu* parut en février 1926. Il n'était pas d'usage que la critique s'empare de ce type de publication. C'est donc a posteriori que Frédéric Lefèvre, en 1930, put discerner les promesses de cette œuvre qui posait sur les sévères lois du « monde » un regard plein d'amère compréhension, soulignant en outre ce qu'avait d'incongru ce mélodrame sous la plume d'une jeune Russe qui se refusait à l'énième déploration du paradis perdu : « Par sa mesure et son faible bon sens, ce roman est très français. Il nous redit une vérité que les jeunes amoureux oublient trop : à savoir que l'amour le plus pur, le plus intense, le plus dégagé de toutes contingences, risque de se briser lui-même s'il ne tient pas compte de ces mêmes contingences. Que, par exemple, un amour porte en lui, les trois quarts du temps, son germe de mort s'il lui prend fantaisie de surgir entre deux êtres appartenant à des classes ou des milieux sociaux trop différents [42]. »

Irène et Michel n'avaient pas pris ce risque : ils provenaient exactement du même milieu, celui de financiers juifs refoulés jusqu'à Paris par la révolution bolchevique. Leur union fut célébrée à la mairie du XVIe arrondissement, le 31 juillet 1926, sous le régime de la séparation des biens. Irène, dont la main gauche s'ornait déjà d'un diamant de fiançailles, mit son alliance à main droite, à la russe. Le contrat de mariage précise que Michel était encore « sans profession », ce qui laisse à penser que ses services à la Banque des Pays du Nord eurent d'abord un caractère amical. Un mariage religieux suivit le lendemain au temple de la rue Théry [43], synagogue non consistoriale. Aucun des deux époux n'était pratiquant, mais Efim Epstein et son épouse, qui l'étaient, avaient des motifs de sauver les apparences. Natacha, âgée de dix ans, se rappellera que son oncle Michel ne put briser sous son talon le verre enveloppé censé porter bonheur aux jeunes mariés.

Sitôt unis, les époux s'installaient dans un paisible appartement de la rive gauche, à mi-chemin de Montparnasse et des Invalides, au fond d'une courte impasse regardant l'Institut national des jeunes aveugles et adossée aux vestiges de l'ancienne prison des Oiseaux, rasée en 1904. Au numéro 8 de l'avenue Daniel-Lesueur – nom de plume d'une femme de lettres morte en 1921 –, s'élevait un bel immeuble moderne, achevé en 1923. Les jeunes époux avaient à leur service deux domestiques : une femme de ménage et une cuisinière basque, Joséphine Arozamena, car Michel rentrait déjeuner aussi souvent que possible, c'est-à-dire presque chaque jour. En plus de la salle de bains et de la cuisine, l'appartement se composait de trois chambres, d'une salle à manger et d'un grand salon « d'un luxe raffiné, où les meubles et les objets de prix, habilement disséminés, n'en [*étaient*] que mieux mis en valeur ». Irène, pendant la journée, y établissait son cabinet de travail, recevant à l'occasion en femme du monde, « infiniment gracieuse et accueillante [44] ».

Peu de fleurs, ou bien une longue tulipe solitaire dans un vase. Pas encore de machine à écrire devant la baie vitrée. Ni table ni bureau, mais un large divan sur lequel elle s'allonge, un cahier contre ses genoux, pour forger la vie antérieure de David Issakitch Golder, héros de son prochain roman, désormais à la tête d'une importante compagnie, la « Société franco-américaine pour l'exploitation et le commerce du pétrole, société anonyme au capital de 60 000 000 frs entièrement versés ». « Je ne fais jamais de plan, expliquera-t-elle. Je commence par écrire pour moi toute seule l'apparence physique et la biographie complète de tous les personnages, même les moins importants. De cette façon, avant même de m'atteler à la rédaction proprement dite, je connais parfaitement mes personnages et il me semble jusqu'à leurs intonations ; je sais comment ils se comporteront, non pas seulement dans le cas du livre mais dans tous les cas de la vie. Lorsque ceci est fait, je commence à écrire [45]. » Sur les pages perforées et lignées, elle recopie à l'encre noire des paragraphes entiers d'études spécialisées sur la banqueroute et la faillite commerciale, le droit des successions, les maladies cardiaques. Elle note : « David Golder *peut* avoir de l'asthme (Dr Périneau) seulement insister sur la douleur, l'angoisse... Je pense qu'il faut éviter de nommer l'asthme par son nom, mais dire "difficulté de respirer", "effort", etc. » Puis, à tâtons, elle esquisse le portrait de Marcus, l'associé de Golder :

> *Comment s'appelle-t-il ? Naturellement ce prénom ne doit pas être, une seule fois, prononcé, mais il faut que, moi, je sache qu'il en a un. Jacob. Jacques. Isaac. Noé. Ézekièl. Israël. Léon. Rodolphe. Ou Rudolf. Rodolphe Marcus ? Rudolf Marcus. Non, ce dernier trop boche. Rodolphe Marcus est mieux. Je veux ignorer d'où il vient. Probablement Golder et lui se sont-ils connus il y a vingt, vingt-cinq ans. Mais avant ? Nuit noire. Ténèbres. La prodigieuse assimilation juive. Il est « une figure bien parvenue » depuis les dernières années. Il a quelques belles toiles, des relations de luxe, des maîtresses surtout, les femmes, c'est son vice, son appétit oriental de femmes et le désir de s'en procurer, des bijoux, etc.*

Ce n'est encore qu'un jeu d'esprit. Mais le faciès de Golder, la créature de papier qui rendra à Léon sa dignité, lui devient étrangement familier. Le profil de Golder finit par tenir en quelques mots : « [*Il*] doit donner une impression de pierre massive. » Elle systématise ainsi ses stratagèmes d'enfant, transformant l'ennui en distraction. Mais sans dessein, encore, d'en faire son métier. « Je ne suis pas une femme de lettres, dira-t-elle. Je ne veux pas écrire pour écrire. Écrire est pour moi un plaisir de qualité si rare que je ne me vois pas m'y livrant par devoir ou parce que je l'aurais décidé [46]. » Cependant la méthode de Tourgueniev – crayonner d'abord ses personnages dans les moindres détails, n'encrer que les traits saillants, puis les animer – lui resservira souvent.

À vingt-trois ans, il lui reste en outre beaucoup à lire. Un mur entier du salon est tapissé de volumes. Ses auteurs favoris : les Tharaud, Valéry Larbaud et *L'Épithalame* de Chardonne dans l'édition de 1921, dont le cours paisible lui évoque « les grands Russes ». *Les Demi-Vierges* de Marcel Prévost, avec ses chipies 1900 dont Nonoche, Joyce et Loulou sont les héritières. Marcel Proust, auquel elle voue alors une « admiration passionnée » : « Je connaissais son œuvre dans tous ses détails ; je pouvais vous réciter comment était la toilette d'Odette et les moindres nuances des jeunes amours de Gilberte et de Marcel [47]. » Les *Climats* d'André Maurois, où elle humera en 1928 la quintessence psychologique que visait *Le Malentendu*. Mais aussi *La Fin de Chéri* de Colette et, parce qu'elle adore « les choses "coco" [48] », les romans parfumés de Gérard d'Houville, *alias* Marie de Régnier. Enfin, les *Contrerimes* du basque Paul-Jean Toulet, qui la ramènent à Golder :

Sur l'océan couleur de fer
Pleurait un chœur immense
Et ces longs cris dont la démence
Semble percer l'enfer.

Nul ne vient la distraire que l'énorme chat Kissou, noir comme une panthère, « long, large, hirsute et affolé [49] ». Puis, le retour de Michel qui, même à l'heure du succès, ne lui accordera qu'une demi-heure d'écriture en soirée. Cette clause du contrat de mariage, après neuf années de vie commune, n'aura pas souffert d'accroc : « Mon mari est dans la banque, il travaille comme tout homme, matin, après-midi. Que fait pendant ce temps une femme ? Elle court les magasins, subit des essayages, piste la mode. Moi, au lieu de tout cela, j'écris. Où est la différence en perte de temps ? Il n'y en a pas. Mon mari rentre. J'arrête mon travail ; à partir de ce moment je suis l'épouse tout court. [...] Grâce à cette combinaison de mon temps de travail et de mon temps d'épouse j'arrive à un équilibre parfait [50]. »

Paul et Irène

Au nombre de ses lectures, Irène Némirovsky ne cite jamais Paul Morand, le plus stylé des baigneurs de l'*Eskualduna*. Pourtant, le lancement à grand tapage de *Lewis et Irène* par Bernard Grasset, un modèle de réclame qui scandalisa la rue Sébastien-Bottin, n'avait pu échapper à cette assoiffée de nouveauté. Un slogan aussi trompeur qu'accrocheur (« les chapeaux d'Irène sont-ils de chez Lewis ? »), des placards publicitaires dans tous les quotidiens, soixante mille exemplaires écoulés en deux mois de l'hiver 1924 : du beau travail ! Pour composer le héros de ce rude et bref « roman d'affaires », tant de fois imité, Morand avait versé « un peu de sang israélite » dans les veines de son intrépide businessman. Il s'était aussi, de son propre aveu, inspiré de modèles existants : le roi des allumettes suédoises, Ivar Kreuger ; le magnat de la presse américaine, Randolph Hearst ; celui de la Royal Dutch Petroleum Company, Henry Deterding ; mais aussi Alfred Lœwenstein, puisque Lewis était « le fils naturel d'un banquier belge ». Bernard Grasset appréciait en particulier l'incipit laconique et désinvolte du roman : « "Quinze" – fit Lewis. » Après hésitation, Irène Némirovsky dut s'en souvenir lorsqu'elle jeta en fin de compte, à la première ligne du sien : « "Non", dit Golder. » Elle pouvait être sûre, ainsi, d'accrocher Grasset.

En avril 1925, Paul Morand avait fait paraître dans la revue *Demain* une bouffonnerie antibolchevique, « Je brûle Moscou », raillant sans nuance la grande révolution juive qui faisait de l'Eurasie une nouvelle Terre promise, « le grand laboratoire du monde ». Il y campait un personnage de poète prodige, Ioseph

Antonovitch Izraïloff, quinze ans, « Petit Poucet d'Odessa » venu répandre le choléra à Moscou. Dans la pochade de Morand, les Juifs déferlant sur l'univers depuis les « grands réservoirs » d'Ukraine sont « ardents, intolérants, talmudiques [51] »; dans *L'Enfant génial*, que *Les Œuvres libres* publient en avril 1927, ils sont seulement misérables et « âpres » car, à vingt ans pas plus qu'à trente, Irène Némirovsky ne veut et ne voudra se mêler de politique [52].

Dans *Le Malentendu*, cependant, était apparu le trope du « jeune Israélite riche », employé de banque avare et calculateur, et celui de son chef de bureau, « l'accent tudesque », « la main molle et velue », « un nez presque inconvenant et une barbe d'un gris sale [53] », caricatures grotesques qui ne peuvent manquer de faire sursauter au détour de ce roman réaliste jusqu'à la grisaille. Salutaire autodérision ? Souci de paraître impartiale ? Orgueil railleur [54] ? Clichés poussifs en tout cas, et dénués de fonction narrative. Mais clichés antisémites ? Presque sans y penser, Irène Némirovsky a emprunté ces accessoires de style aux frères Tharaud, comme l'un des ingrédients de l'esprit français qu'elle convoitait. Quitte à en absorber les fautes de goût. Qu'une jeune émigrée écrivant en français ait poussé le mimétisme jusqu'à recopier des préjugés ne prouvait qu'une chose : la banalité du cliché antisémite. La panoplie d'auteur français, sans cela, n'eût pas été complète. Car il va de soi qu'elle n'avait pas inventé ces stéréotypes éculés, qui fleurissaient dans les pages de *Fantasio*. Elle se repentirait d'ailleurs, plus tard, d'avoir usé de ces procédés, s'exhortant à plus de nuance dans la description des personnages douteux.

Bon sang ne peut mentir !

Aucun livre ne parut sous son nom d'avril 1927 à décembre 1929. Le 4 juillet 1928, un fait divers inexpliqué donna peut-être une nouvelle impulsion à *David Golder* : monté à Londres à bord de son Fokker privé, Alfred Lœwenstein ne s'y trouvait plus à son arrivée en Belgique. Il était tombé, accidentellement ou non, dans les eaux de la Manche. Cette disparition alimenta bien des hypothèses. En mars 1933, Irène Némirovsky s'y intéressait encore, puisqu'elle avait lu et conservé le numéro spécial du *Crapouillot* sur « Les morts mystérieuses », qui contient un article sur l'affaire Lœwenstein.

Cette noyade lui inspira-t-elle l'agonie de David Golder, en pleine mer, à bord du navire censé le ramener en Occident ? Les premiers lecteurs du roman avanceront parfois le nom du financier belge [55]. Irène Némirovsky a toujours dissuadé ces rapprochements simplistes. Non que ses personnages soient tous de pure invention ; au contraire, leurs modèles sont multiples : « Je me suis, certes, servi d'éléments authentiques, mais épars [56]. »

De son propre aveu, deux personnages seulement de *Golder* seraient tout d'une pièce : le vieil avare Soifer, agent involontaire du retour de Golder à la tradition, et le libidineux Fischl, à qui Joyce se résignerait à se vendre. « Je veux dire que Soifer et Fischl existent en chair et en os. Je les connais [57]. » Quant à Golder, ses traits doivent autant à Lœwenstein qu'à Léon Némirovsky ou Deterding, un autre des conquistadors qu'elle s'amusait à disséquer pour assembler son héros. Comme David Golder, orphelin de père, Deterding a connu une enfance difficile et a fait le tour du monde. En prenant le contrôle de la Shell en 1907, il a neutralisé son principal concurrent, Marcus Samuel, pour en faire son associé ; Golder n'agira pas autrement avec Simon Marcus, son alter ego de la Golmar, avant de l'étrangler en 1926 lorsque celui-ci voudra le rouler. Au début des années 1920, Golder et Deterding, l'un comme l'autre, ont spéculé sur la déroute des bolcheviks en se portant acquéreurs de titres pétroliers spoliés à leurs légitimes propriétaires ; ce qui ne les empêche nullement de souhaiter négocier avec les Soviétiques un contrat d'exploitation ou de transport.

Sur ces matières complexes, comme elle le fera toujours, Irène Némirovsky s'est documentée sérieusement, couvrant de notes un livre récent de Louis Fischer, « un gros bouquin, traduit de l'anglais, je crois, *l'Impérialisme du pétrole*, sur lequel je passai bien des heures [58] », et compulsant de vieux numéros de la *Revue pétrolifère*. Ce fut, durant l'automne 1928, son principal travail.

Pour autant, les transactions pétrolières décrites dans *David Golder* sont-elles réalistes ? Irène Némirovsky assure que son père, auquel elle fit lire les épreuves en novembre 1929, n'y trouva rien à redire : « Allons, bon sang ne peut mentir ! Je ne vois pas de trop grosses bêtises [59]. » Le lecteur ordinaire est bluffé par le tourbillon de chiffres, l'avalanche de titres et le jargon de Bourse. Le chroniqueur anonyme de la *Revue pétrolifère*, découvrant le roman en 1930, émit un avis plus professionnel, qui rend hommage au talent d'illusionniste d'Irène Némirovsky. Si le tableau du marché pétrolier lui semble quelque peu fantasmagorique, en revanche le personnage de Golder, spéculateur ignorant des réalités industrielles, lui paraît plus vrai que nature : « De tels hommes ont existé. Ils ignoraient tout du pétrole et ils n'opéraient que sur des apparences, sur des fictions, sur les mirages de gisements comparables, pour ces imaginations délirantes, au pactole. [...] Les derniers spécimens de ces aventuriers ont d'ailleurs disparu et l'économie moderne ne fera, certes, rien pour les faire revivre [60]. »

De même, pour composer le chapitre où Golder, entraîné par Soifer dans la rue des Rosiers, résiste puis cède à la tiède nostalgie qu'éveillent en lui les bonnets de fourrure et les odeurs de brochet farci, Irène Némirovsky a visité pour la première fois le quartier juif du Marais, dont on lui avait parlé. Mais avant de faire paraître *David Golder* dans *Les Œuvres libres*, comme l'habitude l'y invitait, il lui restait à se débarrasser d'un poids mort, à satisfaire un « rêve haineux [61] » : celui de présenter à Fanny le miroir de ses péchés. Cet exorcisme prit la forme d'un roman sans pitié, écrit au détour des années 1927-1928, dont elle emprunta le titre, *L'Ennemie*, à un célèbre sonnet de Baudelaire :

> *Ma jeunesse ne fut qu'un ténébreux orage*
> *Traversé çà et là par de brillants soleils ;*
> *Le tonnerre et la pluie ont fait un tel ravage,*
> *Qu'il reste en mon jardin bien peu de fruits vermeils...*

Ce ravage était celui de son innocence, saccagée par Fanny, plus rivale que mère. Dans le psychodrame où sa fille l'assigne sous les traits de Francine Bragance, marâtre infanticide, Irène Némirovsky lui a réservé de suaves humiliations, celle, notamment, de flétrir son plus fier atout : « Combien de fois elle avait imaginé, avec une âpre et morose délectation, le jour où Petite mère serait vieille, enfin, et laide, et seule à son tour... Elle avait rêvé à sa première ride, à son premier cheveu blanc, et toujours cela l'avait apaisée [62]... » Dans *L'Ennemie*, le conflit mère-fille est réduit aux contours de l'adversité amoureuse : pour se venger de Francine, Gabri tente de lui ravir son amant. « La voilà, enfin, ma vengeance... Ce n'est pas plus malin que ça, va [63] ! » Mais ce jeu dialectique, au lieu de l'affranchir, fait d'elle une héritière. Un piège de sang se referme, qui la conduira au suicide. Car comment vivre en assumant un sang débauché ? Comment haïr une femme dont elle est la réplique, sans se haïr elle-même ? « Comment pourrais-je la juger ? Est-ce que je ne lui ressemble pas [64] ? »

Le démon de la vengeance

Le mariage avec Michel, en l'éloignant de Fanny, avait rendu possible ce dénouement volontaire. D'où la froideur analytique de *L'Ennemie*. « Il lui semblait qu'une monstrueuse poche de fiel, grossie pendant des années et des années dans son âme, venait de crever brusquement... Et c'était si nouveau, si doux [65]... » Cette catharsis culmine dans un échange verbal d'une brutalité toute bernsteinienne, opposant la mère à la fille :

« Mais tu n'as donc ni dignité, ni pudeur, ni principes...

— Mon Dieu, non, je ne crois pas... Où les aurais-je pris, je me le demande...

— Gabri, tu ne comprends même pas que ce que tu as fait est mal ?

— Qu'est-ce qui est mal ? Qu'est-ce qui est bien ? Je t'assure que je ne sais pas... Personne ne me l'a jamais appris...

— Moi qui avais en toi une telle confiance !

— Tu avais tort... Il ne faut jamais avoir confiance en ceux que l'on ne connaît pas [66]. »

Irène Némirovsky n'eut toutefois pas la cruauté de faire paraître ce jeu de massacre sous son nom de jeune fille. *L'Ennemie* devait rester caché comme, derrière son rideau cramoisi, le portrait de Dorian Gray, bouffi de turpitudes. Et puisqu'il parut sous le pseudonyme indécelable de Pierre Nerey – anagramme d'Yrène –, jamais Fanny ne pourrait poignarder ce miroir délateur.

Comme aucun livre d'Irène Némirovsky, *L'Ennemie* traduit la phobie des résurgences héréditaires, de la glu génétique, des pulsions sexuelles, des caractères innés dévoyés par l'usage maternel. L'atavisme, le désir, l'ivresse, dans ses romans, se domptent ou triomphent. Pourquoi faut-il que la « grâce ailée, ardente, allègre de l'extrême jeunesse [67] », qui pourvoit à l'amour, la pousse aussi à l'adultère, au stupre et parfois au crime ? Cette ambivalence est au cœur de son œuvre.

L'Ennemie – qui n'échappe pas toujours aux conventions du mélodrame – parut en juillet 1928. « Pierre Nerey » voisinait cette fois avec Henry Bernstein et André Foucault, premier lecteur de *L'Enfant génial* et du *Malentendu*. Cependant elle ne fut jamais satisfaite de ce roman freudique, qui éclusait moins son orgueil que sa rancœur. À cet égard, l'épigraphe de Wilde eût été transparent, si elle l'avait conservé : *« Children begin by loving their parents ; after a time they judge them ; rarely, if ever, do they forgive them. »* L'orgueil ! Elle n'en manquait pourtant pas, elle qui le prescrivait naguère à son amie Madeleine : « Moi aussi je pourrais être triste. Un petit ami à moi est parti, mais j'ai trop de volonté pour pleurnicher, trop d'orgueil aussi. Il faut "vouloir" ne plus penser à lui, Mad. Il faut être orgueilleuse. » Mais sans doute était-il nécessaire d'en passer d'abord par le sadisme. « Évidemment, écrira-t-elle en 1934, *l'Ennemie* attire trop l'attention sur le drame de la mère, qui lui, n'est qu'un symbole de l'isolement, de l'abandon, de la solitude morale de l'enfant. » *L'Ennemie* était donc un échec : Irène avait accepté l'empoignade avec sa mère, dans une même boue de sentiments. N'eût-il pas été plus digne de refuser le pugilat ? C'est tout le sens qu'il faut donner à *David Golder*, qu'elle n'eût jamais mené à terme sans l'encouragement quotidien de Michel, le premier de ses lecteurs, qui lui suggéra de se transcender dans un roman où l'autobiographie serait un matériau de construction parmi d'autres. « Démon de l'orgueil ou démon de la vengeance, on verra bien qui sera le plus fort [68] !... »

Sa besogne accomplie, Irène Némirovsky put enfin se lancer dans la première rédaction proprement dite de *David Golder*, au cours du second semestre 1928. Elle était maintenant consciente de l'irréparable dépravation de Fanny, mais aussi du veule aveuglement de Léon qui préférait s'étourdir de champagne et se noyer dans le vert des tapis. Elle voyait lucidement que, de banquier russe, son père était devenu un brasseur de titres, un jongleur de cours qui niait son déclin physique dans une orgie de pertes et de gains rapides, exactement comme Fanny se dupait dans une ronde d'amants. Entre ce mari et cette femme, qu'y avait-il encore ? Une fille et de l'argent. Quel sujet de roman, à la fois moderne et sentimental, trivial et moral ! « Vous voulez savoir pourquoi le monde des affaires tient tant de place dans mes romans ? Mais simplement parce que j'ai, là-dessus, beaucoup de souvenirs personnels. Mon père était banquier. C'est sous l'aspect des conflits d'argent que me sont apparus les premiers drames dont mon esprit ait été témoin [69]. »

David Golder s'ouvre sur une âpre tractation, un bras de fer. David, hercule de la finance, n'a pourtant pas oublié qu'il fut jadis un chiffonnier, « un petit Juif maigre, aux cheveux roux, aux yeux perçants et pâles, les bottes trouées, les poches vides... ». Une jeunesse misérable de ferrailleur, de Moscou à New York, lui a enseigné la rosserie. Ses manières sont d'un mufle. « Jamais un sourire, une caresse... » En 1926, l'émigrant affamé est devenu un bourreau d'affaires, capable d'acculer au suicide son propre associé. Golder n'a pas d'ennemi à sa mesure – pas même Gloria, sa femme, fille d'un usurier de Kichinev, assoiffée de bijoux « comme une idole barbare », qui ne sait plus qu'en yiddish son prénom se disait Havké. Dans sa villa de Biarritz, empêtré de parasites vivant à ses crochets, Golder empile des réussites en maugréant. « Faire de l'argent pour les autres, et puis crever, c'est pour ça que je suis sur cette sale terre... » Mais Golder est guetté par un mal pernicieux : la pneumonie, qui lui fait entrevoir, une nuit d'agonie, quelle noyade sera sa fin : « Il lui semblait qu'on lui tenait la tête sous l'eau et que cela durait des siècles. » Devant la mort, Golder redevient le petit Juif épouvanté. Seul un amour idiot le retient encore à la vie, celui qu'il voue à Joyce, sa fille, une créature perverse et matérialiste qui ne chérit de son « vieux Dad » que le portefeuille, avec des grâces presque incestueuses [70]...

Le comble des livres qui finissent mal

Parvenue au faîte de ce drame – une hyperbole de ses antécédents familiaux –, Irène Némirovsky l'interrompt subitement. Resserrant le cadre, elle ne conserve que trois personnages, qui vont donner de *L'Ennemie* une représentation de poche en un acte et six scènes, tout aussi cruelle que l'original, mais avec cet ingrédient qui lui manquait : l'ironie libératrice. David y rétrécit aux dimensions d'un boursicoteur enrichi par le hasard, qui n'était au départ que portier à la Banque de Paris. Alfred Kemp est un César Birotteau 1926, tout ébahi d'être « arrivé », à ceci près qu'il est « un petit Juif aux yeux de feu [71] ». Sa femme Rosine est une ancienne dactylo qui n'a de cesse de maquiller son âge. Les Kemp professent des valeurs chrétiennes, charrient les snobs et les importants, mais au bal qu'ils comptent donner pour « avancer dans le monde [72] », ces nouveaux riches ne trouvent à convier qu'une partouzeuse, un gigolo anobli, « une centaine de maquereaux et de vieilles grues [73] », et bon nombre de parvenus aux noms fraîchement francisés. Irène Némirovsky caricature là un souvenir de ses premières années parisiennes, dans le décor en trompe l'œil de la rue de la Pompe : « Papa joue avec du papier et s'imagine que c'est de l'argent... On reçoit tous les rastas de Paris et on appelle ça le monde [74]... » Leur fille Antoinette, quatorze ans, n'est pas dupe de leur ridicule. « Sales égoïstes, hypocrites, tous, tous... » Mais un mot terrible de Rosine – « cette gamine, cette morveuse, venir au bal, voyez-vous ça ! » – change brusquement le regard maternel en « froid regard de femme, d'*ennemie*... ». Humiliée jusqu'au fond de l'âme, tentée par le suicide (« j'aimerais mieux être morte au fond de la terre... »), la fillette se résout au crime : « Ah ! je voudrais qu'ils meurent [75]. » Elle fera voler en éclats cette farce mondaine en jetant le paquet d'invitations par-dessus le pont Alexandre-III – le tsar maudit des Juifs, persécutant les Kemp un quart de siècle après sa mort, et par noyade !

Le bal de Mme Kemp n'aura pas lieu. L'horloge du clocher sonne le glas de sa vanité. Mais Antoinette, initiée au mal, est devenue femme à son tour. Elle peut, si elle veut, sécher les larmes de « petite mère », qui pleure ses chimères comme une enfant capricieuse. À la fin de cette tauromachie, elle lui fera l'offrande de sa pitié – « ma pauvre maman [76]... » – et cette ultime estocade est l'orgueil retrouvé de l'écrivain, seule fondée à châtier ou gracier ses créatures.

Il fallait que les personnages de ce vaudeville massacreur fussent drôlement reconnaissables pour qu'Irène Némirovsky songe à s'en protéger – ou à les épargner – en usant une deuxième fois d'un pseudonyme. Cette « nouvelle inédite », *Le Bal*, parut en février 1929 dans *Les Œuvres libres*, sous la signature de Pierre Nerey. Irène Némirovsky s'y dépouille du ton parfois pathétique de *L'Ennemie*, pour étouffer ses sanglots dans un féroce éclat de rire. Ces sarcasmes, cet art du dialogue trivial mais sans complaisance, le portrait-charge à la Grosz [77], le socle moral de cette virulente satire sociale seront le sceau de son style jusqu'au milieu des années 1930. Pour Charles de Noailles, prince des mondains et bienfaiteur des arts et lettres, *Le Bal* représentait, selon Cocteau, « le comble des livres qui finissent mal ». Après l'avoir lu en 1930, il exigea de connaître dorénavant la fin de tout roman avant de s'y engager ! Cocteau voulut en avoir le cœur net ; il dut bien reconnaître qu'avec *Le Bal*, Irène Némirovsky avait mis debout un cauchemar : car « un bal qui rate est terrible pour un homme du monde, même s'il a l'élégance d'âme de Charles [78] ».

Un enfant

« J'ai écrit *le Bal* entre deux chapitres de *David Golder*[79] », indique Irène Némirovsky. Il est aisé de deviner à quel endroit précis du récit se produisit la bifurcation. C'est, au beau milieu du livre, celui où Golder, convalescent, annonce son départ en claquant la porte : « Les girandoles en cristal de la cheminée, agitées par le courant d'air sonnèrent dans le silence avec un bruit pressé, argentin [80]. » Et voici, à la première page du *Bal*, Rosine Kemp entrant dans la salle d'études, « en fermant si brusquement la porte derrière elle que le lustre de cristal sonna, de toutes ses pendeloques agitées par le courant d'air, avec un bruit pur et léger de grelot [81] ».

La parenthèse du *Bal* refermée (publié sous pseudonyme, il ne donna lieu à aucune réaction), Irène Némirovsky put reprendre le fil de *Golder* où elle l'avait rompu. Soigné par un charlatan payé pour lui cacher la gravité de son mal, David prend brutalement conscience que Gloria redoute moins sa mort que le tarissement de son or. C'est un Gatsby de soixante-cinq ans qui découvre la facticité des sentiments. Menacé de ruine, le vieux « forçat du succès », comme le Samson de Bernstein [82], entend user de ses dernières forces pour écrouler sur sa femme l'édifice de sa fortune. Mais comment laisser sa Joyce chérie, fût-elle sa fille adultérine, épouser par nécessité l'ignoble Fischl, une canaille qui a connu les geôles de trois pays ? C'est pour la soustraire aux griffes de ce « vieux cochon » repu de caviar que Golder, à l'article de la mort, ira jusqu'à Moscou arracher aux Soviétiques la concession pétrolière qui mettra Joyce à l'abri de toute prostitution. Son ultime banco.

Golder ne reviendra pas en Europe : dans un petit port crasseux de la mer Noire, un affreux vapeur grec doit l'emmener à Constantinople. La mort l'empêchera de tourner une seconde fois le dos à son enfance. Le seul témoin de son trépas est un jeune émigrant juif affamé d'illusions, comme lui-même un demi-siècle plus tôt, lorsqu'il quittait la Russie pour toujours. Golder expire en pleine bourrasque, ayant prononcé le mot « Dieu », dans un délire qui lui restitue les images de son *shtetl* natal et la voix étouffée de sa mère, sous la neige, l'appelant par son prénom. « Ce fut le dernier son terrestre qui pénétra jusqu'à lui [83]. » Golder, c'est déjà Citizen Kane.

C'étaient les derniers mots du roman. Irène le fit lire d'abord à Michel, puis, tout naturellement, l'adressa à André Foucault, le rédacteur en chef des *Œuvres libres*, à la fin de l'été 1929. Cette nouvelle œuvre de deux cents pages était d'un format bien supérieur aux précédentes : il n'était pas concevable de la publier intégralement, sauf à procéder à cinquante pages de coupes. Ce que Foucault, fort de plusieurs romans et reportages chez Fayard et Flammarion, s'efforça de faire comprendre au jeune auteur :

« Que dit votre mari de votre roman ?

— Il dit que, d'un bout à l'autre du livre, le personnage principal répète toujours la même chose.

— Eh bien ! madame, votre mari a raison [84]. »

Irène Némirovsky se le tint pour dit. Mais, consciente d'avoir écrit un livre dont les audaces ne convenaient plus aux canons étriqués des *Œuvres libres*, elle ne voulut pas le raccourcir d'un iota, ni se lancer dans une cinquième rédaction. Des nausées imprévues l'empêchèrent d'ailleurs de s'interroger longuement : l'enfant qu'elle attendait depuis la fin de l'hiver souhaitait paraître. Depuis plusieurs mois, en prévision du grand événement, elle s'était abonnée à *La Semaine de Suzette*, mais sous le nom de Cécile, sa nourrice morvandelle : si Fanny venait à apprendre qu'Irène lisait les aventures de Bécassine à vingt-six ans [85], tous ses fantasmes de jeune mère s'en fussent trouvés confortés !

Elle expédia son manuscrit à Bernard Grasset, l'un des rares éditeurs parisiens dont elle était certaine qu'il ne s'offusquerait pas des « merde », « crever », « foutus » et des grivois sous-entendus – « oh ! Alec, comme tes genoux sont frais... » – qui émaillaient sa nouvelle œuvre. À peine eut-elle le temps d'espérer une réponse : en octobre, il lui fallut s'aliter pour la délivrance qui s'annonçait éprouvante, mais combien plus délicieuse que l'amère revanche de ses premiers livres ! L'enfant à naître serait aimée et maternée comme elle-même ne l'avait jamais été, car « c'est un crime de mettre des enfants au monde et de ne pas leur donner une miette, un atome d'amour [86] ! ». Vraiment, quel plus grand bouleversement de sa vie pouvait-elle attendre de l'année 1930 ?

DEUXIÈME PARTIE

DANS LA FORÊT LITTÉRAIRE

(1929-1939)

6

Un grain de chance

(1929-1931)

« Entendons-nous. Je ne demande pas, dès la première page, d'être ébloui : cela c'est l'exception, le miracle, la grâce du hasard. »

Bernard Grasset, *La Chose littéraire*, 1929

« Quand un manuscrit parvient à ma maison, explique Bernard Grasset aux lecteurs du *Journal* en 1929, on me l'apporte sur mon bureau. Je coupe moi-même les ficelles, j'ouvre à la première page, et, en général, toute affaire cessante, je lis cette première page. Il faut ici que je vous fasse un aveu. Je suis un idéaliste impénitent : j'attends toujours le chef-d'œuvre ; bien plus, j'en attends, dès cette première page, la révélation. »

Depuis quand la foudre n'est-elle pas tombée rue des Saints-Pères ? L'année précédente, *Climats* a bien dépassé le cap des cent mille exemplaires, mais ce n'est là ni une révélation – Maurois a plus de quarante ans –, ni le succès de scandale que le Diaghilev de l'édition espère depuis la mort de Radiguet, six ans plus tôt. Annoncée comme la comète de l'année 1928, l'impudique confession de Jean Desbordes, *J'adore*, malgré le parrainage de Cocteau, n'a pas recueilli le suffrage du public. Et Bernard Grasset attend en vain son nouveau *Diable au corps*. Rien, cependant, qui puisse le décourager : « J'attends le chef-d'œuvre, mais je suis toujours prêt à la pire des déceptions. [...] Et c'est ainsi à la fois avec une grande espérance et une grande crainte que j'aborde cette chose mystérieuse qu'est l'œuvre d'un auteur inconnu. »

Le manuscrit trouvé rue des Saints-Pères

Le premier lecteur du manuscrit parvenu aux éditions Grasset sous le nom d'Epstein, assorti d'une adresse en poste restante Paris-Louvre – « pour qu'en cas d'échec, ma démarche restât ignorée des miens [1] » –, n'est pas l'éditeur en personne, mais son employé Henry Muller. Entré dans la maison par recommandation en 1923, il a raconté dans de facétieux mémoires comme il lui fut donné, une fin d'après-midi, de découvrir *David Golder*. « On avait posé sur ma table une pile de chemises en me demandant de les parcourir et vraisemblablement de les "balancer", le service des manuscrits étant surchargé de travail ; depuis 4 heures, la tête posée sur la main, la cigarette à la bouche, je lisais en bâillant, en m'ennuyant et en pestant contre les gens qui croient qu'ils ont quelque chose à dire, un message à transmettre ! J'avais décidé, après avoir consulté ma montre, que celui que j'allais prendre était le dernier. Le nom de l'auteur : Epstein, ne me disait rien, son œuvre se présentait sans titre. Dans un suprême effort je le sortis de sa chemise et je me mis à le feuilleter ; j'avais résolu de lui consacrer un petit quart d'heure. Et brusquement ce fut le déclic. Ce que je lisais était remarquable de force et de talent ; si, comme je le pense, écrire un roman c'est créer la vie, celui qui avait imaginé ces pages était un romancier de classe. Je demeurai plongé dans ma lecture jusqu'à 8 heures, oubliant tout ; je repris des passages, je fus de plus en plus convaincu et je rédigeai un rapport enthousiaste [2]. »

Sans attendre le lendemain, Henry Muller – un fils de famille que son père destinait à la banque – confie au « patron » ce surprenant tableau de mœurs, d'une rudesse inaccoutumée. C'est un « roman d'affaires » dont l'impétuosité rappelle Morand, mais frappé d'une morale biblique et cousu de répliques sans fioritures : « Maintenant, tu te rends compte que des terrains pétrolifères en Russie, en 1926, pour toi, c'est de la merde ? Hein [3] ! » Une succession d'uppercuts, qui culmine dans la grande scène sadique où Gloria voit sa vie de cocagne menacée par le courroux de David, son esclave révolté : « Je ne t'ai pas trompé... Car on trompe un mari... un homme qui couche avec vous... qui vous donne du plaisir... Toi !... Mais il y a des années que tu es un vieillard malade... une loque [4]... » Ce mélange de modernité, d'hystérie et de trivialité a de quoi renverser. Aucun répit dans cette convulsive agonie de deux cents pages, mais surtout aucun recul : si *David Golder* est une parabole, ne pas compter sur l'auteur pour en révéler le motif. C'est ainsi qu'entre la rédaction primitive du roman, où Gloria s'appelait encore Gladys, et celle qu'elle a adressée à Grasset, Irène Némirovsky a biffé la phrase par laquelle elle avait d'abord pensé achever son roman : « Il entra dans la paix éternelle. » Et voilà, sans doute, ce qui rend d'emblée ce roman inclassable : édifiant repoussoir ou comble de cynisme, c'est le livre sans point de fuite dont les polémistes de tous bords vont s'emparer pour s'en assommer, réactionnaires contre modernistes, vieux birbes contre féministes, et Juifs contre antisémites.

Grasset le lit dans la nuit. Au matin, il rédige une lettre enthousiaste à « M. Epstein », le pressant de venir rapidement signer un « traité » (un contrat) en vue d'une publication. L'opiniâtreté de Golder a tout pour séduire cet autodidacte dont le dramaturge Édouard Bourdet, en 1927, a tourné en dérision les brutales méthodes de businessman. David Golder, n'en déplaise à ses détracteurs, n'est en effet ni un avare ni un nabab : s'il brasse autant d'argent, c'est pour surnager. Qu'il cesse de gesticuler, il coulera et tous avec lui. « Le drame de sa vie, c'est qu'il ne peut souffler un instant : s'il cessait de faire de l'argent, il n'aurait plus d'argent [5] ! » Bernard Grasset, pareillement, ne jure que par l'action. Il vient de publier à ce sujet, en 1928, un petit volume de *Remarques* où l'on peut lire : « Pour un passionné de l'action, l'argent n'a qu'une valeur de témoignage. » Épouvanté par l'ennui et la routine, il n'a d'ailleurs que ce mot à la bouche : « L'action, c'est le remède suprême, la consolation qui ne trompe jamais, le meilleur dérivatif[6]. » *Golder* va lui donner l'occasion de tester une nouvelle ruse de Sioux.

Depuis 1923 et le lancement du *Diable au corps*, Bernard Grasset incarne en France l'édition à l'américaine, celle qui crée son marché, invente sa clientèle et lui prescrit ses produits, comme le docteur Knock ses remèdes. Corsaire de l'édition comme il y a des capitaines d'industrie, il vient de mériter du supplément littéraire du *New York Times* le qualificatif de « plus grand des éditeurs ». Ingénieur du « coup médiatique », n'obéissant qu'aux lois de la concurrence, ce théoricien de la spéculation littéraire a su deviner Proust avant la NRF ; cependant le contenu d'une œuvre l'excite moins que sa vente, envisagée comme discipline sportive. Et dans ce domaine, depuis *Maria Chapdelaine* (1921), Grasset enchaîne les records. « Ceux qui veulent faire artiste méconnu, je les laisse à mes confrères[7] », fait dire Bourdet, dans sa pièce, à ce « crocodile » avec de vraies dents et de vraies larmes. Car cet ogre a aussi sa faille : une charpie de nerfs, qui le livre tour à tour à la rage ou à la déprime. Exclusif, exigeant, excessif, il rend la vie impossible à ses collaborateurs. « Auprès de lui, on ne respire plus, on n'a plus d'existence, témoigne Chardonne. Lui-même s'étouffe dans l'espace qu'il remplit et vite s'en va chercher ailleurs un peu d'air. Ce qu'il appelle l'action, c'est le moyen de parler fort. Il ne peut que s'imposer[8]. » En un mot, un despote, qui partage en politique le nationalisme intransigeant de l'Action française, au point d'imprimer *Les Protocoles des sages de Sion* ou *Le Péril juif* de Lambelin (1928). Mais un despote éclairé, qui publie aussi bien le très chrétien François Mauriac que ce monument de péché : *David Golder*.

Car Grasset n'est pas né de la dernière couvée : le « roman d'argent » a le vent en poupe. Sans remonter jusqu'au *Bonheur d'être riche* de Léon Daudet (1917), ce genre lui a donné *Lewis et Irène* de Morand en 1924 et *Inhumains* de Jacques Sahel en 1928, celui-là trop poli pour le knock-out. En 1926, dans son roman à clé *Bella*, Giraudoux a prêté des lettres de noblesse au « Juif d'affaires » en créant le personnage d'Emmanuel Moïse, au « corps adipeusement oriental » et encore animé par l'« amour du gain[9] », mais loyal et idéaliste. Tous ces livres sont parus sous l'étiquette Grasset, mais en cette année 1929, on note également la parution, chez Kra, du *Grand Homme* de Philippe Soupault. Le sujet de *David Golder*, où la frénésie pécuniaire des Années folles se heurte à l'amour désintéressé et à la dignité, est à ce point « dans l'air » qu'en 1927 Stefan Zweig en a fait la matière d'une saisissante nouvelle. Dans *Destruction d'un cœur*, condamné par la maladie, le vieux Salomonsohn, usé par le commerce et les voyages depuis l'âge de douze ans, choisit de se retirer des affaires, et tant pis pour le luxe dont il prive ainsi une femme ingrate et une « fille éhontée ». Car il s'est senti trahi par celle-ci, qu'il croit devenue une créature facile. Ses imprécations contre le monde de « brigands » et d'oisifs où elles s'ébattent, imprégnées de fatalisme, annoncent celles du *dear old* Golder : « Quelque jour, je crèverai comme un chien, car, je le sais, ce qui me torture, ce n'est pas la bile... c'est la mort qui se développe en moi... [...] Quelle vie ai-je donc menée, toujours uniquement occupé d'amasser de l'argent, de l'argent, de l'argent ?... toujours rien que pour les autres, et maintenant, à quoi cela me sert-il [10] ?... » Curieusement, la traduction française de *Destruction d'un cœur* a paru dans *Les Œuvres libres* en avril 1928. Irène Némirovsky – qui, par ailleurs, lit parfaitement l'allemand – a-t-elle eu connaissance de cette poignante « nouvelle viennoise », où l'on voit un vieux lion empanaché d'or se dépouiller et se renfrogner dans la tradition ? Ce ne serait pas invraisemblable. Mais le culte matérialiste opposé aux forces de l'âme est un sujet inscrit au cœur des années 1920. « Nul ne peut servir deux maîtres, Dieu et Mammon » : sur cette parole évangélique, Mauriac lui-même vient de publier un essai de morale chrétienne [11].

Des relevailles difficiles

Trois semaines passent sans que le mystérieux auteur de *David Golder* daigne relever son courrier. Trois semaines au cours desquelles la chronique financière enregistre deux secousses de puissante magnitude, la première dans le domaine économique, la seconde dans l'ordre politique. L'onde de choc du « jeudi noir » de Wall Street, le 24 octobre, ne se fera vraiment sentir en France qu'après quelques années, jetant des milliers de chômeurs dans les rues ; mais la banqueroute frauduleuse de la banque Oustric, spécialisée dans les valeurs spéculatives, fournit de premières armes aux antiparlementaires pour fustiger la corruption de la république. Cette affaire, révélée par *Le Canard enchaîné* en novembre 1929, fait un singulier écho aux aventures de Golder. Elle lui réserve en outre une fâcheuse publicité : d'aucuns voudront voir en lui le type du financier sans foi ni patrie, prospérant crapuleusement sur le terreau national. Car depuis l'inculpation de la banquière Marthe Hanau fin 1928 et la faillite de la banque Lévy qui a dilapidé les fonds d'État destinés à l'indemnisation des bombardés de la Grande Guerre, les banquiers juifs ont plutôt mauvaise presse en France.

Octobre s'achève, et l'énigmatique Epstein ne s'est toujours pas fait connaître. « Au point, raconte Muller, que l'un de nous, devant ce silence insolite, proposa de faire passer une annonce dans les journaux : "Cherche auteur, ayant envoyé manuscrit aux Éditions Grasset, sous nom Epstein[12]." » Il faut croire que les « empreintes » du roman étaient déjà distribuées lorsque Irène Epstein finit par se présenter rue des Saints-Pères après des « relevailles difficiles » car, dit-elle, « la presse avait été alertée » et « tout le monde était à ma recherche[13] ». En outre, la délivrance a eu lieu le 9 novembre et la jeune mère a dû garder la chambre « plusieurs semaines » avant de s'aviser qu'on la recherchait. Or, « déjà, la publicité avait alerté les curiosités[14] ». N'avait-on pas attendu de la connaître pour mettre sous presse ?

Dans *Les Chiens et les Loups*, Irène Némirovsky s'est rappelée ce premier accouchement, pénible et prématuré : « Mais pourquoi ai-je si mal ? Mon Dieu, cela ne finira donc jamais ? Le pire moment fut, à la fin de la nuit, cet instant où les douleurs paraissent insupportables, où l'on craint la mort[15]. » C'est une petite fille. Ses parents lui donnent trois prénoms résolument français : Denise, France, Catherine. Avant de se présenter rue des Saints-Pères, sa première sortie depuis l'accouchement, Irène Némirovsky la confie à Cécile, la jeune femme qui vient d'entrer à son service et que l'on surnomme « Néné », ainsi qu'il convient à une nourrice. Elle l'a vue à l'œuvre chez sa voisine et amie, la fille du célèbre radiologue Félix Lobligeois. Les premiers mois, cependant, Denise – « ou Minouche dans l'intimité [16] » – sera nourrie au lait de sa mère. « Elle ne me ressemble pas du tout », écrit celle-ci à Madeleine, son amie d'hier, le 22 janvier 1930 ; « elle est presque blonde avec des yeux gris mais je pense que cela changera encore. »

Cécile Michaud habite rue Monge, mais elle est née dans un bourg du Morvan, Issy-l'Évêque, le 24 février 1904, soit le même jour qu'Irène Némirovsky dans le calendrier grégorien, à un an d'intervalle. Cette coïncidence les rapprochera encore.

— Vous savez, moi, j'suis pas riche, lui dit Cécile pour évoquer son milieu d'origine.

— Mais vous êtes bien, ma petite Néné, lui répond Irène, vous êtes bien à côté de ceux qui étaient en Russie !

Cette complicité sera poussée assez loin : Néné, qui est bien payée et ne porte pas l'uniforme, accompagne sa « patronne » au théâtre, au cinéma, en vacances à Megève ou Villars-de-Lans, et jusque dans le secret de son cabinet d'écriture. Car elle est, autant que Michel, le témoin direct de la transmutation romanesque. « Je lisais tous ses livres et je reconnaissais les gens... Elle me disait : "Vous allez me dire qui cela vous rappelle"... Elle écrivait n'importe quand, sans faire de manières. Et elle tricotait toujours en lisant. Je connaissais ses amies, Mme Hélène Lazareff, par exemple [17]... »

Si l'on en croit la légende dorée de *David Golder*, Irène Némirovsky se serait présentée aux éditions Grasset trois semaines après la délivrance, soit à la toute fin du mois de novembre 1929. Les premières pages si brutales du roman, la vigueur des dialogues, le vocabulaire boursier, la suppression de tout sentimentalisme ont laissé deviner un nouveau Morand, moins suave, plus bourru, mais un homme. C'est une femme qui est priée d'entrer dans le bureau de l'éditeur, « une dame timide, comme dans l'histoire des sœurs Brontë [18] ». Elle se lance :

— Excusez-moi de n'être pas venue plus tôt... Je viens d'accoucher. Je suis l'auteur de *David Golder* : Irène Némirovsky [19].

Petite, mince et sans doute éprouvée par l'accouchement : Bernard Grasset lui trouva-t-il ce « type juif accentué, sans beauté » que relevèrent certains critiques bizarrement renseignés ? « Les yeux noirs, voilés par les paupières tombantes, expriment une sorte de douceur malicieuse, sans plus. Les cheveux coupés court, collés, accentuent l'exiguïté de la tête, allongée en arrière. Les lèvres charnues sourient franchement. Les manières sont d'une élégance aisée, fruit d'une première éducation impeccable [20]. » Une jeune mère heureuse et rougissante, un roman désabusé d'une cruelle noirceur, une émigrée russe s'exprimant en français, une Juive enfin, sans complaisance pour les siens : Grasset comprend aussitôt le profit qu'il pourra tirer de ce prodige. Il annonce tout de go à la jeune femme que son livre sera publié dans la collection « Pour mon plaisir », une chasse gardée réservée à l'illustration de son goût personnel et qui vient d'accueillir *Les Varais* de Chardonne, *Les Enfants terribles* de Cocteau et *Un de Beaumugnes* de Giono. En lui tendant les traités à signer, entre deux bouffées de cigarette, le flatteur à la petite moustache et à la mèche tombante lui tient à peu près ce langage :

— Une maison d'édition, c'est une grande fourmilière, ou, si vous préférez, une grande ruche permanente, dont la direction m'absorbe beaucoup. Il ne reste, en effet, guère de place pour le rêve... Accueillir n'importe quoi n'est pas mon fait et j'ai toujours cherché à pouvoir être défini par ce que je publiais... J'ai foi dans le talent des femmes, de certaines femmes, tout au moins [21].

En une demi-heure, elle vient de lier son sort au plus imprévisible des éditeurs. Une semaine seulement après cette rencontre, le 5 décembre, les premiers exemplaires du livre sont imprimés et reliés : Grasset décidément fait bien les choses, mais surtout il les fait... vite. Irène en dédicace un familièrement à Fanny : « À ma chère petite mère, en souvenir de Riri. »

La stratégie Goriot

Bernard Grasset a déjà mis au point sa manœuvre. Le 7 décembre, réflexe de publicitaire, il fait paraître dans *Les Nouvelles littéraires* une notice de présentation destinée à amorcer la rumeur. Il y engage son infaillibilité et jette le nom de Balzac en pâture à la chronique littéraire, bien certain d'être ou suivi ou contesté, ce qui reviendra au même :

> *Voici une œuvre qui, selon moi, doit aller très loin. Ce n'est pas seulement une création romanesque de grande valeur, c'est une vue pénétrante sur notre époque et les caractères particuliers qu'y revêt la lutte pour la vie.*
>
> *Toute une philosophie de l'amour, de l'ambition, de l'argent, se dégage de ce roman qui, par sa puissance et par son sujet même, rappelle* le Père Goriot *et qui n'en est pas moins de la plus extrême nouveauté.*

Et, de même qu'il a rajeuni l'auteur du *Diable au corps* dans l'unique but de faire jaser, il suggère à celui de *David Golder* d'être née dorénavant en 1905, mensonge dont Irène Némirovsky s'acquittera honorablement, ne mélangeant les dates qu'à de rares occasions. Dès les jours suivants, de « bonnes feuilles » paraissent dans *L'Intransigeant, L'Œuvre, La Volonté, L'Ami du peuple* et de nombreux autres titres, le plus souvent surmontées du même chapeau l'affiliant au « pittoresque » de Balzac, mais aussi au naturalisme de Dickens ou Zola. C'est trop, mais c'est de bonne guerre : la critique unanime va s'engouffrer dans la nasse. Mirbeau, Daudet, Bernstein, Shakespeare, Dostoïevski, Tolstoï, les Tharaud, Giraudoux, Proust, Morand, Kessel, Martin du Gard et même Malraux : rarement tant de noms d'écrivains auront été jetés pour se disputer la trouvaille de Grasset et toiser le talent d'un auteur qui n'a que son livre pour se défendre. « Grasset est un as de la publicité, reconnaîtra-t-elle. Ce n'est pas moi qui le nierai et qui songerai jamais à m'en plaindre [22]. » À cette époque, elle n'a d'ailleurs jamais lu *Le Père Goriot* !

Quatre jours avant Noël, le livre est en vente. Prix, 15 francs. Pendant deux semaines, le bouche-à-oreille fait son travail, sans que le public puisse rien apprendre de précis sur le mystérieux auteur de *David Golder*, au nom si difficile à prononcer que certains, le confondant avec celui d'Hélène Iswolsky [23], auteur d'une *Vie de Bakounine* parue chez Gallimard et d'un volume de souvenirs russes, se méprennent aussi sur son prénom. Les premiers chroniqueurs ont bien soin de dénoncer le tintamarre orchestré par Grasset. Tous ou presque donnent pourtant dans le panneau, en se prêtant au jeu des apparentements. Si la plupart cherchent dans le domaine français, le plus perspicace est sans doute Gaston de Pawlowski, dans *Gringoire*, qui rapproche l'agonie de Golder de celle d'Ivan Ilitch. Et de fait, dans la nouvelle de Tolstoï, la femme d'Ilitch ne peut se résoudre à laisser disparaître ses appointements avec son mari, quelque secret désir ait-elle de le voir mourir ; tandis que celui-ci découvre, en déclinant, que toute sa vie n'a été qu'un décor peint pour lui masquer sa propre fin. Ajoutons que les derniers instants de Golder ne sont pas sans rappeler ceux de Vassili Andréitch dans *Maître et Serviteur*, qui revoit son enfance avant de rendre l'âme. Irène Némirovsky, en 1933, reconnaîtra cette dette : « En ce qui concerne la Russie, je ne mets rien au-dessus de Tolstoï ; il contient tout. Je crois que les Français, en général, préfèrent Dostoïevski, mais je ne partage pas ce goût : Dostoïevski est un genre purement russe, Tolstoï est humain ; *la Mort d'Ivan Ilitch*, par exemple, peut être compris par n'importe quel homme, vieux et malade et qui craint la mort, tandis que pour se mettre dans l'esprit de Raskolnikof ou de l'Idiot, il faut une mentalité spéciale et, pour tout dire, être un peu fou [24]... »

Les autres la mesurent à Balzac. Dans *Liberté*, un critique déjà célèbre, Robert Kemp, l'un des premiers à recenser *David Golder*, se laisse piéger comme un débutant : « Excellent roman balzacien. Tous les traits sont vigoureusement appuyés. [...] C'est vraiment un puissant morceau [25]. » Les critiques, même les plus perspicaces, creusent ce sillon, parlant, comme Maurois, de « Père Goriot illégitime » ou, comme Crémieux, d'« outrance balzacienne ». S'ils s'affranchissent de la « stratégie Goriot » élaborée par Grasset, c'est pour comparer Golder à Nucingen ou Gobsek, ce qui revient au même. Et s'ils préfèrent citer Daumier, Dickens ou Zola à l'appui de leur démonstration, c'est encore pour souligner l'impitoyable réalisme d'Irène Némirovsky. Même Henri de Régnier, tout en refusant d'être dupe des « artifices de la réclame à outrance », n'en discute pas moins dans *Le Figaro* « l'épithète flatteuse de "balzacien" » épinglée par Grasset au revers de ce roman au « talent robuste » et au « métier très sûr [26] ».

Cependant on en sait toujours aussi peu sur l'auteur, sinon qu'elle est juive, russe et très jeune, et que son père est banquier – autant de précisions distillées pour nourrir les spéculations sur les apparents paradoxes d'une œuvre dépourvue de charité. Henry Muller, sous le coup de sa découverte, s'est répandu en louanges dans tout Paris « pour faire partager sa conviction, imposer son goût, communiquer son plaisir [27] ». Avec succès puisque, au début de l'année 1930, Marcel Thiébaut peut écrire : « En quelques jours, *David Golder* a été élevé à la dignité de "sujet de conversation" pour salons. [...] On a parlé ici et là de "puissance torrentielle", de "puissance exceptionnelle", d'œuvre "balzacienne" et de "chef-d'œuvre" [28]. »

Ce dernier mot est lâché noir sur blanc, une première fois, par le célèbre André Thérive dans son feuilleton hebdomadaire du *Temps*, le 10 janvier 1930 : « On n'en saurait douter, *David Golder* est un chef-d'œuvre. » Son long article, dans ce climat d'indiscrétions et d'excitation, est un modèle de pénétration et de sang-froid. Seul à citer le nom de Morand, il réfute le rapprochement avec le père Goriot. « David Golder, plus humain (je ne crains pas de le dire), a touché la vanité de son existence, la nullité de ses illusions. Son histoire est si cruelle, si brutale, d'une si effroyable tristesse qu'il ne lui reste aucune majesté épique, et je me demande pourtant si la vraie grandeur n'est pas du côté où manque le grandiose [29]. » L'un des rares à percevoir que Golder est indifférent à l'argent comme on peut l'être à l'air ambiant, et sans une fois prononcer le mot, Thérive se refuse à voir dans ce livre un tableau de la haute finance juive ; c'est plutôt « l'agonie d'un vrai homme qui n'a su vivre et n'ose pas mourir ». « Je crois pouvoir l'assurer, conclut-il, ce livre commence à peine sa vie et son histoire. »

Cet article va servir d'étalon à tous les autres. Jusqu'à l'automne 1930, on ne cessera plus de discuter ce mot : un chef-d'œuvre. Surmontant son « dégoût pour les sujets qui y sont traités », le populaire Daniel-Rops loue la « technique magnifique [30] » du récit. L'avocat et écrivain Pierre Lœwel, dans l'organe dernier-né de la presse nationaliste, *L'Ordre*, lâche le mot « miracle [31] ». Edmond Jaloux se dit « stupéfait [32] ». André Maurois capitule devant ce « ton de vérité [...] presque pénible [33] ». Paul Reboux, dans *Paris-Soir*, désigne « une eau-forte de premier ordre » et salue la « valeur extraordinaire » et les « dons surprenants » d'Irène Némirovsky. Même l'ultranationaliste *Action française*, en dépit d'un sujet peu ragoûtant – ces « jeux de princes dont nous autres, les chrétiens, nous faisons les frais » –, doit s'avouer vaincue par l'abattage de la romancière : « *David Golder* ne s'adresse pas aux hautes parties de notre intellect, et le style n'en est même pas de nature à nous donner des jouissances délicates, mais ce roman a la première qualité d'un roman : il est vivant [34]. »

Un « beau livre qui pue »

Dès le 18 janvier, croulant sous les coupures louangeuses, Grasset peut insérer dans la presse quotidienne des encarts victorieux : « Il faut remonter bien loin pour trouver pareils éloges de la critique coïncidant avec pareil enthousiasme du public. [...] Le public qui ne se paie pas de grands mots constate que c'est le roman le plus attachant, le plus passionnant qu'on ait publié depuis dix ans [35]. » Succès d'autant plus réel qu'Irène Némirovsky, qui prend soin de remercier personnellement chacun des critiques favorables à son roman, n'en connaît encore aucun. « Dans ces conditions de pénurie, on peut avouer, n'est-ce pas, n'avoir pas reçu d'hommage [36]. » Dans la courte lettre qu'elle adresse à Henri de Régnier, elle exprime comme de juste la « sensation si extraordinaire d'orgueil et de joie » que lui a procurée l'article du *Figaro*, mais elle laisse aussi transparaître sa perplexité devant l'accueil dithyrambique de la presse française :

> *Car, certes l'idée ne me serait jamais venue que le grand écrivain que j'admirais de si loin puisse non seulement lire un ouvrage de moi mais en parler avec cette bienveillance.*
>
> *Je vous dis tout cela bien mal. Je ne sais pas si ma carrière d'écrivain sera heureuse ou non, mais soyez sûr que je n'oublierai pas l'impression que m'a causée votre encouragement si précieux.*

Tous partagent son incrédulité. Certains refusent tout bonnement de croire que l'auteur de cet « îlot noir, dur, granitique et désolé, au milieu de l'océan de la vie [37] », puisse être une jeune femme de vingt-quatre ans, comme on l'assure. « *David Golder* porte la signature d'une femme ; il faut donc admettre qu'il est d'une femme [38] », s'incline André Billy à contrecœur. Ce n'est donc pas tout à fait par erreur que *L'Intermédiaire des éditeurs, imprimeurs, libraires, papetiers et intéressés de la presse et du livre* a annoncé, le 5 janvier, que l'auteur s'appelle en réalité René Némirovsky ! La presse féminine n'est pas la moins déconcertée par ce livre désespérant, qui surpasse Colette en audace. Virilité, force, vigueur, cynisme, âpreté, noirceur, cruauté, pessimisme, puissance, « poigne de mâle » et même « muscle » sont les termes qui reviennent le plus souvent pour traduire la stupéfaction des chroniqueurs, peu habitués à se laisser brutaliser par une jeune étrangère. Le magazine *Fantasio*, où Irène a fait ses premiers pas, se demande avec sa misogynie coutumière « comment une femme a pu écrire un bouquin où il n'y ait pas une fadaise, pas une mollesse, pas un adjectif de trop », encoignant ses phrases sur la page « comme le marteau à vapeur sur les pavés [39] ». Les *Quatre portraits* de la princesse Bibesco, parus simultanément, mais aussi tous les autres livres de femmes en sont escamotés pendant six mois. Irène Némirovsky sait bien pourquoi : « Les jeunes femmes françaises n'ont pas habituellement l'expérience humaine que les circonstances [...] m'ont permis d'acquérir : milieu de haute finance israélite avec tous les drames, les ruines, les catastrophes qui s'y produisent quotidiennement, voyages, révolution [40]... »

Pour les lecteurs les plus traditionalistes ou réactionnaires, comme André Bellessort, *David Golder* se distingue surtout par son sujet monstrueux – ce monde de « gredins » et de « racoleuses » – et par l'indécence du langage, indigne d'une jeune femme. C'est par abus, prétend Bellessort, que l'on prête des qualités viriles aux garçonnes du genre d'Irène Némirovsky, qui n'empruntent aux hommes que leur grossièreté : « Nous revenons à un état analogue à celui du moyen âge et du seizième siècle, où les femmes avaient dans leur langage, voire dans leurs écrits, la même crudité que les hommes [41]. » Toute une presse médiocre ou pincée, souvent provinciale [42], brodant sur ce thème de l'ordure, pronostique la décadence des lettres, symptôme d'une société corrompue. « Allons-nous à un monde qui sera aussi laid dans sa réalité que dans son expression [43] ? », ronchonne le quotidien des arts *Comœdia*. Le vieil Antoine Redier, dans l'égrotante *Revue française* où débutent Brasillach et ses amis, fustige un livre « écœurant [...], redoutable et malfaisant [44] ». Même Thérive, quoique avec un secret frisson, a dû signaler à ses lecteurs que tout n'est pas du « meilleur goût » dans les répliques si suggestives de Joyce, notamment lorsque celle-ci révèle à Golder que Hoyos – son géniteur – la regardait faire l'amour avec son gigolo...

Force est de reconnaître que, dans la caricature et la trivialité, *David Golder* est sans équivalent. Pour une partie des journaux catholiques, ce pandémonium, déconseillé aux jeunes lectrices, a au moins la vertu de présenter un repoussoir : « On le referme et on hait l'argent [45]. » Pour une presse plus politisée, au contraire, ce tableau répugnant du « fumier financier [46] » et de la société déracinée de Biarritz a valeur de document : « Irène Némirovsky examine une société avilie, pourrie, comme un juge d'instruction; son livre est le procès du luxe, de la jouissance à tout prix [47]. » Et, par une série de sous-entendus plus ou moins discrets, la plupart ne manquent pas de souligner que les personnages de cette « véritable réunion de bêtes féroces [48] » sont un « vieux juif lubrique [49] » et « une femme de financier qui est de la race effroyable de Jézabel [50] ».

La gauche n'est pas moins sévère pour le « monde répugnant de plaisirs et d'affaires » que dépeint d'après nature ce « beau livre qui pue [51] ». Dans le pur style prolétarien, *Le Libertaire* ne feint pas de découvrir l'état de gangrène morale de la haute finance, mais fait tout de même la fine bouche en entendant le « langage ordurier » et l' « étalage de saletés [52] » dont l'auteur l'a accablée. La presse de droite, seule, pose sur ce tableau des milieux d'affaires les mots « juif » ou « cosmopolite », selon qu'elle prend ou non des gants. André Bellessort, appelant un chat un chat, en résume l'opinion sans pudeur : « C'est une violente peinture de la haute pègre millionnaire, américaine et juive, qui dépense en prodigalités et place en joyaux l'or qu'elle rafle sur tous les marchés du monde. » Ainsi, de chronique familiale déformée par l'imagination, *David Golder* en vient à passer, dans certains journaux, pour une satire de la finance juive et du « savoir-faire tenace des fils du ghetto, conquérants et maîtres de l'or, dans la poursuite de leur proie [53] ». Par un malentendu identique, la presse marxiste voudrait y lire « un petit couplet contre l'URSS [54] », poussé par l'héritière d'un banquier d'ancien régime. Communistes et antisémites ont tous deux le même chien à noyer : ils accusent donc *Golder* de la rage...

Une légende authentique

Depuis le 11 janvier, cependant, l' « énigme Némirovsky » est en partie levée. « Bouche lourde et sensuelle, cheveux de suie, traits durs [55] », son visage est enfin apparu en première page des *Nouvelles littéraires*, croqué par le caricaturiste Jean Texcier dont les *Conseils à l'occupé* seront, en août 1940, un des textes fondateurs de la Résistance. Ce portrait illustre la première interview de l'auteur de *Golder* par un vieux briscard de l'entretien littéraire, Frédéric Lefèvre, qui mène ses interviews comme un général livre bataille, omettant parfois d'y paraître – d'où, souvent, les points de suspension à la place des questions qu'il n'a pas posées. Avenue Daniel-Lesueur, Lefèvre est accueilli par un « beau type d'Israélite » : « De taille moyenne, ses formes sveltes s'élancent d'un fourreau de velours violet ; ses cheveux, d'un noir de jais ou de corbeau – les plus noirs enfin que vous pourrez imaginer – sont taillés à la garçonne; ses yeux sont noirs, aussi noirs que les cheveux; ils ont l'étrange douceur, à peine clignotante par instants, que donne une légère myopie [56]. » Durant toute l'année 1930, nombreux seront les journalistes à souhaiter approcher *de visu* le phénomène, découvrant, au lieu d'« une sorte de virago féroce, d'intellectuelle nourrie de chiffres, de suffragette hommasse [57] » que laissait présager son roman, « une apparition presque frêle, d'un charme tout féminin, au visage doux et clair [58] », rieuse et si naturelle qu'on se frotte les yeux en relisant son livre.

L'article de Lefèvre, « Une heure avec Irène Némirovsky », sera abondamment pillé tout au long de l'année. La romancière y énumère la trinité de ses auteurs favoris : Proust, Larbaud, Chardonne. Brossant à grands traits son autobiographie, elle insiste malicieusement sur la date de naissance préconisée par Grasset, car « je sais que vous aimez les précisions ». Lefèvre, qui n'est pas dupe, se fait l'écho des suspicions qui n'ont pas manqué d'entourer le conte de fées des couches avant terme et du météore tombé rue des Saints-Pères. Deux mois plus tard, dans *Chantecler*, Claude Pierrey précise les doutes d'une assez grande part de la presse :

— On dit, madame...

— Quoi donc? renseignez-moi...

— Tout d'abord, que vous êtes très riche, que la publicité, payée par vous, n'a fait qu'exploiter la légende adroite de la « poste restante », celle, touchante, des *relevailles*...

— Oh! mon Dieu! que c'est amusant... Riche? C'est selon... je ne suis pas pauvre, évidemment. Mais cette condition serait-elle indispensable au talent? Quant à la *légende*, elle est authentique, ne vous en déplaise [59].

Ces réponses ne seront pas jugées satisfaisantes par tous. Tantôt ironiques, tantôt excédés, un certain nombre de critiques dénoncent ouvertement les pressions publicitaires exercées par Grasset – que le ministre du Commerce vient de doter des insignes d'officier de la Légion d'honneur. Ils refusent de se soumettre à ses décrets, rebaptisant sa collection : « Notre bon plaisir » [60]. À les en croire, l'« éditeur en quête d'auteur [61] » ne s'est pas contenté de publier des avis de recherche, il a aussi sollicité le concours et excité la curiosité des courriéristes en leur demandant, par une série de « notes » envoyées à la presse, de l'aider à retrouver le mystérieux « M. Epstein ». Dès le début du mois de décembre 1929, certains échotiers n'y étaient pas allés par quatre chemins, ironisant sur le succès international qui se profilait déjà : « Ce que c'est que la curiosité ! Pour avoir perdu pendant quelques semaines son auteur, le manuscrit du livre intitulé *David Golder* est déjà en cours de traduction anglaise, allemande et hongroise, avant même d'avoir paru en français [62]. » Mais, encore plus fort, même ceux que ces procédés échaudent le plus, comme Noël Sabord [63], sont forcés de reconnaître le talent d'Irène Némirovsky.

La great attraction

Les uns promettent déjà le prix Femina à cette « piquante Israélite », devenue en un mois « la *great attraction* de toutes les réceptions ». Sans s'émouvoir, elle répond dans un sourire : « Peut-être d'ici là, M. de Rothschild aura-t-il fondé un prix [64] ! » *David Golder* n'obtiendra en fin de compte aucune récompense. Pour Paul Reboux c'est la preuve de sa valeur. En 1928, Grasset a fait observer à Mauriac : « Aujourd'hui, je n'édite plus que des livres qui peuvent très bien s'en passer, du Goncourt ! » Voyant ses méthodes couronnées, il n'aura bientôt plus qu'à traiter les grincheux par le dédain.

Irène Némirovsky, quoiqu'elle l'accueille en souriant, est elle-même un peu dépassée par son triomphe. À Madeleine qui, alertée par sa brusque célébrité, se froisse de n'avoir reçu de « Topsy » aucun exemplaire dédicacé, elle objecte avec fausse modestie et feint scandale : « Comment pouvez-vous supposer que je puisse oublier ainsi mes vieilles amies à cause d'un bouquin dont on parle pendant 15 jours et qui sera tout aussi vite oublié comme tout s'oublie à Paris. Ce n'est pas gentil de penser cela [65]. » À Paris, elle reçoit les hommages de Jacques-Émile Blanche, portraitiste de Proust, de Gide, d'Anna de Noailles et de toute la société parisienne, qui lui adresse son dernier roman et l'invite à venir lui rendre visite dans sa maison-atelier d'Auteuil. En même temps, le romancier berrichon Gaston Chérau, si distingué derrière sa moustache d'officier de cavalerie qu'il peut se targuer à la fois de l'amitié de Léon Blum et de Léon Daudet, se fait un honneur de recommander Irène Némirovsky à la Société des Gens de Lettres, fondée en 1838 pour défendre les intérêts des écrivains. La demande est appuyée par Roland Dorgelès, dont la recommandation tient en deux lignes : « Quand on a écrit *David Golder*, a-t-on besoin de parrains ? Je suis très heureux d'appuyer la demande de Madame Irène Némirovsky. »

Toutes ces faveurs devraient la flatter. En réalité, sa subite notoriété lance un défi à son orgueil. Sera-t-elle capable de rééditer ce coup de maître et se montrer digne, sans publicité, des égards de la critique ? « J'attends, confie-t-elle au reporter de *Paris-Midi*. J'ai peur[66]... » Ce scrupule lui interdira pendant presque trois ans d'écrire un deuxième roman. Elle en a d'ailleurs prévenu Lefèvre : « Je ne suis pas une femme de lettres. Je ne veux pas écrire pour écrire. Écrire est pour moi un plaisir de qualité si rare que je ne me vois pas m'y livrant par devoir ou parce que je l'aurais décidé. C'est ainsi qu'après *David Golder*, je serai peut-être plusieurs années avant d'entamer autre chose. » De fait, *Le Bal* – dont Grasset s'assure l'exclusivité par contrat le 4 avril – est déjà écrit. *Le Malentendu*, republié en hâte par Fayard dans sa « Collection de bibliothèque », n'est pas une nouveauté. *Les Mouches d'automne* découle de « La Niania ». Il faudra donc attendre *L'Affaire Courilof*, fin 1932, pour se faire une idée plus sereine de l'exact talent d'Irène Némirovsky. En 1930, elle se trouve d'ailleurs au cœur d'une controverse qui complique encore son personnage antinomique de jeune mère réservée et de romancière sans scrupule. Émis par la presse israélite, le grief d'antisémitisme latent dans *David Golder* ressemble à la rançon de la notoriété. Car ce soupçon n'est pas tant né de la lecture du roman que des échos qu'il a suscités. Aussi ce procès ne lui est-il vraiment intenté qu'en février, lorsque tout ou presque a déjà été dit sur *David Golder*.

Un roman juif ?

Il n'a évidemment échappé à personne que, du vieux Golder au jeune émigrant qui l'assiste au seuil de la mort, tous les personnages du roman, Gloria, sa fille Joyce, Tubingen, Marcus, Soifer et Fischl, sont juifs. Pour les uns, cette particularité ne fait que ranger *David Golder* au nombre des « romans juifs », illustrations souvent laborieuses – mais instructives – des divers avatars de l' « âme juive », qu'un Jacob Lévy a rendus populaires dans les années 1920. Mais pourquoi, se demande par exemple Marcel Thiébaut, Irène Némirovsky a-t-elle cru devoir illustrer le poncif de la cupidité, incarné par le vieil avare Soifer mortifié à l'idée d'acheter un chapeau à sa femme, « les Juifs passant au contraire pour avoir conservé un esprit de famille moins intéressé [67] » ? Même ceux qui s'inquiètent que les personnages de *Golder* fassent du tort aux Juifs ne contestent pas la vérité de clichés aussi éventés que « le goût de l'argent », « la peur de la mort » ou « le sentiment familial », entre autres caractéristiques que *Le Courrier littéraire* énumère pour ses lecteurs [68]. Comparé tantôt à Ahasvérus, tantôt à Moïse ou au roi David, Golder est soit une modernisation du pittoresque Juif ukrainien ou du « pèlerin du désert » sorti d'un récit des frères Tharaud dont on la rapproche maintes fois (non sans arrière-pensée [69]), soit un patriarche ayant renoncé aux biens de ce monde : « David Golder ne se soucie pas de lui-même, de son bonheur. Son bonheur a été d'abord de transformer sa femme, puis plus tard sa fille en Terre Promise. Pour cela il n'hésite point à se tuer de travail, à s'achever même lorsqu'il se sait condamné, et l'on peut se demander si cet éternel *désir* de joie future, si fortement exprimé par la race juive, n'est point, au fond, celui qui anime obscurément tous les hommes. » Dans presque tous les cas, Golder est un « type » balzacien et le roman est « l'étude d'une race » *(La Voix)*, « une peinture exacte et saisissante des israëlites internationaux – et particulièrement de ceux qu'on rencontre à Biarritz [70] ». Pour les antisémites déclarés ou non, ce type est celui du manieur d'argent « poursuiv[*a*]nt à travers le monde la possession des richesses et des joies de la terre avec la même avidité qu'ils montraient dans la poursuite des biens célestes [71] ». Cette intention semble d'autant plus criante qu'Irène Némirovsky ne se cache pas et s'est, dit-elle, contentée d'observer son milieu d'origine à la loupe :

— Si j'ai pu traduire l'âme juive, c'est – vous l'avez deviné – que je suis moi-même juive. Je connais les milieux financiers depuis toujours, et j'ai pensé qu'il y avait là un sujet tentant. Et puis, je pense que les romans français sont trop remplis de héros jeunes. Trop aussi de romantisme... La littérature étrangère, et notamment l'anglaise, prêtent plus d'attention à l'homme vieux [72]...

Beaucoup n'en sont pas surpris. André Billy trouve *Golder* beaucoup plus proche des *Métèques* du « sympathique Binet-Valmer » que du *Père Goriot* : « On me dit en outre que Mme Némirovsky est israélite. Ça ne m'étonne pas ; seule, une Juive pouvait écrire sur la folie juive de l'or un réquisitoire aussi terrible et aussi clairvoyant [73]. » De l'*Action française* à *Comœdia*, cette psychologie de comptoir est largement partagée ; mais c'est encore *Fantasio* qui se réjouit le plus grassement de ce qu'il prend pour une satire des parvenus à travers le personnage de Fischl, « vieux juif libidineux ». Son chroniqueur – Juven probablement – n'a pas pris la peine de lire le roman en détail, se contentant d'y voir ce qu'il souhaitait : « Il est probable que le vrai prénom de Gloria est Agar, Séphora, ou quelque chose comme ça : et celui de Joyce, Ruth ou Bethsabée ; mais on ne nous le dit pas. Les belles dames juives ne cachent rien tant d'elles-mêmes, que leurs prénoms palestiniens. Celles-ci sont terribles ! Elles ont toujours besoin d'argent [74]. »

Même les auteurs les mieux disposés à l'égard du « roman juif », qui rapprochent Irène Némirovsky de Panaït Istrati, Elissa Rhaïs et Lacretelle, ne voient rien d'autre en *Golder* qu'un exercice de « particularisme », tout l'art de l'auteur ayant consisté à ramasser dans le personnage principal « une synthèse du génie juif [75] ». Et pourtant, avant de mettre la dernière main à son manuscrit, elle a eu soin d'atténuer ce tropisme, biffant à la première page l'allusion immédiate aux « mains juives agiles et pâles [76] » de Marcus. Mais le public français a été apprivoisé par les Tharaud, Binet et tant d'autres à reconnaître d'emblée la panoplie du Juif moyenâgeux, à d'imperceptibles stéréotypes aussi vieux que la littérature ; de même, on a peu souligné que le cliché du financier « roi du monde » est ici le même que le Gundermann que Zola campe dans *L'Argent* ou que l'Andermatt de Maupassant dans *Mont-Oriol*. En quelque sorte, même si *David Golder* n'est pas antisémite, il court le risque d'être reçu et même apprécié comme tel. Jean Blaize, dans *La Dépêche*, a fort bien perçu ce danger : « Si Mme Némirovsky n'était juive, des gens verraient dans cette œuvre de l'antisémitisme. D'aucuns en verront quand même [77]. » Ce phénomène s'appelle une hallucination.

Orgueil et préjugés

« Le public israélite lira *David Golder* avec passion », avait prophétisé Lefèvre. À cette nuance près que la presse sioniste se distingue par la virulence de sa réaction. Pierre Paraf, dans *L'Illustration juive*, est un des premiers à fustiger dans l'affairiste Golder la figure même du « juif pour antisémites ». Dans le *Réveil juif*, un hebdomadaire de la mouvance révisionniste publié en Tunisie, la romancière Ida-Rosette See veut bien convenir que *Golder* soit « un chef-d'œuvre », mais un chef-d'œuvre de reniement : « en effet, quelles que soient les qualités de style, de technique de Mme Irène Némirovsky, tous les Juifs qu'elle peint dans *David Golder* sont antipathiques. [...] Nous savons que ce tableau des Juifs “rois de l'or ou du pétrole” agrée aux nombreux antisémites, et nous n'avons pas assez le sens de l'adulation pour joindre nos pauvres flatteries à celles de tant de hauts personnages, pour féliciter une Israélite (?) d'avoir si bien décrit des Juifs et des Juives odieux [78] !... »

Que lui est-il reproché ? D'avoir noirci le tableau pour les besoins du drame, sous prétexte qu'on ne fait pas de littérature avec de bons sentiments. « Quoi de plus ridicule au reste que de faire son propre panégyrique? plaidera la journaliste Janine Auscher en 1935. J'entends bien que ce que nous reprochons à un Zangwill ou à une Némirovsky est de montrer nos faiblesses aux autres en les rendant publiques; il est bien évident que si ces livres restaient entre nous, nous ne songerions pas à leur en garder rigueur [79]... » Mais qu'elle ait préféré le sarcasme à la candeur, et l'autodérision à l'esprit de chapelle, voilà qui paraît incompréhensible à beaucoup – et voilà en outre qui explique la valeur littéraire de *Golder*. Ce calcul d'artiste n'est pas le moindre grief que l'on puisse lui faire. Mais Irène Némirovsky ne veut considérer que son œuvre. « Il est tout à fait certain que s'il y avait eu Hitler, j'eusse grandement adouci *David Golder*, et ne l'aurais pas écrit dans le même sens, dira-t-elle après l'avènement du nazisme. Et pourtant, j'aurais eu tort, c'eût été une faiblesse indigne d'un véritable écrivain! » Cet orgueil, son orgueil, est à son avis le meilleur héritage qu'elle ait reçu de son sang. Si bien qu'avec *Golder*, elle pense au contraire avoir magnifié l'âme juive dans toute son intrépidité et, pour finir, son désintéressement : « Quelle injustice de prétendre que, même de ceux-là, je n'ai peint que les défauts. Il me semble au contraire, et c'est là une de mes fiertés, avoir montré quelques qualités proprement raciales : le courage, la ténacité, l'orgueil – mais oui, dans son sens le plus haut – en un mot, le "cran" [80]. »

Ce fait reste parfaitement ignoré du « public israélite », qui lui reproche d'avoir peint des caractères inspirant au mieux la pitié, au pire la répulsion. *L'Univers israélite*, au contraire des journaux sionistes, était une émanation officieuse du Consistoire central de Paris et, comme tel, plutôt partisan de l'assimilation républicaine et du judaïsme bleu-blanc-rouge. Il n'en exprime pas moins de sérieuses réserves et, fin février, dépêche une journaliste embarrassée chez Irène Némirovsky pour la soumettre à la question. Réponse indignée de la romancière :

« On me taxe d'antisémitisme? Voyons, c'est absurde! Puisque je suis juive moi-même et le dis à qui veut l'entendre!

— Seulement, savez-vous que nos ennemis se sont emparés de vos types et en tirent contre les juifs des arguments, ma foi, désagréables? poursuit Nina Gourfinkel. [...] N'avez-vous donc pas craint de donner une arme contre les juifs ? [...] Comment se fait-il qu'il n'y ait dans votre livre aucune allusion à une société juive plus sympathique ? »

À chacun de ces reproches, Irène Némirovsky, consternée, oppose la force de son témoignage : « Pourtant, c'est ainsi que je les ai vus [81]... »

Ceux qu'elle désigne ainsi ne sont pas les Juifs dans leur ensemble, mais ceux qu'elle a observés dans « le milieu cosmopolite, pourri » des palaces et des casinos. Hoyos et Alec, argumente-t-elle, ne valent guère mieux, si bien que *Golder* est davantage la peinture d'un milieu social que d'une race, selon la terminologie en vigueur. Elle s'est autorisée à n'épargner personne et ne se sent tenue à aucune fidélité, aucune indulgence par le hasard de sa naissance. « Que dirait François Mauriac si tous les bourgeois des Landes, dressés soudain contre lui, lui reprochaient de les avoir peints sous des couleurs si violentes ? [...] Les bourgeois du Marais songent-ils à s'identifier avec les gens du "milieu" de Francis Carco ? Pourquoi donc les israélites français veulent-ils se retrouver dans *David Golder* ? La disproportion est la même [82]. » Et qu'on ne vienne pas lui opposer Silbermann, le sympathique héros de Lacretelle, fondé dans son identité de Juif non par l'ascendance, mais par l'expérience de l'aversion. « J'aime beaucoup Lacretelle. C'est un grand romancier. Mais connaît-il de bien près les Juifs [83] ? » On voit, à cette réplique, qu'Irène Némirovsky était tentée de généraliser sa propre expérience, sans se soucier de l'enjoliver. Aurait-elle eu plus d'égards pour le public si elle avait pu prévoir son succès ?

Cet axe de défense – « moi, je les ai vus comme cela » –, Henry Bernstein l'avait déjà privilégié lorsque, en 1908, Juifs et antisémites lui avaient reproché en écho de faire dans sa pièce *Israël* la double caricature de leurs partis respectifs. « Je suis très content d'être un Juif, leur avait crânement répondu le dramaturge dans *Le Matin*. [...] Je sens fortement que ce surcroît de vie secrète que l'on nomme le tempérament, et qui fait l'artiste, je le dois, pour la plus grande part, à mon origine. [...] Je me sens tout à fait incapable de jeter sur la scène autre chose qu'un peu d'humanité, et trouble, tremblante, sanglante... Je la vois ainsi... Ce n'est pas ma faute [84] !... » Ce n'est certes pas seulement pour son art du dialogue mufle, son irrépressible énergie, que de nombreux critiques ont rapproché *David Golder* d'*Israël* et de *Samson* : aucun auteur depuis Bernstein n'avait, comme Irène Némirovsky, refusé avec autant d'éclat de se conformer aux prétendus réflexes communautaires, ni pulvérisé de pareille façon le mythe de la solidarité juive en grossissant le comportement d'une frange décadente qu'elle réprouve avec la dernière force, ayant souffert de son matérialisme. « Expérience dure et précoce, expérience partielle, monotone et étroite [85] », certes, mais qui suffit à expliquer bien des choses, ainsi que finit par le reconnaître Nina Gourfinkel en prenant congé de son hôte.

Irène Némirovsky est romancière, pas prêcheuse. Aussi s'est-elle appliquée à effacer de son livre toute indication morale. Et tandis que Bernstein traitait de sujets aussi graves que l'antisémitisme *(Israël)* ou les préjugés de caste *(Samson* [86]*)*, elle y ajoute une ironie presque insupportable, un surcroît de dédain qui marque à quel point ce sujet la touche. Elle paie, maintenant, cette liberté de ton. En outre, elle ne peut en aucune façon révéler qu'elle a mis dans *Golder* beaucoup d'elle-même, et de sa mère davantage, si bien qu'on ferait mieux de lui reprocher son insolence filiale. Même si, prétend Paul Reboux dans *Paris-Soir*, on l'aurait entendue dire ingénument : « Je ne sais pas pourquoi on fait tant d'histoires à propos de ce petit ouvrage... J'ai fait simplement le portrait de papa et de maman... »

En fin de compte, la « stratégie Goriot » mise au point par Bernard Grasset a été la cause même du procès en sorcellerie intenté à la jeune romancière. Car l'immense majorité de la critique, exhortée à rechercher dans ce livre des « types » qui ne s'y trouvent pas, a souhaité y reconnaître une physiologie du « Juif d'argent », au lieu de la fable tolstoïenne que sa propre vie a inspirée à l'auteur. Ou bien, si « type » il y a, c'est celui du téméraire *self made man*, extrait de sa propre misère à la force du poignet, ici campé dans l'environnement qu'elle a le mieux connu, réalisme oblige, mais que l'on retrouvera sous bien d'autres aspects dans la suite de son œuvre, jusqu'à ce Daguerne, l'orphelin bien français de *La Proie*, hissé au pinacle de l'affairisme politique par sa seule ambition. Car David et Gloria ne sont pas mus par la soif de l'or, mais par le souvenir menaçant de leur misère, qu'il combat sans relâche et qu'elle repousse avec terreur. Comment Irène Némirovsky pourrait-elle prévoir les pogroms totalitaires prophétisés par Albert Londres dans un long reportage paru un mois après *Golder*, annonçant à la fois Auschwitz et Babi Yar : « En Russie, les Juifs attendent d'être égorgés. Le jour où les Soviets céderont le terrain, les Croix-Rouges pourront préparer leurs ambulances. La meute aryenne jouera des crocs [87]. »

Il fallait être un lecteur très perspicace et très flegmatique, dans ce climat délétère, pour voir qu'Irène Némirovsky n'avait fait que traiter de son point de vue un sujet universel – la « peur de la mort [88] », à la rigueur « l'épouvante juive de la mort [89] » et la panique qu'elle insuffle à ses victimes, qu'on l'appelle orgueil (David), luxure (Joyce) ou cupidité (Gloria). Et c'est sans doute pourquoi Henri de Régnier fut remercié si chaleureusement d'avoir perçu que son roman n'était en aucune façon ce qu'on l'accusait d'être :

> *Avec son* David Golder, *Mme Irène Némirovski nous introduit non pas dans la haute finance juive, mais parmi cette classe d'hommes d'affaires, de spéculateurs, de manieurs d'argent qui opèrent en dehors et au-dessous d'elle et en sont comme l'écume et le remous.* [...] *Parti de rien, de misère en misère, d'échelon en échelon, il* [Golder] *s'est élevé jusqu'à la puissance. Il s'y est élevé par son intelligence, son activité, son audace, son obstination, sans pitié pour lui-même ni pour autrui. Il a vécu durement et âprement travaillé. Il a réussi. Beaucoup d'or lui a passé par les mains, mais David Golder n'est pas un avare, il n'a pas thésaurisé. Il est un spéculateur, un aventurier d'affaires, un joueur qui remet le gain au jeu pour toujours une nouvelle partie.* [...] *Certes, la matière humaine que manie Mme Némirovski est plutôt répugnante, mais elle l'a observée avec une curiosité passionnée, et cette curiosité, elle arrive à nous la communiquer, à nous la faire partager. L'intérêt est plus fort que le dégoût* [90].

Nina Gourfinkel, pour mieux se prémunir contre les effets indésirables de *Golder*, est parvenue à la même conclusion. Le roman repose sur un énorme malentendu : Golder, être déraciné et amoral, n'a plus en lui un atome juif. C'est un de ces rebuts échoués à Biarritz, « cette plage ultra-cosmopolite, résidence de l'Internationale de l'argent qui a abjuré les traditions, la race, la terre, tout ce qui fait l'honneur des hommes ». Le thème du roman n'est ni le « génie » ni le particularisme juifs, c'est celui, universel, de la déchéance humaine. « Golder est ce qu'il est, non parce qu'il est juif, mais parce qu'il a cessé de l'être [91]. » Après sa rencontre avec la romancière, vaincue par ses arguments, Nina Gourfinkel rend dans *L'Univers israélite* un non-lieu rageur, plaidant l'irresponsabilité de l'accusée : « Antisémite, certes, Irène Némirovsky ne l'est pas. Aussi peu que juive. Car, de même qu'on ne peut juger les Français d'après ces quartiers de Paris aménagés au goût présumé des "étrangers", de même on ne peut juger une race d'après quelques individus dépourvus de tout sens moral et dont la véritable patrie est une plage fashionable où s'entremêlent tous les déchets de toutes les nations [92]. » À la fin de l'année 1930, l'idée prévaudra enfin que toute lecture idéologique de *David Golder* est non avenue. Ce livre est avant tout une prouesse romanesque, et cet aspect seul intéressera la presse américaine, dont l'opinion est ainsi résumée par le *New York Herald Tribune* : « Ce puissant récit transcende tout caractère racial ou géographique, et se déploie avec une grande force et sans effort de son début trépidant jusqu'à son inévitable dénouement [93]. » Une vraie machine de théâtre, écrasant sur son passage toute espèce de considération morale.

Un drame digne de Bernstein

Roman antisémite, roman juif, roman dépravé : aucun de ces raccourcis n'était vrai, mais tous font d'Irène Némirovsky un autre Bernstein, prince de l'amoralité. Thérive, Crémieux et Lœwel ont fait ce parallèle, pointant l'exaspération des dialogues, le mécanisme irrésistible de l'intrigue, l'entêtement des principaux personnages et l'effacement des seconds rôles. Pour tout dire, une certaine « facilité dramatique » et « des outrances de théâtre [94] », même si Némirovsky n'est jamais aussi relâchée que Bernstein.

De nombreux critiques ont également cité, en contrepoint de Golder, l'Isidore Lechat des *Affaires sont les affaires* (1903) de Mirbeau, autre brasseur d'argent aux yeux secs, renié par sa fille et mis au défi, sous peine de banqueroute, de triompher de ses adversaires. Ces comparaisons soulignent, sciemment ou non, la veine dramatique d'Irène Némirovsky. Pawlowski a même recommandé de porter *Golder* à la scène « pour donner un drame digne de Bernstein ». Fernand Nozière lisait-il *Gringoire* ? Moins d'un mois après ce bon conseil, le 19 février, les droits d'adaptation de *David Golder* sont acquis par ce fournisseur régulier de la scène parisienne depuis la Belle Époque.

Nozière, cinquante-cinq ans, est un homme chauve, poupard et myope, cravaté d'un gros nœud. Depuis qu'il a rasé sa barbe en 1927, son ex-épouse ne le reconnaît plus. Intime d'Ida Rubinstein, il est aussi réputé pour ses pièces que pour sa rubrique dramatique, de *L'Intransigeant* au *Matin* en passant par *Gil Blas* et... *Fantasio*. À ce dernier, il a donné en 1923-1924 des chroniques du cabaret, sous le titre « Miousics ». Puis sa signature a disparu, peut-être parce qu'il avait émis des réserves sur *Le Juif errant* de Jean Bastia – pilier du « magazine gai » –, pièce truffée de calembours antisémites qui avait causé un certain malaise aux spectateurs juifs du théâtre du Perchoir, du moins ceux qui ne riaient pas avec le parterre. Car Fernand Nozière est juif et, pour Paul Léautaud qui n'arrive pas à le haïr, il ne faut pas chercher plus loin la raison de son génie : « Il est comme ces petits tailleurs qui ne savent pas faire un vêtement, qui se contentent d'arranger, de rapetasser. Faire quelque chose de lui, personnel, pas moyen. Il arrange les choses des autres[95]. » En vingt ans et quelque de raccommodage, Nozière a tout de même gagné ses galons d'arrangeur. En 1907, ayant mis en scène dans *Le Baptême* une famille de Juifs convertis par arrivisme, il a essuyé les reproches opposés d'antisémitisme et de philosémitisme, selon qu'on y a vu une satire ou une parabole. Depuis, il a adapté pour la scène *Un épisode sous la Terreur* de Balzac (1908), *La Maison de danses* de Reboux (1909), *Bel-Ami* de Maupassant (1912), *L'Éternel Mari* (1912) et *L'Idiot* de Dostoïevski (1925), ainsi de suite jusqu'à *Golder*. L'adaptation est à ce point sa spécialité que, dès avant guerre, il était lui-même devenu personnage de farce dans la

Revue des X des Bouffes-Parisiens, où son sosie apparaissait sur scène en chantant :

Je profane et dénature
Nos plus illustres auteurs,
Rien n'est plus doux, je vous jure
Quand on est adaptateur.

Nozière, devant *Golder*, pressent qu'il aura du fil à retordre, mais il frémit d'une émotion d'équarisseur : « Je me trouvais en présence d'un admirable "roman-histoire", se rappellera-t-il. [...] J'avais à écrire un dialogue de théâtre d'après un ouvrage littéraire magnifiquement charpenté. Quelle matière pour un auteur dramatique ! Pensez donc ! Je prenais *mon* personnage dans l'Ouest américain alors qu'il n'était "rien" et qu'il pouvait aspirer à devenir "tout". Je l'amenais vingt ans après place Vendôme lorsque sa situation est définitivement assise. [...] Quelle fresque ! Quel beau drame d'affaires [96]. » Sans hésiter, Nozière taille dans le vif et s'efforce de ne laisser subsister que les morceaux les plus pittoresques, ceux qui ont saisi par leur crudité. Le caractère juif de *Golder* s'en trouve encore rehaussé, ainsi qu'il l'admettra lui-même : « Il y a le Juif Fischl aux spéculations inquiétantes. Il y a le Juif Soifer, qui cache, sous l'apparence de la misère, ses millions. [...] Il y a l'associé de Golder, Marcus, qui est usé par les plaisirs les plus bas et qui n'a plus l'énergie de résister à un retour de fortune. Ces personnages sont terribles, mais ils sont comiques aussi. Ils peuvent et doivent provoquer souvent une gaieté un peu féroce [97]. » *David Golder* sera donc un vaudeville saccadé, destiné à forcer les cris, les rires et les applaudissements. En guise de couleur locale, des acteurs russes seront recrutés pour la scène de négociation à Moscou, clou du spectacle.

Afin de le seconder dans sa tâche, Nozière s'est adjoint le concours du grand comédien Harry Baur, qui, non content d'endosser le rôle écrasant de Golder, se chargera de diriger les acteurs dans l' « admirable souci de créer cette fièvre de l'aventure financière [98] ». Tout est prêt pour un joli succès, mais Nozière doit auparavant terminer *Cette vieille canaille*, une comédie assez leste que lui a commandée le Théâtre Michel pour le mois de novembre. *David Golder* devrait lui succéder en décembre au Théâtre de la Porte-Saint-Martin. Surnommé dans le métier « la Sublime Porte », la salle, en perte de vitesse au milieu des années 1920, a été reprise par Maurice Lehmann qui lui a rendu le succès en confiant pour la première fois le rôle de l'Aiglon à un homme, audace devenue possible depuis la disparition de Sarah Bernhardt en 1923. En 1929, Lehmann vient de programmer une évocation de la fin tragique des Romanov, *Le Dernier Tsar*, honorable réussite qui laisse espérer pour *Golder*, notamment grâce à sa scène russe, l'accueil enthousiaste du public. Or, trois mois après les premières entailles de Nozière, on apprend dans *Comœdia* qu'une deuxième adaptation de *David Golder* est en chantier, celle-là pour le cinéma, par un réalisateur de trente-trois ans qui a déjà porté à l'écran *Poil de carotte* de Jules Renard avec... Harry Baur. Le bruit, en réalité, courait depuis plusieurs semaines.

Julien Duvivier, qui a dix ans de métier, vient d'adapter *Maman Colibri* de Bataille et *Au Bonheur des dames* de Zola. Le réalisme poétique de ses films lui a forgé un nom, mais c'est le parlant qui l'imposera au cours des années 1930. Comme tout le monde, il a lu *David Golder* qui l'a « emballé ». Mieux, bluffé : « J'ai pris le livre un soir et je n'ai pu le quitter avant de l'avoir terminé. C'est une référence [99]. » En 1933, il avouera cependant que l'idée initiale d'adapter le livre revenait à son producteur, Marcel Vandal. Toujours est-il qu'il refuse d'y voir « la boue » dont le journaliste de *Comœdia* croit le roman maculé. « On a exagéré, modère-t-il. Sûrement l'histoire est sombre, mais il y a des trouées de soleil et ce n'est pas tout le temps de la boue. Pour moi, j'ai la conviction que cela fera un beau film, avec de la substance et des idées. » Le contraire de l'adaptation de Nozière, homme de boulevard, avant tout préoccupé de flatter son public. Duvivier, à l'inverse, précise la vision qu'il a du roman et de sa dimension spirituelle, sans une fois prononcer le mot « juif ». Car selon lui, *Golder* est une fable universelle : « Au fond, David Golder, avec tous ses millions, est un pauvre homme. Venu à Paris d'une Europe centrale mal définie, il a conquis la fortune à force de labeur et de ténacité. Les affaires, et sa fille, voilà toute sa vie. [...] Vous voyez d'ici ce que l'on peut faire avec un sujet comme cela. »

Au cours du printemps, accompagné de Vandal, Duvivier a donc rendu visite à Irène Némirovsky pour la rassurer sur ses intentions. Il envisage d'aller tourner certaines scènes « assez loin, très loin même », et prédit « une nouveauté qui fera du bruit dans Landerneau », puisque *David Golder* sera son premier parlant. La romancière, « hésitante, effacée, surprise de son succès, qui dit oui comme elle aurait dit non [100] », mais sur ses gardes, prévient d'emblée qu'elle n'admettra pas de laisser remanier son livre. La réponse de Duvivier, hilare, la rassure à moitié :

— Mais non, madame, tous les metteurs en scène ne « tripatouillent » pas forcément leur sujet, et je respecterai celui-là ! Cela se terminera sur l'écran comme sur le papier, vous avez ma parole [101] !

Fin mai, Duvivier assure qu'il n'a pas encore trouvé quel acteur saura incarner Golder, cette force de la nature. C'est un pieux mensonge qu'il veut bien trahir en aparté en livrant le nom de... Harry Baur ! Nozière et Lehmann, qui l'ignorent, travaillent encore dans une demi-sérénité, inquiets pourtant de la concurrence que leur fera le cinéma. Car le parlant, apparu sur les écrans au cours de l'année 1929, menace directement le dernier privilège du théâtre. Parce que ce procédé encore imparfait redoute les extérieurs, les cris et les disputes, les acrobaties, les scènes trop confuses et le tumulte de la vie, il est le plus souvent réduit aux huis clos et aux échanges feutrés à deux ou trois personnages. Du théâtre filmé.

Irène Némirovsky, en outre, reconnaît volontiers l'influence du cinéma. Quelques critiques – Daniel-Rops, Reboux – ont d'ailleurs reproché au livre d'être écrit en vue de l'adaptation. Elle ne s'inquiète pas de cette mutation des procédés romanesques. Habituée des salles de projection, elle les accueille même avec confiance, mais elle pense que le grand bouleversement se produira « lorsque les enfants qui ont à présent, douze, quinze ans et qui ont été nourris et gavés de cinéma depuis leur petite enfance [...] seront devenus à leur tour des écrivains [102] ».

La douleur des mécompris

Cependant, elle ne suit pas de trop près les progrès de Nozière et Duvivier. À l'approche de l'été, elle a surtout hâte de se reposer du tapage qui n'a pas cessé depuis la parution de son roman, et de s'occuper de son bébé de sept mois, à qui elle dédicace le 26 juin un des « exemplaires d'hommage », à ne lire qu'ultérieurement : « Pour ma fille Denise quand elle sera grande. » Bien sûr, la vie commerciale de *David Golder* n'est pas achevée, et Grasset s'efforce de la prolonger en faisant paraître dans la presse des « Conseils du libraire pour vos vacances » où Némirovsky voisine avec Mauriac, Maurois et Chardonne. Outre-Atlantique, l'éditeur Horace Liveright prépare pour la rentrée l'édition américaine de *Golder*. Elle, pendant ce temps, révise la réédition du *Bal*, sous son vrai nom cette fois, pour laquelle elle se contente de rectifier de menues erreurs [103] et change le nom d'Alfred et Rosine Kemp en « Kampf », peut-être par égard pour le critique du *Temps*, peut-être pour signifier que l'assimilation des Juifs dans la société française est un incessant combat. À l'hôtel *Eskualduna* de Hendaye, où elle continuera de descendre jusqu'en 1932, elle passe ses journées sur la plage avec Michel, Paul, Choura et Cécile, dans une luxueuse simplicité. « C'était là qu'on apportait l'apéritif et le champagne, se souviendra l'excellente nourrice. Paul me disait : "Alors, un petit coup à boire, Néné ?" » Lorsque le temps est gros, la petite bande se rend à Biarritz ou Urrugne pour contempler la mer démontée. Irène se trouve encore à Hendaye lorsque, mi-août, Nozière a terminé de recopier son adaptation. Une photo de ses vacances paraîtra dans *L'Intransigeant* le 28 septembre ; on y voit Denise sur les genoux de sa mère. Sur une autre photo, moins familière, on reconnaît au côté d'Irène Némirovsky la comtesse Marie-Laure de Noailles, protectrice des surréalistes, en maillot de bain noir avec son loulou blanc. Irène, tout sourire, porte une longue jupe plissée et des sandales blanches.

Le Bal, abusivement présenté comme le nouveau roman d'Irène Némirovsky, sort au début du mois d'août. L'auteur a touché, à titre d'avance, la somme de 6 000 francs. Pierre Tisné, le secrétaire général des éditions Grasset, qui depuis *Golder* a lu ses précédentes œuvres, juge non sans motif que *Le Bal* est « la quintessence de *l'Ennemie* », car l'auteur a pris soin de substituer la farce à l'amertume et d'abandonner la vengeance pour la pitié, combien plus cruelle. Sans cet humour ravageur, les malheurs d'Antoinette, qui joue à torturer sa mère comme une poupée que l'on démembre et que l'on recoud, auraient l'air d'un sermon de la comtesse de Ségur. Mais ici, en fin de compte, c'est l'infantile Rosine qui se repent de sa vanité, tandis que sa fille savoure une revanche rentrée. Au passage, Irène Némirovsky illustre l'idée que la comédie bourgeoise, cet appétit effréné de bals et de toilettes, est le paravent de l'angoisse érotique, et que la déchéance mondaine, pour un couple de parvenus, est égale aux premières atteintes de la mort. D'où l'insistance à souligner la dégradation physique de Rosine Kampf, parallèle à l'éveil sensuel d'Antoinette, assoiffée de vie sociale. « C'était la seconde, l'éclair insaisissable où "sur le chemin de la vie" elles se croisaient, et l'une allait monter, et l'autre s'enfoncer dans l'ombre. Mais elles ne le savaient pas[104]. »

Très attendu, le livre est aussitôt accaparé par la critique, laquelle ignore le plus souvent qu'il s'agit d'une longue nouvelle écrite deux ans auparavant et s'avoue désappointée par ces cent trente pages en gros caractères, complaisamment étirées et comme excusées par la « Collection des œuvres brèves » où elles paraissent. Après le coup de poing de *Golder*, on ne s'attendait pas à ce petit conte féroce, jugé pessimiste et déprimant, et qui laisse sur une faim : « On nous promettait un plat de résistance, on nous donne un sucre d'orge[105]. » Eugène Langevin dans la *Revue française*, trouve que c'est gâcher bien du talent pour un si mince résultat, qui plus est immoral, car comment accorder la moindre circonstance atténuante à Antoinette, « adolescente perverse, contemptrice passionnée de tout ce qui n'est pas le plus charnel plaisir[106] »? Au banc des accusés, Bernard Grasset, encore lui, suspecté de « forcer la production pour profiter d'un succès », mais aussi Irène Némirovsky, qui n'a pas rechigné à « gratter ses fonds de tiroirs [107] ». Elle a pourtant pris soin de devancer ce reproche dans un prière d'insérer ainsi rédigé :

> *J'ai écrit* le Bal *entre deux chapitres de* David Golder, *ou plus exactement, comme je venais de refaire pour la troisième fois le récit de la première crise d'angine de poitrine de David Golder en wagon-lit. Cela ne marchait pas du tout, et je ne pouvais plus voir mon roman. Un jour, sur le pont Alexandre-III, j'avais remarqué une fillette, accoudée au parapet, qui regardait couler l'eau, tandis que la personne qui l'accompagnait et qui semblait une gouvernante anglaise attendait avec une fièvre visible quelqu'un qui ne venait pas. La petite fille avait un air malheureux et dur qui me frappa. J'imaginais, en la regardant, toutes sortes d'histoires.* Le Bal *en est une.*

Seuls des lecteurs aussi peu impressionnables que Reboux, qui ne mesurent pas le talent au nombre de pages, comparent ce « joyau », « poignant poème inspiré par la douleur des mécompris », à *Paul et Virginie*, *Manon Lescaut*, *Un cœur simple* de Flaubert, *Yvette* de Maupassant, *Aphrodite* de Pierre Louÿs et même *Adolphe* de Benjamin Constant ! Et Reboux d'annoncer, au comble de l'exaltation, l'avènement d'une nouvelle Colette au firmament des lettres françaises : « Aucun style ne me semble avoir, parmi ceux des écrivains contemporains [...], cet accent, cette race, cette classe [108]. »

Pour nombre d'autres, *Le Bal* n'est une fois de plus qu'une histoire de Juifs, encore plus cynique et mordante que *David Golder*. Ses personnages « vous dégoûtent par leurs mœurs, leurs attitudes, leur conception de la vie [109] ». « Encore une famille de Juifs venus d'Orient, enrichis par la Bourse, affamés d'importance mondaine et sociale, se lamente le chroniqueur des *Fiches du mois*. J'aime pourtant à croire que l'auteur ne s'est pas vouée exclusivement à décrire les enfants d'Israël et qu'elle nous offrira d'autres personnages : un tel tempérament ne se satisfait pas sans fin de la même trouvaille [110]... » Six mois après le procès de *Golder*, la presse est d'autant plus encline à souligner le caractère acide du *Bal* que ce divertissement ressemble à s'y méprendre à une satire de la petite bourgeoisie juive avide de reconnaissance. Mais si sarcasme il y a, c'est encore par emprunt : l'une des réminiscences avouées du *Bal*, *Les Demi-Vierges* de Marcel Prévost, était cousu d'antisémitisme mondain.

Le Bal n'est pourtant qu'une nouvelle transposition du conflit d'adolescente d'Irène Némirovsky. Antoinette est perverse parce qu'elle est la fille de Rosine. Mais, parce que le livre est plus court, les avis sont plus tranchés. Le *Mercure de France* y voit presque une diatribe antisémite, reconnaissant dans le personnage d'Antoinette « l'avidité de jouissance », mais aussi « l'ardeur, l'orgueil et l'idée de persécution propres à sa race [111] ». Irène Némirovsky se retrouve ainsi prise au piège du débat passionné déclenché par l'« affaire *Golder* ». Elle n'en sortira plus. Cet accueil chaud et froid est à rapprocher de celui, combien plus consensuel, réservé à *Lévy et Cie*, le « film juif sensationnel, parlant et chantant » d'André Hugon, aujourd'hui oublié, sorti sur les écrans le 24 octobre. Du nationaliste *Gringoire* à la revue sioniste *Menorah*, tous s'accordent à louer dans ce fantastique navet une caricature bienveillante et humoristique des israélites français, qui n'en inocule pas moins ses mielleux clichés. Il ne faut pas en demander tant à Irène Némirovsky, qui a trop de comptes à régler avec son passé et préfère le vinaigre à la pommade. Aussi Nina Gourfinkel, nullement surprise, ne retrouve-t-elle dans *Le Bal* « aucun trait de bienveillance, nulle pitié, pas une once de sentiment rafraîchissant » : on ne changera pas l'auteur de *David Golder*, ni son « talent froidement cruel » : « Irène Némirovsky est un bistouri [112]. »

L'affaire Cinéma-Théâtre

Au même moment, Duvivier commence à tourner. En septembre, le premier tour de manivelle a été ajourné, faute d'avoir trouvé l'interprète idéale de Joyce. Une annonce paraîtra même dans la presse en vue d'une audition : parmi cent « jeunes filles

1930 » qui se présenteront au studio, la fille adultérine de Golder sera finalement incarnée par Jackie Monnier, vingt-quatre ans, plus âgée que le rôle. Harry Baur, qui fait d'une pierre deux coups en s'échauffant devant les caméras en vue de la première théâtrale, donne la réplique à Paule Andral, parfaite en mégère mal apprivoisée. Elle aussi jouera en décembre dans la pièce de Nozière ! Après quelques plans réalisés à Biarritz fin septembre, le vrai tournage débute avec les comédiens aux studios d'Épinay en octobre, et s'achève le 9 novembre sans accident de parcours.

Les décors de ce « grand film parlé », l'un des premiers réalisés en France, sont l'œuvre de Lazare Meerson, assisté pour la circonstance d'un tout jeune étudiant hongrois nommé Alexandre Trauner, qui ne s'est encore fait la main que sur les *Toits de Paris* de René Clair. La partition est commandée à Walter Goehr, un élève de Schönberg qui vient de signer le tout premier opéra radiophonique, *Malpopita*. Fidèle à la promesse qu'il a faite à la romancière d'achever le film « sur l'écran comme sur le papier », Duvivier à confié le rôle du jeune émigrant à Charles Goldblatt, un comédien de vingt-cinq ans lié au poète Max Jacob, et que l'on ne connaît pas encore sous le nom de Charles Dorat. On le voit, *David Golder* n'a rien d'une production d'arrière-garde.

Le montage est réalisé en quinze jours de novembre. Dès la fin du mois, Irène Némirovsky, qui n'a pas eu son mot à dire sur la distribution et la mise en scène – même si l'on murmure qu'elle a prêté main forte à la confection des dialogues –, est invitée à visionner quelques scènes. Le jeu de Harry Baur, en particulier, lui paraît très convaincant. Le comédien a composé un Golder usé jusqu'à l'âme mais investi d'une force brutale, pareil au titan fatigué du roman. L'un des aspects les plus curieux du film est son expressionnisme qui balaie en quelques plans toute référence au réalisme balzacien. La mise en scène et les décors sont économes, les dialogues lapidaires, les éclairages crus. Les rares scènes tournées en muet ont finalement été écartées. Pour mieux édifier le spectateur, on a fait aux comédiens de la scène moscovite des têtes de Lénine et Trotsky. Seule la prestation de Jackie Monnier, horripilante, laisse à désirer. Mais il règne dans ce *Golder* un climat de terreur sentimentale qui n'est pas sans rappeler *L'Âge d'or*, le film surréaliste que Buñuel vient d'achever.

Enfin, et surtout, le film ne trahit pas la signification profonde du roman : la renaissance à son enfance juive de Golder agonisant. Les derniers plans s'achèvent dans la tempête, sur la mer Noire, aux accents d'un chant hébraïque d'une vibrante émotion. « Donc un beau film en perspective[113]. » Le 14 novembre, Irène Némirovsky peut exprimer sa double gratitude à Bernard Grasset :

> *Je suis heureuse de pouvoir vous annoncer que notre « David » va passer au Théâtre de la Porte St Martin, vers Noël, avec Harry Baur. Espérons que cela marchera bien. En tous les cas, je n'oublie pas, croyez-le bien, que c'est à vous, en grande partie, que je dois de le voir représenté au cinéma ainsi qu'au théâtre* [...].

Pleinement rassurée, elle peut, dans les derniers jours du mois, s'absenter quelques jours de Paris pour aller soigner son asthme en Suisse, avant la grande avant-première du film. De retour le 9 décembre, elle découvre, abasourdie, le nouveau procès d'intention tramé en son absence : on l'accuse cette fois d'avoir fait profiter Nozière du scénario de Duvivier ! Une lettre de celui-ci, lui exprimant ses réserves sur les emprunts relevés dans l'adaptation théâtrale, et dont copie a été communiquée à la Société des auteurs dramatiques, a été divulguée dans *La Cinématographie française* par Raymond Berner. La romancière, assure celui-ci, aurait trouvé le film « de beaucoup supérieur à la pièce », souhaitant « que cette dernière fût modifiée[114] ». Le journaliste assure qu'il tient cette confidence de Harry Baur, bien placé pour comparer. Duvivier, réputé caractériel, porte l'affaire devant les tribunaux, accusant le directeur de la Porte-Saint-Martin de lui avoir dérobé son script !

Cette escarmouche n'est qu'un spasme de la fausse agonie du théâtre, dans sa lutte à mort contre le déferlement du parlant, sous le regard friand des journaux spécialisés. Pagnol lui-même ne fait-il pas mine de jeter le théâtre aux orties en se tournant vers la réalisation ? La presse, qui compte les coups, attend beaucoup de l'empoignade autour de *David Golder*, dont on parle alors pour le Goncourt. La comparaison permettra peut-être de trancher cette querelle, aggravée du fait que, parti plus tôt, Nozière s'est laissé distancer par le studio. En décembre, *Les Nouvelles littéraires* annoncent même qu'un deuxième bras de fer se profile autour du *Bal*, dont Steve Passeur s'apprêterait à tirer un film et Lugné-Poë une pièce ! Rumeur bien révélatrice du « phénomène Némirovsky ». Écartelée entre le théâtre et le cinéma, celle-ci se défend avec humeur d'avoir privilégié quiconque et coupe court aux commérages en faisant paraître une lettre ouverte au directeur de *La Cinématographie française* :

> *Je regrette beaucoup que votre collaborateur n'ait pu avoir un entretien avec moi, comme c'était, je crois, son intention.*
>
> *En effet, le rôle qu'il me prête dans cette affaire Cinéma-Théâtre ne correspond aucunement à la réalité.* [...]
>
> *Votre collaborateur, avec beaucoup d'indulgence, veut bien qualifier de « légèreté » de ma part l'acte qui aurait consisté à aller faire profiter le théâtre des trouvailles du cinéma. Moi j'aurais nommé cela un acte malhonnête et que même l'état d' « enthousiasme » dont il veut bien parler n'aurait pu excuser.*
>
> *C'est pourquoi je me défends énergiquement contre cette accusation ; je n'ai jamais soufflé mot du scénario à MM. Lehmann et Nozière, pas plus que je n'aurais eu l'idée de parler de la pièce à MM. Vandal et Duvivier.*
>
> *Je me permets, d'ailleurs, de rappeler qu'à l'origine du théâtre et du cinéma il y a quand même mon roman, et qu'il était par conséquent plus simple d'aller chercher dans le livre et non dans le film les « idées » nécessaires*[115].

La controverse n'en rebondit pas moins. Le 17 décembre, le film est projeté au Théâtre Pigalle pour un public choisi. Duvivier a convié quelques critiques dramatiques auxquels il a remis une note reprochant une nouvelle fois à Nozière et Lehmann d'avoir « utilisé une grande partie de la distribution que nous avons choisie ». Les inculpés répliquent le lendemain dans *Comœdia* en rappelant que la pièce est écrite depuis quatre mois. Beaux joueurs, ils n'en souhaitent pas moins bon succès au film de Duvivier, certains qu'un échec commercial les desservirait : « Nous devons marcher tous, en plein accord, et respecter la personnalité de Mme Irène Némirovsky à qui ils doivent leur film, à qui nous devons notre pièce[116]. » Pas un instant, Nozière et Lehmann n'imaginent que leur pièce puisse être retirée de l'affiche avant même la sortie du film...

Le four le plus retentissant de l'année

Les répétitions commencent à la Porte-Saint-Martin le 20 décembre. Le vendredi 26, matin de la première, Nozière bat le rappel dans *L'Écho de Paris*, promettant un spectacle moderne et bigarré : « J'aime voir sur le théâtre des personnages forts et pittoresques. Je redoute, sur la scène, la couleur grise. [...] Nous souhaitons que la clientèle du cinéma, comme les lecteurs de Mme Némirovsky, aiment tellement David Golder et les siens qu'ils éprouvent le désir de les voir vivre sur les planches. » Quelques heures plus tard, Irène assiste, ravie, au lever de rideau – le même soir que la première du *Jour* de Bernstein au théâtre du Gymnase. Elle a prié Cécile Michaud de l'accompagner et toutes deux s'amusent beaucoup de ce sombre drame en trois actes et sept tableaux, dont elles connaissent les ficelles mieux que quiconque.

Si les critiques sont unanimes à saluer la prestation de Harry Baur, dont le caractère colérique s'incarne à merveille dans l'irascible David, en revanche la plupart ne retrouvent pas « la musculature, la puissance quasi balzacienne du roman [117] ». Malgré le savoir-faire, la pièce manque de rythme et s'étire, l'âpre grandeur du roman est rabougrie, mais surtout, le dégraissage opéré par Nozière met en lumière ses traits les plus caricaturaux. Lefèvre la jugera simplement « médiocre [118] ». Sur scène, déplore Franc-Nohain, « il ne reste que l'ignominie de cette famille juive, unie par un seul lien, l'argent [...]. Tout y est, les origines, la race, la soif de jouissance, l'âpreté au gain, la beauté épanouie, le cynisme et l'égoïsme insolent, triomphants ». Dans *L'Écho de Paris*, le dessinateur Sennep croque Golder manœuvrant un robinet d'or greffé au flanc, et Gloria, le dos tourné, recueillant dédaigneusement la manne. En plein scandale Oustric, le public est en outre saturé de « ces histoires de valeurs industrielles, d'affaires de pétroles et de terrains, et de coups de Bourse [119] ». Sentiment partagé par *L'Humanité*, qui goûte modérément la scène mettant aux prises les « délégués du prolétariat au pouvoir » et le banquier Golder, symbole du « néant de la société capitaliste », responsable « des ruines qui s'accumulent, des guerres qui éclatent, du chômage, de la misère [120] ».

Desservie par la presse et le bouche-à-oreille, la pièce de Nozière ne fait pas long feu : vingt représentations tout au plus. Ce fut, dira Philippe Soupault, « le four le plus retentissant de l'année [121] ». Pas pour Nozière, qui voit sa pièce adaptée en Allemagne et en Europe centrale, se payant même le luxe d'un petit différend avec Grasset pour avoir négocié avec l'Italie sans l'en avertir ! Il est vrai qu'il n'a plus que trois mois à vivre.

Au cours du mois de janvier, le film est projeté en avant-première dans diverses salles parisiennes, notamment au Gaumont Palais-Rochechouart, le 28 ; les décors de la pièce sont alors rangés depuis longtemps. C'est également au cours de ce mois, le 14, que meurt le grand-père d'Irène, dans le XVIe arrondissement. Il est inhumé au carré juif du Père-Lachaise, dans la concession perpétuelle que Léon a achetée pour ses beaux-parents. Deux ans auparavant, Iona avait été renversé par une voiture. « Oh, mon Dieu, écrira Irène Némirovsky en 1934, comment oublier les deux ans de martyre, et revenir au moment où il était jeune, bien portant, avec ses belles dents, ses mouvements vifs, la flamme de ses yeux, rayonnant d'intelligence [...]. » De lui, elle ne conserve qu'une montre en or, et le souvenir des poèmes français qu'il récitait de mémoire.

Une sauvage

La première officielle du « grand film parlé français » a lieu le 6 mars 1931, à 15 heures, à l'Élysée Gaumont, sur les Champs-Élysées. L'événement est double, puisque c'est aussi la première fois que cette salle, « la plus élégante » de la capitale, ouvre ses portes au public. À l'entrée, les journalistes et les invités se voient remettre par des grooms un exemplaire tout frais du *Figaro* ou de *L'Écho de Paris*, qui reproduisent les louanges de quelques artistes renommés que Duvivier a eu le génie d'inviter aux avant-premières. Le directeur des *Annales* Pierre Brisson, entre deux bouffées de Lucky Strike, ne craint pas de lui faire une réclame tapageuse : « C'est, à mon sens, le meilleur film parlant français qu'on ait réalisé depuis *Sous les toits de Paris*. » Gaston Chérau, de l'Académie Goncourt, voit dans la fin du film « un des chapitres les plus grandioses qu'on ait jamais conçus [...], une borne sur la longue route que l'art de l'écran a entreprise ». Fernand Gregh, ex-condisciple de Proust au lycée Condorcet, est un ami à qui Irène Némirovsky dédicacera chacun de ses livres; lui aussi, plus que d'autres, est ému par la mort de David et par « les noirs et blancs, les chœurs israélites, la pureté du parlé ». Les compositeurs Arthur Honegger et Maurice Ravel relèvent la « sobriété puissante » et « la perfection de la technique ». Le poète Jules Supervielle est conquis par la scène soviétique. Le peintre Van Dongen applaudit une « très belle réalisation artistique ». Paul Morand, pourtant avare de compliments, paraît presque jaloux : « *David Golder*, excellent. Ce n'est pas une comédie photographiée au prix du moindre effort, c'est une création, et un des plus beaux films parlants. C'est aussi un grand voyage humain, du ghetto polonais au luxe de Biarritz, de la pauvreté à la richesse, de la vie à la mort. C'est au cinéma et non au théâtre qu'un romancier doit s'adresser s'il ne veut pas être trahi. » Colette, seule, émet une réserve : « Une petite outrance inutile de mise en scène : la chambre où Golder fait sa toilette en arrivant, et la cuvette en émail avec le pot à eau. Dans une villa comme celle de Golder, toutes les chambres de domestiques ont un lavabo avec de l'eau courante. » Mais ces lignes ont été écartées par Duvivier, qui n'a donné à reproduire que son éloge appuyé de l'acteur. Léon Werth, Charles Vildrac, Maurice Rostand ajoutent leur voix au concert[122].

Cette cascade de louanges exaspère l'*Action française* et son critique Lucien Rebatet : « Mettons que ce sont des aumônes de la littérature et de la musique à ses bâtards, et qu'elles ne compromettent pas beaucoup les indulgents donateurs[123]. » Il est vrai qu'en quelques mois, Irène Némirovsky est devenue la coqueluche du Tout-Paris. Elle n'en conserve pas moins la plus jolie simplicité pour féliciter Jacques-Émile Blanche de son dernier roman :

> *Figurez-vous que j'en avais lu une ou deux pages lorsque vous me l'avez donné, mais cet accent funèbre du premier chapitre m'était trop douloureux : mon grand-père venait de mourir. J'étais saturée d'images et de souvenirs de mort.* [...] *Je voulais vous dire tout cela, mais chez vous il y a toujours tellement de monde, et je suis restée sauvage comme vous avez pu le voir*[124].

« Sauvage » : c'est aussi l'avis de Tisné, chez Grasset, qu'agace l'intérêt suspicieux qu'Irène Némirovsky porte aux ventes de son livre. Début janvier, les cinquante-quatre mille exemplaires tirés n'étaient pas encore écoulés, mais le chiffre trompeur de cent quatorze mille tout juste imprimé sur les couvertures – « truc » publicitaire dont Grasset n'a pas l'exclusivité – a de quoi troubler l'auteur, qui ne manque pas de s'en plaindre. Tisné finit par sortir de ses gonds :

> *Ce qu'il ne faut plus maintenant c'est chercher, comme vous dites, à me « taquiner », en laissant entendre que nous ne vous déclarons pas, ou que nous vous déclarons en retard, le chiffre des tirages de votre livre.*
>
> *Quand j'ai parlé l'autre jour ici de vos allusions à ce sujet, je vous assure que j'ai entendu un beau tapage, et le moins que l'on m'ait dit est que les gens de lettres que vous fréquentez doivent avoir eux-mêmes une bien curieuse mentalité si c'est d'eux que vous tenez cette défiance injustifiée*[125].

Au cours du printemps 1931, annonce Tisné, *David Golder* dépasse le cap du cent vingt-cinquième retirage. Irène Némirovsky veille aux chiffres. Le 1er juin, apprenant que Ferenczi, avec onze mois d'avance sur le contrat, a mis en vente sa propre édition du roman, illustrée de bois gravés en couleur, à 3,50 francs au lieu de 15, elle sera la première à signaler l'infraction à qui de droit !

Penser en images

Entre-temps, le film de Duvivier a connu des fortunes diverses. Dès le 18 mars, il a été présenté au Capitol de Berlin, au bénéfice de l'œuvre de Rapprochement intellectuel franco-allemand. En France, le jeu réaliste et sans apprêt de Harry Baur, loué par tous, est souvent rapproché de l'art d'Emil Jannings, l'acteur fétiche de Murnau et Sternberg. Marcel Carné, dans *Cinémagazine*, a vu « une œuvre puissante, âpre, dure [...], éminemment intéressante, réussie ». La professionnelle *Revue du cinéma* regrette le piétisme des scènes champêtres, tournées au Pays basque. Jackie Monnier, trop théâtrale, est méchamment renvoyée à ses études. Une scène fait pourtant l'unanimité : celle où Golder négocie des champs pétrolifères avec les Soviétiques. Mais les interprétations divergent. Pour les *Poslednija Novosti* (« Dernières Nouvelles »), quotidien des Russes blancs en exil, c'est une satire drolatique des mœurs bolcheviques[126]. Pour *La Revue du cinéma*, c'est au contraire « un véritable réquisitoire contre le capitalisme », qui justifierait que la France donne enfin son visa à *La Ligne générale* d'Eisenstein. Telle n'est pas le sentiment de *L'Humanité*, qui n'a vu là qu'un tableau « d'une rare fantaisie », plein de stéréotypes bourgeois sur la stratégie économique de l'URSS ; quant à Golder, « cet homme peut crever comme un chien, son agonie ne doit pas nous arracher une larme. Nous ne sommes pas dupes de cette mort en apothéose théâtrale renforcée de chants juifs. [...] La fin de David Golder, pour nous, c'est douze balles dans la peau – et le silence[127] ».

Pourtant, si *David Golder* est un film juif – ce que chacun s'accorde à penser –, il surclasse la nouvelle production de Hugon, *Galeries Lévy & Cie*, sortie sur les écrans en janvier 1931, et dont l'affiche figure deux caricatures pour le moins équivoques[128]. Alors que les affiches de *David Golder* tantôt montrent Harry

Baur, le cou noué d'une écharpe, imploré par Joyce, tantôt le représentent sur son lit de mort, veillé par un jeune émigrant à chapka et papillotes. C'est l'une des réussites de Duvivier d'avoir su éviter la caricature, au contraire de la plupart de ses confrères qui tous, au cours de l'année 1931, tombent plus ou moins consciemment dans ce travers : Edmond Gréville dans ses brèves *Histoires juives*, Abel Gance dans *La Fin du monde*, qui met en scène un financier juif et belliciste nommé Schomberg, et Jean Kemm dans *Le Juif polonais* avec Harry Baur, « chef-d'œuvre d'imbécillité » selon Antonin Artaud [129]. Aussi Lucien Rebatet n'est-il pas tant indisposé par le caractère juif du film, somme toute banal, que par le traitement trop indulgent que Duvivier a réservé au roman : « Nous savons du reste que toute une littérature de seconde zone utilise ces temps-ci les Juifs, comme elle utilisa autrefois les parricides et les mâchicoulis. Quel que soit le roman de Mme Nemirovsky, le film n'en a tiré qu'un mélo [130]. » Bien entendu, cette restriction n'empêche pas les antisémites de voir midi à leur porte ; pour *La Petite Illustration*, le film de Duvivier n'est qu'un chapitre en images du « péril juif » qui menace la France, et David Golder un « parmi le troupeau sordide et malodorant de ses coreligionnaires attirés par l'appât du lucre et la conquête de l'Occident [131] ».

La romancière, elle, s'avoue tout simplement « bouleversée » d'avoir vu soudain se lever en chair et en os le personnage qu'elle a remué quatre ans dans son imagination. Quant au parlant, elle n'y voit que des avantages : « Le cinéma muet ne nous faisait accomplir que des voyages chez les fantômes... Merci bien ! Le cinéma parlant est un enrichissement prodigieux... [...] Le cinéma est l'art qui se rapproche le plus de la vie, qui a le plus de parenté avec la vérité [132]... » Elle l'aime tellement, et reconnaît si volontiers l'influence qu'il exerce sur son art – découpage des scènes, art du cadrage, vivacité des dialogues, prime à la suggestivité, répugnance au commentaire –, qu'elle songe même à écrire de vrais scénarios et à délaisser provisoirement le roman car, confie-t-elle le 1er mai au quotidien russe *Poslednija Novosti*, « j'aime par-dessus tout le cinéma où l'on parle, danse et chante. [...] Actuellement je n'écris pas de nouveau roman et ne prépare rien pour le théâtre. Mais je réfléchis à des sujets pour de nouveaux films, car, comme toujours, je pense en images[133]... » D'ailleurs, Bernard Grasset ne croit plus au roman. « Il faut reconnaître que le public s'est lassé du roman, dit-il. Je suis, pour ma part, décidé à décourager de la façon même la plus brutale tous les faux talents de romancier. J'entends ainsi, évidemment, les 9/10 de ceux qui écrivent des romans[134]. »

En juillet 1931 paraît dans *Les Œuvres libres* le premier résultat de cette nouvelle orientation, une longue nouvelle intitulée « Film parlé », qui prétend emprunter au parlant ses méthodes les plus criantes : style télégraphique imité du script, fondus-enchaînés, flash-back et ellipses temporelles, jazz et américanismes à la mode : « Hé, Luc, tu prends un glass[135] ? » Au détour d'une phrase, on retrouve les personnages Louloute et Nonoche, celle-ci pleurant « comme une Madeleine[136] ». Quant à Anne, la fille rancunière de la vieille entraîneuse Éliane, ses griefs rappellent furieusement ceux de Gabri dans *L'Ennemie* : « Mais laissez-moi, pourquoi est-ce que vous me tourmentez ? Qu'est-ce que j'ai fait de mal ? Vous m'avez abandonnée toute ma vie... Quand on a un enfant, on le garde, on l'élève[137]... » Daté « Nice, 1931 », « Film parlé » pourrait-il avoir été esquissé avant 1930 ?

Déclins

L'auteur de *David Golder* n'accorde pas seulement des interviews à la presse russe : elle la lit. Ainsi le 1er juin 1931, toujours aussi soucieuse de ses droits, croit-elle devoir signaler à Grasset qu'une adaptation clandestine de son roman serait en préparation dans un théâtre de Kichinev, en Moldavie ! Et, quoique le gros de la production littéraire soviétique lui paraisse élever « des monuments de prétentieuse ineptie », elle ne s'efforce pas moins de connaître les jeunes auteurs russes, le plus remarquable à son goût étant le satiriste Valentin Kataev, dont Gallimard a publié un roman gogolien, *Rastratchiki* (« Les mangeurs de grenouilles »). En 1933, c'est encore un satiriste, Zochtchenko, qu'elle placera « au-dessus de Tchekhov », regrettant que ne soient pas encore traduits en français ses contes, « des merveilles de fine satire [138] ». Car acclamée par la France, Irène Némirovsky n'en reste pas moins imprégnée de culture russe. « Dans l'avenir toute une part immense de la littérature contemporaine paraîtra comme marquée du signe russe », a prophétisé Brasillach dans l'*Action française* le 26 février, distinguant, parmi les motifs slaves perceptibles dans la jeune littérature française, « le goût de la confession, de vieux souvenirs évangéliques déformés, parfois une sorte de sadisme inconscient, la conviction solide que tout effort est inutile et que la personne humaine n'existe peut-être même pas [139] ». C'est assez bien caractériser *Les Mouches d'automne* et *L'Affaire Courilof*, les deux livres qu'Irène Némirovsky fera paraître en 1931 et 1933.

Les Mouches d'automne, version parachevée de « La Niania », paraît en mai 1931 chez Simon Kra, ancien fondé de pouvoir à la banque Rothschild, qui a fondé sa maison d'édition en 1919 après seize années de librairie. Éditeur des surréalistes, Kra est un découvreur de talents au catalogue prestigieux et résolument moderne : Max Jacob, Alfred Jarry, Pierre Mac Orlan, Emmanuel Bove... Il a également publié quelques auteurs russes contemporains, tels que Gorki, Kouprine ou Chklovski. Inexplicablement, c'est en anglais que Léon Pierre-Quint, principal éditeur de la maison, a lu la version primitive des *Mouches*, en juin 1930. Il n'a qu'une seule exigence : que ce texte étouffant de nostalgie « ne soit pas inférieur à 61 500 signes *au minimum* [140] », de sorte qu'il puisse figurer en sixième place de la collection « Femmes », aux côtés de Paul Morand *(L'Innocente à Paris ou la Jeune Fille de Perth)*, Jean Giraudoux *(La Grande Bourgeoise ou Toute femme a la vocation)*, Joseph Kessel *(La Femme de maison ou Mariette au désert)*, Henri de Régnier *(Lui ou les Femmes et l'amour)* et Colette *(Sido ou les Points cardinaux)*. Cette collection de luxe par souscription, lancée fin 1927, entendait illustrer « les différents types de la femme d'aujourd'hui » par les « écrivains modernes les plus aimés du public [141] ». Offre flatteuse qui ne se refuse pas, surtout pour six mille francs, d'autant que Kra ne conservera l'exclusivité de ce livre que jusqu'à la fin de l'année.

Le récit d'Irène Némirovsky paraît sous un titre énigmatique, *Les Mouches d'automne ou la Femme d'autrefois*. La métaphore désigne ces Russes de Neuilly et Passy, éperdus de regret, qui dépérissent dans de petits meublés comme, en automne, ces grosses mouches prises au piège des maisons, qui bourdonnent longtemps avant de choir, à bout de forces. « S'il n'y avait pas ces souvenirs au fond du cœur, l'existence serait supportable[142]... » Trompée par le brouillard qu'elle prend pour la première neige, Tatiana Ivanovna, la vieille et tendre *niania*, sort marcher dans la rue, ainsi qu'Irène Némirovsky le faisait elle-même chaque fois qu'il neigeait ; mais c'est sous l'averse qu'elle s'enfonce dans l'eau glacée de la Seine, pluie froide qui, dans les récits d'Irène Némirovsky, annonce toujours une débâcle, une déchéance, un déclassement, une humiliation, un ostracisme, un exil, une faillite, une mort. Et, comme Golder et Francine Bragance avant elle, c'est encore devant un miroir qu'Hélène Vassilievna, la maîtresse de maison, observe sur son visage le ravage intime de l'exil, un de ces miroirs qui jouent dans l'œuvre de Némirovsky le rôle des anciennes vanités. « Déclins » : c'est d'ailleurs le titre qu'elle voulait donner à ce livre, avant qu'il ne s'inscrive dans la collection « Femmes ».

La parution des *Mouches* chez Kra est assez peu commentée, puisque le livre est réservé aux souscripteurs. Frédéric Lefèvre signale tout de même la « maturation savoureuse » et la « rigueur souveraine[143] » dont témoigne ce récit magnifiquement tenu. Cependant l'allégorie de la Russie éternelle est trop émouvante au goût de l'imperméable lecteur de la *NRF*, qui l'exécute en deux lignes : « Sentimental. Ce qu'il y a de plus faible en Tolstoï amené à la date de 1930 ; à la rigueur, suffirait à expliquer, et à justifier, la révolution russe[144]. » Aussi, lorsque ces *Mouches* reparaîtront chez Grasset en décembre, Irène Némirovsky les fera-t-elle précéder de quelques mots pour excuser son pathétisme :

> *En relisant* les Mouches d'automne, *au moment de les publier, j'éprouve une sorte de gêne, la pudeur que l'on ressentirait à parler d'un événement personnel, et par-dessus le marché excessif et mélodramatique. Ce petit récit est fait, en partie, de souvenirs, en partie de sensations purement subjectives ; souvenirs de révolution, des premières années d'exil ; nostalgie à l'époque des premières neiges, etc.*

La critique reçoit alors ce petit livre pour ce qu'il paraît être, un « récit russe » qui « nous en dit plus sur le désarroi des émigrés et sur l'âme russe que de longs romans et de gros volumes [145] », mais encore trop anecdotique, trop personnel pour confirmer ou décevoir les attentes levées par *Golder.* Tous, aveuglés par tant de patronymes tolstoïens, négligent la maturité du style, la puissance de l'imagination, la maîtrise du récit, sa signification morbide, tous sauf André Thérive qui respire dans ces pages, aussi remarquables par leur concision que par leur étendue, « l'odeur amère [...] de mort et de solitude [146] ». Force des raccourcis : l'auteur juive de *Golder* et du *Bal* est devenue l'auteur russe des *Mouches d'automne.* Combien voient qu'Irène Némirovsky n'est pas un écrivain russe s'exprimant en français, mais un écrivain français qui s'est emparé d'un thème russe ? Une nouvelle fois, Robert Brasillach regrette de devoir donner en modèle aux romancières françaises une jeune femme « d'origine à la fois russe et israélite » qui, mieux qu'elles, a su saisir « les secrets de notre race ». Il ne s'agit pas seulement là, selon le sémillant hussard d'*Action française*, d'un nouveau miracle de l'assimilation juive : *Les Mouches d'automne*, comme *Un cœur simple* de Flaubert, est « un petit livre d'une grande sobriété », moins rugueux que ne l'était *Golder.* « Il y a dans ce conte une vertu d'émotion, et en même temps une discrétion qui sont aujourd'hui chose rare. Mme Nemirovski a fait passer l'immense mélancolie russe sous une forme française, et lui a presque ôté sa force dissolvante. Il ne reste plus que ce témoin d'un temps troublé, cette servante en qui s'incarnent d'incontestables vertus de fidélité et de foi et qui meurt, victime de déracinement. [...] On lira et on gardera ce livre dont la poésie est si émouvante et si vraie [147]. »

Une viennoiserie

Irène Némirovsky, pour la dernière fois en 1931, a passé l'été à l'hôtel *Eskualduna* de Hendaye. À ses yeux, la nouveauté de l'automne n'est pas la parution des *Mouches*, récit qu'elle porte en elle depuis près de dix ans, mais l'adaptation du *Bal* à laquelle le cinéaste autrichien Wilhelm Thiele travaille depuis le début de l'année. Échaudée par le conflit Duvivier-Nozière, elle a pris soin, dès le 20 avril, de préciser par lettre à Grasset qu'elle n'est pas l'auteur du scénario, lequel « n'est que *inspiré* de ma nouvelle », réclamant au passage huit mille francs de droits au lieu des trois mille initialement prévus.

Thiele, qui s'est fait une spécialité de tourner sur un même plateau et dans les mêmes costumes les versions française et allemande du même film – ainsi, en 1929, *Adieu Mascotte* et son jumeau *Das Modell vom Montparnasse* –, a planté ses caméras dans les studios d'Épinay en mars 1931. Le décor représente un salon modern-style, avec un canapé où s'assoient tour à tour sous les projecteurs les actrices Germaine Dermoz et Lucie Mannheim, les deux interprètes de Mme Kampf. Confiné dans un appartement parisien qu'Antoinette regarde d'ailleurs « comme une scène de théâtre [148] », *Le Bal* appelait la mise en scène davantage que *Golder*. Réduit à trois ou quatre personnages, ce drame en chambre est si bien dialogué qu'il ne nécessite presque aucun remodelage. Le scénario est pourtant confié à Curt Siodmak, et les dialogues à Henri Falk.

Le film est projeté pour la première fois le 11 septembre au Gaumont-Palace. De l'avis général, cette version française est bien supérieure à l'allemande, l'humour d'André Lefaur (Alfred Kampf), l'air bonasse derrière son épaisse moustache, restant hors de portée de Reinhold Schünzel. La cruauté et l'amertume de la nouvelle, son érotisme trouble, sont presque entièrement noyés sous la comédie de mœurs, genre qui a fait la réputation de Thiele. « Il est sur ce point très viennois, se plaint *L'Ami du film*. Il se plaît aux petites notations gentilles, aux "douceurs". Il peint "optimiste" [149]. » Au contraire de la nouvelle, le film s'achève d'ailleurs sur un *happy end* : père, mère et fille, éprouvés par le psychodrame qu'ils viennent de traverser, se consolent en pleurnichant autour du buffet que leurs invités ne toucheront pas.

Mais le film, un succès public, est illuminé par la prestation remarquée d'une jeune comédienne de treize ans dont c'est le premier rôle. Recommandée par une élève de sa mère, professeur de chant, Danielle Darrieux a été préférée aux autres fillettes auditionnées, toutes trop âgées. (L'une d'elles, Odette Joyeux, presque dix-sept ans à l'époque, entamera la même année une longue et brillante carrière.) En tailleur bleu ciel et renard argenté, l'adolescente s'est présentée bille en tête aux bureaux de production, au grand dam de sa mère. « J'ai fait mon essai sans bien comprendre de quoi il s'agissait, racontera-t-elle, puis je suis rentrée chez moi [150]. » Quinze jours plus tard, après un deuxième bout d'essai où elle doit donner la réplique à un assistant en l'appelant « maman », elle apprend que les producteurs Dulac et Vandal l'ont inscrite au générique sous le pseudonyme de Lydie Danielle. Elle n'a qu'un cri : « Je vais faire du cinéma, je n'ai plus besoin d'aller à l'école [151] ! » La jeune fille jouera la comédie pendant trois semaines sans s'apercevoir qu'il y avait des micros... Comme elle a la mine fraîche et un joli timbre, on lui a écrit en sus deux chansons, « Les Beaux Dimanches » et la « Chanson de la poupée », qui feront du *Bal* un film musical comme les aime Irène Némirovsky. Car, confie celle-ci, « j'aime tant la vie, le mouvement, la danse, les voyages que plus le cinéma est turbulent et plus je l'aime. J'attends déjà que les images nous apparaissent en relief et parées des vraies couleurs qu'elles ont dans la réalité... »

Jamais elle n'a paru si jeune, si gaie qu'au cours de cette année 1931 où, les remous suscités par *David Golder* enfin apaisés, elle peut goûter une vraie tranquillité d'esprit. Sa petite fille a presque deux ans, c'est une poupée blonde et dorée que Cécile promène dans sa poussette sur le boulevard des Invalides. « Denise est belle tous les jours, s'émerveille sa maman. En réalité et sur le papier... » La journaliste de *Pour vous*, venue l'interroger pour promouvoir le film, ne s'attendait pas à trouver une lycéenne espiègle et coquette, taquinant les photographes en termes familiers :

— Holà !... Non... Je vous dis qu'aujourd'hui je ne suis pas une miette photogénique... Je le sens... Je le sens... Ce n'est pas comme ma fille [152] !

Irène Némirovsky a du succès. Elle a du talent, elle a du bagout. Elle a la reconnaissance, l'estime et l'affection de ses pairs, de tous les bienfaits celui dont elle a le plus soif, comme l'Antoinette de son *Bal*. La fillette qui s'est longtemps cabrée derrière ses nœuds et ses chapeaux a tout envoyé promener. Dans le film de Thiele, Rosine Kampf a troqué son prénom pour celui de Jeanne, l'un de ceux dont aime à se déguiser Anna Némirovsky. C'est la première fois qu'Irène ose braver sa mère aussi ouvertement, et sur grand écran. L'intention est on ne peut plus limpide, surtout si l'on ajoute que, dans le film, une certaine tante Clotilde détient des actions Victoria, du nom de la jeune sœur de Fanny... Cette attention sadique ne serait pas pour surprendre car si, dans ses livres, Irène est toujours prête à se montrer compréhensive pour les différentes incarnations de Fanny, en réalité elle ne la ménage pas. « Comme c'est drôle..., songera-t-elle en juin 1934. En littérature je ne puis m'empêcher de trouver des circonstances atténuantes, même si je peins des gens haïssables, tandis que dans la vie... »

Mais Irène Némirovsky a aussi de la chance, une chance insolente, et elle le sait. « Y croyez-vous ? », lui demandait le mensuel *Bravo* en février. Réponse pleine de fausse modestie : « Un vieux dicton ukrainien dit : "Il suffit à un homme d'un seul grain de chance dans sa vie ; mais, sans ce grain, il n'est rien." J'ai eu mon grain [153]. » Il lui faut maintenant y veiller jalousement.

7

Assez de souvenirs pour former un roman

(1932-1935)

> *« Et nos jours que le Temps presse de ses sandales*
> *Ont coulé comme un vin dont l'ivresse nous ment... »*
>
> Henri de Régnier, *Les Médailles d'argile*

Un an après la sortie fracassante de *David Golder*, Irène Némirovsky demeure une énigme. Pour Brasillach, « prompte à l'assimilation » en vertu de sa « race », l'auteur des *Mouches d'automne*, qu'on le veuille ou non, a réussi le prodige de faire « passer l'immense mélancolie russe sous une forme française [1] ». Pour *L'Intransigeant*, au contraire, rien de moins cartésien que ce petit livre pétri de nostalgie : « Avec Mme Irène Némirovsky, on a l'impression que les histoires slaves ne sont plus intelligibles pour les têtes françaises éprises de construction et de logique [2]. »

Dans l'ensemble, la minceur et la mélancolie du *Bal* et des *Mouches* ont dépité : on attendait plus, on espérait mieux de l'auteur de *Golder*, dont Grasset a vendu les droits jusqu'au Chili. Edmond Jaloux aurait souhaité « un récit moins uni, moins sagement composé, mais plus riche en coups de sonde, en révélations mystérieuses [3] ». Irène Némirovsky admet qu'un récit réussi ne doit pas se composer uniquement de *« facts »*, comme elle aime à dire, mais le reproche ne sera pas oublié, en 1934, au moment de composer l'acte parisien du *Vin de solitude* : « Ce qui est mauvais dans cette quatrième partie, c'est qu'il n'y a que des faits, et pas du tout ce que ce couillon de Jaloux l'académicien appelle des coups de sonde ! » Marcel Prévost, autre académicien, signale-t-il aux lecteurs de *Gringoire* « une des œuvres les plus émouvantes et les plus achevées de ce temps-ci », qui « méritera d'être conservée quand beaucoup de volumes à fracas auront disparu [4] » ? Elle s'avoue surtout impressionnée, après l'avoir rencontré, par son teint de cadavre, « et c'est bien la seule chose qui m'ait frappé en lui [...]. Comme s'il était resté une vie entière dans une chambre fermée ». Plus que jamais, tel un dieu lare, le « démon de l'orgueil » veille sur Irène Némirovsky. Robert Kemp, en 1947, ne voudra se rappeler que ce mélange de vulnérabilité et de fermeté : « C'était une femme menue, jolie, au teint mat, dont les yeux, extrêmement myopes, avaient une poignante douceur. On ne résistait pas à ce charme grave, à cette dignité pensive, à cette fragilité, "mais pleine de pouvoir" [5]. »

Comme c'est court, la vie...

À Noël, Irène Némirovsky a quitté Paris, laissant la critique disputer si *Les Mouches d'automne* a tenu les promesses de *Golder*. En janvier, elle séjourne à Megève avec Denise et sa nourrice. « Elle marchait dans la neige avec son beau manteau en ragondin, un bonnet sur la tête, se souvient Cécile. Pour moi, elle avait tâché de trouver des affaires chez la mère Némirovsky. » À son retour, Irène trouve Michel « malade d'une assez grave congestion pulmonaire [6] » et, fin février, l'emmène en convalescence à Saint-Jean-de-Luz. Au cours de ces quelques semaines de repos, elle tombe sur « un livre magnifique », *Le Nœud de vipères* de Mauriac, que vient de publier Grasset. « C'est la plus belle chose que j'aie pu lire depuis longtemps », écrit-elle le 30 mars à Tisné, son principal interlocuteur rue des Saints-Pères.

La longue confession de Louis, riche avocat d'extraction modeste, « monstre » à jamais blessé par la trahison de sa femme, son héritage guetté par ses enfants, son cœur gagné par la haine des siens, doivent éveiller de sombres échos dans le cœur d'Irène. Car Léon, son père, se sait mourant. Comme le héros de Mauriac, il s'est mis à cracher du sang : hémoptysie. Irène se rappellera le jour d'automne pluvieux où, dans une chambre d'hôtel de Nice ou de Biarritz, son cher papa, encore épais dans son costume neuf, a dévisagé la mort dans le miroir d'une armoire à glace : « Il tenait à la main deux brosses d'ébène et, alternativement, les passait sur ses cheveux, ses fins cheveux blancs, au reflet verdi. Tout à coup, il s'arrêta, s'approcha de la glace ; elle reflétait encore la clarté verte du parc et le visage pâle et jaune paraissait plus malade, usé jusqu'à la dernière limite de la vie. Longtemps, il se regarda en sifflotant doucement [...] :

— Eh bien, ma fille, je ne pensais pas que ce se serait si vite fini... Comme c'est court, la vie, je ne pensais pas que cela s'arrêterait si tôt... Oui, ma fille... c'est ainsi... oui, mon chou. »

Commentaire d'Irène Némirovsky : « Vraiment, il y a des moments où l'on est tenté de dire que là-haut, on exagère, on se moque trop cruellement de nous. Au fond l'acceptation de la vie *is a sense of humour.* » La dernière fois qu'elle a vu son père bien portant, c'était en 1930, dans une boîte de nuit, « un vestibule étroit où l'on respirait la tiède odeur des fourrures de femmes imprégnées de parfum ». Peut-être le dernier effluve agréable qui ait flatté ses poumons déchirés. C'est son mal qui a inspiré le quatrième chapitre de *David Golder*, cette interminable asphyxie qui a tant ému ses lecteurs : « Ces ténèbres épaisses pénétraient dans la gorge avec une molle et insistante pression, comme si on lui enfonçait de la terre dans la bouche... »

Depuis quelque temps, Léon dilapide au jeu des fortunes et néglige ses affaires. À tel point que, pour préserver son pactole, il l'a presque entièrement versé au nom de Fanny. À bientôt soixante ans, en rupture de tendresse et de coquetterie, celle-ci s'est « transformée en monstre [7] ». L'argent, désormais, est son cosmétique. Elle en fait des stocks pour tenir un siège contre les rides. Plus rien d'autre ne peut l'attendrir.

Des effets de l'âge sur le désir amoureux, de la frustration conjugale et du caractère héréditaire de l'hypocrisie : c'est le sujet de « La Comédie bourgeoise », qu'Irène Némirovsky écrit de retour à Paris et qui paraîtra en juin dans *Les Œuvres libres*. Tête d'affiche de cette nouvelle aux tons mauriaciens, Henri, quoique « élevé chrétiennement », n'en a pas moins une maîtresse et un enfant lorsqu'il prend épouse. Mais le jeune ingénieur est « un joli parti [8] ». Plans après plans, juxtaposés ou fondus-enchaînés, Irène Némirovsky déroule sur trois générations le scénario du mariage arrangé d'Henri et Madeleine, manipulée par ses enfants comme elle l'avait été par ses parents. Ce nouveau « film parlé », qui s'achève sur un plan fixe, débute par un profond travelling [9] sur une route du Nord. Glissant sur la campagne « plate et mélancolique », le lecteur est introduit dans une petite ville aux maisons « grises et basses », traverse la place du marché, contourne une usine avant de pénétrer dans le vestibule, la salle à manger et le salon « étouffant » d'une demeure « d'aspect bourgeois », pour s'immobiliser sur une jeune fille au piano : Madeleine. Le souvenir de Lumbres et de « Mad » Avot ont cristallisé cette image de la bourgeoisie provinciale, économe et prévoyante, gardienne des valeurs nationales, que dissoudra la pluie acide de *Suite française*. Première de ces valeurs : l'assise matérielle, ce leurre qui condamne Madeleine à une vie entière de dépit. L'argent fait rarement le bonheur dans l'œuvre d'Irène Némirovsky.

En mars 1932, la situation financière de Léon Némirovsky est aussi compromise que son pronostic vital. « Il venait de recevoir une lettre lui annonçant la banqueroute d'une société dont il possédait la majorité des actions », suggère *Le Vin de solitude*, qui cite au premier chef la « Brazilian Match Corportion [10] ». En réalité, Léon était actionnaire de l'Imco, l'International Match Corporation fondée par le magnat suédois Ivar Kreuger, fils d'un consul de Russie. Bâti sur le monopole mondial de la production d'allumettes, l'empire Kreuger s'est étendu, dans les années 1920, à l'ouverture de crédits colossaux aux démocraties ruinées, au prix de pratiques frauduleuses et bien souvent à fonds perdus, en échange de nouveaux monopoles. Or, trois ans après le krach de 1929, les puissants débiteurs de Kreuger sont insolvables. Le « démiurge terrestre », comme l'appelle Morand [11], vacille. En 1932, le « Napoléon des allumettes » attend le spectre de la banqueroute. Il sait qu'elle fera d'innombrables victimes, déstabilisera l'économie de plusieurs États et provoquera la ruine de dizaines de milliers de Suédois qui ont placé tout leur patrimoine en actions ou assurances-vie dans l'un de ses établissements (les téléphones Ericsson, notamment).

L'une des premières victimes du cyclone Kreuger est Léon Némirovsky, qui s'était enchaîné à ce colosse branlant. Dans un épisode écarté du *Vin de solitude*, Irène Némirovsky a restitué l'entrevue pathétique de son père avec Ivar Kreuger, dans l'appartement de cinq pièces que ce dernier possédait à Paris, au troisième étage du 5 avenue Victor-Emmanuel III – la rue même où avait longtemps habité le « clan » Epstein avant de déménager rue de Bourgogne. Il tombe une « pluie froide et lourde ». Kreuger, intraitable, a demandé à Némirovsky de lui rembourser les quatorze millions avancés pour financer ses fabriques, ou bien de lui rétrocéder celles-ci. (Car Kreuger « disposait dans la plupart des pays d'hommes de paille qui dirigeaient ses filiales [12] ».) Dans le taxi qui l'emmène au supplice, Léon, tremblant de fièvre, s'adresse à sa fille avec un sourire pénible :

— Quelle mine me trouves-tu ? Est-ce que je suis très pâle ? Surtout, il ne faut pas qu'il me croie touché à mort, comprends-tu ? Dans les affaires, il faut être fort, montrer jusqu'à la dernière minute que l'on est le plus fort...

Il pourrait mendier l'aide de Fanny, renoncer aux millions qu'Irène n'attend pas de lui, mais on n'arrête pas un homme dans sa chute.

— De ma vie, je n'ai rien demandé à ma femme... Je ne commencerai pas à mon âge...

Kreuger écoute Léon lui réclamer un répit d'un an. Son mouchoir est souillé de sang :

— Je suis souffrant. Vous me connaissez. Nous avons fait de grosses affaires ensemble.

Kreuger desserre les mâchoires :

— Oui, oui, je sais, mais il vient un temps où la chance nous abandonne, en même temps que la jeunesse. Réfléchissez. Peut-être ce temps est-il venu pour vous ? Écoutez. Je vous propose mille livres.

— Je ne demande pas l'aumône, répond Léon en blêmissant.

— Je vous offre ce que je crois convenable et nécessaire et suffisant pour vous.

— Vous m'enterrez bien vite, il me semble. On ne sait pas qui de nous mourra le premier.

Dans l'après-midi du vendredi 12 mars 1932, quelques mois après cet échange qu'Irène Némirovsky situe au mois de juin, Kreuger se supprime dans ce même appartement parisien. Un suicide aux conséquences incalculables : 6,645 milliards de pertes boursières pour la France selon Roger Mennevée, spécialiste des scandales financiers, qui ne mettra qu'un mois à publier ses conclusions dans un livre réquisitoire accusant le président Poincaré d'avoir fait entrer le loup dans la bergerie [13]. Tout au long de l'année, le krach de l'Imco et l'énormité des fraudes de Kreuger feront couler des flots d'encre. Apprenant sa mort suspecte, Irène Némirovsky raconte qu'elle se précipita au chevet de son père :

— Cela n'arrange pas tes affaires ?

— Il est mort avant moi, mais je le suis...

Six mois après Kreuger, comme il l'avait prédit, Léon Némirovsky succombe à une ultime crise pneumonique, boulevard de Cimiez, à Nice. Son agonie servira de modèle à celle de James Bohun dans *Le Pion sur l'échiquie* : « Un long et pénible soupir souleva sa poitrine. [...] Entre les lèvres desséchées et haletantes, le dernier souffle avait fui avec le soupir silencieux qu'il avait exhalé, le soupir qui terminait une longue et difficile vie, pleine de triomphes vains et d'obscurs désastres [14]. » *Poor old Dad.*

Une richesse inaliénable

Léon meurt le 16 septembre 1932, quatre mois après bonne-maman Rosa, disparue le 18 mai. Les derniers temps, elle était devenue presque aveugle et sujette à d'intolérables maux de tête. Elle pouvait rester enfermée trois jours d'affilée, rideaux tirés, sans sortir de son appartement de Neuilly. Dans une lettre à sa tante Victoria, Irène aurait prétendu avoir dû vendre la montre en or d'Iona pour la faire porter en terre. La faillite de Léon est-elle à ce point désastreuse ? Fanny n'a-t-elle pu esquisser un seul geste pour sa propre mère ? À l'enterrement, Irène portait un chapeau prêté par Cécile. Son chagrin est sans mélange, car elle chérissait sa grand-mère. Elle n'oubliera pas « le pli de la souffrance au coin des lèvres, les coins rentrés de la bouche, les yeux tellement enfoncés, rougis par les larmes, de telle façon qu'on ne voit plus les très vieilles prunelles éteintes, éternellement inquiètes... ».

Léon est inhumé au cimetière de Belleville, sur une colline de l'Est parisien. Irène vient de passer l'été avec Michel et Paul Epstein à Hendaye. Devant la tombe, sous la pluie, elle est partagée entre une grande tristesse et une grande haine ; ni l'une ni l'autre ne transparaîtront dans *Le Vin de solitude*, où ces funérailles sont racontées, mais son journal de travail montre qu'elle décida, ce jour-là, d'abattre ses derniers vestiges d'indulgence pour Fanny : « Il y avait bien peu de monde. Beaucoup de fleurs. [...] Bella avait hésité à se farder, et son visage, sous le crêpe, avait cette pâleur bouffie des vieilles prostituées cherchant leur dernier client... »

Sitôt Léon enseveli, sa veuve s'installe pour les quarante ans qui viennent dans un appartement cossu en bord de Seine, quai de Passy – l'actuelle avenue du Président-Kennedy. Elle roule en Buick avec chauffeur, s'indigne que sa fille prête aussi peu de soin à sa toilette et ne sorte guère dans le monde. Irène, en retour, ne voudra plus considérer en Fanny que la grand-mère de Denise. Malgré ce scrupule, ultime concession au « sang maudit », la fillette se rappellera plus volontiers ses chapeaux à plumes que ses effusions : « Je l'appelais madame. Elle ne m'a jamais donné un baiser sur le front [15]. »

À la fin de *David Golder*, Irène Némirovsky a donné le coup de grâce à son « pauvre Dad » sous le regard d'un jeune émigrant, et c'était comme une aventure qui recommence. Désormais, c'est elle, l'étrangère, qui se retrouve seule de son sang, en exil parmi les vivants et parmi les Français. « Elle ressemblait à une enfant d'émigrants, oubliée dans un port [16]. » N'était-ce pas Léon qui l'avait emmenée de Kiev à Pétersbourg, de Pétersbourg à Mustamäki, Helsingfors et Stockholm et, de là, à Paris ? N'était-ce pas lui qui, sous la défroque de Golder, l'avait rendue célèbre ? Qui, maintenant, lui forcera la voie ? Cet esseulement ne la lâchera plus. Mais au seuil de cette nouvelle vie, sa solitude lui ouvre des perspectives inconnues. Liberté d'abandonner sa mère comme celle-ci l'a abandonnée. Liberté de donner à ses personnages d'aventuriers la carrure de son père, ce « petit Juif obscur » qui s'était hissé au sommet de la finance. Liberté, aussi, d'affranchir son œuvre de son propre destin et d'être jugée sur ses seuls dons. Liberté, enfin, de raconter un jour prochain, sans artifice ni pseudonyme, ses longues « années d'apprentissage » : « Elles ont été exceptionnellement dures, mais elles ont trempé mon courage et mon orgueil. Cela, c'est à moi, ma richesse inaliénable. Je suis seule, mais ma solitude est âpre et enivrante [17]. »

Selon Cécile, Léon n'aurait laissé à sa fille qu'une somme de 600 000 francs-or. Quant à Fanny, en l'absence de testament, elle ne cédera pas une miette de la fortune épargnée. Irène, elle, donnera à Michel Epstein une procuration « pour tout » devant notaire, en janvier 1933. De cet héritage spolié commencent les tracas financiers de la romancière, qui a pris des habitudes de luxe incompatibles avec les revenus de son foyer. De là aussi, à partir de la fin 1933, la soudaine prolifération de ses nouvelles et feuilletons dans les périodiques à gros tirage, *Le Figaro*, la *Revue des Deux Mondes*, *Candide* et *Gringoire*, journaux conservateurs, nationalistes, voire xénophobes. La presse française est ainsi faite, qu'y peut-elle ? La publication d'« Ida » puis de *Jézabel* dans l'hebdomadaire de gauche *Marianne*, en 1934 et 1936, montre que l'opinion de ses commanditaires lui importe peu, pourvu qu'ils lui épargnent la gêne. Irène Némirovsky est écrivain, non polémiste. Ce serait lui faire le procès du loup à l'agneau que l'accuser de s'abreuver à la même source qu'Henri Béraud...

Deux hommes

La soudaineté avec laquelle Irène Némirovsky délivre son nouveau roman donne à penser que *L'Affaire Courilof* fut le premier de ces travaux alimentaires. Entrepris durant l'été 1932, le livre est achevé mi-novembre. A-t-elle plutôt cherché, par ce travail assidu, à surmonter son chagrin et son désarroi ? C'est plausible, d'autant plus que le héros et narrateur du roman, un terroriste tolstoïen dans l'âme, se prénomme Léon et meurt dès les premières pages dans une maison de Nice, en mars 1932... Sa compagne, Fanny Zart, est la fille d'un horloger juif d'Odessa. Cette fanatique finira pendue dans sa cellule. Ce n'est pas tout : la romancière représente une seconde fois sa mère sous les traits de la cocotte franco-russe Margot, coquette et « vieille, vieille femme » du ministre Courilof : « elle ressemblait à un vieil oiseau de paradis, fané, perdant ses plumes brillantes, mais étincelant encore d'un éclat de bijou faux, de joyau de théâtre [18] ». Faut-il aussi préciser que, pour les vingt ans de sa fille Irène, le ministre a projeté de donner un bal qui se révélera un supplice mondain, Leurs Majestés exigeant de n'y paraître qu'en l'absence de l'indigne Margot ?

L'Affaire Courilof se donne comme la confession de Léon M. qui, sous une fausse identité de médecin, a reçu mission de s'infiltrer dans l'entourage du sanguinaire Courilof, dit « le Cachalot », ministre de l'Instruction publique, en vue de son élimination physique. Sa réputation de tyran, Courilof se l'est forgée en réprimant sans pitié les manifestations estudiantines. Ce n'est pas sans rappeler un fait réel : l'assassinat de Nikolaï Bogoliepov, ex-ministre de l'Instruction, abattu d'un coup de revolver en février 1901 par l'étudiant Karpovitch. Mais l'ordre d'exécution tarde à venir et Léon, imprégné de Schopenhauer (« Si tu pouvais descendre dans le cœur du plus détesté de tes ennemis, c'est toi-même que tu trouverais ») plus que de Lénine, découvre un homme aussi certain que lui de la sénilité du tsarisme. Surtout, il prend pitié d'un valétudinaire, ballotté par le pouvoir, terrorisé par la disgrâce et par la mort, réceptif aux arts, à la philosophie, et dont les convictions sont aussi branlantes que les siennes sont étayées. Forcés de cohabiter, l'assassin et sa victime – ou le médecin et son patient – finissent par s'apprivoiser et par s'estimer. La connaissance de la nature humaine est le pire ennemi de la pureté révolutionnaire : déjà, en 1907, le terroriste des *Ténèbres* d'Andreev voyait fléchir ses principes sous les railleries d'une prostituée.

Une nouvelle fois, *L'Affaire Courilof* raconte un déclin, celui du corps, une érosion, celle du pouvoir, un crépuscule, celui des certitudes. Courilof est un oppresseur, certes, mais aussi un fin politicien, consterné par la stupidité du parti antisémite et capable de « secour[*ir*] la mère d'un petit juif suspect » au mépris de la rumeur. Est-il bon, est-il mauvais ? Dans ce livre, Irène Némirovsky renvoie dos à dos princes autocrates et tyranneaux bolcheviks, gros mangeurs de vies humaines. Le roman, une vanité dans l'ordre politique, culmine dans un credo relativiste aux accents de l'Ecclésiaste : « Quel abattoir une révolution ! Est-ce que cela vaut la peine ?... Rien ne vaut la peine de rien, il est vrai, et la vie non plus que le reste [19]. »

Irène Némirovsky a d'abord songé intituler *Épisode* cette étude des mœurs révolutionnaires, peut-être par allusion à l'*Épisode sous la Terreur* de Balzac. Puis elle a envisagé le titre *Deux hommes*, avant de s'aviser qu'il s'agissait déjà d' « un beau livre de Duhamel ». Moyennant 25 000 francs, Pierre Brisson, célèbre critique dramatique, s'est engagé à publier ce roman en feuilleton avant fin mars dans les *Annales politiques et littéraires* qu'il dirige depuis 1925. Toutefois, le manuscrit étant achevé dès octobre, il espère que l'auteur pourra lui fournir rapidement une version dactylographiée, afin de commencer la publication mi-novembre. Elle aussi semble pressée : le 23 octobre, dix jours après la promesse écrite de Brisson, elle lui fournit 68 pages achevées et réclame son chèque, ajoutant cavalièrement : « Si certaines expressions ne vous paraissent pas convenir je vous donne toute licence pour les effacer ou les remplacer [20]. » En fait, le premier chapitre de *L'Affaire Courilof* ne paraîtra que le 30 décembre, pour céder la priorité à *L'Instinct du bonheur* de Maurois, ordre de marche qui relativise le renom d'Irène Némirovsky fin 1932.

L'Affaire Courilof peut donner un sentiment de dilettantisme. Pourtant, jamais Irène Némirovsky ne s'est autant documentée, afin d'éviter les invraisemblances que certains critiques ont relevées dans *Les Mouches d'automne*. « L'époque et le milieu où se passe *L'Affaire Courilof* [...] présentent pour moi l'avantage d'être connus par des souvenirs d'enfance et par la grande quantité de mémoires et de correspondances que j'ai pu consulter [21] », précise-t-elle en mai 1933, lorsque le livre paraît en volume chez Grasset. Au nombre des souvenirs d'enfance, elle mentionne principalement son bref entretien avec le redouté gouverneur

Soukhomlinov. Elle reconnaît également avoir eu une institutrice inféodée à la Narodnaia Volia (La Volonté du peuple)[22]. « Naturellement Courilof n'est pas Soukhomlinov, pas plus que David Golder n'était le portrait précis d'un financier quelconque, ce sont des portraits imaginaires, mais je crois que le choc, l'idée initiale du roman doit dater des réflexions que cette entrevue m'a fait faire[23]. »

Quant à la nature de son récit, Irène Némirovsky s'en explique par le goût nouveau qu'elle éprouve pour l'histoire depuis 1931. « Je lus alors énormément de biographies, de mémoires, de correspondances de ce temps-là. Il y en a une très grande quantité, tant en russe qu'en français. J'y ai puisé beaucoup de détails authentiques, jusqu'à des phrases réellement prononcées et écrites par les gens de cette époque et que j'ai mises dans la bouche de mes héros. » Au nombre de ces ouvrages, on doit citer l'autobiographie de Trotsky, *Ma vie*, parue en 1930, seul de ces livres qu'elle mentionne. On peut ajouter, sans risque de se tromper, les *Souvenirs d'un révolutionnaire* du bolchevik Savinkov, commanditaire de l'assassinat du ministre de l'Intérieur Plehve en 1904, que signaleront les lecteurs les plus perspicaces de *L'Affaire Courilof*[24] ; les *Mémoires* de Vera Figner, auteur de nombreux attentats (dont celui contre Alexandre II en 1881), parus en mars 1930 à la NRF, qui ont pu servir à façonner le personnage de Fanny Zart ; enfin et surtout, l'*Histoire du terrorisme russe* du général Spiridovitch, publiée par Payot en 1930. Dans ce dossier d'instruction de 650 pages, l'ancien chef de l'Okhrana de Kiev et de la Sûreté impériale ne se vante pas d'avoir été soupçonné de complot contre le ministre Stolypine, assassiné au Grand Opéra de Kiev le 1er septembre 1911. Le nom du chef de la gendarmerie, le très antisémite et raspoutinien lieutenant-général Kourlov, avait également été cité au nombre des conspirateurs. Vice-ministre de l'Intérieur depuis 1909, ledit Kourlov devait lui-même échapper à plusieurs attentats jusqu'à son exil en 1917[25]. Son nom pourrait-il avoir retenu l'attention d'Irène Némirovsky ? Sans doute, mais il faut également signaler qu'un certain Kourilov enseignait la chimie en classe physico-mathématique de l'Académie impériale des sciences de Saint-Pétersbourg, à l'époque où Michel Epstein y était étudiant... Peut-être une clé pour déchiffrer la dédicace très personnelle qu'Irène Némirovsky inscrivit sur un exemplaire du roman qu'elle offrit à son mari : « Pour mon Michel chéri, ce bouquin qui lui doit l'existence, en souvenir de sa femme. »

L'homme 1933

Immédiatement après *L'Affaire Courilof*, de décembre 1932 à février 1933, Irène Némirovsky entreprend un nouveau roman construit autour de la mort, de l'inhumation et du terrible héritage de James Bohun, « roi de l'acier » déchu. Bohun n'est qu'un pâle sosie de Léon, qu'elle n'a pas osé ensevelir si vite dans un livre. « Ce qui est triste et me fait honte, écrit-elle en songeant aux derniers mois de son père, c'est la froideur avec laquelle je décris tout ce qui m'est si proche et si cher. Mais aussi la blessure est trop récente ; il n'est pas bon de la tourmenter... » Bohun, misérable gamin grec devenu « maître du monde [26] » en spéculant sur l'économie de guerre, tient davantage de Sir Basil Zaharof, dont un portrait paru dans *Le Crapouillot* de mars 1932 a servi d'amorce à l'inspiration romanesque [27]. Il symbolise ce que, dans ses brouillons, Irène Némirovsky appelle « l'ère Golder » : celle des aventuriers de la finance et de l'industrie, des fortunes bâties sur les champs de bataille, de la gabegie et de la turpitude.

Ces années ont passé. « "Grandeur et décadence" paraît être la devise de la famille [28]. » Difficile de ne pas lire ici l'amertume de la romancière, désormais tenaillée par les soucis d'argent. Après le « krach Bohun », son fils Christophe n'est plus qu'un employé à deux mille francs dans l'entreprise paternelle, bradée à son ancien bras droit Biruleff, un Juif roumain qui a anglicisé son nom en Beryl, « un étranger, un homme sans attaches, un *heimatlos* [29] ». Une crapule qu'elle a dû renoncer à nommer Tedesco, patronyme de nombreux Ashkénazes italianisés, parce que « ce nom est dangereux » : on ne lui fera pas deux fois un procès en antisémitisme. Pourquoi Beryl ? Irène Némirovsky l'aura rencontré dans

Prélude et *Sur la baie* de Katherine Mansfield, qu'elle ne cesse de relire...

Le décor : « Chômage... crise... déficit du budget... La marche de la faim sur Londres... Chômage... crise [30]... » La gifle sociale des années 1930 en représailles des luxurieuses années 1920 : tel est le sujet du *Pion sur l'échiquie*, dont le titre s'impose d'emblée. La morale est encore une morale biblique : « Les parents ont mangé les fruits verts, et les dents des enfants en sont agacées [31]. » Christophe Bohun, lorsqu'il pourrait soumettre Beryl à un fructueux chantage et prendre cyniquement la relève de son père, préfère se regarder crever. « Ah, comme je hais la vie. Merde, oh, merde, merde, merde [32]... » Détrempé de pluie de la première page jusqu'à l'orage final, *Le Pion sur l'échiquier* est le récit d'un suicide. Christophe se noie dans une déchéance consentie : « Il y a des matins de pluie où j'ai envie, en sortant de la maison, de me coucher au milieu de la rue, et d'attendre que le premier autobus qui passera me traverse le corps [33]. » Cette lassitude l'apparente aux éternels candidats au néant d'Emmanuel Bove, l'Arnold d'*Un suicide* (mars 1933) par exemple, ermites par contrainte sociale. Même le médiocre trépas de Bohun est indigne de sa descente au tombeau. Avatar déclassé d'Yves Harteloup *(Le Malentendu)*, est-il trop familier de la mort, depuis les tranchées, pour lui opposer l'argent, l'amour, l'espoir et même le regret ? « L'amour, le plaisir, c'est si peu de chose [34]... »

Le Pion sur l'échiquier, parabole sur la condition salariale, le prolétariat des bureaux et la « malédiction du travail [35] », est le premier roman d'Irène Némirovsky dont aient subsisté des brouillons presque complets. Tâtonnantes, tortueuses, entrecoupées de longs monologues ou d'admonestations, de rappels à l'ordre (« Attention ! Je perds de vue le plan initial ! »), d'invectives et d'autocritiques (« J'ai pu écrire "...bambin adorable !..." Damnation !... »), de commentaires et de citations en anglais ou en russe, ces pages surchargées montrent que la romancière a souhaité réaliser une radiographie de la Grande Dépression et donner une « image de l'homme 1933 ». Dès l'origine, cette dimension sociologique – parfois étouffante – est parfaitement définie : « Cela devrait être également le roman de la seconde génération (après D. G.) le père ayant travaillé toute sa vie, un vain labeur, et le fils, voyant le néant et la vanité du travail, mais forcé de le faire, et le haïssant. [...] Cela devrait être *Babbitt de France*. [...] C'est l'homme dans la rue. [...] C'est le pion que l'on manœuvre sur l'échiquier, et qui pour 2.000 ou 3 ou 4 francs par mois donne son temps, sa santé, son âme, et sa vie. » Vastes perspectives, mais elle ne se voile pas que, depuis la mort de Léon, elle-même est devenue ce pion : « En somme tirer parti de ma détresse présente. 1) L'inquiétude du lendemain. 2) À quoi bon ? 3) Combinaisons ratées. 4) Et les plaisirs anéantis. »

Comme pour *Golder*, elle commence par échafauder la biographie de Christophe Bohun, né en 1893, marié en 1916 à un bas-bleu qu'il trompe en 1918. Puis une vie insouciante, « Paris, Nice, Biarritz etc. ». « D'apparence, un homme comme les autres, qui, né dans une famille riche, élevé richement, en garde les manières, les vêtements, la tenue, le langage. » Son modèle, caché derrière une initiale : le célibataire Paul Epstein. Pour les besoins de l'intrigue (quoiqu'il n'y en ait guère), il faudrait que Christophe néglige sa propre fille ; mais Irène y répugne, « à cause du tendre amour que je porte à la mienne ». Quant au désinvolte Philippe, l'assistant de cinéma *up to date*, plus mufle qu'un héros de Morand, c'est un double poussé au noir de Samuel Epstein.

Puis viennent les essais de voix. Irène Némirovsky teste celle de Christophe dans un long monologue : « Je hais le travail. [...] Non, le travail n'est pas la dignité, non le travail n'est pas la liberté ! [...] L'amour m'emmerde, sauf celui d'une fille quelconque, dans un hôtel louche, en passant. Je hais le monde entier. [...] Je hais la ville. Je hais les gens. Je hais ma conscience timorée qui me défend de m'enfuir ! Je hais par-dessus tout ces fantômes, ces ombres d'évasion, qui consolent les hommes. [...] Je voudrais être une plante, un animal, un arbre ! »

Cette « vie antérieure du roman [36] » achevée, vient la première rédaction, jalonnée, pour mémoire, de recommandations techniques : « Règle absolue, encore plus absolue que pour *David* : objectivité complète. [...] Le seul moyen, c'est la technique cinématographique. » Puis, armée d'une mine rouge et d'une mine bleue, Irène Némirovsky biffe, souligne, crayonne rageusement son premier jet, le parsème de « non » et de « oui ». « Tous les passages encadrés seront impitoyablement supprimés.

Les autres seuls demeureront. Un plan ? Je crois qu'un plan trop serré est un danger, j'écris d'abord le livre entier, le plan vient ensuite de lui-même. C'était la manière de Barrès, et je pense que c'est la bonne [37]. » Surtout, ne pas perdre de vue que le résultat de cette architecture doit rester compréhensible au commun des mortels, car « je n'écris pas pour Daniel-Rops ; j'écris pour Mr Tout le monde, qui est plus intelligent et plus malheureux que Daniel-Rops ». Cette deuxième rédaction, aboutie au printemps 1933, peut maintenant reposer plusieurs mois, avant la féroce relecture préalable à l'ultime rédaction.

Une extrême circonspection

L'Affaire Courilof – roman pour lequel Irène Némirovsky dira avoir reçu d'éditeurs concurrents des offres considérables – paraît chez Grasset au début du mois de mai. C'est le numéro 1 de la nouvelle série « Pour mon plaisir ». C'est aussi son dernier livre pour la rue des Saints-Pères, car les ventes ne seront pas bonnes. Michel Epstein pourra même reprocher à son « cher Bernard », en 1936, de n'avoir pas soigné le lancement. La critique veut y voir le véritable second roman de l'auteur. Or, à de notables exceptions près, le sujet du livre est jugé ingrat, son épaisseur dissuasive et le résultat, « raté [38] ». Même Ramon Fernandez, l'un des plus élogieux, regrette dans *Marianne* qu'« un don de conter si naïvement adroit enlève parfois au récit ce caractère de nécessité, d'urgence involontaire pour ainsi dire, qui suscite l'attention et l'émotion du lecteur [39] ». Les plus indulgents acceptent de rapprocher ce récit terroriste de *La Condition humaine* ou de Kessel. Les autres, comme Marcel Prévost, s'exonèrent poliment : « C'est très bien [40]. » Peu de dithyrambes, beaucoup de griefs : le livre est trop long (« Il y avait là la matière d'une excellente nouvelle en cent pages [41] »), abracadabrant (« que ce révolutionnaire neurasthénique et fléchissant est donc loin de la vérité [42] ! »), déjà vu (« Ah ! comme nous sommes las de ces histoires ! Nous en connaissons tant[43] ! ») et – comble de mauvaise foi – mal documenté. Ainsi Jean-Baptiste Séverac, secrétaire général adjoint de la SFIO, qui se targue d'avoir côtoyé d'authentiques révolutionnaires russes en 1905, jure « n'avoir retrouvé dans le héros de Mme Némirovsky aucun des traits qui m'avaient paru caractériser les terroristes de ce temps-là[44] ». Une nouvelle fois, la romancière est victime d'un malentendu – la parabole de *Courilof* ne prétend pas faire œuvre historique –, mais aussi de sa célébrité, que l'*Action française* lui fait chèrement payer : « Mme Nemirovsky a étiré ce sujet de nouvelle jusqu'à en obtenir deux cent soixante-seize pages qui, de la première à la dernière, distillent le plus mortel ennui. Nous jurons que pour tenir jusqu'à la dernière, il faut déployer un courage qui touche à l'héroïsme. [...] C'est un curieux cas, qui démontre une fois de plus le danger d'une critique hyperbolique. On croit à son génie, on ne travaille plus et l'on est sa propre victime[45]. »

L'*Action française* aboie, Némirovsky passe. Le film de Duvivier, présenté en août 1932 à la Biennale de Venise, est sorti aux États-Unis à l'automne – dans une relative indifférence, il est vrai ; quant à la pièce de Nozière, elle est reprise en mai 1933 par une troupe russe au Théâtre Moncey. Après *Les Annales*, un autre périodique éminemment parisien, la *Revue de Paris* de Marcel Thiébaut – qui publie Giraudoux, Morand, Larbaud ou Giono – accueille une de ses nouvelles. « Un déjeuner en septembre » paraît dans la livraison du 1er mai. Thérèse Dallas a quarante ans. Des retrouvailles inattendues – un homme qu'elle aurait dû aimer jadis – l'accablent de regrets. Son face-à-main lui renvoie un ravage : « les joues boursouflées, les yeux las, les rides »... Pas moins de six occurrences du mot « altéré » dans cette méditation sur la fuite du temps et la décrépitude. « Le bonheur ressemble à des vacances au bord de la mer par un été pluvieux, où seule la dernière journée a été belle, et cela suffit pour qu'on les regrette[46]. » Pour Brasillach, qui la signalera en 1934, cette nouvelle est le « chef-d'œuvre » d'Irène Némirovsky, « aussi parfait qu'une nouvelle de Tchékhov[47] ». Rythmes ternaires, style surveillé, élégance des périodes : après « La Comédie bourgeoise », c'est son deuxième essai d'analyse sentimentale, peut-être sous l'influence de Chardonne dont elle envie les récits mélancoliques. En témoigne ce mot de remerciement, adressée au romancier charentais le 21 décembre 1932 :

> *Cher Monsieur,*
>
> *J'ai reçu il y a quelques jours* l'Amour du prochain *et je n'ai pas pu m'empêcher de le lire, d'un bout à l'autre « comme un roman » : on dit qu'il ne faut pas lire ainsi des matrices* [48]*, mais je le répète, je n'ai pas pu m'en empêcher… les vôtres sont admirables et elles ont, en plus de leur profondeur et de leur vérité, un prolongement poétique qui est très émouvant et qui m'étonne et me plaît comme un secret que je voudrais capter…*

D'ailleurs, elle se détourne des « modernes » et vise le classicisme. « C'est curieux de voir combien les admirations littéraires changent avec l'âge et les conditions de la vie, confie-t-elle en juin à Frédéric Lefèvre. J'ai commencé par aimer par-dessus tout les auteurs de la dernière moitié du XIXe siècle, comme Huysmans. Puis, j'ai eu une admiration passionnée pour Proust ; je connaissais son œuvre dans tous ses détails [...]. Mes préférences, aujourd'hui, vont aux auteurs qu'il est convenu d'appeler "démodés". Par exemple, pour la France, George Sand. Quand on a bien été saturé par toute la fièvre de notre belle vie d'aujourd'hui, il faut lire *la Petite Fadette*. Quelle merveilleuse sensation de repos [49] ! » Ce changement de cap ne l'empêche nullement, dans son journal de travail, de rabrouer « ce con de Chardonne », qui a eu le malheur de doter un de ses personnages d'un *accent contracté* !

Dans le même numéro de la *Revue de Paris*, on a pu lire une inquiétante étude sur « L'antisémitisme en Allemagne », prédisant l'extermination d'Israël non « à coups de pogroms », mais « par asphyxie [50] ». Depuis l'accession d'Hitler à la Chancellerie le 30 janvier 1933, on ne compte déjà plus les prophètes d'Apocalypse. En octobre 1932 est même paru un essai annonçant la date de la future offensive nazie [51]. Pour Irène Némirovsky, cette issue ne fait aucun doute, et elle s'en ouvre sans ambages à Cécile :

— Eh bien ! cette fois-là, nous avons la guerre. Avec la venue d'Hitler on en reparlera, Néné, vous verrez qu'on mourra.

Au printemps 1933, la propagande antisémite fait d'ailleurs de grands pas en France, avec l'afflux de milliers de réfugiés fuyant le « Reich de mille ans ». L'*Action française* accuse l'évêque de Lille d'ouvrir ses bras à l' « invasion judéo-germanique [52] ». Cette campagne porte puisque, le 2 août, les services d'immigration reçoivent une circulaire leur enjoignant de n'ouvrir les frontières qu' « avec une extrême circonspection ». Dans un ouvrage à paraître à l'automne, les incorrigibles frères Tharaud dénient à Hitler l'invention de l'antisémitisme allemand, qu'ils portent au crédit de Kant, Fichte et Hegel. Ils accordent même des circonstances atténuantes aux chemises brunes car les boycotts et les « violences individuelles », exagérés par l'intoxication socialiste, ne sont pas encore comparables, « et de très loin, à ce qu'on voyait naguère en Russie, à ces pogroms, ces tueries systématiques, organisées par la police, sur l'ordre du Gouvernement [53] »... Que faut-il donc de plus que des autodafés ? L'oncle Adler, installé aux États-Unis depuis le début des années 1930, puis rejoint par Raïssa, suggérera aux Epstein de les imiter. Irène et Michel n'en feront rien : où est-on mieux qu'au sein de sa famille ? Et la famille d'Irène Némirovsky, plus que jamais, c'est la France.

Le Monstre

Au même moment ou à peu près, germe l'idée d'un nouveau récit qu'elle range, comme *Les Mouches d'automne*, sous la rubrique « Déclins ». Son titre, « Le Mercredi des Cendres », indique assez qu'il s'agit – encore – d'une vanité. Elle compte y peindre « la vieillesse du pécheur ». À cette fin, elle relit *Dorian Gray* et se plonge avec répugnance dans les mémoires de l'amant de Wilde. Puis elle esquisse les traits de son personnage : « dru et lourd » comme un buste de Houdon, pâle et blond comme un Titien, il est né en 1855, mais ses notes montrent qu'il tient sa « cruauté barbare » de l'ataman Petlioura, dont les armées massacraient à l'aveugle bolcheviks et Juifs pendant la guerre civile. « Est-il vil et fort, ou, au contraire, une espèce de romantique attardé ? Personne ne le connaît. Pas même moi. Peut-être est-il simplement impulsif et capricieux ? Il se fiche du monde, très sincèrement et très profondément. [...] Pourquoi ne pas le faire un ministre connu comme Bülow ou Witte ? »

Soudain, ce brouillon mouvant, dans la lignée de *Courilof*, change de cap. Irène Némirovsky se rappelle Kiev et se rappelle la guerre. Elle se rappelle son père, mort quelques mois plus tôt. Elle le déguise d'un nom tartare, Koïré, et lui forge le destin d'un affairiste russe qui sombrera dans la misère. Son foyer n'est pas sans rappeler celui de Léon Némirovsky : « La famille des Koïré, le père, petit Juif, rongé d'une sorte de longue et confuse ambition, montrer ses rêveries sur le besoin de cuir, ses "combinazione", les chiffres et la femme... [...] Montrer la vie des Koïré. Lui, surtout, qui là-dedans s'enrichit timidement, d'abord et ensuite y prend goût. » C'est la première intuition du *Vin de solitude*. Elle la complète et la corrige durant l'été, qu'elle passe à Urrugne avec Michel, son frère Paul – toujours célibataire – et la gouvernante de celui-ci. « C'est un charmant et antique village, explique-t-elle, et la maison que j'ai pu louer est un ancien relais de poste du temps de Louis XIV, aux murs massifs, au grenier immense, aux placards, escaliers et cachettes sans fin. Vous devinez, au ton dont je parle de cette maison, que j'en suis un peu amoureuse, et c'est exact[54]. » La maison d'Urrugne, en effet, est un havre de paix, propice à la création, qu'elle résume en quelques mots dans son journal de travail : « Étroit jardin, plein de cailloux. Silence, le roucoulement lointain du tonnerre et un bruit de pattes sur le gravier. Des fleurs communes et éclatantes. » Au cours de l'été 1933, elle y ébauche pas moins de quatre œuvres nouvelles, dont l'une, *Deux*, ne verra le jour qu'en 1939...

De 1926 à 1940, Irène Némirovsky n'a écrit qu'un long, unique et perpétuel roman, manuscrit ininterrompu d'où se sont détachés, à maturité, nouvelles et récits secondaires. Mais le tronc demeure, qui porte ces fruits et n'est autre que l'arbre généalogique des Némirovsky. D'où la sève autobiographique de ses livres, plus ou moins concentrée. *Le Bal* (1929) était un surgeon de *Golder* (1930), dont procède *Le Pion* (1933), lui-même écho du *Malentendu* (1926). « Les Fumées du vin » (1934) est un prématuré du *Vin de solitude* (1935), amplification de *L'Ennemie* (1928) d'où jailliront *Jézabel* (1936) et *Les Échelles du Levant* (1939), de même que « Le Sortilège » est un chapitre arraché aux *Chiens et les Loups* (1940). Cette parthénogenèse vient du fait que sa méthode de travail repose sur l'improvisation. « Je commence à écrire, dans un brouillon informe, le roman lui-même et en même temps les réflexions qu'il me suggère, le journal même du roman, pour reprendre l'expression d'André Gide. Ensuite je laisse le tout reposer en m'efforçant de ne plus penser à la littérature. Quand je le reprends, tout paraît s'organiser, se composer de soi-même [55]. »

C'est un de ces « brouillons informes » qui voit le jour à Urrugne et Hendaye, une matrice impatiente, débordante d'esquisses, d'impasses et de bifurcations, de faux départs. Ce chantier piranésien, elle le nomme : « le Monstre ». Comme le journal de Katherine Mansfield, qui vient de paraître chez Stock, il est parfois difficile d'y démêler la fiction de l'autobiographie. Irène Némirovsky s'y tance plus que de coutume : « Courage, ma pauvre fille ! Tu es encore jeune, après tout. Il faut forger ta technique et ta méthode, tes outils toi-même. » Devoir de vacances pour l'été 1933 : renflouer le plus grand nombre d'images de Russie et de Finlande, « comme si je pêchais les souvenirs à l'hameçon », pour en tirer la matière de deux ou trois années de littérature. Car, estime-t-elle, « il y a assez de souvenirs et assez de poésie dans ma vie pour former un roman ».

Au prix d'un pénible effort de mémoire (« il y a... mon Dieu... 15 ans de cela. Je ne me rappelle plus très bien »), elle parvient à déneiger des images intactes de Mustamäki, assez pour alimenter au moins neuf récits comiques, tragiques ou touchants, « genre *Mouches d'automne* en fignolant chaque épisode ». Elle se remémore la « lente folie » de Zézelle, les « promenades sur le Dniepr », « les dimanches solitaires » à Kiev, « le sentiment d'envie des autres enfants », « la mère qui rentre au petit matin », toute sa jeunesse enfin, « arrachée de force dans le passé ». Bien sûr, il conviendra d'injecter dans ce magma « un peu d'incohérence apparente », tout en se gardant de « mal composer exprès » comme Maurois, puisque l'auteur du *Cercle de famille* s'est emparé d'un sujet presque identique : la rébellion d'une fille de bonne maison écœurée par le vaudeville – « J'ai honte de ma mère. Je ne veux pas lui ressembler [56] » –, vouée à l'échec par l'atavisme.

Ensuite, malgré la plage et le soleil, s'astreindre au labeur quotidien : « 2 heures le matin (10 h $^{1}/2$ à 12 $^{1}/2$) sauf les jours d'article. Ou alors promener et 2 heures l'après-midi de 5 à 7. » Car Irène Némirovsky, en plus de son travail d'écrivain, a accepté de donner des notes de lecture et des critiques de cinéma au *Rempart,* un « libre journal » farouchement antinazi, « indépendant du pouvoir et de tous les pouvoirs ». Ce quotidien nationaliste, fondé en mars par Paul Lévy, aventurier de la presse écrite et de la politique, ne survivra pas à l'été ; lui succède aussitôt *Aujourd'hui,* plus grand public, dont la une est saturée de bélinographes. Ce journal se distingue par son antibolchevisme et son patriotisme bravache, mais aussi par un antinazisme qui doit beaucoup aux Croix-de-Feu, que Paul Lévy regarde d'un bon œil. Léon Pierre-Quint et Maxence tiennent le feuilleton littéraire, René Daumal chronique le cinéma. Jusqu'en mars 1934, Irène Némirovsky y signera des critiques dramatiques. Ses comptes rendus des dernières créations de Steve Passeur, Joseph Bédier, Denys Amiel, Édouard Bourdet, Fernand Crommelynck ou Ferdinand Brückner montrent un constant souci du public et de la vraisemblance. « Car, au théâtre, pour nous intéresser aux personnages, il faut qu'ils éveillent en nous la pitié [57]. »

Une âme sans sépulture

Au pied du mur, Irène Némirovsky doit maintenant accoucher son « Monstre » des récits dont il est gros. « J'ai, en ce moment dans la tête trois choses. "Épisodes", "Deux" et "La Famille Kern". Heureusement, les trois me tentent assez. »

Les « Épisodes », d'abord. Neuf, puis sept, ils ne seront bientôt plus que deux : le premier, « L'Accouchement de Bluma », paraîtra sous le titre « Nativité » ; le second, « Le Vin », est un simple « prélude » aux « souvenirs romancés » auxquels elle songe. Une vraie « besogne de tâcheron », soupire-t-elle, mais au moins a-t-elle « l'excuse du business »... À ce propos, que fera-t-elle de ce « vin » quand il sera tiré ? « Ah ! On pourrait le publier dans la *Revue de Paris* (ou *Gringoire* et les donner après à Paul Morand !!!). » En fin de compte, il sera donné en juin 1934 au *Figaro*, sous le titre « Les Fumées du vin ».

Des trois rejetons du « Monstre », le deuxième est prématuré : *Deux* n'est « pas mûr encore, et, surtout, les personnages sont extrêmement vagues ». Irène Némirovsky entrevoit seulement que ce roman, « le premier livre optimiste que j'écrirai », aura pour sujet « l'idée qui consiste à montrer derrière l'horreur, le chaos apparent de la vie, sa beauté, son unité ». Face aux vicissitudes, aux trahisons et aux regrets, *Deux* sera le roman de « l'acceptation de la vie ». Pour développer cela, hélas, il lui faudrait « 2 ans au minimum ». Car avant d'élaborer cet antidote à la vengeance et à la pitié, il lui faut d'abord distiller le poison, ce fiel qui sera la sève et le sang de son troisième projet, le plus criant de vérité : « La Famille Kern. » Famille qui, bien entendu, est la sienne.

« Il serait possible d'écrire un véritable scénario de film avec tous les épisodes de ma vie [58]... », déclarait Irène Némirovsky, en 1931, au journal russe *Poslednija Novosti*. C'est en resongeant au documentaire muet *Mélodie du monde* de Walter Ruttmann (1929) que lui vient l'idée de recréer un univers, le sien : « Un jour, plus tard, une famille juive, dans l'espace et le temps. [...] Voilà une belle mélodie du monde... » Les parrainages [59] et les enseignes abondent sous sa plume pour désigner ce récit initiatique qui deviendra *Le Vin de solitude* : « Moi. Ma jeunesse », « Souvenirs romancés », « Autobiographie mal déguisée », « Autobiographie romancée à la Dickens », « "Les Années d'apprentissage" à la *Wilhelm Meister* », « Le récit d'une vie », « Une âme déviée ». Ce dernier titre indique assez son idée : le devenir d'une âme d'enfant déboussolée par la haine de sa mère, une haine « qui doit aller jusqu'au désir de sa mort ». C'était le sujet de *L'Ennemie*, mais, depuis, Léon est enterré et Irène n'a plus de motif d'épargner Fanny en usant d'un pseudonyme. Plus qu'un règlement de comptes, ce nouveau roman aura une dimension œdipienne : « Montrer qu'elle aimait le mari, mais ne pouvait se décider à lui être fidèle, à cause de tous les mauvais sentiments qu'elle ressent. Et comment, à la mort du père, elle rompt avec sa mère. Enfin, la vie... Pourquoi pas ? Rien ne me retient, et rien, après tout, ne vaut ses propres souvenirs. »

Il conviendra seulement de changer les noms et les prénoms. Pour elle-même, Irène Némirovsky a l'embarras du choix : Catherine Kern ? Ou bien Marianne, « qui signifie amère, amertume » ? Jenny, Annette, Daisy, Élisabeth ? « Non, pas Élisabeth, un joli nom anglais, de ces noms que l'on fabriquait dans les familles chics. » Ginette, Betsy, Margaret ? « Non, c'est plutôt dans le genre Irène qu'il faudrait chercher, Hélène serait "dans le ton". Mary ? » Ce sera Hélène. Comme la fille d'Ivan Ilitch. Comme l'Elena de *La Garde blanche*. Comme l'héroïne de *Fumée* de Tourgueniev, d'*Oncle Vania* de Tchekhov, des *Nuits de prince* de Kessel[60]. Un clin d'œil, aussi, aux nombreux critiques qui continuaient à l'appeler « Hélène » Némirovsky ! « En revanche, ma mère, je ferai son portrait et il sera pire que Rosine et tous les autres. » Fanny, rebaptisée Bella, sera dans *Le Vin de solitude* « tantôt un monstre, tantôt une misérable créature, que l'on regarde avec haine, avec épouvante, comme le visage même du malheur, qui a pesé sur tout le passé, et qu'on ne connaît pas, qu'on craint de ne pas connaître »...

À son retour à Paris en septembre 1933, Irène Némirovsky a ébauché le schéma de son roman : « I. Russie – Kiev – haine. II. Pétersbourg – vengeance. III. Paris – pitié. » Un moment, elle pense même y faire entrer l'épisode du viol, si déterminant, avant de se raviser : « Dans la vie, après cette crise, qu'y a-t-il ? On est responsable du sort de ses enfants. Mais ce n'est pas en montrant un monstre que l'on peut le démontrer... »

Le Vin de solitude sera pourtant le portrait d'un monstre. Ce sera aussi le tombeau de son enfance volée, dont elle n'a jamais vraiment guéri et qui persiste à la tourmenter. « Ceci serait donc la formation ou plutôt la déviation d'une âme. Une enfant qui n'a pas été aimée, et qui, plus tard, n'a jamais assez d'amour. [...] Je crois que l'idée directrice doit être la suivante – et tout doit venir se ranger autour : On ne pardonne pas son enfance. Une enfance malheureuse c'est comme si votre âme était morte sans sépulture, elle gémit éternellement. »

Un engagement à long terme

À l'automne 1933, Irène Némirovsky fausse brusquement compagnie à Bernard Grasset pour aller offrir son *Pion sur l'échiquier* à Albin Michel. Elle ne s'est pas émue de l'état mental de l'éditeur, en proie à des lubies mégalomaniaques et des colères incoercibles, écartelé entre les thérapies des docteurs Hesnard et Laforgue, « réduit à une loque, [...] pleurant, comme un enfant qui refuse de se laver, de manger [61] », ainsi que le voit Jacques-Émile Blanche dans son journal dès juin 1930. Au contraire, elle sera l'une des rares à témoigner en sa faveur, le moment venu de le défendre contre une mise sous curatelle. Et Michel Epstein continuera de le tutoyer jusqu'à la guerre !

Seulement, *L'Affaire Courilof* n'a pas rencontré le succès : dix mille exemplaires vendus, au lieu des soixante mille dépassés par *Golder*. *Le Bal*, douze mille. *Les Mouches d'automne*, six mille. On est loin, bien loin, des cent mille de Maurois, Mauriac ou Morand. Or depuis la mort de son père, Irène Némirovsky a besoin de rentes régulières. Et Albin Michel lui a proposé un contrat d'exclusivité pour vingt ans, « tant en volumes que pour la publication dans l'un ou l'autre de ses périodiques ». À raison d'un ou deux romans par an, elle recevra à compter du 1er novembre, pour une durée de trois ans renouvelable, une mensualité de 4 000 francs, soit une somme imprescriptible de 144 000 francs. Irène Némirovsky a pris aussitôt soin d'informer Grasset de ses intentions, et surtout de ses motifs :

> *Vous savez la répugnance que j'ai toujours eue à prendre des engagements à long terme. Malheureusement, les circonstances actuelles m'obligent à le faire ; j'ai donc pris la décision d'accepter le contrat en question, que je devrai signer avant la fin de la semaine. Il va sans dire que, dans le cas où vous-même trouveriez convenance à m'offrir les mêmes*

conditions, je vous donnerais la préférence avec le plus grand plaisir, et je serais très heureuse de rester ainsi attachée à votre Maison [62].

Une clause spéciale de son contrat l'autorise cependant à publier chez Grasset « un recueil de scénarii » regroupant notamment « Film parlé », « La Comédie bourgeoise » et « Les Fumées du vin », comme prévu. L'éditeur de *David Golder*, vexé, n'en fera rien, et c'est la raison pour laquelle le recueil *Films parlés* est aussitôt repêché par la NRF, où Paul Morand dirige une collection de textes brefs, « Renaissance de la nouvelle ». Cette précipitation alarme le nouvel éditeur, affolé de voir déjà lui échapper sa recrue. Mais Albin Michel sait rappeler à l'ordre avec humour : « Notre mariage spirituel est vraiment trop récent et il me serait désagréable de vous permettre de me faire des infidélités quand notre premier enfant n'est pas encore au monde ! », écrit-il à Irène Némirovsky le 13 novembre. Celle-ci, piquée au jeu, lui répond avec une délicieuse effronterie : « La femme doit obéissance à son mari. C'est pourquoi je m'incline bien volontiers devant votre décision, et j'espère que vous conserverez à nos enfants après leur naissance, les mêmes sentiments que vous leur témoignez à l'état embryonnaire. » Ces échanges sont gage d'une saine entente. Et pour ce qui est de *Films parlés*, plus de peur que de mal : il est convenu avec Morand que le recueil ne contiendra rien d'autre que des « scénarii », et qu'il ne paraîtra que dans un an...

Albin Michel a construit la renommée de sa maison, fondée en 1901, sur une excellente connaissance de la librairie. Homme de flair plutôt que de coups, il a su offrir un inattendu prix Goncourt au « roman nègre » *Batouala* de René Maran en 1921, enrichir son catalogue des prestigieux classiques issus du fonds Ollendorff racheté en 1924, s'attacher des « poids lourds » tels que Dorgelès, Carco, Béraud ou Pierre Benoit, mais aussi parier sur la littérature populaire, de Félicien Champsaur à Georges Ohnet en passant par la série des *Claudine* de Colette. Irène Némirovsky est un peu la synthèse de son catalogue : un auteur à succès, de bonne tenue littéraire, et toujours surprenante. Elle ne pouvait lui échapper ! Sans doute Chérau et Dorgelès, auteurs maison et parrains de la romancière à la Société des Gens de Lettres, auront-ils joué les rabatteurs. Et Henri de Régnier, ancien directeur de collection.

Le 24 octobre, Irène Némirovsky a franchi le pas : sa signature l'engage à vie chez Albin Michel, rue Huygens, dans le quartier Montparnasse. Dès le surlendemain, *Le Pion* commence à paraître en feuilleton dans le quotidien *L'Intransigeant*, quatre cent mille exemplaires. Gaston Chérau l'y a annoncé la veille en termes élogieux : « On trouve cinq cents auteurs de romans ; on ne trouve pas toujours un romancier dans le nombre. » Cette version du *Pion* n'est pas aboutie, loin s'en faut, mais l'auteur compte se corriger en vue de la sortie en volume, prévue début février 1934. À cette fin, Albin Michel lui adresse copie du rapport commandé à l'un de ses lecteurs, qui a trouvé le roman « triste » et trop « pauvre en péripéties » pour le grand public. Irène Némirovsky est bien près de partager ce diagnostic lorsqu'elle commence à se relire, en décembre. « J'ai l'impression d'abord que cela manque d'éclat, mais qu'il est assez difficile d'y remédier. » Le dessein sociologique du roman est trop apparent, la pâte épaisse, le débit lent : « Beaucoup trop net, trop expliqué, trop les points sur les *i*. Inutile. » Il faut tamiser le style, dialoguer, « dire en deux mots ce qui était dit en dix, en un seul ce qui était dit en deux, et que chaque mot soit sincère, et dise bien ce qu'il veut dire, finalement dise plus qu'il ne veut dire »... *Le Pion* est sur l'échiquier, mais la partie est mal engagée.

Vers la droite ou vers la gauche ?

Quoique hostile à la pratique qui consiste, pour un écrivain, à léser l'éditeur en réservant la primeur de ses œuvres à la grande presse, Albin Michel s'est résolu à créer son propre hebdomadaire pour retenir ses auteurs de publier dans *Candide* (Fayard), *Les Nouvelles littéraires* (Larousse), *Marianne* (Gallimard) ou *Gringoire* (Éditions de France). En décembre 1933, cependant, la formule de *Noir et Blanc* est encore loin d'être au point. Irène

Némirovsky, par goût personnel, y a sollicité « une place libre de critique dramatique ou cinématographique ». Albin Michel préférerait des nouvelles. En attendant, il ne peut décemment l'empêcher d'en offrir à ses concurrents. Ce qu'elle s'empresse de faire en portant à Horace de Carbuccia, le patron de *Gringoire*, l'un des « Épisodes » conçus durant l'été et intitulé « Nativité » – titre tout indiqué quinze jours avant Noël.

La nouvelle paraît dans le numéro du 8 décembre. Irène Némirovsky a transposé l'accouchement de Bluma dans une famille française qui ressemble trait pour trait à celle de Madeleine Avot. Le récit brode sur le thème canonique des trois âges de la femme. Il est parfaitement résumé dans le journal de travail de l'été 1933 : « Une enfant embrassée pour la première fois. Loin d'être ignorante, mais ne connaissant les choses que d'un point de vue sublime, poétisé, romans, rêveries, etc. [...] La nuit, la femme accouche, "des manœuvres criminelles". Elle meurt, ou elle ne meurt pas, cela n'a pas d'importance. Mais l'horreur profonde de cette enfant mise brusquement en face des réalités de la vie. Puis la femme est emportée, le sang est étanché, l'enfant vit et le sentiment de la véritable beauté qui s'éveille en nous. » Le tout nimbé « d'une sorte de halo poétique », comme dans *La Baie* de Mansfield.

Gaston de Pawlowski (qui vient de mourir), Marcel Auga-gneur, Marcel Prévost ont toujours accueilli avec chaleur les romans d'Irène Némirovsky dans *Gringoire*, y compris *L'Affaire Courilof*. Depuis longtemps déjà elle s'était promis de s'acquitter de cette dette. Il ne s'agit pas seulement de courtoisie : *Gringoire* tire en 1934 à près de deux cent cinquante mille exemplaires et Carbuccia est réputé payer ses feuilletonistes à prix d'or. Avant d'entrer à la *Revue de France* de son cousin Marcel Prévost en 1927, il a d'abord été auteur dramatique. Son épouse Adry, issue de la noblesse polonaise, est apparentée au préfet de Paris, Jean Chiappe. Dans leur hôtel de l'avenue Foch se mélangent les écrivains – Guitry, Morand, Béraud, Maurras, mais aussi Berl, Carco, Dorgelès, Cocteau ou Colette –, les hommes politiques – Blum, Herriot, Sarraut, Maginot –, les mondains – Étienne de Beaumont, Boni de Castellane –, les artistes – Yvonne Printemps, Dunoyer de Segonzac, Max Linder, Chaplin –, les industriels et les financiers – Finaly, Citroën. *Gringoire*, c'est le cœur de Paris.

Fondé fin 1928, le « grand hebdomadaire parisien, politique, littéraire » ne consacre que sa une aux nouvelles graves. Tout le reste est littérature, ou quasi. Pierre de Régnier, dit « Tigre », fils présumé d'Henri et auteur d'une *Vie de patachon* publiée par Grasset en 1930, tient la rubrique des fêtes parisiennes. Lacretelle chronique le cinéma, Salmon l'actualité des arts. Tous les auteurs publiés aux Éditions de France – Kessel, Prévost, Dekobra... – sont *de facto* des réguliers de l'hebdomadaire. C'est dire le rôle de « Jeff » Kessel, un ancien de la *Revue de France*, qui dirige les pages littéraires. Leur contenu tourne le dos à la une, râleuse, populiste, on ne peut plus française. Donc, revancharde et « antiboche » : le 16 juin 1933, Xavier de Hautecloque était l'un des premiers journalistes français, dans *Gringoire*, à révéler l'existence des camps hitlériens.

En 1933, le polémiste Henri Béraud, prix Goncourt 1922, n'a pas encore embrasé ce journal en fustigeant l'Angleterre, le Parlement et la mainmise de l'étranger sur le magot français. Lui-même, si l'on en croit ses mémoires, semble avoir regretté le dilettantisme de *Gringoire* : « Les chimères ont la peau dure ! *Gringoire* n'avait pas de politique ou, ce qui revient au même, il en avait à revendre [63] [...]. » Un bémol : sous l'influence du dissident Boris Souvarine, antistalinien de la première heure, Juif ukrainien, annonciateur des grands holocaustes soviétiques, *Gringoire* a tôt professé son anticommunisme : rien qui puisse scandaliser l'auteur des *Mouches d'automne* ! Quant à Carbuccia, c'est un homme de sympathies plutôt que de partis. Celle qu'il éprouve pour Mussolini est on ne peut plus ordinaire, et pas seulement à droite. « Mon père, explique son fils Jean-Luc, était plutôt républicain, très influencé dans sa ligne politique par André Tardieu, le dirigeant de la droite parlementaire. On ne pouvait donc pas parler d'extrême droite [64]. » Du moins, pas encore.

On a pu blâmer Irène Némirovsky, qui n'avait pas non plus de politique, de s'être embarquée sur un navire douteux, sous prétexte que le capitaine changea progressivement de cap, épousant tour à tour l'antiparlementarisme, le défaitisme munichois et l'antisémitisme vichyssois. Anton Tchekhov avait entendu ce genre de reproches lorsqu'il publiait dans le *Temps nouveau* du réactionnaire Souvorine, réputé pour son antidreyfusisme. « Et tous ces partis politiques auxquels un débutant devait se soumettre ? Il fallait se diriger vers la droite ou vers la gauche, être réactionnaire ou libéral. Le premier pas engageait tout l'avenir. [...] Ces exigences étaient odieuses, pensait Anton, et dégradantes. [...] Dès l'enfance, il avait désiré sauvegarder sa liberté intérieure, sa dignité [65]. » Ces lignes extraites de *La Vie de Tchekhov*, écrites en 1940, sont aussi et surtout un plaidoyer *pro domo*. Légèreté d'Irène Némirovsky ? Tout le monde n'est pas « le Gros » Béraud, comme le surnomment ses amis.

Le vin de la jeunesse

En dépit de difficultés matérielles toutes relatives, les premiers temps de la période Albin Michel sont des temps heureux. Irène et Michel Epstein disposent d'une bonne d'enfant, Cécile, d'une cuisinière bretonne, Henriette Quidu, dite « Kra », ainsi que d'une femme de chambre. Denise vient d'entrer dans sa quatrième année, âge où apprendre de Miss Matthews – seul héritage de Fanny – comment cacher un minuscule toffee sous sa langue tout en écoutant maman lire *Les Petites Filles modèles*, raconter les Champs-Élysées d'avant guerre ou réciter pour s'endormir « L'Oreiller » de Marceline Desbordes-Valmore, sans en voir le présage :

Beaucoup, beaucoup d'enfants pauvres et nus, sans mère,
Sans maison, n'ont jamais d'oreiller pour dormir ;
Ils ont toujours sommeil. Ô destinée amère !
Maman ! douce maman ! cela me fait gémir.

Sous la houlette de l'irréprochable Cécile, Denise mène « une vie de petite fille riche [66] », choyée et bourgeoisement élevée, mais sur des principes inverses à ceux de Fanny : « Je vous assure que je saurai épargner à ma fille tout travail disproportionné, explique Irène Némirovsky en 1934. Je vis beaucoup avec elle, je veux qu'elle s'épanouisse sans contrainte, à l'air et au soleil[67]. » Ce qui n'interdit pas la tarte aux fraises chez Rumpelmeyer ou les séances de cinéma. Irène Némirovsky aime les actualités filmées, le « rayon bleu au-dessus de nos têtes, rayon dans lequel danse la lumineuse poussière ». Au théâtre, le 16 juin 1934, la *Tessa* de Margaret Kennedy, dans l'adaptation de Giraudoux et Jouvet, réveille en elle « de vieilles images que je croyais abolies » et lui donne le ton exact du *Vin de solitude* : « sauvage et charmant ».

Le sport? *No sport.* « Elle confesse même volontiers son faible pour le doux farniente, un livre à la main... Mais un goût vif pour les grandes randonnées à travers Paris, ou en plein air, sur cette côte basque qu'elle a si bien chantée. » La peinture? Elle pose pour le portraitiste russe Krivoutz, élève de Bakst. La musique? « Elle se proclame résolument antimusicienne. Cependant, incidemment, on apprend qu'elle aime Bach, Mozart, Beethoven et Chopin[68]. » Mais aussi le *Baal Shem* d'Ernest Bloch, avec « cette sonorité large, profonde et troublante, et ce coup d'archet poignant qui rattachent cette mélopée hébraïque à tout un passé de douloureux servage ». Sans oublier la majestueuse *Symphonie en* ré *mineur* de César Franck, qui lui dicte, au cours du premier semestre 1934, la coupe du *Vin de solitude.* Premier mouvement : Kiev, Pétersbourg, *Lento - Allegro non troppo,* « a) suavité, b) innocence déçue, c) joie incompréhensible ». Deuxième mouvement : Finlande, *Allegretto - Poco più lento,* « a) méditation, b) inquiétude, c) angoisse, d) indifférence ». Troisième mouvement : *Allegro non troppo,* « a) haine, b) tristesse, c) espoir douloureux, d) confiance, e) espoir de vengeance ». Antimusicienne, vraiment?

Bien entendu, elle lit en abondance. Les livres d'enfant de Denise. Les romans anglais à la Bibliothèque nationale, rue Richelieu. Les russes à la vieille Tourguenievka, rue du Val-de-Grâce, « une de ces rues qui sont ce que j'aime le plus au monde, – ombres, bruit lointain, visages inconnus, le grelot d'une porte de boutique, un zinc rouge entrevu de loin », où les livres légués par Tourgueniev portent encore ses annotations manuelles. En mars 1933, elle adressait à Brisson, pour l'inclure dans *Les Annales,* une notice anonyme sur *L'Échéance,* dernier roman de sa compatriote Doussia Ergaz, à qui la critique avait parfois comparé *les Mouches d'automne*. Ses notes de lecture de l'année 1934, destinées à quelque « grande revue » – non identifiée –, ont subsisté. L'humour d'Evelyn Waugh lui a paru trop sophistiqué dans *Ces corps vils (Vile Bodies)*, mais *Une poignée de cendre (A Handful of Dust)* a corrigé cette impression à cause de son titre, « qui décrit amèrement et tragiquement le peu que nous sommes et la manière dont le destin se joue de nous et de nos souhaits et de nos désirs ». Seul parmi les romans américains, *Le facteur sonne toujours deux fois* de James Cain a flatté son goût pour le réalisme brutal et le punch cinématographique. Dans *La Mère* de Pearl Buck, elle a trouvé la parade à ceux qui incriminent son particularisme slave : « Je m'en fiche que ce soit vrai du point de vue chinois. Ça l'est probablement mais c'est absolument vrai du point de vue humain. » *Les Quarante Jours du Musa Dagh* de Franz Werfel, enfin, première épopée littéraire inspirée par le génocide arménien, comptera certainement parmi les sources inconscientes des *Chiens et les Loups*, car « c'est l'histoire en un sens d'un homme qui revient comme un étranger chez les siens et se trouve lié par des attaches plus fortes qu'il ne les avait imaginées, et se trouve forcé d'accepter le sort de sa race et de son pays ».

Et toujours, partout, en vacances, au square Rodin ou aux Tuileries, au square Sainte-Clotilde, au pavillon Henri IV à Saint-Germain, lieux de promenade favoris, Irène Némirovsky s'assoit et pose sur ses genoux le classeur caché dans une fausse reliure aux ors vieillis, dans lequel s'épaissit le « journal » du roman en cours. Elle écrit : « C'est avec une certaine émotion que je rouvre ce cahier. Il est bien lourd, dans tous les sens, bien incommode. Mais tant de souvenirs se lèvent, plus pénibles qu'on ne pourrait le croire – qu'il est bien fait pour une évocation du passé. [...] Évidemment, c'est du cabotinage... pathétique. Mais seul le sang d'une vieille plaie peut colorer comme il faut une œuvre d'art. Remontez, remontez dans mon cœur, vieilles larmes... »

De janvier à juillet 1934, Irène Némirovsky remet péniblement « le Monstre » sur le métier [69]. Elle pourrait, à la russe, se contenter d'égrener ses souvenirs, sans songer à les ordonner ; « ce serait bien si je n'avais pas à gagner ma vie. Mais ici, où je suis franche envers moi-même, il faut bien que j'avoue que j'écris en français. J'ai donc besoin de lecteurs français, et, partant, de crises. » Pour captiver, il lui faudra recréer un milieu, traverser des époques, donner la vie : une saga dans le genre des *Buddenbrook*, mais pas en six cents pages ! Pour la partie russe, question de méthode, relire *Les Frères Karamazov*. Afin d'éviter le *matter of facts*, relire les études de littérature anglaise d'André Chevrillon et les romans de Galsworthy. Pour réussir les portraits, relire les *Mémoires d'outre-tombe*. Et « pour les dialogues, relire Proust. On n'inventera jamais rien de mieux ».

Son dessein, lui, est intact : « un véritable passé palpitant et saignant, cela ne vaut-il pas toutes les imaginations ? [...] Ma vie a été si colorée, si mouvementée. Il faudrait trouver un titre exprimant cela. » Mais *Le Monstre*, ça ne fait pas un titre ! Il était question, dans *L'Ennemie*, de ce « vin mystérieux », ce moût enivrant de l'enfance, lorsque l'oubli l'a foulée au pied. Comment mieux exprimer cette vendange d'amertume où Irène Némirovsky se fatigue la mémoire depuis presque un an ? Plagier Musset ?

> *Poète, prends ton luth ; le vin de la jeunesse*
> *Fermente cette nuit dans les veines de Dieu...*

Ou bien « Le Vin du souvenir » ? « Le Vin de solitude » ? « *Le Vin de solitude* est un beau titre et il a de plus l'avantage certain de bien fixer ma pensée sur un point essentiel. En effet, je crois que ce qu'il faut montrer surtout, c'est cette enfant qui pousse ainsi, absolument seule. Bien mettre l'accent sur cette profonde et amère solitude, sur les fantasmagories qui peuplent sa vie, sur l'apparence monstrueuse que cette vie prend pour elle. » Ce *Vin* pourrait se réduire à une épigraphe de Stendhal : « Nos parents et nos maîtres sont nos ennemis naturels. » Ou à un adage de Némirovsky : « Les enfances heureuses font une vie harmonieuse. Les enfances malheureuses, une vie féconde. » Bien entendu, sa rancune reste entière pour Fanny ; elle aura soin, dans ce roman, de rétablir leur véritable écart d'âge : « J'ai dix-huit ans et elle quarante-cinq... » Mais si la matière de sa symphonie est « la vengeance d'une fille contre sa mère », le leitmotiv devra demeurer le sentiment d'abandon, qui seul perdure après le châtiment. S'inventer, comme dans *L'Ennemie*, une petite sœur, un avortement, un suicide ? Elle y répugne : « J'ai l'impression, à tort ou à raison, qu'il y a dans ma vie une ligne, et presque, déjà, des chapitres tout faits et qu'il faut suivre ce fil conducteur. Miracle ! Il reste assez net, ne s'égare pas. C'est très rare, je crois, dans une vie. » Mais qu'il est difficile de retrouver le son des voix, la lettre et l'enchaînement de conversations effacées ! « Si étrange que cela paraisse, j'ai oublié les paroles, et c'est bien cela, la lutte du réel et de l'imagination, les paroles volent au-dessus de la tête d'un enfant. » Dans *Le Vin de solitude*, pourtant, elles sont toutes vraies, regagnées pied à pied sur l'oubli. Si vraies qu'Irène Némirovsky n'abandonne pas l'idée, un jour, d'en faire un film, et un film optimiste car, à la bassesse et à l'abjection succédera, « vers la fin, un sursaut d'énergie, de confiance, d'amour dans la vie ». *Le Vin de solitude*, comme tous ses précédents romans, est une œuvre morale.

Golder avant Golder

Pour l'entrée en matière, Irène Némirovsky songe un moment, en mars 1934, à une scène accrocheuse, véridique, pleine de bruit et de couleurs : le carnaval de Nice en 1906. Et pour la fin du livre ? Là, c'est plus simple : « Laisser à Dieu le soin de *conclure*. » Ce qui donnera, au chapitre XI de la partie IV : « Elle se leva, et, à ce moment, les nuages s'écartèrent ; entre les piliers de l'Arc de Triomphe le ciel bleu parut et éclaira son chemin. » Dieu est donc français. Morand le dit aussi, à sa façon, en mars 1934, dans son dernier roman : « La France, c'est le camp de concentration du Bon Dieu [70]. » C'est d'ailleurs le titre sous lequel il paraîtra dans l'hebdomadaire nazi *Angriff* en février 1936. Mais *France la doulce* n'est pas seulement une farce, dont la « cocasserie [71] » n'échappe pas à Irène Némirovsky. Dans l'esprit de Morand, c'est bien d'une dénonciation qu'il s'agit : celle de l'accaparement des studios français par cette « racaille qui grouille » et s'est « frayé un chemin, parmi l'obscurité de l'Europe centrale et du Levant, jusqu'aux lumières des Champs-Élysées [72] ». Il est aujourd'hui bienvenu de dédouaner *France la doulce* du soupçon de xénophobie, sous prétexte que le livre serait hilarant. Morand, lui, ne s'amuse pas lorsqu'il déclare à la presse : « Tout ce que j'ai écrit est strictement vrai. Mon livre est un constat : il a la valeur d'un document photographique. [...] Ceux que j'ai peints n'appartiennent à aucune patrie ou, plutôt, ils appartiennent à toutes. Ils sont essentiellement des PARASITES. J'estime que notre devoir est de les chasser [73]. »

Quelle mouche charbonneuse a donc piqué le globe-trotter cosmopolite de *Rien que la Terre* ? Une affaire, peut-être, qui secoue la France depuis décembre, mais qui n'atteint l'opinion publique que le 8 janvier, avec le suicide d'un nommé Stavisky. Faussaire, escroc, « laveur de chèques » et affairiste sans scrupules, ce « repris de justice à tête de danseur mondain [74] » entraîne dans sa chute posthume une ribambelle de banquiers, de patrons de presse – dont Paul Lévy, directeur d'*Aujourd'hui* – et surtout de politiciens – radicaux ou socialistes, dira la droite –, tous achetés ou vendus par cet escamoteur de génie. « Stavisky s'est suicidé d'une balle tirée à trois mètres. Ce que c'est d'avoir le bras long », titrera *Le Canard enchaîné*. Pour le plus grand malheur des Juifs de France, Stavisky était natif d'Odessa, et ce simple fait libère d'un seul coup le pamphlétaire qui dormait d'un œil en Béraud. Le 12 janvier, il s'improvise éditorialiste dans *Gringoire* et fustige adroitement l' « enfant du ghetto de Kiev ». Emporté par ce poids lourd, *Gringoire* dérive lentement vers l'outrance xénophobe. Le 6 février, ce méchant virus fait une dizaine de morts place de la Concorde, lors des émeutes antiparlementaires déclenchées par le scandale.

C'est donc avec un à-propos certain que, pour lancer *France la doulce*, la NRF a forgé le slogan : « Les Stavisky du cinéma. » L'affaire, d'ailleurs, captive Irène Némirovsky, qui se promet de transformer le « beau Serge » en personnage de fiction : « Je me servirai de Stavisky, peut-être, un jour... » Ce pourrait être, envisage-t-elle encore dans son journal de travail, « la carrière d'un homme d'affaires. D. G. jeune ». Ce Golder avant Golder verra le jour : c'est le Ben Sinner des *Chiens et les Loups*, éduqué à l'escroquerie et au cynisme par une enfance de misère, d'humiliation et de système D.

Le 17 mars 1934, Irène Némirovsky achève de relire les « empreintes » du *Pion*, qu'elle retourne à Albin Michel accompagnées d'une photo et d'une brève autobiographie. Morne saison. « Rien n'est plus triste, écrit-elle le 24 avril, rien ne donne plus le sentiment de l'inutilité de toutes choses que ces froides journées du printemps parisien, quand la pluie lourde et froide tombe sur des arbres parés de jeune et tendre verdure. » *Le Pion sur l'échiquier*, le plus pessimiste de ses livres, sort vraiment à son heure. Malgré ses imperfections, elle n'arrive pas à le dépriser, car Bohun est un peu son frère de sang : « *Le Pion sur l'échiquier* est l'histoire d'un homme dont la vie spirituelle a été étouffée par l'amour et le besoin des biens matériels. [...] Je dois avouer que j'ai beaucoup de tendresse pour mon héros, mais je pense que tous les écrivains doivent s'attacher ainsi à leurs personnages les plus antipathiques[75]... »

Dans un texte de présentation destiné aux journaux, Albin Michel s'efforce, sans excès, d'inscrire le roman dans le climat délétère de ce printemps : « Le père du héros, puissant financier, ruiné par un krach, avait acquis une fortune considérable par d'assez louches tractations où furent compromis des hommes politiques. Son fils, employé dans une agence d'informations, assailli de soucis d'argent, pourrait se servir des armes que lui a laissées son père : un dossier dévoilant la complicité de certaines personnalités[76] [...]. » Comme beaucoup de Français, Irène Némirovsky est elle-même victime de l'épidémie antiparlementaire. Le 10 juin, lors d'une séance de signature ou d'un dîner, elle est placée auprès du « gros plein-de-soupe Henri Paté », ex-ministre de l'Instruction publique, vice-président de la Chambre des députés, qui dédicace à grands ronds de bras ses essais moralisateurs sur le sport et la jeunesse. Le lendemain, la romancière consigne ses impressions et mesure à certains indices le croissant discrédit de la classe politique : « Il faut avouer que ce monde parlementaire est odieux, et il semble étrange qu'il se maintienne encore longtemps. Noté la manière des autres, ne ressemblant pas au béat : "Oui, monsieur le Ministre..." d'il y a un an. Noté également que les hommes politiques qui m'ont déplu le plus (celui-ci, Paul-Boncour) sont, comme par hasard, précisément ceux qui ne m'ont pas exprimé leur admiration... » De même, l'écœurent ces rumeurs sur la corruption d'une certaine presse qui monnaie son silence ou ses faveurs en espèces ou en breloques. Dans *Le Pion*, Christophe ne veut plus lire le journal, « à cause de tous ces scandales ignobles, ces procès, ces ruines sans grandeur [77] »...

Pour toutes ces raisons, la grande gueule de *Gringoire* et les appels à l'ordre moral, au redressement national et au « service public » du colonel de La Rocque ne l'intimident pas, d'autant moins que le réformisme social des Croix-de-Feu, dont la prudence a empêché le Parlement de tomber le 6 février, n'a pas grand-chose à envier à la gauche parlementaire et professe encore son aversion pour l'antisémitisme et « les doctrines de haine qui menacent de diviser les Français [78] ». André Maurois, Henry Bernstein sont des sympathisants du mouvement : ce dernier se targuera même « d'avoir fait passer le souffle Croix-de-Feu » par une de ses pièces [79]. Irène Némirovsky n'a-t-elle pas collaboré à l'éphémère quotidien *Aujourd'hui*, dont les sympathies Croix-de-Feu n'étaient pas cachées ? Le 8 février, son directeur, Paul Lévy, est même sorti de son ordinaire réserve pour annoncer la « résurrection » tant attendue : « La Révolution nationale est en marche : rien ne l'arrêtera plus, la France veut redevenir française, la France veut être gouvernée par des hommes dignes d'elle et conserver sa qualité de puissance de tout premier rang. » Éphémère cocorico, mais qui donne le ton de ce journal pour lequel les déprédations et les pillages en marge des grandes manifestations communistes du 7 février, perpétrées par « des bandes armées, composées d'étrangers suspects et de professionnels de l'émeute », sont l'événement marquant de l'hiver 1934...

Chassée de Russie par « les rouges », pacifiste de tempérament, Irène Némirovsky n'était certes pas une boutefeu socialiste. Par métier, elle était même amenée à côtoyer des hommes de lettres peu réputés pour lever le poing. De retour de la générale des *Temps difficiles* d'Édouard Bourdet, elle rédige un vibrant plaidoyer pour la bourgeoisie française, dont la disparition, dit-elle, causerait plus de malheurs à la France que celle de la « racaille des palaces » ; car « la bourgeoisie, dont M. Bourdet nous fait toucher du doigt ainsi la situation périlleuse et tragique, est une forte et admirable classe du pays et ses malheurs ne peuvent pas, ne doivent pas prêter à rire. Ils sont menaçants et terribles pour chacun de nous [80] ».

Un coup de poing

Dans *Le Pion sur l'échiquier*, qu'Albin Michel imprime en mai 1934, un séisme financier ouvre un gouffre béant sous les pas de Christophe Bohun. Pas besoin d'aller au bout de la terre pour se lasser de lui-même, comme chez Morand : une virée en auto suffit à sa médiocrité. Son suicide est aussi certain que la guerre : « Des roulements de tambour, des soldats allemands, la conférence de la paix, des soldats italiens, des avions, des tanks, des canons : “Ah, oui, c'est vrai, la guerre... Il ne manque plus que cela [81]...” » À la radio, Irène Némirovsky souligne que, si ses héros sont français, son sujet n'a pas changé depuis *Golder* : « Je continue à peindre la société que je connais le mieux et qui se compose de gens désaxés, sortis du milieu, du pays où ils eussent normalement vécu, et qui ne s'adaptent pas sans choc, ni sans souffrances à une vie nouvelle [82]. »

La décadence et le matérialisme, la guerre cruelle des générations, l'inadaptation aux temps nouveaux, c'est aussi le sujet d'« Ida », une grande nouvelle syncopée écrite en février à la demande de Morand, afin de compléter le fameux volume de « scénarii ». L'idée d'Irène Némirovsky, c'est *Les Sept Péchés capitaux* de Brecht et Weill (1933), un sujet qu'elle a déjà traité, distraitement, dans *Le Malentendu* [83]. Dans le brouillon d'« Ida », cette dimension apparaît plus nettement encore : « Music-halls. Les étrangers déferlaient sur le monde. Ils étaient gonflés d'or, ils portaient leur or sur leurs ventres, sur leurs yeux. [...] Paris cupide les recevait comme une prostituée, voilà la vérité, mais il ne faut pas le dire. » Une caricature ? Et comment, puisque elle-même en parsème ses manuscrits et regrette de n'avoir pas sous la main « l'admirable album de Sem » pour s'en inspirer. Les 16 et 23 mai, cette « grande nouvelle inédite » paraît en deux livraisons dans l'éclectique hebdomadaire de gauche *Marianne* (cent vingt mille exemplaires), où a paru *France la doulce* en feuilleton. On y voit un « vieux financier » et un « antique président du Conseil » coucher à tour de rôle avec une meneuse de revue sur le retour, qui finit par choir de son grand escalier : parabole des décadentes années 1920 et du « règne des vieilles femmes »... La déchéance d'Ida est le pendant féminin de la dégringolade de Bohun, et qu'elle soit juive n'est pas pour amortir sa chute.

Le Pion sur l'échiquier paraît en même temps qu' « Ida ». Irène Némirovsky, *in extremis*, a supprimé la dernière phrase, trop explicite : « Une main avait écarté de l'échiquier, à son tour, le pion devenu inutile, et la partie, sans lui, continuait... » La critique n'en est pas moins désorientée par ce roman qui rompt avec la veine russe de son auteur. René Lalou veut y voir un « considérable progrès [84] », mais il écrit dans *Noir et Blanc*, la revue balbutiante d'Albin Michel. Thérive, Lœwel et Franc-Nohain sont acquis à sa cause. De même Ramon Fernandez, qui officie dans *Marianne*. Tout juste André Bellessort déplore-t-il que la romancière fraie encore trop avec « ce monde cosmopolite des David Golder, si bas et si peu intéressant [85] ». Dans la très nationaliste *Revue hebdomadaire*, la jeune Élisabeth Zehrfuss, qui avait bien aimé et compris *France la doulce*, s'étonne de s'être piquée d'intérêt pour l'antihéros le plus « lamentable » qui se puisse imaginer. Marcel Prévost, enfin, signale quelques défauts mais salue le « cran » d'Irène Némirovsky, la priant de s'armer de sang-froid et de « ne point s'émouvoir des critiques éventuelles qui compareraient défavorablement son dernier roman à ses ouvrages précédents [86] ».

Sage conseil, mais c'est trop tard : depuis le 30 mai, Irène Némirovsky est aux cent coups. Robert Brasillach, fer de lance de la jeune critique, a démoli *Le Pion* dans sa « causerie littéraire » d'*Action française* :

> *Le personnage ne nous retient pas. L'âpreté qui aurait dû naître se dilue en grisâtre. Nous avions déjà noté le même danger dans* l'Affaire Courilof *: peut-être l'auteur de* David Golder *ne devrait-elle pas écrire de romans. Elle étire un sujet de conte, une anecdote mince, et*

> *tout se rompt. Le désespoir vrai semble devenir un désespoir littéraire. Toute l'adresse de l'écrivain ne parvient pas à masquer le vide du sujet et du livre. Et toute évocation disparaît.*
>
> [...] *Demandons à Mme Némirovsky, dont l'amertume nous déplaît, d'autres* Mouches d'automne, *d'autres déjeuners d'amis rencontrés – d'autres nouvelles. Ne réussit pas qui veut dans cet art difficile*[87].

Depuis la tornade du 6 février, Brasillach n'est plus lui-même. Son virage vers le fascisme est bel et bien entamé. *France la doulce* lui a paru traiter d'une « question grave », qui est que dans un film « dit français », à part les capitaux, « le metteur en scène est juif ukrainien, les assistants juifs de Francfort, la vedette masculine espagnole, et la vedette féminine anglaise[88] [...] ». Certes, le critique raffiné de 1934 n'est pas encore le libelliste qui recommandera, sous l'Occupation, de bien penser à déporter les petits enfants juifs. Et son jugement sur *Le Pion* n'a rien d'idéologique.

Irène Némirovsky est effondrée, d'abord parce qu'elle estime l'avis de ce jeune lettré, mais aussi pour d'autres motifs, que recueille le jour même son journal de travail : « Évidemment j'écris trop de romans... Mais si l'on savait que c'est pour manger... et surtout nourrir Michel et Denise. C'est dur... Il est vrai que les gens s'en f... Moi-même, j'ai été critique. Je sais bien que, dans ces cas-là, on ne s'intéresse pas, *et c'est justice*, aux raisons d'un échec. Je sens mon cœur dans ces cas-là, qui se serre, et bat si péniblement et douloureusement, et la gorge serrée et pleine de larmes. »

Le surlendemain, la plaie n'est pas refermée, elle s'est même infectée : « Je suis plongée dans le plus noir, le plus sinistre des cafards... toujours l'article de l'A.F. Ce n'est pas tant d'être éreintée en général, mais c'est la sincérité visible du jeune B. qui est effrayante. Est-ce vraiment si mal ? Non, non, je le sens bien. J'ai fait de mon mieux, et c'est vrai. Mais comme d'habitude, cela m'afflige pour l'avenir, le lointain comme l'immédiat. Je suis désemparée, sans courage, sans espoir, malheureuse au possible. Comme j'ai vieilli ! Autrefois, la défaite était un coup de fouet : j'étais en colère, je me sentais plus forte. Maintenant, c'est un coup de poing......... La défaite me met knock-out maintenant...

Je ne puis pas penser que ça passera, comme tant d'autres choses... Et pourtant, je devrais savoir que ma vie est une série d'*ups and downs*, comme celle de mon pauvre père.......... »

Résultat indirect de cet éreintement, un parmi d'autres : le livre disparaît peu à peu des devantures un mois après sa parution. « Je crains bien que ce ne soit un mauvais signe », écrit-elle à Albin Michel le 27 juin. L'éditeur, rassurant, invoque avec doigté la crise que traverse le marché : « comparée à la situation du livre en général, la vente du *Pion sur l'échiquier* est bonne ». Mais sur dix-sept mille exemplaires imprimés, seuls sept mille seront écoulés en 1942. Irène Némirovsky aurait-elle cessé d'être la « *great attraction* », depuis que la France s'est installée dans la crise ?

L'offre et la demande

De mai à novembre 1934, Irène Némirovsky fait paraître pas moins de cinq nouvelles, certaines fort longues. « J'ai, en ce moment, plus de demandes de nouvelles que je n'en peux satisfaire », écrit-elle à son éditeur. Comme disait Tchekhov à qui lui reprochait de trop écrire : « Papa et maman doivent manger [89] »...

« Les Fumées du vin », qui a trouvé sa forme définitive en février, paraît en rez-de-chaussée dans *Le Figaro* du 12 au 19 juin ; Brisson, nouveau directeur du grand quotidien, en a offert 2 500 francs. Pour « Écho », Albin Michel ne lui en accorde que 400, mais il s'est plaint de sa brièveté : elle n'occupe que quatre petites colonnes dans *Noir et Blanc*, l'hebdomadaire qui a fini par voir le jour au mois d'avril. C'est un condensé du *Vin de solitude.* Un écrivain s'y remémore un épisode de son enfance : l'offrande d'un papillon mourant à sa mère, l'indifférence de celle-ci. « Je crois que ce petit incident insignifiant a été à l'origine de toute ma vie sentimentale, de mon œuvre où les hommes marchent, parmi leurs semblables, sans être compris d'eux, chacun muré dans sa prison [90]. » Lui-même ne se voit pas morigéner son propre fils. Irène Némirovsky traduit là le scrupule idiot, qu'elle s'avouait en avril 1934, de ne pas aimer suffisamment Denise : « La vérité, c'est qu'on ne s'intéresse pas beaucoup à ses enfants, du moins tant qu'on est jeune. On ne les aime pas constamment ni chaque jour de la même manière, pas plus que dans les autres amours humaines. L'offre et la demande, pas plus entre parents et enfants, qu'entre amants, ne coïncide jamais. »

« Dimanche », que publie la *Revue de Paris* le 1er juin, file la même nostalgie : naïveté de la fille – inspirée de sa nièce Natacha –, mue par « cette vigueur, cette chaleur du sang [91] », désenchantement de la mère dont la jeunesse a fait long feu, incompréhension et dissimulation mutuelles des générations. Irène Némirovsky en a eu l'intuition cette veille de Noël 1933 où elle avait pris prétexte de son asthme et de sa fatigue pour rester seule à la maison. À trente ans, elle écrit : « Enfant, je pressentais la maturité. Maintenant, je pressens la vieillesse mieux qu'autre chose. C'est comique. » En novembre 1934, « Les Rivages heureux » sont encore ceux de la jeunesse insouciante où n'accostera plus Ginette, « vieille cocotte fanée » hésitant entre deux noyades : l'alcool ou les « sombres remous » de la Seine [92].

Irène a passé tout l'été à Hendaye, puis à Urrugne, à rédiger *Le Vin de solitude*. À Saint-Jean-de-Luz et dans les environs, confirmation de ses craintes : plus de *Pion* dans les librairies basques. De retour à Paris en octobre, le 15, Denise et sa maman enterrent le bon gros chat Kissou, puis apprennent le jour même la mort du président Poincaré, aussi ventru et moustachu que l'était le matou. Avenue Daniel-Lesueur, elle met la dernière main à son manuscrit, qu'Albin Michel projette de publier en janvier ou février. Mais entre-temps la *Revue de Paris*, d'ordinaire moins généreuse, lui en a proposé 20 000 francs. Somme « rondelette », apprécie Albin Michel en connaisseur, tout consolé par le prix Goncourt qui vient de récompenser l'un de ses auteurs. Un soleil d'hiver luit enfin sur la maussade année 1934 d'Irène Némirovsky.

Sur les épreuves du *Vin*, qu'elle relit au cours du mois de janvier, la famille Karol porte encore le nom tartare de Koïré qu'elle lui a donné dans « Le Mercredi des Cendres », au tout début de cette aventure autobiographique. « Mes projets ? demande-t-elle. *Le Vin de solitude*, qui sera de la lignée du *Bal* [93]. »

Le plus intime de ses romans paraît en feuilleton à partir du 1er mars ; Thiébaut l'a placé en ouverture de sa revue, devant les fragments inédits de *La Chartreuse de Parme* !

À sa sortie, en août 1935, pas un critique ne signalera que ce roman qui n'en est pas un concorde avec la publication d'*À la source des jours* d'Ivan Bounine, récit d'une jeunesse russe déguisé en fiction, à cette différence que le prix Nobel de littérature s'est fié à sa mémoire involontaire, tandis que Némirovsky a dû batailler contre ses souvenirs et les discipliner dans le carcan d'une symphonie. « Ce roman-ci, explique-t-elle à ses lecteurs, est un de ceux que l'on écrit dans sa tête et dans son cœur bien avant de les écrire sur le papier, un de ceux qui ne surgissent pas dans l'imagination tout armés, avec leur commencement, leur fin et leur forme définitive, mais qui hésitent, tâtonnent, et, en somme, ne se terminent jamais, car chaque moment de rêverie y ajoute des épisodes possibles [94]. » Les douleurs et la joie de la délivrance : c'était le sujet de « Nativité », c'est aujourd'hui le soulagement de voir enfin ce *Vin* tiré, répandu en librairie et versé dans l'âme de ses lecteurs.

« Le livre de ceux qui ont connu le désespoir à l'âge dit heureux », disent les encarts publicitaires insérés dans les quotidiens par Albin Michel, certain de tenir enfin un second *Golder*. Les princes de la critique ne le suivent pas jusque-là, mais Fernandez admire la délicatesse de touche de l'arrière-plan révolutionnaire, trop irréel pour distraire Hélène de son éducation sentimentale [95]. Maxence ne sait que louer le plus, l'équilibre et la robustesse du récit, le relief des personnages, les « exceptionnelles qualités de couleur [...], la vérité des tableaux de mœurs, la lucidité des diagnostics, la portée de document social [96] ». Le vieil Henri de Régnier, effarouché par la lucidité d'Hélène Karol, sidéré par les trésors d'âcreté de la romancière, regrette seulement qu'elle « se spécialise un peu trop dans la peinture de cette humanité trouble, avide, enragée et, en somme, assez basse [97] ».

Curieusement, seule la *Revue de Paris*, où le livre a d'abord paru, trouve à reprocher au *Vin de solitude* son « pessimisme hébreu » et son « inconscience russe », mais aussi le caractère rancunier, infatué et irrespectueux de son héroïne : est-ce ainsi que l'on doit traiter une mère certes dure et vaniteuse, mais une mère tout de même ? Irène Némirovsky avait anticipé ce reproche : « C'est mal au point de vue moral, je le sais, mais c'est vrai, sincère. » Comme tous ses livres depuis *L'Enfant génial*, *Le Vin de solitude* est une œuvre profondément morale, qui parle de sentiment filial et de responsabilité parentale, du mépris et de la considération, de l'argent, de l'amour et de la haine. Mais ce n'est pas un livre de morale. « Ce n'est pas du vin, comme elle le dit, que la solitude a versé à Hélène ; c'est du poison », chicane Henri Bidou, incapable de comprendre que le halo qui gênait sa lecture et lui rendait Hélène « indistincte » n'était que la buée des souvenirs : « On dirait que l'auteur était trop près d'elle pour la bien voir[98]... » Si près, en effet, qu'en 1942 Hélène inspirera à Irène cette troublante dédicace, inscrite au revers du classeur de *Suite française* : « *Le Vin de solitude.* Par Irène Némirovsky, pour Irène Némirovsky. » Et aussi pour Fanny, à qui nul n'avait offert miroir si limpide.

« C'est l'histoire, disait-elle, d'une petite fille qui déteste sa mère... »

8

Heureux Français !

(1935-1938)

> « *Être juif et français, que cette alliance aurait pu être féconde ! Quel espoir j'en tirais !* »
>
> Jacques de Lacretelle, *Silbermann*

Sans l'avarice, l'égoïsme de Fanny Némirovsky, sa fille Irène aurait-elle conçu, de 1935 à 1942, neuf nouveaux romans, une biographie et pas moins de trente-huit nouvelles ? Son œuvre, portée à la scène, traduite dans le monde entier, est désormais la principale source de revenus de son ménage. En 1938, ses rentrées d'argent sont plus de trois fois supérieures aux traitements annuels de Michel à la Banque des Pays du Nord, qui s'élèvent alors à 41 850 francs. Certes, Michel a d'autres sources de revenus, sans doute spéculatives, mais ils n'ont jamais envisagé de réduire leur train de vie. Leur médecin de famille est l'éminent Louis Vallery-Radot, petit-fils de Pasteur et arrière-petit-fils d'Eugène Sue. Irène Némirovsky n'a donc pas le droit de cesser d'écrire, au risque de compromettre l'équilibre financier de son foyer, mais aussi sa situation dans la république des Lettres. Rien n'est plus faux que sa réputation posthume de « banquière » : l'auteur de *David Golder* vit avant tout de sa plume. Elle en vit bien, mais elle n'en vit pas seule. Et Michel Epstein, qui n'a pas encore noué avec Albin Michel les liens familiers qu'il a conservés avec Grasset, s'autorise à seconder son épouse dans ses affaires. « Monsieur Irène Némirovsky, plaisante-t-elle, n'est pas un prince consort [1]. » En août 1935, il lui ouvre un compte séparé à la Banque des Pays du Nord. Il lui rapporte du bureau le papier sur lequel il tape lui-même ses romans et lui offre en 1937 le stylo Doret avec lequel elle rédige à l'encre « bleu des mers du Sud ». « J'aime écrire le matin, confie-t-elle, mais plus encore le soir après cinq heures, la journée terminée, dans la paix du home et l'enchantement des lampes allumées. Je ne peux jamais travailler après déjeuner, mais Duhamel, paraît-il, est comme moi. Cela m'a tranquillisée... Il ne me faut que mon stylo favori [2]. » Michel est son premier lecteur, draconien mais persuasif :

« Pourquoi as-tu écrit ça ?

— Mais...

— Ça ne va pas [3]. »

Au début du mois de juin 1935, ils n'ont eu qu'à tourner une rue pour emménager dans une impasse jumelle, à vingt mètres de l'avenue Daniel-Lesueur sur le boulevard des Invalides. L'appartement de location, au sixième et dernier étage du 10 avenue Constant-Coquelin, est plus clair et plus spacieux que l'ancien. On y accède par l'ascenseur. Ils pourront y recevoir et, qui sait, accueillir un nouveau-né. Une entrée, un couloir, un salon capitonné de livres reliés où Denise s'aménage un abri sous les rideaux. « Je passe toute ma journée à lire [4] », confie la jeune personne aux journalistes : la comtesse de Ségur, *François le Bossu*, *La Famille Plumet*, *La Petite Sœur de Trott*, de préférence au *Petit Lord Faunteleroy*. Dans un coin, une photo réunit la mère et l'enfant. Plusieurs chambres, une office, une cuisine où la romancière ne manie pas les cuillers, mais une salle à manger où se révèle sa gourmandise. Sur un buffet, de magnifiques flacons en cristal. Caviar, champagne, robes du soir : « Nos parents vivaient à la russe. Maison ouverte, grandes soirées [5]. » Les invités s'appellent Fernand Gregh, Paul et Hélène Morand, Tristan Bernard et son fils Jean-Jacques. Le samedi, Paul Epstein et Choura restent jusqu'au milieu de la nuit. L'un des deux balcons, couvert pour former véranda, résonne de cliquetis : il sert désormais d'atelier de tricot et de frappe à la machine. Sur l'autre, bariolé de capucines et de pois de senteur, la vue tombe sur le potager des Pères spiritains, congrégation de missionnaires dont le refondateur, Jacob Libermann (1802-1852), était un fils de rabbin converti au catholicisme. Dans cet appartement où elle vivra moins de cinq ans, Irène Némirovsky écrira cinq romans et croira prendre congé du judaïsme, sans le chasser pourtant de son œuvre.

Le rêve rejoint la réalité

Promis un an auparavant à Paul Morand, le recueil *Films parlés* aurait dû paraître sitôt imprimé, en décembre 1934 ; il n'est publié que trois mois plus tard, en février 1935. Ces quatre nouvelles visuelles, montées comme des plans-séquences et fort dépourvues de psychologie, relèvent d'une esthétique qu'Irène Némirovsky, ayant longtemps confessé l'influence du cinéma [6], ne revendique plus. La désillusion de renouveler l'art d'écrire au jour artificiel des projecteurs est patente, son journal de travail s'en porte témoin : « Il ne faut plus se dissimuler que la technique cinématographique est incertaine pour lier ensemble une salade d'intrigues différentes ; on aura beau dire, la nouvelle, la vraie, la pure n'a qu'une chose à faire : imiter Mérimée et suivre le fil à plomb. » En cela, elle devance ses critiques, plus sensibles à son talent de conteuse qu'à son avant-gardisme. Si Fernandez n'est pas certain que les « procédés optiques [7] » apportent quoi que ce soit à l'efficacité narrative, il distingue comme Edmond Jaloux la « remarquable étude de femme vieillissante et desséchée par l'ambition [8] » que constitue « Ida », qui ouvre le volume. Henri de Régnier ne comprend pas, lui, qu'un talent aussi sûr se soit abaissé à ce « jeu sans grand avenir [9] » qui consiste à singer la caméra.

Mais la jeune critique y trouve son compte : nullement désarçonné par le langage scénaristique de *Films parlés*, Jean-Pierre Maxence, vingt-neuf ans, décèle dans cet « excellent recueil » l'influence de Maupassant pour la conception, de Mauriac pour les dialogues et de Tchekhov pour l'amertume, le tout sans subterfuge : « Si elle atteint cette poésie de cendre et d'or, c'est comme en passant, involontairement, par hasard [10]. » À l'inverse de Brasillach, son ex-camarade de la *Revue française*, et quoique animé d'un nationalisme fébrile, Maxence restera fidèle à Némirovsky jusqu'à l'Occupation. En octobre de la même année, il s'avoue étourdi par la puissance d'évocation, la rigueur de construction du *Vin de solitude*, livre le plus abouti de la « brillante romancière » : « Lorsque de tels équilibres sont atteints, on peut dire d'un écrivain qu'il s'est pleinement réalisé. [...] Le rêve rejoint la réalité [11]. »

Albin Michel vendra environ dix mille exemplaires du *Vin de solitude*, moins sans doute qu'il n'espérait, mais l'ouvrage sera traduit en plusieurs langues. Au cours de l'année 1934, Irène Némirovsky a d'abord hésité à le faire paraître dans la *Revue des Deux Mondes* qui le lui proposait, croyant indignes d'une revue aussi austère le caractère intime de l'œuvre et celui, vindicatif, de son héroïne. Et pour rien au monde elle n'aurait consenti à se censurer. « On peut avoir du talent et ne pas écrire dans la *Revue des Deux Mondes* [12] », ironisait Juven en 1921. Mais l'honneur de figurer au sommaire de la vénérable *Revue* n'est pas de ceux que l'on néglige. Être coopté par les sages de cette institution centenaire, c'est recevoir l'esprit français de ses propres gardiens : maréchaux victorieux comme Foch ou Pétain, héros de la république comme Deschanel et Poincaré, poètes chenus comme Gregh ou Régnier, probables parrains d'Irène Némirovsky. « La *Revue* nous offre l'image heureuse d'un monde bien administré, se félicite l'académicien André Chaumeix en 1933. [...] La rédaction figure assez bien un Parlement sage et soucieux de l'intérêt général. La Direction représente le souverain qui gouverne, qui dure et qui a la mission de veiller sur la vie générale de la *Revue* dont l'éminente dignité est de rester constamment le reflet de la pensée française [13]. » Dans cette antichambre de la coupole, qui a survécu à tous les régimes depuis Charles X sans dévier de son cap ni éviter un début de sclérose, quelques jeunes hommes de lettres tels que Lacretelle, Carco, Montherlant ou Green mijotent leurs lauriers. Il peut être tentant, pour une étrangère, française par le génie mais apatride devant la loi, de s'abriter derrière la couverture rose de l'inattaquable et rébarbative *Revue*, qui se distingue en outre par sa franche hostilité aux doctrines marxistes, comme à l'impérialisme germanique.

Pour sa première contribution à la *Revue*, Irène Némirovsky a préféré livrer une de ses nouvelles « au fil à plomb ». Dans « Jour d'été », délicate étude sur les âges de la vie, une petite fille de l'âge de Denise, « la peau fine et couleur d'abricot [14] », s'amuse à arracher des myosotis. Irène Némirovsky l'a appelée Morcenx, du nom d'un bourg étape de la ligne Paris-Hendaye. Son père, qui la réprimande, joue lui-même à déchirer son couple. Lucain, son grand-père, savoure avec application ce qui peut encore lui donner « même une infime volupté [15] » : un tour de jardin, un verre d'alcool. Tous trois convoitent, pourchassent ou supplient la vie qui les prend de vitesse. À la nuit tombante, comme chez certains maîtres flamands, seule la végétation frémissante répond à leurs prières. Cette veine philosophique n'est pas nouvelle dans l'œuvre d'Irène Némirovsky. Elle perdurera jusqu'à la chasse nocturne de *Tempête en juin*, autour de laquelle hurle la guerre comme le cyclone sur son œil.

Dans le numéro du 1er avril 1935, Irène Némirovsky voisine avec Maurice Genevoix et Alexandre Millerand, ancien président de la République. Au cours du printemps, à l'occasion de la traditionnelle vente annuelle des anciens combattants, elle sympathise avec sa voisine de comptoir Solange Doumic, fille du directeur de la *Revue*. René Doumic, qui a épousé en secondes noces la fille aînée de Hérédia, est de ce fait le beau-frère d'Henri de Régnier. Ancien condisciple de Bergson et Jaurès à l'École normale supérieure, il n'a ni l'énergie intellectuelle du premier, ni la fécondité politique du second. Barbiche et binocles, caché sous un éternel plaid, courbé comme un Quichotte qui n'aurait jamais refermé ses romans, Doumic est à soixante-dix ans, selon Maurois, « de ceux qui pensent que "la vie serait supportable sans les plaisirs" [16] ». Il n'utilise le téléphone qu'à contrecœur et prédit l'extinction du cinéma. Cheville ouvrière de la *Revue* depuis plus de quarante ans, son directeur depuis 1915, Doumic, ancien professeur de rhétorique, manifeste en littérature un conformisme dont la constance émerveille : hier ennemi de Baudelaire, Verlaine et Zola, on l'a vu en 1923 censurer un texte de D'Annunzio, parce qu'une chanoinesse y couchait avec son cousin. Sa devise : « Il ne suffit pas d'être jeune, mais c'est toujours une recommandation [17]. » Ce moralisme le suit en politique, où Doumic professe un patriotisme tatillon, de tradition à la *Revue* depuis Ferdinand Brunetière, mais qui a le don d'exaspérer l'Action française par sa réserve. Et si la *Revue* a pu prêter l'oreille aux tartarinades mussoliniennes, puis à l'antiparlementarisme, Hitler réveille au contraire son farouche amour du drapeau.

Stavisky et Stravinsky

Irène Némirovsky partagerait-elle en politique l'étroitesse de vues de Doumic ? Elle entend surtout profiter de l'influence de ce secrétaire perpétuel de l'Académie française pour favoriser sa demande de naturalisation et celle de son mari.

Depuis le 10 août 1927, afin de compenser les brèches taillées par la guerre dans la pyramide des âges, une loi est venue entamer la rigueur du sacro-saint « droit du sang » et faciliter l'obtention de la nationalité française. Le 30 septembre 1935, quatre mois après la sollicitation formulée par Michel, Denise est la première de la famille à l'acquérir par décision de justice. Il ne s'agit pas là d'un caprice, mais d'un mouvement de fond suscité par l'afflux de réfugiés en provenance d'Allemagne, qui a pris de court les services d'immigration. Depuis 1931, plus de dix mille étrangers sont naturalisés chaque année en France. Pour les Juifs russes présents sur le sol français depuis l'après-guerre, et dont l'URSS ne veut pas, le besoin se fait soudain sentir de concrétiser l'intime conviction d'être devenus français, de crainte d'être assimilés aux indésirables rejetés par l'antisémitisme nazi et regardés de biais par une opinion que travaille la presse nationaliste. Dans la *Revue des Deux Mondes*, dès avril 1934, René Pinon réclamait que soit mis un terme aux « naturalisations scandaleuses dont bénéficient le plus souvent des Juifs [18] ». Le 16 février 1935, dans *Je suis partout*, Lucien Rebatet a donné le coup d'envoi de sa grande enquête anti-assimilationniste intitulée : « Les étrangers en France. L'invasion. » Noirs, Jaunes, Arméniens, Maghrébins y sont qualifiés d'« excréments ». « Devrons-nous tolérer des alliages avec ce sang corrompu d'Orient, appauvri par d'indéchiffrables mixtures, par de longues périodes de massacres, d'oppression, de misères physiologiques ? Il n'est pas besoin d'être "raciste" pour s'en alarmer. » Quant aux Juifs russes, Rebatet refuse de les compter au nombre des Slaves. Or, regrette-t-il, « parmi les 26 000 Russes naturalisés, il y a une énorme majorité israélite ». Partisan d'une immigration choisie, Rebatet, fin mélomane, consent bien entendu à faire une exception pour Horowitz – né à Kiev en 1903 – et autres « excellents virtuoses juifs [19] ». Mais soyons justes : même dans *Marianne*, Emmanuel Berl, favorable à une politique d'immigration plus ferme, n'est pas hostile au tri sélectif, qu'il résume d'une formule : « Il y a Stavisky, mais il y a Stravinsky [20]. » Et il y a Némirovsky, virtuose des lettres, qui n'est citée ni par Berl ni par Rebatet. Mais c'est sous ce climat qu'il faut considérer sa décision de postuler à la dignité française, et comprendre la brusque disparition de toute couleur russe dans son œuvre.

Dès 1934, la romancière a pris acte de l'avènement du nazisme. La pièce antifasciste de Brückner, *Les Races*, qui l'a fortement ébranlée, lui inspire des lignes visionnaires :

> *Ces « instantanés de la guerre antijuive en Allemagne », comme M. Paul Reboux appelle ces huit tableaux, peuvent paraître, ainsi qu'il le fait remarquer avec une grande justesse, singuliers et même invraisemblables au public français, et, en effet, la première idée qui vous traverse l'esprit, est que ces gens sont devenus tous fous. Mais, hélas ! cette folie est réelle et contagieuse. De plus, elle révèle un état d'esprit terriblement inquiétant pour les voisins d'un peuple où le sadisme, l'orgueil et la cruauté sont ainsi glorifiés. C'est le cas ou jamais de dire : « Que ceux qui ont des oreilles entendent ! » Il est vrai que le Français est trop profondément imprégné de civilisation pour estimer même possibles de tels excès. Il n'a pas voulu croire en son temps au tsarisme, ni, plus tard, à la révolution russe. Et pourtant [21]...*

Elle sait donc à quoi s'attendre. Rouvrant *Golder* en 1935, elle perçoit maintenant la teinte brune que prendrait, pour un regard accommodé à la propagande antisémite, la satire « des Juifs assez cosmopolites chez lesquels l'amour de l'argent a pris la place de tout autre sentiment », par opposition aux « israélites français établis dans leur pays depuis des générations ». Pour autant elle ne renie rien. À l'envoyée de *L'Univers israélite*, venue lui présenter la lettre anonyme d'une « âme juive blessée » par la lecture de *Golder*, et lui exprimer les soupçons que n'ont dissipés *Le Pion* ni *Le Vin*, Irène Némirovsky, après s'être contenue et avoir beaucoup souri, répond enfin vivement :

— Il me semble que je n'ai jamais songé à dissimuler mes origines, bien au contraire. Chaque fois que j'en ai eu l'occasion, j'ai clamé que j'étais juive, je l'ai même proclamé ! Je suis beaucoup trop fière de l'être pour avoir jamais songé à le renier [22].

Il est bon de garder son drapeau dans sa poche, à moins qu'on ne la soupçonne d'être vide. « Je ne revendique jamais mon origine que dans un cas, dira Marc Bloch : en face d'un antisémite. » Irène Némirovsky, de même, répugne à la forfanterie autant qu'au déni. Si de tels aveux, dans sa bouche, sont rares et véhéments, c'est qu'il lui cuit d'avoir à justifier d'elle-même. Juive et russe, certes, mais romancière française, avant tout ! C'est pourtant de telles preuves que la France de 1935, saisie d'une frénésie de nomenclature « raciale » qui facilitera la tâche des exterminateurs, exige chaque jour davantage de ses ressortissants juifs. Car pour éliminer, il faut avoir départagé.

Au cours du mois de novembre 1935, invitée à dîner chez Marie de Régnier, Irène Némirovsky s'ouvre de ses intentions à Doumic, dont elle fait alors la connaissance. Celui-ci lui promet d'intercéder en sa faveur auprès de Léon Bérard, académicien au profil barrésien, alors sénateur des Basses-Pyrénées, plusieurs fois ministre de la Justice et de l'Instruction publique, éloquent défenseur des humanités classiques. Le 23, s'autorisant de sa bienveillance, la romancière fait donc parvenir à Doumic son curriculum vitæ et celui de Michel, afin de hâter la procédure de naturalisation. La *Revue des Deux Mondes* est alors idéalement disposée à son égard. Le 1er décembre, Chaumeix y insère un long éloge du *Vin de solitude*, où seul un esprit superstitieux lirait un mauvais augure :

Dans notre fade époque de faux rêveurs qui croient à la bonté de l'homme sortant de la nature, elle [Irène Némirovsky] *rejoint sans s'en douter, par instinct et par la grâce de ses facultés d'observation, les philosophes les plus estimables, les pessimistes les plus sérieux, les théologiens qui nous expliquent le sens et les effets du péché originel, et les poètes qui ont le mieux raconté la douloureuse aventure de la vie terrestre* [23].

En dépit d'appuis prestigieux et de demandes répétées jusqu'en 1939, ni Michel Epstein ni sa femme, inexplicablement, n'obtiendront jamais la nationalité française.

Un procès

Lorsqu'elle était enfant, se rappelle Irène Némirovsky en 1934, son grand-père Iona lui faisait réciter le « songe d'Athalie » :

> *Ma mère Jézabel devant moi s'est montrée,*
> *Comme au jour de sa mort pompeusement parée ;*
> [...]
> *« Tremble, m'a-t-elle dit, fille digne de moi ;*
> *Le cruel Dieu des Juifs l'emporte aussi sur toi. »*

Le « cruel Dieu des Juifs », qui s'ingénie à lui refuser des papiers français, n'oublie jamais, en revanche, de lui fournir des sujets d'étude, quelque effort fasse-t-elle pour masquer cette source. Ainsi, pour la première fois dans *Jézabel*, hormis Sir Mark qui « était d'origine israélite et plébéienne [24] », pas un personnage important n'est explicitement juif; mais Gladys Burnera, épouse Eysenach, fille d'un riche armateur uruguayen, dont ce livre retracera la carrière libertine, appartient « à cette société mouvante, cosmopolite, qui n'a d'attaches ni de foyer nulle part [25] », précision qui, pour le lecteur français, revient à peu près au même. Ce que montre ainsi Irène Némirovsky, c'est qu'elle peut soustraire les éléments russe et juif sans cesser de faire la satire des milieux corrompus de la finance, de l'aristocratie et maintenant de la politique. Elle songera d'ailleurs à adapter *Jézabel* pour la scène ou pour l'écran, comme autrefois *David Golder* : « Mais, finalement, j'ai écouté des amis, qui sont des techniciens du théâtre et qui m'ont persuadée que le sujet ne convenait pas à ce mode d'expression... Au surplus, quelle actrice aurait consenti à jouer le rôle d'une femme de soixante ans [26] ? »

La cruelle Jézabel, épouse d'Achab, roi d'Israël, était phénicienne. Cette païenne luxurieuse parvint à faire bâtir en Samarie des autels aux idoles Baal, Melkart et Astarté. Jéhu mit fin à son règne atroce en livrant aux sabots des chevaux et aux crocs des chiens cette fausse reine juive, symbole honni de la dépravation d'Israël. Dans *Jézabel*, Irène Némirovsky paraît détourner vers sa mère l'interminable procès qu'elle endure depuis 1930, et lui imputer une part des reproches déclenchés par ses tableaux sans aménité de la « classe riche et cosmopolite chez laquelle l'argent a détruit peu à peu tout l'amour des traditions et de la famille [27] », dépeints de mémoire dans chacun de ses livres. La « racaille de palace », précise-t-elle dans les premières ébauches de ce projet, tout en redoutant à l'avance de représenter « un milieu, toujours le même, celui de D. G. ». La solution : « appuyer sur le côté "Monde du *Bal*", caricature du vrai. Celui-là je le connais, je l'ai connu. »

Ce que l'on a pris chez Irène Némirovsky pour déni et abjuration, ne serait-ce pas plutôt un drame familial, une allergie au sang, une tentative d'émancipation ? C'est tout le sens de *Jézabel*, roman en forme de dossier d'instruction. Il ne fait aucun doute que l'infanticide qui comparaît dans les pages de *Marianne* le 2 octobre 1935 est une nouvelle incarnation de Fanny : Gladys était le prénom de la femme de David dans la première ébauche de *Golder*. Ses lèvres « serrées et crispées [28] », ses cris de désespoir devant le miroir, sa haine de la maternité, son acte de naissance trafiqué de dix ans, la pitié qu'elle inspire à sa fille, la fière Marie-Thérèse, sont d'« un monstre [29] ». *Jézabel* solde une fois pour toutes les comptes d'Irène Némirovsky et de Fanny devant le jury des lecteurs. Dominique Desanti raconte qu'elle avait dix-sept ans, en 1936, lorsqu'elle osa aborder l'auteur du *Bal* à un gala d'écrivains russes. *Jézabel* venait de paraître en volume. « Alors vous aussi votre drame, c'est votre mère ? s'enquit la romancière. — Moi, c'est qu'elle n'est jamais là. — Détester une absence et non une présence, lui répondit Irène Némirovsky d'un air entendu : c'est une haine plus légère à porter [30]. »

Jézabel est l'histoire d'une ogresse. Comme la Génitrix de Mauriac, Gladys Eysenach dévore son propre enfant [31]. Pour préserver jusqu'au bout son « pouvoir de femme [32] », ainsi qu'un despote maintient le peuple dans l'enfance, elle continue d'habiller sa fille comme une adolescente. Même après avoir retardé son mariage, le temps pour son fiancé de trépasser au front, elle ne veut conserver de Marie-Thérèse que l'image d'une petite fille de « sept ans, demi-nue, ses cheveux tombant sur ses yeux [33] ». Et, de même, Fanny refuse son âge comme on nie un cancer. « J'étais déjà née quand elle [*ma mère*] reçut un jour un énorme ours en peluche accompagné d'une lettre incompréhensible, se souviendra Denise Epstein. Cet ours lui était destiné, ma grand-mère s'obstinant à ne parler d'elle que comme d'une toute petite fille [34]. » Dans ce roman, Irène Némirovsky lui impose cette vérité avec une salubre férocité. C'est Bernard Martin, petit-fils illégitime de Gladys, qui menace de ruiner sa situation en révélant son âge : « Regardez, regardez, dit-il en lui mettant de force un miroir sous les yeux : regardez ces poches sous vos yeux qui paraissent sous le fard !... Vieille !... Vieille, vieille femme, répéta-t-il hors de lui : comme je vous déteste [35] ! »

Tout comme « Ida », *Jézabel* est à l'origine un épisode détaché du *Vin de solitude*, dont les grandes lignes ont été esquissées dès le premier semestre 1934 : « Comme ce serait amusant et actuel, et vrai... [...] Montrer une femme ordinaire, plutôt mieux qu'à l'ordinaire, vieillissante et son désespoir quand son amant la laisse tomber. Après, comment elle devient un monstre et se perd, après avoir perdu d'autres êtres. » Actuel et vrai, en effet, car nulle époque, plus que ces quinze années passées à planter des monuments aux morts aux quatre coins du pays, n'a été plus propice aux marchands de jouvence et autres charlatans. « La mort révolte l'homme comme la plus cruelle injustice, parce qu'il garde le souvenir intime de son immortalité [36] », déclarait en 1920 le docteur Voronoff, qui prétendait rendre la verdeur aux hommes par la greffe de glandes animales. Dix ans plus tard, la presse est inondée de réclames pour les élixirs de longue vie, les onguents « pour faire paraître les femmes jeunes » et « se protéger contre le cauchemar de vieillir avant son temps », comme le promet le professeur Stejskal, inventeur de l'illustre baume Tokalon. On jurerait que Gladys Eysenach en a lu la réclame : « Entre 19 et 50 ans il ne sera plus possible de dire l'âge d'une femme. » On le voit, la tyrannique Jézabel est elle-même une victime de la dictature des crèmes. « Je suis jalouse de ma jeunesse [37] »...

Nul n'est censé ignorer la mort, mais qui la respecte ? C'est aussi pourquoi le procès de Gladys sera équitable : comme dans *Le Bal*, l'accusée, châtiée par sa propre conduite, humiliée par la révélation publique de ses mensonges, finit par inspirer une cuisante pitié. « Quand j'ai commencé d'écrire, confiera Irène Némirovsky en juillet 1936, j'étais pleine de sévérité pour ma "criminelle"... Et puis, à mesure que j'écrivais, je la faisais tellement belle que j'ai fini par lui chercher toutes les excuses... Si je devais la juger, c'est la pitié qui, chez moi, finirait par l'emporter [38]... » Aussi Marie-Thérèse ne nie pas l'angoisse de sa mère. Instruisant son procès, Irène Némirovsky ne peut éviter de s'examiner elle-même. La jeune Gladys est son autoportrait : « Elle avait vécu jusqu'à dix-huit ans auprès d'une mère froide, sévère, à demi folle, une vieille poupée fardée, tour à tour frivole et effrayante, qui traînait dans toutes les contrées du monde son ennui, sa fille, ses chats persans [39]. » De Fanny, embaumée vivante, ou d'elle-même qui déjà se survit dans ses livres, qui s'étourdit davantage ?

Jézabel est une allégorie de l'arrogance. Les barricades humaines sont vaines contre les assauts du néant. À défier l'ordre naturel, on s'expose à sa vengeance. Irène Némirovsky, en forçant le trait, a voulu élever la pathétique comédie de Fanny à la hauteur d'une tragédie racinienne. Ses brouillons sont explicites : « Ce qu'il faudrait c'est la montrer du dedans, la montrer en somme presque comme *Phèdre*, dans l'impossibilité de résister à son vice, ce désir, cet orgueil de rester jeune et désirable. »

« Facts »

Jézabel ne paraît dans *Marianne* qu'à l'automne, mais dès fin décembre 1934 Irène Némirovsky en avait cédé l'exclusivité à Emmanuel Berl pour 35 000 francs. Elle y a mis la dernière main durant l'été 1935. « Le Commencement et la Fin », qui paraît dans *Gringoire* au moment où s'achève le feuilleton de *Jézabel*, le 20 décembre, est une variation sur le même thème. Dans cet épisode judiciaire, le procureur Desprez, loin d'incliner à l'indulgence, redouble de sévérité et d'ambition en apprenant qu'une tumeur cancéreuse le condamne. La vie est une cour d'assises où chacun joue sa peau. Dans le troupeau humain, la nouvelle d'une épidémie n'excite pas l'entraide, mais le sauve-qui-peut. Chacun pour soi et Dieu pour tous : on voit quelle morale politique en tirer, à l'heure où le gouvernement français ferme le territoire aux réfugiés juifs non allemands.

Non sans humour – ou pitié –, Irène Némirovsky a prêté au procureur Desprez les traits de Bernard Grasset, ses « cheveux d'argent », ses « lèvres plates et minces et une moustache rare et grise comme du lichen [40] ». À peine une coïncidence, puisque Grasset, lui aussi, est rongé par un cancer, mais mental. Des mains de René Laforgue, pionnier du freudisme en France, le lion blessé, en proie à de terribles crises cyclothymiques, est tombé sous la coupe de divers « charcutiers de l'âme », comme il les appelle. Séquestré au château de Garches, il épargne à son personnel ses colères irrationnelles et se laisse dépouiller de tout contrôle sur sa maison, sous la pression de sa famille et de ses actionnaires.

Irène Némirovsky s'est éloignée depuis deux ans de la rue des Saints-Pères; mais Michel Epstein avait noué des liens d'amitié avec l'éditeur, et tout contact n'est pas rompu. Fin 1934, Michel a même approché un des avocats de Grasset, en vue d'empêcher qu'il ne soit tenu à l'écart de ses affaires, comme divers témoignages en apportaient la preuve. En vain : un an plus tard, l'homme que tout Paris tient désormais pour un forcené doit faire face à un procès en incapacité intenté par ses sœurs. Lesquelles seront déboutées début janvier 1936. À cette occasion, la presse publiera un « Hommage à Grasset » rendu par une petite centaine d'écrivains – Gide, Benjamin, Bonnard, Crémieux, Rosny Aîné, Martin du Gard... – désireux « de le voir reprendre au plus vite son activité dans un domaine où il a toujours montré les plus précieuses qualités d'initiative et d'énergie [41] ». Parmi les signataires de ce témoignage de « cordiale sympathie » et de « reconnaissance », bien peu d'auteurs maison. Mais le nom d'Irène Némirovsky figure en bonne place, entre ceux de Maurras et de Jean Prévost. Ce beau geste n'empêchera nullement Grasset, dès le printemps, d'affecter les 5 000 francs de la cession de *L'Affaire Courilof* aux éditions Ferenczi – 35 000 exemplaires tirés ! – à combler le déficit du compte Némirovsky. Michel lui reprochera vertement cette indélicatesse : « Enfin, lui écrit-il le 5 mai, rappelle à tes directeurs financiers tout ce que t'ont rapporté édition, cinéma, traduction, etc., de *David Golder* et *le Bal*. »

L'éditeur n'était donc pas si fou. Déclaré apte à conduire sa maison, il reprend les rênes au moment précis où s'en éloigne André Sabatier, qui y exerçait les fonctions d'éditeur depuis 1929. Ce n'est pas rue des Saints-Pères qu'Irène Némirovsky a appris les qualités humaines et professionnelles de cet homme effacé et cultivé, mais rue Huygens où Albin Michel vient de l'appeler, selon ses propres termes, à assumer « une sorte de secrétariat général pour la partie littéraire [42] ». Sabatier, homme sage et mesuré, pieusement protestant, aurait pu souffrir encore les sautes d'humeur de Grasset, si celui-ci n'y avait mis un comble en prenant en grippe l'un de ses auteurs les plus prometteurs, Jacques Benoist-Méchin, au point de le bannir physiquement de sa maison. Or ce jeune fonctionnaire à la Société des nations, germaniste émérite, était l'une des plus fières recrues de Sabatier. C'est donc sans surprise que paraîtra en juillet 1936, chez Albin Michel, sa monumentale et magistrale *Histoire de l'armée allemande*, au grand dam de Bernard Grasset... Jusqu'à sa mobilisation en Syrie en 1940, Sabatier devient l'éditeur attitré d'Irène Némirovsky, beaucoup plus amical et attentionné que ne l'était Tisné, formé à la rude école Grasset.

Les ventes de *Films parlés*, correctes pour un volume de nouvelles, sont une heureuse surprise. Quant à Albin Michel, il se dit très satisfait de *Jézabel*. Irène Némirovsky le peaufine au cours des premiers mois de 1936. Elle tient notamment compte des courriers d'avocats lui signalant quelques vices de procédure dans la scène de la cour d'assises, mais pas des nombreuses lettres d'inconnues prenant résolument parti pour ou contre Gladys ! La parution en volume étant repoussée au mois de mai, elle ne retourne ses épreuves que le 21 avril, assorties de cette suggestion de bande publicitaire : « Une femme a tué... Pourquoi ? » Ce souci d'efficacité, ce parfum de suspense se ressentent de ses lectures, notamment du *Facteur sonne toujours deux fois*, publié en feuilleton dans *Marianne*, et que la NRF lui a demandé de préfacer avant l'été. Comme *Jézabel*, le roman de James Cain est « la confession d'un assassin », mais l'auteur de *David Golder* – tout juste traduit en japonais ! – est surtout séduite par sa brutalité et son mépris de la psychologie : « Ici, pas de préparations, pas de digressions, pas un instant de répit. Des faits. "Facts." [...] Littérature façonnée par le cinéma et pour le cinéma, par l'habitude des "hot news" et du roman policier, elle se plie paradoxalement au précepte de Boileau. [...] Elle est sapide et dure : on y goûte quelque chose de sain, de vif et de fort qui ne se trouve actuellement nulle part ailleurs. »

Curieusement, son style n'en tire aucun profit. Avec une patience nouvelle, elle déploie de sinueuses intrigues familiales ou sentimentales ; l'aigreur, les regrets, la jalousie y tiennent lieu de violence et de « *facts* ». « Un amour en danger », qui paraît dans *Le Figaro littéraire* le 22 février, a fort peu à voir avec la « littérature-en-coups-de-poings » de Cain. L'espace d'un instant, un homme et une femme y paraissent succomber à un désir coupable. La convulsion amoureuse et la force d'une longue affection ne sont pas de même nature ; elles peuvent se succéder, rarement s'additionner. « Au moment de mourir, songe Sylvie, est-ce que je regretterai davantage mon amour pour Hervé, l'anxiété douloureuse de l'amour, ou ceci ?... un moment de plaisir ? » Ce dilemme fait d' « Un amour en danger » un premier échantillon de *Deux*, roman qu'Irène Némirovsky mettra en chantier en 1937, mais auquel elle songe depuis deux ans. L'autre esquisse est « Liens du sang », long récit rédigé durant l'automne, qui paraît en deux fois dans la *Revue des Deux Mondes* les 15 mars et 1er avril. On peut y lire cette maxime : « L'amour ne fait pas naître l'amour ou, du moins, et c'est cela qui est terrible, il ne fait naître qu'une illusion, un ersatz d'amour [43]. » Le ferment de cette déconvenue est l'âge, cette calamité qui s'abat soudain sur les fils d'Anna Demestre, mollissant ou raidissant leur égoïsme, selon les caractères. De même qu'il y a deux sortes d'amour, il y a deux sortes d'existence : l'une, aventureuse, qui échauffe l'âme et tient l'angoisse en respect; l'autre, coagulée par le confort, qui adhère au corps et à l'âme. Les « liens du sang », pour Anna, c'est l' « affreux silence de la vieillesse », qui finit par étouffer le « tumulte joyeux de l'âme que l'on entend résonner en fanfare pendant la jeunesse [44] »; pour Alain, ce sont les froides attaches familiales qui l'ont enterré vif au sein de son foyer.

Une « compassion impitoyable »

Dos à la mort, à l'ennui ou à la misère, les héros d'Irène Némirovsky commettent en général l'irréparable; ils se damnent, mais ils ont joui. « J'ai voulu, dira-t-elle pour présenter *Jézabel*, décrire le moment où cette passion jusque-là innocente, puisqu'il s'agit du désir si naturel de plaire et d'être aimée, envahit l'âme, étouffe tous les autres sentiments, et finit par se transformer en une espèce de folie [...]. En effet, cette disposition du cœur féminin ressemble par sa force tyrannique à l'ambition ou à l'avarice de l'homme et mérite, je crois, d'être étudiée comme l'ambition ou l'avarice l'ont été [45]. » Jean-Luc Daguerne est de cette étoffe. Que serait devenu Bernard Martin s'il avait survécu au coup de revolver de Gladys? C'est ce qu'Irène Némirovsky voudrait connaître en lui accordant une seconde chance dans *La Proie*, roman dont, dès janvier, *Gringoire* lui offre 50 000 francs pour une publication en octobre 1936 – somme qu'Albin Michel juge tout juste correcte. Comme Martin, Daguerne n'entend pas céder un pouce à la fatalité d'un sang qui l'a fait pauvre. Julien Sorel, dans les années 1930, est un enfant de la crise économique, abusé par les fulgurantes réussites que dénonce la presse à scandale. « Il y a en ce moment un revirement de l'opinion publique, en ce qui concerne les affaires financières, bien curieux à observer [46] », lui enseigne Cottu, politicien sans foi ni loi. « Il est ambitieux, annonce Irène Némirovsky. Il sait qu'il a de l'intelligence et du courage. Malheureusement, l'époque où il vit fait bon marché de ces deux qualités. À ce jeune homme elle n'offre même pas, comme elle l'eût fait jadis, un emploi médiocre mais sûr, elle ne lui offre strictement rien. [...] Tous les jours, depuis une dizaine d'années, nous voyons se renouveler cette aventure. Elle fait le sujet de mon livre [47]. »

Méconnaissant les rouages de la broyeuse sociale où il s'immisce, méprisant la faiblesse qui l'a fourvoyé dans un mariage d'orgueil, Daguerne trahit cyniquement sa femme, son fils, ses amis et lui-même pour faire son trou dans les milieux politico-financiers et devenir l'âme damnée du ministre Langon, nouveau portrait craché de Bernard Grasset, ainsi nommé par allusion au bourg de Gironde où Mauriac a situé certains de ses romans. « Mais vous croyez que Mauriac a raison de peindre le monde sous des couleurs si atroces [48] ?... », dit justement la belle-mère de Daguerne, pour bien marquer que *La Proie* est un roman d'époque. Ce livre contient une condamnation implicite de la corruption, si criante qu'elle indisposera plusieurs critiques. Quant à la morale du livre, c'est la suivante : « La jeunesse est un vin précieux qui se boit, d'ordinaire, dans un verre grossier [49]. » Daguerne a voulu du cristal, le vin avait tourné. Et ce titre, *La Proie* ? Il est digne d'un temps où tout, sentiments, bien-être, dignité, est objet de rapine ; après avoir longtemps chassé, Jean-Luc sera lui-même « la proie du plus lâche amour [50] », affamé par trop de privations. Céder au sentiment amoureux, en pleine crise économique, c'est signer sa perte. Mais la jeunesse finit toujours par réclamer son dû. Tapie au coin de la vie, elle fond un jour sur l'homme arrivé lorsqu'il ne s'y attend plus, pour ruiner sa situation et exiger l'amour. S'il n'est pas trop tard.

L'instinct vital ne peut se dompter indéfiniment. C'est contre lui, trop ou mal dressé, que Gladys Eisenach finit par retourner son arme. Fernandez, Chaumeix, Maxence perçoivent très bien, lorsque *Jézabel* sort en librairie en mai 1936, ce que ce cas a de pathologique. René Lalou désigne le mal : terreur du tombeau [51]. Le tour de force d'Irène Némirovsky, écrit Henri de Régnier dans *Le Figaro*, est d'avoir su isoler ce « type » de femme faustienne, atteinte de « difformité morale », caractéristique « d'une époque où le corps est roi, où l'on oublie l'âme ». Et c'est pourquoi Gladys est criminelle autant que victime, et Némirovsky douée de « compassion impitoyable [52] », oxymore qui résume ses sentiments pour Fanny. Maxence, rapprochant Gladys de la Léa de Colette, souligne la portée racinienne de *Jézabel*, dont les personnages, dévorés d'un feu intérieur, paraissent brûler d'une vie propre. « Il n'est point de pouvoir qui désigne mieux un conteur parfait [53]. »

Albin Michel avait prévu que la vente serait bonne : sur un tirage de quinze mille exemplaires, douze mille auront été écoulés en 1942, et *Jézabel* sera traduit en anglais, allemand, norvégien, serbo-croate... À la mort de Fanny, en 1972, ses petites-filles en trouveront un exemplaire dans son coffre du quai de Passy. Il y a des portraits si réalistes qu'il vaut mieux les cacher.

Hypocrites imbéciles !

« Il est assez amusant de constater que l'on n'a jamais eu moins le goût d'accepter la vieillesse qu'en notre vingtième siècle », écrivait Henri de Régnier le 23 mai, désignant une dernière fois le « talent puissant » et les « dons de vie intenses » d'Irène Némirovsky. Le lendemain même, celle-ci adresse rue Boissière le télégramme suivant : « Suis désolée d'apprendre fin Monsieur Henri de Régnier pour qui j'avais tant d'amitié et de reconnaissance. Vous prie d'accepter ma sympathie respectueuse et très attristée. » L'académicien qui lui a témoigné le plus de fidélité, saluant chacun de ses romans dans *Le Figaro*, est enterré à Saint-Pierre-de-Chaillot par une nuée de rosettes, de cocardes et de bicornes. « Vivre avilit », disait-il. « Est-ce vrai ? s'étonnait Irène Némirovsky en 1934. Je voudrais dans *le Vin*... et plus tard *Deux* montrer qu'il n'en est pas toujours ainsi. J'aime la vie. Au fond, tout mon tourment provient de ce que j'ai peur de ne pas pouvoir en jouir assez complètement, assez longtemps. Les journées me semblent trop courtes. Le soleil se couche trop tôt. Les étés finissent si vite. La mort vient si vite. »

Une autre mort la préoccupe : celle de Pouchkine, le 29 janvier 1837. Fayard aimerait publier, pour célébrer son centenaire, une biographie fondée sur sa correspondance inédite et quelques autres documents, tout juste publiés en Union soviétique par Vikenti Veresaev. Le 25 mars 1936, plutôt que d'en donner un compte rendu, elle a résumé pour *Marianne* l'histoire de son mariage, de son agonie et de sa mort, deux jours après la balle vengeresse de Dantès [54]. Elle paraît frappée par quelques traits saillants : sa « précocité singulière », son sang mêlé, son orgueil et sa jalousie, ses incessants « ennuis d'argent ». Dans le livre qu'elle envisage, mais dont en juin pas un mot n'est encore écrit, elle épargnera au lecteur tout propos littéraire, se contentant « uniquement de décrire Pouchkine, homme, sa vie si romanesque, et la société russe de son temps, ses mœurs [55] ». Ce serait là un travail énorme, une myriade d'ouvrages ayant déjà paru en russe sur ce sujet, sans compter le journal du poète, inconnu en France. Or, en mai 1936, Irène Némirovsky a été souffrante ; qui plus est, elle s'est engagée à livrer son nouveau roman à *Gringoire* pour l'automne. Ce *Pouchkine* restera donc à l'état d'ébauche, une vingtaine de feuillets en vue d'une « Vie amoureuse ». Mais la méthode n'est pas perdue : elle servira plus tard, pour *La Vie de Tchekhov*.

Les Epstein passent l'été 1936 dans la maison d'Urrugne, jusqu'au 1er octobre. Pour amuser les lecteurs de *Toute l'édition*, Irène Némirovsky affecte la nonchalance : « Je vous réponds avec un certain retard dont je m'excuse, car l'emploi de mes vacances comportait l'exercice intense et rationnel de la plus grande paresse [56]. » En réalité, elle vient de mettre la dernière main à *La Proie*, roman dont ne subsiste aucun brouillon, quoique

Maurice Bourget-Pailleron, arrière-petit-fils du fondateur de la *Revue des Deux Mondes*, l'ait aperçu avenue Daniel-Lesueur : c'est un gros cahier « de plus de cinq cents feuilles. Les lignes y sont serrées, inscrites en un étroit lacis sur les deux faces de chaque page [57] ». Après émondage, ne subsistera qu'un roman de deux cent cinquante pages, dont le premier chapitre paraît dans *Gringoire* le 16 octobre. Signe des temps, cette nouvelle œuvre est contemporaine du *Fumier* de Binet-Valmer, roman dont l'auteur prétend qu'il « parle sans affection des milieux parlementaires [58] ».

Aucun personnage juif dans *La Proie*, ce qui vaut mieux, car c'est un panier de crabes. Nul ne s'offusquera, à la sortie du livre, de la carrière crapuleuse de Jean-Luc Daguerne, combien plus cynique qu'un Golder. Rien qui surprenne Irène Némirovsky : « Comme je l'attendais on est un peu – pas trop – scandalisé de ce qu'il soit français. Hypocrites imbéciles ! Mais je comprends leur point de vue : ce qu'ils acceptent d'un Dupont ou Durant quelconque ne saurait être toléré venant de métèques. » Le sujet provient de *Golder* et du *Bal* : quel est le ressort caché de l'arrivisme ? Ni l'appât des richesses, ni l'appétit d'honneurs, encore moins le différentiel « racial », mais un pacte faustien que Daguerne signe contre l'indigence. L'argent, seul, est insuffisant. « La réussite, quand celle-ci est lointaine, a la beauté du rêve, mais, dès qu'elle se trouve sur le plan des réalités, elle paraît sordide et petite [59]. » Pour dire cette vérité, Irène Némirovsky est désormais assez sûre de ses moyens pour la camper dans un décor strictement français. Choix d'autant plus judicieux que, depuis la victoire du Front populaire au mois de mai, la propagande antisémite a grimpé d'un degré. Léon Blum, que des Camelots du roi avaient molesté boulevard Saint-Germain le 13 février, est aujourd'hui président du Conseil, avec l'appui des communistes. Pour l'extrême droite, bien davantage qu'un socialiste, c'est un Juif à qui la France vient de confier le pouvoir ; un Juif, c'est-à-dire un étranger, un séditieux, l'entrepreneur d'Israël en France. Une nuée de petits partis racistes lui font grief de naturaliser à tour de bras à des fins électoralistes – manœuvre imaginaire et d'autant moins machiavélique que les urnes ne lui porteront pas chance. Quant à La Rocque, ivre d'antimarxisme, il rend Blum purement et simplement responsable de l'antisémitisme galopant,

Adolescente. « Une peau brune, un visage discret, si mince qu'on
la remarque pas, trop pâle, le teint olivâtre des enfants de
tersbourg. » (Carnet, été 1933) *coll. Tatiana Morozova*

▲ Leonid Némirovsky. « Mon malheureux papa… Le seul, d
j'aie senti que je suis sortie, mon sang, mon âme inquiète, ma fo
et ma faiblesse. » (Journal du *Vin de solitude*) © IMEC

▲ « Petite mère, en toilette de bal, les épaules nues, avec son s
rire naïf et triomphant qui semblait dire : " Regardez-moi ! N'e
ce pas que je suis belle ? Et si vous saviez comme ça me
plaisir ! " » (*L'Ennemie*, 1928) *coll. Tatiana Morozova*

◀ Irène et sa jeune tante Victoria. Au premier plan, Marie, sa g
vernante française. « Je n'ai plus envie de l'appeler Zézelle, c'
trop sacré. Je verrai. Mademoiselle Rose, c'est bien aussi.
(Journal du *Vin de solitude*) *coll. Tatiana Morozova*

▶ Iona Margoulis, son grand-père maternel, « était le seul qui parlât parfaitement français. Il disait : " Ma petite *file* " en appuyant fortement sur la dernière syllabe ainsi transformée ». (Journal du *Vin de solitude*) © IMEC

▶ Rosa Chtchedrovitch, dite « Bella », sa grand-mère maternelle. « Pauvre femme, petite, mince, fluette, dans mon imagination […] un visage effacé comme une vieille photographie, les traits flous, jaunis, délayés dans les larmes… » (Journal du *Vin de solitude*) © IMEC

◀ Anna Némirovsky, dite « Fanny ». « Ce qu'il faudrait c'est la montrer du dedans, la montrer en somme presque comme *Phèdre*, dans l'impossibilité de résister à son vice, ce désir, cet orgueil de rester jeune et désirable. » (Journal du *Vin de solitude*) © IMEC

Le général Soukhomlinov, gouverneur de iev, devant qui, âgée de huit ans, elle éclama la tirade de *L'Aiglon*. « J'étais très mue de me trouver en face de cet être qui, our nous, symbolisait la terreur, la tyrannie t la férocité. À ma grande surprise, je vis un omme charmant qui ressemblait à mon rand-père et qui avait les yeux les plus doux u'on puisse voir. » (1932) © IMEC

▶ Adolescente, devant l'hôtel *Excelsior Regina* de Cimiez. « Ce n'est pas le luxe qu'on admire. On imagine une vie parfaite où tout est ordre et beauté… le paradis, quoi ! » (7 juillet 1938) © IMEC

▼ Avec sa mère, avant 1914. « Je crois que nous irons à Biarritz… » (Carte postale, 1912 ou 1913). © IMEC

▲ « Papa ? Il n'aime au monde que les affaires, il les chérit beaucoup plus que toi ni moi. » (Journal du *Vin de solitude*) © IMEC

▼ Irène et sa mère. « Une fillette de quinze ans, maigre, brune, les bras bruns, trop minces, et les jambes qui paraissent fortes parce qu'elles sont formées comme celles d'une femme. » (Carnet, été 1933) © IMEC

▶ Anna et Léon. « Sans doute avait-il été amoureux d'elle. [...] Sans doute devait-il, plus tard, avoir de plus flatteuses conquêtes, mais alors il n'était rien qu'un petit Juif obscur. » (Journal du *Vin de solitude*) © IMEC

▼ Sur cette photo dédicacée à Julie, Anna Némirovsky a signé de l'initiale « J », pour Jeanne. « Que cette racaille des palaces disparaisse, il ne se trouvera personne pour le regretter [...]. » (*Aujourd'hui*, n° 285, 31 janvier 1934) © IMEC

À Nice, vers 1920, avec son père
Mrs. Matthews. « Regarde com-
e tu es élevée, tu as de belles
bes, une belle pension, une auto,
e Anglaise… Et le bonheur ! Tu
le bonheur puisque tu es
une… » (Journal du *Vin de solitude*)
IMEC

Au Touquet. « Elle semblait s'être arrêtée dans sa
roissance et gardait à vingt ans un corps fragile et menu
'enfant. […] Un visage mobile et expressif, mais à l'ovale
rrondi, enfantin, un joli nez fin, une vilaine bouche, des
ents éclatantes, des yeux perçants et doux. » (Autoportrait,
934) © IMEC

Déguisée en gitane, vers 1920. « Cette musique de fière et de rêve ne ressemblait à rien qu'elle eût entendu
squ'à ce jour. » (*L'Ennemie*, 1928) © IMEC

◀ « Elle avait un cheval amoureux d'elle
Et un chat vert clair… » (« Contes », poème
en russe, vers 1918) © IMEC

▼ « Ah, dans le temps !… Une femme qu
aurait exhibé des mollets comme les
vôtres chaque matin, mais au bout d'une
semaine, elle aurait eu l'auto, le petit hôtel
et tout ! » (« Nonoche au vert », 1921)
© IMEC

◀ "Votre fume-cigarette d'ambre
Tremblote entre vos lèvres pâles
et douces
La danse chic et le cri du jazz-band
a-a-a-a
Vous séduit et vous attire"
(poème en russe, 1921) © IMEC

◀ **À gauche :** « Je ne sais pas si vous vous rappelez Michel Epstein, un petit brun au teint très foncé [...] ? Il me fait la cour et, ma foi, je le trouve à mon goût. » (Lettre à Madeleine, 1925) © IMEC

◀ « Puisse ce qui arriva à la Russie servir d'avertissement au monde civilisé ! », écrivait en 1925 le banquier Efim Epstein, père de Michel. © IMEC

En promenade à Fontaine-
eau. « Dès que les portes
e Paris étaient dépassées,
n apercevait de vrais arbres
erts, pleins d'ombre et d'oi-
eaux... » (*L'Ennemie*, 1928)
IMEC

◀ Quelques semaines avant la sortie de *David Golder*, en novembre 1929, naît Denise Epstein. « Elle ne me ressemble pas du tout ; elle est presque blonde avec des yeux gris mais je pense que cela changera encore. » (Lettre à Madeleine Cabour, 22 janvier 1930) © IMEC

▼ Paulette Andral et Harry Baur dans l'adaptation théâtrale de *David Golder*, croqués par Sennep. (*L'Écho de Paris*, 1930)

▼ « J'ai toujours écrit. Je ne pourrais pas ne pas écrire. » (*Les Nouvelles littéraires*, 2 novembre 1935)
© Roger-Viollet

▲ « Cette jeune maman a l'air d'un jeune fille. [...] Ses yeux sont noirs, auss noirs que les cheveux ; ils ont l'étrang douceur, à peine clignotante par instant que donne une légère myopie. »
(Frédéric Lefèvre, 1930) © IMEC

◀ René Doumic et Henri de Régnier.
© *Sirot-Angel*

▼ Bernard Grasset, « notre petit mégalomane familier ». DR

▼ Hélène et Paul Morand. DR

▲ Albin Michel. DR

▶ André Sabatier.
DR

▶ « C'est si rare une journée heureuse ! Vous verrez plus tard. Il y aura des jeudis de pluie où vous ne pourrez pas sortir, où vous regretterez ce bel été, où vous penserez : Que ce serait bon d'être encore sur la plage ensemble ! Et ce sera trop tard. » (« Comme de grands enfants », 1939) © IMEC

▼ À Hendaye. « C'est un crime de mettre des enfants au monde et de ne pas leur donner une miette, un atome d'amour. » (*Le Vin de solitude*, 1935) © IMEC

◀ « J'étais déjà née quand ma mère reçut un jour un énorme ours en peluche accompagné d'une lettre incompréhensible. Cet ours lui était destiné, ma grand-mère s'obstinant à ne parler d'elle que comme d'une toute petite fille. » (Denise Epstein) © IMEC

À Urrugne, en 1933. « La maison que j'ai pu ›uer est un ancien relais de poste du temps e Louis XIV, aux murs massifs, au grenier nmense, aux placards, escaliers et cachettes ans fin. Vous devinez, au ton dont je parle de ›tte maison, que j'en suis un peu amoureuse, t c'est exact. » © IMEC

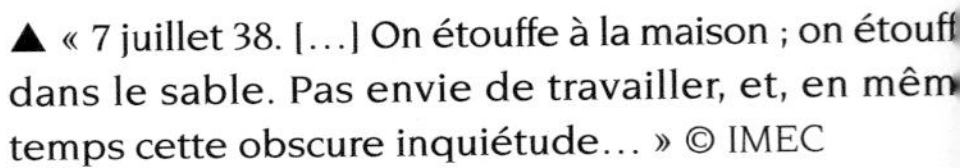

▲ « 7 juillet 38. […] On étouffe à la maison ; on étouff dans le sable. Pas envie de travailler, et, en mêm temps cette obscure inquiétude… » © IMEC

◀ « Que nous sommes drôlement faits, tout de même Notre faible mémoire ne garde que la trace du bo heur, si profondément marquée parfois que l'on dira une blessure. » (« Les Revenants », 1941) © IMEC

▶ Été 1939 : dernières vacances à « Ene Etchea », villa de location à Hendaye-Plage. © IMEC

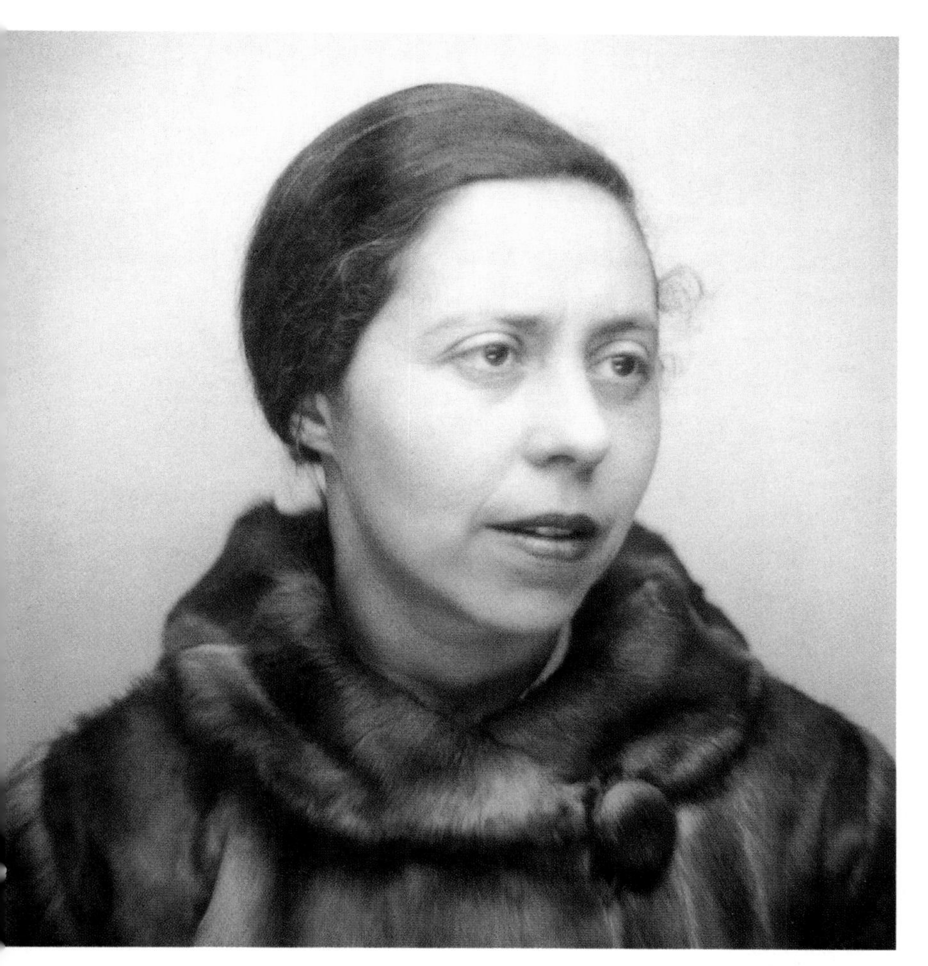

▲ « Lorsque l'argent sera épuisé, commencez par vendre les fourrures que vous trouverez dans nos valises et que vous reconnaîtrez certainement... » (À Julie Dumot, 22 juin 1940) © IMEC

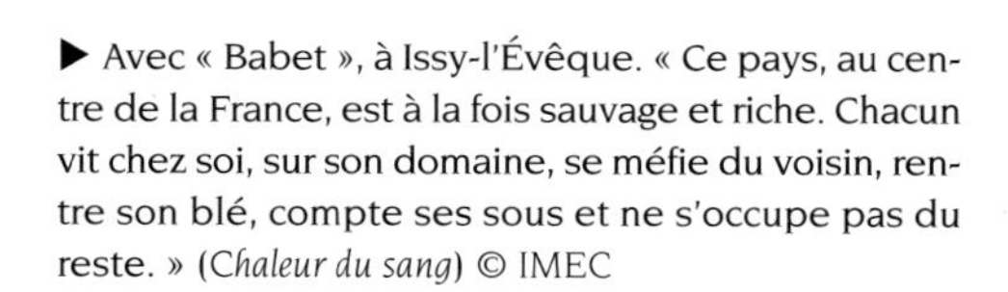

▶ Avec « Babet », à Issy-l'Évêque. « Ce pays, au centre de la France, est à la fois sauvage et riche. Chacun vit chez soi, sur son domaine, se méfie du voisin, rentre son blé, compte ses sous et ne s'occupe pas du reste. » (*Chaleur du sang*) © IMEC

▲ Le manuscrit de *Suite française*. « J'ai beaucoup écrit ces derniers temps. Je suppose que ce seront de œuvres posthumes mais cela fait toujours passer le temps. » (Lettre à André Sabatier, 11 juillet 1942 cristallisé sur sa personne et sur son cabinet. À la Chambre, le 6 juin, le député ardéchois Xavier Vallat, mutilé de guerre, observe : « Pour la première fois, ce vieux pays gallo-romain sera gouverné par un Juif[60] ! » « Cela nous change des jésuites », lui répond André Le Troquer, député socialiste de Paris.

L'inassimilabilité

Le temps se gâte. Au dîner annuel de la *Revue des Deux Mondes*, René Doumic, pressentant l'intempérie, indique un abri de fortune : « L'horizon, à quoi bon le nier, est lourd de nuages. [...] Plus lourde est l'oppression qui pèse sur nous, plus le besoin s'impose d'y échapper. Le cerveau pour ne pas éclater, les nerfs pour ne pas se briser ont besoin d'une détente. La *Revue* ne dissimule rien des difficultés présentes, mais elle ouvre devant l'esprit les régions sereines, les *templa serena* de la haute culture[61]. » Hitler, réoccupant la Rhénanie en mars 1936, n'en disconviendrait pas.

Irène Némirovsky s'efforce à la tranquillité. « Je passe mes vacances à Urrugne, dit-elle, charmant petit pays basque où, en ce moment, se marient agréablement le chant des grillons et... le bruit des mitrailleuses, à deux pas d'ici, en Espagne[62] ! » L'ironie cache mal l'inquiétude. Elle s'en décharge sur un personnage de fiction, un Juif si bien assimilé qu'il se prénomme Christian, tenaillé par une secrète vulnérabilité, une appréhension de désastre qu'il ne peut s'expliquer que par des causes extérieures : « Il était de ceux qui, à chaque discours de tel ou tel dictateur, voyaient la guerre, non pas pour le mois prochain ou l'année suivante, mais demain, tout de suite[63]. » Christian Rabinovitch, nous révèle l'ébauche de cette nouvelle, est « un Juif, genre Lœwel (2e ou 3e génération française), ou même plus mondain, plus Haas [...] ». Sa rencontre avec un « *Jid* » russe, refoulé de guerres en pogroms jusque sur un quai de gare français, éveille brutalement sa conscience au « vieil héritage » auquel il doit son anxiété, cette intuition de précarité au cœur de l'opulence, comme le ver dans le fruit. Car ce « Pollak » s'appelle Rabinovitch tout comme lui. Cette déplaisante consanguinité de l'émigrant et de l'assimilé s'appelle judéité. « C'est de cela que je souffre... C'est cela que je paie dans mon corps, dans mon esprit. Des siècles de misère, de maladie, d'oppression... Des milliers de pauvres os faibles, fatigués, ont fait les miens [64]. »

Jamais Irène Némirovsky n'avait donné de signification si profonde à l'image du sang frelaté, « empoisonné » par le « vieux levain d'inquiétudes [65] », ni à celui du miroir révélateur où Rabinovitch reconnaît soudain son double, motifs qui alimentent son œuvre et trouvent ici leur essence cachée. La nouvelle s'intitule « Fraternité » : dérision des « liens du sang », ou façon de rappeler la France à sa devise? « En somme, confie-t-elle le 8 octobre à son journal de travail, je démontre l'inassimilabilité, quel mot, Seigneur... Je sais que c'est vrai. » Comment donc, puisque sa demande de naturalisation est restée lettre morte! C'était la thèse des frères Tharaud : « Aujourd'hui comme hier, les Juifs continueront de mener parmi les autres nations leur vie aventureuse. Ils ne peuvent se perdre en elles : le sang de la race est trop fort [66]. » Mais ce que les Tharaud nomment avec défi une « vie aventureuse », Irène Némirovsky l'appelle « vie de chien », « décor vacillant [67] ». Il convient en outre de distinguer l' « inassimilabilité » (le fait de ne pouvoir être assimilé) de ce qu'un idéologue antisémite comme Xavier Vallat appelle l' « inassimilation » (le fait de ne pas s'assimiler). Pour elle, le Juif inassimilable, ce n'est d'ailleurs pas tant l'émigrant en touloupe que Christian Rabinovitch lui-même qui, malgré son tweed, son chauffeur et ses façons, endure dans son âme son propre pogrom : « Recommencer, et encore recommencer, plier le dos, et recommencer, mais celui qui n'a pas eu besoin de ça, le riche, il lui reste *sickening fear*, cet héritage. »

Comme il est loin, David, arrogant et sûr de lui! Début 1938, assistant à une mise en scène de *Golder* par une troupe russe salle Iéna, Irène Némirovsky est frappée par la dureté du personnage : « Comment ai-je pu écrire une chose pareille? » Certes, l'argent a toujours la même odeur; mais « le climat a bien changé [68] ». Dans « Fraternité », elle a voulu faire le portrait d'un Juif enrichi et francisé, mais toujours sur le qui-vive, montrer « cette race qui ne s'est pas endormie en sachant que le toit était à elle, la maison à elle, comme un paysan de France, mais que tout pouvait être repris ». En somme, l'autoportrait d'un écrivain que les critiques hésitent encore à dire « française » sans ajouter « russe » ou « juive ». Son brouillon, à ce sujet, est transparent, pour peu qu'on veuille le lire au féminin : « La paternité juive, l'orgueil, l'amour de ses enfants, la faculté de souffrir par eux, surtout, je crois, le besoin d'être aimé, pour celui qui a été haï, le besoin torturant d'être respecté, pour celui qui a été méprisé et chassé. [...] Il faudrait que cela soit purement objectif, l'impression que moi, je sois... que moi, auteur, je sois un peu au-dessus des personnages. » Malgré cet effort, la subjectivité de « Fraternité » est flagrante.

La comprendra-t-on ? Irène Némirovsky croit que non, mais c'est plus fort qu'elle : « Je vais certainement me faire engueuler encore en parlant des juifs, en ce moment, mais bah !... » En ce moment, c'est-à-dire dans une atmosphère de paranoïa exacerbée par la paralysie des usines et les premières mesures sociales du Front populaire. « Les plus paisibles commençaient à regarder de travers les cheveux crépus, les nez courbes, qui abondaient singulièrement, écrira Brasillach. Tout cela n'est pas de la polémique, c'est de l'histoire[69]. » Depuis juin 1936, l'Action française mène une campagne de séduction auprès des « Juifs nationaux » et patriotes, les sommant de désavouer les apatrides et les « Israélites révolutionnaires » aujourd'hui aux commandes : Blum, Zay et consorts. Christian Rabinovitch serait-il de ces Juifs d'extrême droite, ouvertement xénophobes, qui, tel l'avocat Edmond Bloch, Croix-de-Feu et fondateur de l'Union patriotique des Français israélites, flirteront bientôt avec les Vallat, Doriot et autres fascistes français, avec le profit que l'on sait ? Pas le moins du monde. Ce bourgeois n'aspire qu'à marier son fils à une aristocrate. Ce n'est pas de la haine, mais de la peur que lui inspire le rappel de son sang.

Les nécessités de la vie

Irène Némirovsky avait vu juste : le 31 octobre 1936, René Doumic refuse de publier « Fraternité » dans la *Revue des Deux Mondes*, au motif que cette nouvelle serait « antisémite ». Pour preuve, le phénotype de Rabinovitch, nez « excessivement long et aigu [70] », visage cireux, caractère fiévreux, qui serait infamant sans la tendresse et la douce ironie de l'auteur. Un illettré qui s'en tiendrait aux dessins et caricatures du numéro spécial du *Crapouillot* sur « les Juifs », sorti en kiosque en septembre 1936, croirait à une publication ordurière; au contraire, les textes témoignent d'un effort – parfois maladroit – de compréhension du judaïsme, de ses misères et de sa grandeur, de ses travers comme des menaces qui pèsent sur lui. « Fraternité » est du même ordre. C'est le miroir où le Juif français voit apparaître les premiers stigmates de la malédiction antisémite. Rabinovitch n'est pas caricatural : il est caricaturé. La poisse antisémite lui colle à la peau. « Mon nez, ma bouche, cela n'est rien, proteste-t-il. L'âme seule importe [71] ! »

Irène Némirovsky choisit d'en rire, et il y a de quoi. Car la *Revue* n'est pas la dernière à dénoncer « le vaste groupement révolutionnaire sous l'influence des Soviets » que constitue pour Doumic le gouvernement de Front populaire [72]. « Fraternité » paraîtra donc le 5 février 1937 dans *Gringoire*. Quitte à en pervertir le sens, car le *Gringoire* du Front populaire n'est plus celui des origines. Le 25 décembre, on pouvait à la fois y lire le dernier épisode de *La Proie* et les élucubrations d'Henri Béraud, dénonçant le népotisme racial avec force calembours et dressant la liste des Juifs réels ou supposés du cabinet « Blumoche », comme si le nombre faisait la cabale. C'est le moment où Joseph Kessel, las de l'arithmétique spécieuse de Béraud et glacé par ses bouffonneries, adresse au journal une lettre de solidarité « avec tous les Juifs de

France », avant de claquer la porte. « Non, Kessel, lui répondra Béraud, je ne suis pas antisémite. Je suis antiparasite. » Ainsi s'opère le glissement de l'antidreyfusisme au racisme « scientifique ».

Comment Irène Némirovsky a-t-elle accepté de voisiner avec un esprit aussi médiocre que Béraud, ce gros bébé revanchard, qui se croyait spolié du sein de la Patrie ? Il faut commencer par dire que si Béraud était antisémite, *Gringoire* ne l'était pas – ou pas encore – et que les propos du polémiste, s'ils y étaient admis, n'engageaient pas le journal, elle encore moins. D'ailleurs, a-t-elle les moyens d'être difficile ? Début octobre, elle a reçu de son éditeur la dernière mensualité de 4 000 francs prévue en 1933 ; c'est le moment de lui réclamer une réévaluation « car hélas, lui écrit-elle, vous comprenez les nécessités de la vie pour quelqu'un qui, comme moi, ne possède aucune fortune et ne vit que de ce qu'il gagne en écrivant », ce qui est la stricte vérité. « Si la situation est devenue très dure pour vous, croyez bien qu'elle l'est davantage du côté des éditeurs [73] », lui répond Albin Michel, exaspéré par la concurrence des hebdomadaires, et qui milite depuis l'été contre le projet de Jean Zay, ministre de l'Éducation, de limiter à dix ans le droit des éditeurs à exploiter leur propre catalogue. « Bien souvent, fulmine-t-il, il faut que nous attendions vingt-cinq ans pour qu'un livre sur lequel nous avons engagé de grosses sommes triomphe dans le public et nous rapporte. C'est comme pour le cinéma. J'édite parfois des livres, uniquement parce que je sais qu'on peut les utiliser à l'écran [74]. » C'est précisément le calcul qu'il fait sur *Jézabel*, dont il sera sur le point de vendre les droits cinématographiques en Amérique latine début 1938. En attendant, la vente de romans s'est effondrée. En 1936, les bourgeois inquiets lisent plus volontiers les journaux, et les ouvriers des tracts. Albin Michel stocke dix mille exemplaires du *Pion sur l'échiquier*, plus de quatre mille de *Jézabel* et le compte d'auteur d'Irène Némirovsky est débiteur de 72 787 francs... « Vous me priez, aujourd'hui, d'augmenter votre découvert. J'avoue que par ces temps de mévente intense je n'en vois guère la possibilité ! »

Autre chose : mi-octobre 1936, Irène Némirovsky est enceinte de quatre mois. L'appréhension le dispute à la joie. « Cet enfant me donne à la fois de la fatigue et la paix, note-t-elle le 8. Octobre glacé, non, rayonnant. Aucune envie de travailler, mais bientôt deux enfants à nourrir... Besoin d'une nouvelle et d'un roman. Le roman, rien encore, même pas, *remote*... Rien... » Elle publiera peu en 1937. Hormis « Fraternité », une seule nouvelle pour *Gringoire*, « Épilogue », reprend assez paresseusement le personnage d'épave de bar apparu dans « Les Rivages heureux ».

L'enfant paraît au printemps 1937, le 20 mars. Elle est prénommée Élisabeth, comme sa grand-mère paternelle morte quelques semaines plus tôt, et Léone, en souvenir de son grand-père maternel. « Il y a un mois aujourd'hui est née ma petite fille Élisabeth, note sa mère le 20 avril. Un mois de tracas, de souffrances, mais une grande joie. Que Dieu la protège. Elle est très proche de mon cœur. » Chaque dimanche, on peut voir Irène Némirovsky promener le nouveau-né dans son landau, au square des Invalides. Elle ignore qu'un promeneur et voisin l'observe avec attendrissement. « Voyez comme elle est gentille ! dit-il à sa confidente. Elle s'occupe si bien de ses enfants [75]. » C'est Henry de Montherlant, et la jeune femme qui boit ses paroles s'appelle Élisabeth Zehrfuss, jeune critique à la *Revue hebdomadaire*.

Le passé n'existe plus

Irène Némirovsky vient d'avoir trente-quatre ans. Elle est célèbre, mais le petit-fils du ministre Leygues, qui la croise aux ventes de charité de la Ligue contre le Taudis, est médusé par sa simplicité : « [*Elle*] ne connaît ni Mauriac, ni Maurois, ni Colette, et pourtant elle est Irène Némirovsky [76]. » Le livre qu'elle entreprend dès après la naissance d'Élisabeth, sans hâte, est un roman d'apprentissage, la phase adulte du *Vin de solitude*, définie dès 1934 : « *Deux*, c'est l'histoire de deux êtres, de nature folle, mauvaise, instable, que la vie, l'amour, le mariage perfectionnent. » Elle y suivra les destinées intimes de quatre sœurs de sa génération et observera la décantation d'une morale amoureuse troublée par le chaos de l'après-guerre. L'amour n'a que faire des amants, de leurs querelles ou de leurs infidélités : il s'épanouit malgré eux. Ces expériences de chimie passionnelle feront de *Deux* une manière d'*Affinités électives* de l'entre-deux-guerres. Du pas mesuré de Chardonne, elle y montrera aussi l'envers de la morale bourgeoise, dévoilant par transparence les mécanismes d'argent et de pouvoir à l'œuvre derrière le savoir-vivre. Les papetiers Carmontel, dynastie de hobereaux normands, ont un modèle non désavoué : « Je voudrais la très bonne famille bourgeoise française, industrielle, ayant partagé le fruit uniquement entre les membres de la famille. Au fond, les Avot ne font tout de même pas mal : cette grande simplicité de vie cache une vieille fortune et surtout un grand pouvoir d'ascension. » Quant aux Segré, plus bohèmes, ils sont inspirés d'une famille d'artistes ruinés, les Namur, dont on ne sait rien d'autre que ces quelques notes d'avril 1937 : « Ils sont profondément désunis ; elle, la mère, une vie à part, assez secrète. Cela doit être une femme belle, intelligente, dont certaines aventures ont été tragiques ; deux amants tués sous elle si j'ose dire. Lui, depuis des années, un second ménage. Les deux femmes sont amies (quoique la femme légitime sache tout) et même les enfants se connaissent. En un mot, un aimable laisser-aller. »

Ces linéaments ne peuvent tenir ses soucis en échec. Le 5 juin, de retour d'une visite au musée Rodin avec Denise, elle trahit pour la première fois un désir spirituel qui en dit long sur son désarroi : « Mon Babet continue d'être enrhumée. Inquiétude, tristesse, désir fou d'être rassurée. Oui, voilà ce que je cherche sans le trouver, ce que le paradis seul pourrait me donner : être rassurée. Je me rappelle Renan : "Du sein de Dieu où tu reposes." Confiante et rassurée, abritée dans le sein de Dieu. Et pourtant, j'aime la vie. (Dire que de tout ceci, tellement sincère, je ferai sans doute de la littérature.) » Pour la première fois de sa vie adulte, elle ne passe pas l'été sur la Côte basque mais près de La Ferté-Allais, dans le Gâtinais, à cinquante kilomètres de Paris. « Ma seconde fille n'a que six mois et c'est un âge trop tendre pour de longs voyages, explique-t-elle. Donc pas de mer ni de montagne cette année, mais des champs et des bois et beaucoup de calme [77]. »

« Comment se faisait le passage de l'amour à l'amitié dans l'union conjugale ? Quand cessait-on de se déchirer pour se vouloir enfin du bien l'un à l'autre [78] ? » L'interrogation de Dominique est le sujet de *Deux*, achevé au seuil de 1938. Avec ce roman parfois sentencieux – « l'amour n'est souvent que le souvenir de l'amour [79] » –, qui paraîtra dans *Gringoire* d'avril à juillet, Irène Némirovsky parvient à épuisement du « Monstre » enfanté cinq ans auparavant, qui lui a fourni trois romans et plusieurs textes brefs. Il lui faut maintenant concevoir une nouvelle matrice narrative pour les cinq années à venir. Cette fois, l'autobiographie ne lui peut être d'aucun secours, ou si peu. Rouvrant le petit carnet noir délaissé depuis 1921, elle ne peut s'empêcher de sourire à la lecture de ses poèmes d'adolescente :

Petite chèvre pâturant dans la montagne,
Galya est si heureuse de vivre.
Le loup gris avalera la petite chèvre
Mais Galya, elle, avalerait toute une armée…

« Si jamais vous lisez ceci, mes filles, que vous me trouverez bête ! se commente-t-elle. Que je me trouve bête moi-même à cet âge heureux ! Mais il faut respecter son passé. Je ne déchire donc rien. » Puis elle consigne pêle-mêle, en les numérotant, les sujets de livres et de nouvelles qu'elle aimerait encore écrire, « si Dieu me prête vie ». Certains resteront sans lendemain : le souvenir d'un dîner avec Nozière ; « Mirabeau et son père » ; « Catherine la Grande et son fils » ; « le mariage de Paul Bourget » ; « la mort de grand' père dans la pension de famille » ; une vieillesse de Rimbaud ; une Lady Macbeth ; un portrait de femme virile « qui ne s'attache qu'à des femmelettes », dans le genre Becky Sharp ; « l'homme qui veut, avant de mourir, satisfaire son plus secret vice » ; le « sentiment de vie antérieure » chez l'enfant prodige…

D'autres déboucheront sur une série de nouvelles nostalgiques, qui trahissent l'angoisse de renoncer aux privilèges de la jeunesse : impatience, sottise et mépris de l'expérience. Dix ans après *Le Bal*, Irène Némirovsky s'efforce d'épouser le point de vue de Mme Kampf, ses rêves fuyants, son désir de s'agripper aux biens terrestres, sa terreur du déclin. Dans « L'Ogresse [80] », un souvenir de Plombières où se glisse malicieusement le nom de Danielle Darrieux, une actrice ratée s'obstine à nier le destin en fourvoyant sa fille dans la même impasse. « Magie » ressuscite de vieux souvenirs de Mustamäki et joue de l'ironie de la vie : « Il a dû y avoir quelque part, dans les fils que tisse le destin pour nous, une erreur, une maille manquée [81]. » Dans « Le Départ pour la fête », qui ne paraîtra qu'en 1940, elle souhaite évoquer la chute du royaume enfantin et cette sensation que l'on a, à quarante ans, « de perdre pied, de s'enfoncer dans l'eau profonde [82] »; ce moment où décroît le débit du sang, qui verse en pente douce vers la mort. Dans « L'Incommunicable », enfin, qui paraîtra en octobre 1938 sous le titre « La Confidence », elle s'imagine devenue une vieille institutrice ressassant ses souvenirs de Pétersbourg et de Crimée. Ce ne sont pour Colette, son insolente élève, que poussiéreux racontars. Pourtant, ces deux femmes sont la même : l'une ignore son bonheur, l'autre le regrette, aucune n'en jouit. « Et voici que c'est la fin, c'est la mort ! Oui, la mort ! Ce que je ressens ne trompe pas. Si vite, mon Dieu, si vite ! C'était moi, cette enfant de seize ans, en robe grise, ses nattes roulées sur ses oreilles, des nattes sombres et dorées, comme tes cheveux [83]... »

Dix-sept ans qu'elle n'avait pas rouvert son calepin noir ! Un gouffre qui la laisse incrédule. Est-elle bien la jeune fille qui écrivait : « Le passé n'existe plus. À quoi bon s'inquiéter d'un avenir problématique ? Jouis du présent et connais la valeur du caprice. » Sa vie clame tout l'inverse : soupirs, constance, anxiété. Les sujets qu'elle esquisse alors sont autant de méditations sur le remords et la fuite du temps. Au hasard : « Celui qui n'a pas assez vécu, et qui est jaloux de son enfant parce que, lui, vit », ou encore : « Les parents qui éprouvent du plaisir à salir l'innocence des enfants, non pas au point de vue des sens, naturellement, mais au point de vue d'expérience de la vie, plaisir de vengeance, en somme. » Mais plus que l'âge et l'amnésie, plus que ces nations en guerre que sont les générations, plus que l'amertume de vieillir et l'absurdité de vivre, elle en revient toujours à l'énigme de Golder : par quel principe alchimique s'extrait-on de la boue pour ensuite avaler le monde ? Est-ce l'orgueil ? le hasard ? Est-ce plutôt le tempérament, cette pulsation du sang, riche et gras dans la prospérité, plus maigre et vif chez les autres, décavés par l'avidité ? Cette théorie des humeurs, Irène Némirovsky la résume d'un terme, « chaleur du sang », à peu près synonyme de jeunesse, vigueur et destinée. C'est l'instinct qui oriente à sa guise le cours de la vie, et vous mène où la raison regimbe. Le principe vital livré à lui-même.

« Chaleur du sang » : ces mots sont parmi les premiers qu'elle inscrive dans son calepin retrouvé, le 6 décembre 1937. En vérité, il y a longtemps qu'elle interroge l'énigme du désir et de l'impulsivité, mobile aveugle de l'existence. L'image se faufile dans son œuvre. Un seul exemple, tiré du *Vin de solitude* : « Je ne puis pas changer mon corps, éteindre ce feu qui brûle dans mon sang. » Cet influx secret, qui ordonne d'avancer et lui dicte son œuvre, quel est-il ? Est-ce le sang contrariant de Fanny, refluant vers sa source ? Ou celui, conquérant, de Léon ? Ce fluide impérieux est l'encre des romans, celui dont l'écrivain doit capter l'énergie. C'est la vanité qui guidait Gladys Eisenach, non la volupté. Et c'est l'orgueil, non l'argent, qui dirigeait Golder. Le lucre n'est bon que pour les « petites âmes ».

« Mais qu'y a-t-il effectivement chez les gens dignes du nom d'hommes ? demande Irène Némirovsky le 11 avril 1938. Je crois, le grand ressort est l'orgueil. Tolstoï le disait aussi, sans doute parce qu'il était si fort chez lui. » C'est avec l'orgueil qu'on fabrique les destins exemplaires, ceux qui s'ingénient à contredire la naissance et la nature : témoin l'irrésistible ascension de Becky Sharp, la libertine de *La Foire aux vanités*. Il y a là un gisement romanesque. Ce pourrait être la carrière d'un joueur comme Ivar Kreuger, qu'elle envisage un instant de romancer. Ou bien celle du jeune Bonaparte, « humilié, pauvre, un simple adolescent aigri, désespéré et qui rentre, fait sonner ses bottes sur l'escalier de bois et crie à la concierge : "Napoléon Bonaparte" ». Ou encore, la vie d' « un traître, tirant de partout son épingle du jeu, un peu genre Fouché ».

Ces profils d'instinctuels lui permettraient d'illustrer cette grande idée, à savoir que certaines vies se bâtissent à rebours du tempérament, comme s'il s'agissait de le nier. « Cela peut être très riche, très complexe, ce contraste – toujours – qui me poursuit :

entre l'homme public et l'homme privé. » Ce pourrait être Dimitri Navachine, ce poète symboliste devenu représentant de la banque d'État soviétique à Paris, peut-être bien agent secret, assassiné à la porte d'Auteuil en janvier 1937. Non, trop « mélo », tranche-t-elle. Qui, au contraire, se prête mieux à son idée que Léon Blum, tout juste revenu au pouvoir après une brève éclipse ? Ce tribun malgré lui est le type même de l'homme « dont la vie n'est pas d'accord avec son tempérament ». Mais Blum « est un type de faible, et de vaincu. Surtout, il serait incompréhensible hors du monde politique, et, vraiment, je ne le connais pas assez ».

Un moyen de conserver Blum malgré tout – elle y songe – serait de le transvaser dans un type plus universel, dont le projet lui tient alors « le plus à cœur » : *Le Juif*. Nous ne saurons jamais à quoi eût ressemblé un tel roman, sinon à travers ses déclinaisons : trois portraits d'aventuriers, Blum, Stavisky, Trotsky, animés chacun par sa propre énergie créatrice, sa « chaleur du sang ». Et qu'est donc ce sang ardent, si ce n'est celui de la « race », puisqu'il ne lui déplaît pas d'user de ce mot ? Un fluide instable, audacieux, fouetté par l'adversité, propulsé par l'altérité. Blum, le lettré, l'idéaliste, que rien ne destinait à changer le destin d'une nation. Stavisky, le renard, le « *crooked man* », le « *macher* », éternel gavroche d'Odessa. « Je dois me jurer à moi-même de faire un Stav., consigne-t-elle encore le 26 mai 1938, et de me foutre de l'effet que cela aura sur la condition des Juifs, en général etc. Après tout, moi, les Juifs, je les aime comme des cobayes, alors ! » Car on ne la prendra pas au piège de la commisération. Trotsky, enfin, le plus abouti, le plus sincère, le plus radical de ces aventuriers de la race. « *The aim of my life.* Si je vis très vieille, si j'ai assez d'argent pour travailler lentement, me documenter etc. "La vie de Trotzky" mais plutôt comme le type de juif, éternel révolté. » Cela fait plusieurs conditions.

Jours d'angoisse

« Si j'ai assez d'argent... » Irène Némirovsky en a moins que jamais, et c'est surtout pourquoi elle abandonne tant de périlleux projets. « Évidemment, se résigne-t-elle le 11 avril, *le Juif* serait le mieux, mais des considérations extralittéraires se mêlent à ma crainte. » Crainte de paraître exprimer une opinion, puisque parler des Juifs est devenu un acte politique. Selon Maurras, que l'Académie s'apprête à faire Immortel, le temps est venu pour l'antisémitisme de quitter l'âge de l'instinct pour celui de la raison, car « l'antisémitisme n'a pas besoin du racisme [84] ». Il ne s'agit pas, comme en Allemagne hitlérienne, d'exercer la violence contre les Juifs, mais de les mettre au ban de la cité, comme autrefois les métèques d'Athènes. Vues sous cet angle, les études de caractère d'Irène Némirovsky pourraient paraître scientifiques aux lecteurs malintentionnés. Et un roman n'est pas une pièce à conviction.

Quant aux « considérations extralittéraires »... Il y a d'abord l'annonce de l'Anschluss, le 11 mars 1938, preuve que l'appétit nazi vient en mangeant. Paradoxalement, la rue affiche un désintérêt croissant pour les questions d'actualité. « Calme absolu partout, observe Irène Némirovsky. On ne peut dire que l'on ne comprend pas tout ce que cela peut signifier, mais on espère malgré tout. D'ailleurs, à un certain rythme précipité, le "cerveau collectif" si j'ose dire ne peut réagir. Pas de gouvernement en France, mais ça, on y est habitué. Beau temps, soleil, air vif. » Puis, le 14 mars : « La guerre, la guerre, aurons-nous la guerre ? Quel étrange temps nous vivons... La guerre, logiquement, semble tout près. Dans cinquante ans d'ici ceux qui liront les journaux de ces derniers jours pourront croire que les gens se communiquent avec fièvre les nouvelles. Pas du tout. La plus complète indifférence, en fait, en paroles, qq. gémissements, quelques sombres pronostics... et on pense à autre chose. » Pour inquiéter un Français, la menace doit être si proche qu'il ne puisse l'empêcher. Veut-on une autre preuve que le tempérament n'est pas infaillible ?

« On espère malgré tout. » C'est exactement le sujet de la nouvelle que *Gringoire* vient de lui demander pour la fin du mois. Elle l'aurait intitulée *Great Expectations* si le titre n'était déjà pris « par *my olders and betters* ». La grande espérance en question n'est autre que d'accéder à la respectabilité française, par l'argent puisque le droit se rebiffe. Dans « Espoirs » – titre sous lequel elle paraîtra le 19 août –, une modiste russe autrefois riche vivote dans un « petit appartement glacé » du quartier des Ternes, dont le modèle est celui d'une couturière qu'Irène Némirovsky a connue rue de l'Arc-de-Triomphe. Elle ne subsiste qu'en apitoyant ses clientes avec des moues, car une Russe, aux yeux d'une Parisienne, ne peut s'épanouir que dans le « goût du malheur ». Comme l'âme slave est idéalement faite ! Son mari Vassili, un « déclassé », place tous ses espoirs dans un « oncle de France » surgi du néant, qui se révélera aristocrate ruiné par une banqueroute frauduleuse. Et toujours, la plainte lancinante de l'exilé, en écho à la naturalisation qu'Irène et Michel Epstein attendent depuis bientôt trois ans : « Ah, heureux Français ! si calmes, si heureux !... [...] Je pense à eux avec tristesse, avec envie, mais je les admire. Il est beau, il est admirable d'être heureux [85] !... »

La romancière a hésité à appeler ses héros Popoff ou Arkady, mais quelle importance, « puisque malheureusement ce ne peut être un Lévy ou un Rabinovitch » ? C'est donc à la lumière juive, une fois encore, qu'il faut lire cette nouvelle désespérante, modulée sur le thème de l' « inassimilabilité ». Cette fois, Irène Némirovsky éprouve elle-même la force des préjugés qui s'exerce sur ses personnages. Elle partage jusqu'à leurs pressants soucis d'argent, le gaz, l'électricité, le téléphone à payer sous trois jours. Cette gêne est l'autre « considération extralittéraire » qui l'empêche de se jeter à corps perdu dans un roman de longue haleine. Son journal en donne un aperçu désagréable : « Des jours d'angoisse, de cette angoisse que donne l'argent, quand on n'en a pas et que cependant on sait que l'on peut en gagner. Une rancune amère contre la vie. Courir en souliers déchirés, [...] n'avoir même pas assez d'argent pour aller voir [*un film*], bien innocente distraction – et pourtant on est l'auteur de D. G., la jeune femme pleine de talent, etc. »

Telle est réellement, le 25 juin 1938, la situation matérielle d'Irène Némirovsky, fille de banquier. En janvier, Michel Epstein a spontanément proposé à Albin Michel de lui rembourser à échéance le découvert de 65 000 francs qu'accuse encore « leur » compte d'auteur. « Si cette solution n'apporte pas d'argent à ma femme, plaide-t-il, elle lui permettra toutefois de se consacrer en entier à ses enfants, de n'écrire que lorsqu'elle en ressentira l'envie, et de toucher le prix de ses livres à chaque fois qu'elle en aura écrit un. » L'éditeur se laisse émouvoir, mais ses versements ne seront plus désormais que de 3 000 francs mensuels pour l'année commencée, accord reconduit jusqu'à la fin de 1940. De quoi compenser, tout juste, les revenus « très aléatoires » fournis par les prépublications.

Il semble en réalité qu'Irène et Michel aient exercé une forme de chantage, en faisant mine de retenir en otage le manuscrit de *La Proie*. Le roman, qui dépassera les dix mille ventes, est livré au public au printemps, en même temps que les premiers épisodes de *Deux*, dont le feuilleton se poursuit dans *Gringoire* jusqu'au 15 juillet. « Un jeune homme de vingt ans, sans fortune ni relations, mais intelligent et ambitieux, part à la conquête de la vie, dans un monde troublé : le nôtre... Un Julien Sorel de temps de crise [86] », dit la publicité. Edmond Jaloux juge bien prévisible le dessein sociopolitique de ce roman à « thèse », mais il lui reconnaît une facture « inattaquable [87] » qui ne peut être que française ; d'un aussi fin historien de la littérature, le compliment n'est pas mince. Irène Némirovsky, qui se repose à Hendaye, lui sait gré même de ses réserves : « [...] il y a dans le papier une phrase qui me servira déjà, c'est : "Il ne faut pas oublier que la surprise est un des éléments d'un bon récit." Autrement dit, la morale du livre doit être exprimée à la fin. »

Tous ne partagent pas l'avis de Jaloux : pour *Les Nouvelles littéraires*, au contraire, « le côté atroce, empoisonné de presque tous les personnages, leurs accès de violence et leur passivité devant les catastrophes, restent bien russes [88] ». La critique s'avoue désarçonnée par ce roman balzacien où n'apparaissent ni le mot « russe » ni le mot « juif ». Un lecteur perspicace y reconnaîtrait pourtant sa réflexion sur le mystère du sang, car Daguerne n'est en somme qu'un Stavisky à la française. Or, son ressort caché est moins l'appât du gain que l'amour-propre : il acceptera de se perdre pour gagner la considération d'une femme. Il ressemble en cela aux autres héros némirovskyens : « L'instinct les emporte. Il finit même par les dévorer sans qu'ils en aient conscience [89]. » Cette démonstration pourrait ennuyer; elle est au contraire servie par « un talent vigoureux, lucide, vraiment créateur », que Maxence juge cent fois supérieur au « style contourné, artificieux, pesant, pâteux même [90] » de *La Nausée,* premier roman philosophique d'un certain Jean-Paul Sartre.

L'accueil positif réservé à *La Proie* n'atténue pas les difficultés matérielles des Epstein, loin s'en faut. Mi-juin 1938, ils touchent le fond. Elle vient d'apprendre que Michel, qui n'est après tout qu' « employé de banque », chargé du visa des chèques et de l'escompte, a emprunté 50 000 francs à taux d'usure. À quoi bon écrire dans ces conditions, si le seul profit qu'elle puisse en tirer est littérature ? « En caisse, strictement rien. M. a même pris un mois d'avance. Tout espoir de salut consiste à vendre le roman et même cela, si ça réussit, ne servira guère qu'à payer l'arriéré de dettes. [...] Je gagne énormément d'argent, mais depuis dix-huit ans, il a toujours dépensé régulièrement deux fois plus qu'il ne gagnait. Alors, l'impression d'un gouffre à combler coûte que coûte d'abord, et ensuite, l'impression, je ne sais comment dire, que le travail lui-même est parfaitement inutile, ou plus exactement, les gains normaux n'ont aucun intérêt puisque ce qu'il faut poursuivre, ce sont les gains qui viennent en dehors du budget régulier. Ex : il gagne 300.000 fr. par an. Comme il sait qu'il en dépense 600.000, ces 300.000 ne sont rien, n'existent plus. Il faut autre chose; il faut chercher ailleurs. Et voilà ma vie ! »

Bien sûr, elle pourrait renoncer au superflu, dépenser moins. Mais non, « j'aime encore mieux me débattre dans toutes ces difficultés que renoncer à ce que j'estime nécessaire pour vivre ». Le photographe venu réaliser une série de clichés de l'écrivain à son domicile n'est autre qu'Albert Harlingue, portraituriste de Rodin, Mahler, Debussy, Freud, Claudel, Colette et, merveilleuse coïncidence, Katherine Mansfield. Il ne sera pas dit que l'auteur de *Golder* vit en dessous de ses moyens. Ni qu'elle devra renoncer à cette forme supérieure d'assimilation que le génie lui a déjà accordée. Question de dignité. Mais l'invasion de son œuvre, à partir de 1938, par des immigrants affamés prêts à se damner pour se faire une situation trahit mieux que tout son état d'esprit. De cette époque date aussi l'apparition, dans son calepin, de virtuelles « nouvelles alimentaires », intrigues mièvres qui paraîtront pour la plupart dans l'hebdomadaire féminin *Marie-Claire* en 1939 et 1940, « uniquement pour gagner qq. sous ». Huit ans après *David Golder*, il semble qu'Irène Némirovsky soit bel et bien devenue son propre « cobaye ».

9

Enfants de la nuit

(1938-1939)

« À bien des tournants de notre vie, prendre une décision importe plus que de prendre la meilleure. »

Mgr Vladimir Ghika, *Pensées pour la suite des jours*, 1936

Hendaye, fin mai 1938. « Ciel bleu, soleil, ravissement. Suis partie de Paris dans le 36e dessous. [...] Lu les souvenirs de Kipling. Je crois que de cette crise de noir, c'est lui, qu'il soit béni, qui m'a sortie. » À cette date, elle a déjà entrepris le livre qu'elle jettera au gouffre de ses dettes domestiques. Il se pourrait néanmoins que la gêne ne la desserve pas, et que l'urgence donne à ce roman l'énergie qui lui paraît manquer à *Deux*, dont elle vient de revoir les épreuves. « Beaucoup de ronron, maugrée-t-elle. S'en méfier. *Facts*. Phrases brèves et dures, voici ce qu'il me faut, et il est nécessaire que le livre, quoique court, paraisse bourré à éclater d'événements importants [...]. » Il faudrait pour cela renoncer à marcher sur les brisées de Mauriac et Maurois, retrouver la noirceur de *Golder*, quitte à heurter car : « Je vis dans un temps très traditionaliste et dans un pays foutrement respectueux des conventions (en litt.). »

Comment renouer avec son don particulier ? « Je crois que la réponse est simple : faire mon petit Honoré. C'est-à-dire, m'attacher principalement à peindre les types (et, à un moindre degré) les situations d'à présent, d'après-guerre et laisser délibérément de côté les choses genre *Deux*, non que je ne puisse les faire, mais beaucoup d'autres peuvent les faire comme moi et mieux que moi, tandis que pour voir les gens d'à présent et les peindre avec leurs traits un peu grossis (des types, quoi ?) ben, il n'y en a pas des flottes. » D'où l'incipit du *Charlatan*, titre provisoire du roman en cours, qui ne rappelle pas fortuitement celui de *Golder* : « J'ai besoin d'argent ! — Je vous ai dit : non [1]. » Mais cette fois, les rôles sont inversés : l'enfant du ghetto n'est pas devenu banquier, c'est lui le pauvre diable qui court les usuriers et les prêteurs sur gages ! Il s'appelle Asfar et ressemble comme un frère à Vassili, qui murmurait avec dépit : « Heureux Français... » Même parvenu, installé dans une maison « sombre, riche, un peu étouffante » – qui n'est autre que celle de Paul Morand –, Asfar lui répond en écho : « Oui, vous tous, qui me méprisez, riches Français, heureux Français, ce que je voulais, c'était votre culture, votre morale, vos vertus, tout ce qui est plus haut que moi, différent de moi, différent de la boue où je suis né [2] ! »

Le Maître de vos âmes

Certes Asfar, « considérations extralittéraires » obligent, n'est pas juif. Mais, pourrait-on dire, c'est tout comme. C'est un métèque, un apatride, un « petit étranger, bilieux, aux yeux de fièvre », un Levantin issu de la « race obscure », à qui la France ne fera aucun cadeau, contraignant ce jeune médecin généreux et idéaliste à devenir un charlatan et, de « gibier », à se faire « chasseur ». Car ce n'est pas Irène Némirovsky, dans ce roman incroyablement abrupt, qui traite Asfar de « sale étranger », mais ses voisins huppés de l'avenue Hoche.

Le premier modèle de ce Knock oriental est Ghedalia, le médecin de Golder. Il suffirait de ressusciter l'univers cosmopolite de Biarritz pour le rendre véridique ; mais elle se garde comme jamais du soupçon antisémite qui rôde autour de son œuvre. Asfar surgit bien de ce « monde de fous, celui que j'ai connu », mais, dit-elle, « j'ai eu tort de penser au monde goldérien. C'est au contraire dans le monde le plus conformiste, le plus bourgeois qu'il peut s'installer mon charlatan, le monde des riches, mais des riches conformistes ». Ce choix donnera plus de force à sa démonstration car Asfar – il le nuance lui-même – n'est pas tant un métèque que « ce que vous appelez un métèque [3] »; à peu de chose près, c'est la définition restrictive que Sartre donnera du Juif en 1947 : « un homme que les autres tiennent pour juif ». À vrai dire, c'était déjà celle de Zola : « Les Juifs sont notre œuvre, l'œuvre de nos mille huit cents ans d'imbécile persécution [4]. »

Lorsqu'il s'ébauche en avril 1938, *Le Charlatan* a tout d'une satire moliéresque. Dario Asfar est le type du médecin qui vit aux dépens de ses clients. « Il n'a pas d'ambition, mais un amour du gain presque maladif. Il a une brochette de décorations étrangères. Il n'est pas brutal comme peut l'être un véritable savant (qui peuvent être des brutes inhumaines). Il a de l'imagination. Il ne voit pas seulement une phlébite, une paralysie générale, etc., mais il voit l'homme. L'homme l'intéresse. C'est l'homme qu'il veut séduire, vaincre ou tromper, et non la maladie. » D'où son surnom de « *master of souls* ». Un temps, Irène Némirovsky caressera d'ailleurs un titre, *Le Maître de vos âmes*, avant de l'abandonner car trop « raccrocheur ».

Asfar est un manipulateur qui tire parti des souffrances mentales en se faisant passer pour un sorcier moderne, comme naguère Habib, l'« affreux Levantin » de Morand, guérissait « la mélancolie par la faradisation » et les passes magnétiques [5]. Leur clientèle est la même : des « riches détraqués », accablés de maladies nerveuses, de phobies ou de chagrins inconsolables. La difficulté d'être, pactole intarissable ! « Le charlatan est l'homme qui a compris que la seule richesse sûre, le seul gagne-pain sûr, c'est de faire servir à soi les passions des autres. » Tout son art consiste à ne nettoyer les plaies qu'à moitié.

Ce charlatan est un personnage universel. Mais ni Romains ni Morand ne s'étaient encore penchés sur le « type actuel » de l'aliéniste qui séquestre son malade pour le tenir sous sa dépendance. Philippe Wardes a-t-il, comme André Citroën, l'amour compulsif du jeu ? « Sous prétexte de cure, [*Asfar*] entretient cette habitude de la drogue, tantôt la satisfaisant, tantôt la refusant. Il traite les malades imaginaires. » Bernard Grasset, lui, ne jouait pas au baccara, mais sa férocité professionnelle l'avait mentalement détruit. Parce qu'il ne savait plus par quels excès se « secouer les nerfs », le premier éditeur d'Irène Némirovsky est un des modèles avoués de Wardes, *alias* « Broken Man ». Dans son journal, elle l'appelle affectueusement « notre petit mégalomane familier », mais elle se souvient aussi que Grasset était « un méchant homme, ingrat, léger ». Dario Asfar est-il une réplique du Dr Angelo Hesnard, l'un des psychiatres qui tinrent Grasset en semi-réclusion ? Irène Némirovsky s'est aussi rappelé le procès du docteur Bougrat, sorte de Stavisky des intraveineuses, condamné au bagne pour malversations en 1927, parfois réduit à la mendicité par de mystérieuses dettes d'argent. Il est l'autre modèle de son charlatan.

Pour autant, ce livre n'est pas le procès du freudisme. Irène Némirovsky n'a jamais connu qu'un analyste, Adler, mort en 1937, et la pseudo-théorie de l'inconscient d'Asfar doit surtout à sa propre conception des antécédents familiaux : « Nous sommes tous habités par les âmes de nos ancêtres. Il s'agit de découvrir ce qui appartient à chacun d'eux, par un processus qui tend à ôter ce qui dans la conscience recouvre le tuf, proprement nôtre. »

D'abord conçu comme un feuilleton alimentaire, qu'elle parvient à vendre sur plan à Carbuccia, *Le Charlatan* donne lieu à un fiévreux travail d'élaboration, d'avril à juillet 1938. Toutes les pistes sont explorées, sans autocensure. « Voici que j'ai encore une idée. Beaucoup trop, Mona, ma fille ! C'est cela qui te perd. » Lorsque l'intuition court trop vite, elle lâche à ses trousses un peu de russe, beaucoup d'anglais, parfois l'allemand, et quelques jurons. Aucun méandre de sa pensée n'échappe à l'épais brouillon, qu'elle cerne ensuite de « HEAR » ou de « TB » au crayon rouge. Ensuite, tout est « beaucoup moins amusant. Il faut corriger, émonder, reprendre les phrases en songeant que, cette fois, le texte qu'on rédige est fait pour trouver l'accès du lecteur [6]... »

Mais d'abord, cerner le personnage central. Asfar n'est pas d'emblée un « Levantin suspect ». Il se nomme primitivement

Gabriel Papadopoulos, né à Smyrne de père grec et de mère tantôt italienne, tantôt juive russe. Élevé à Odessa, il fait ses études de médecine à Moscou. Son « grand amour de la nature, des livres » l'apparente à Ismaël, le petit enfant génial, mais aussi son éducation de gavroche. « Son entourage était rapace, habile, ne pensant qu'à l'argent, ou alors, les meilleurs tourmentés par le désir d'autres pays, d'autres destins. » L'important n'est d'ailleurs pas qu'il soit juif ou grec, mais un émigrant né sur des charbons ardents. « Je ne sais pourquoi, je pense à l'enfance d'Apollinaire. »

Dans ce roman de l'immigration et du racisme, Irène Némirovsky veut s'interdire toute allusion au judaïsme. Asfar, c'est entendu, est une « racaille », un « métèque mal habillé et mal rasé », un « petit médicastre étranger » à la « peau brune », aux « longs doigts d'Oriental », avec des « traits qui ne sont pas d'ici [7] », mais, note-t-elle pour elle-même, « je ne puis dire qu'il appartenait à une race d'heimatlos, parce que cela, c'est un autre mot pour Juifs ». Asfar représente un type encore supérieur : il est l'étranger inassimilable, l'éternel déraciné, la « race affamée [8] ». S'il est devenu charlatan plutôt qu'honnête praticien, c'est sans doute que, depuis 1935, des lois restreignent l'exercice de la médecine aux seuls diplômés français. Irène Némirovsky, qui s'est beaucoup documentée sur l'histoire et le droit de la médecine, le sait pertinemment [9]. « Ici, ce que je veux faire, c'est le garçon malheureux, orgueilleux, "pour qui le mot âme a un sens", mais qui a, terriblement, les désirs et les instincts de l'être heureux. En somme, ce que l'on devrait faire, c'est là le Juif, le Juif qui voudrait être humble, bon etc. [...] L'idée est là, cela est sûr. » Et c'est pourquoi Asfar, loin de n'être que le métèque universel, est encore une fois l'autoportrait d'Irène Némirovsky, écartelée entre son orgueil d'écrivain, les dettes de son foyer et son statut d'indésirable. C'est la quête du bonheur qui pervertit Asfar, et qui la condamne aux travaux forcés. « On ne peut décrire que soi, hélas, toujours sa propre gueule plus ou moins masquée et sa misérable âme. »

Lorsqu'elle part avec Michel et les filles pour Hendaye, fin juin, un bon chèque de *Gringoire* en poche et les premiers dialogues du *Charlatan* esquissés, elle est momentanément tirée d'embarras et se répète mentalement l'évangile de Marc : « Ne crains pas, crois seulement... » Vacances studieuses : un chapitre par jour, dont Michel assurera la frappe. « Seulement cela signifie travail, vrai travail. » Le titre d'un de ces chapitres, dans l'épure ébauchée mi-juin, donne une idée du roman picaresque qu'elle envisage : « Bardamu ». Car le charlatan n'est qu'un prétexte : Asfar est un des avatars némirovskiens de l'aventurier moderne, du parvenu cynique, produit de l'hypocrite société française. « Je n'étudie pas le type du charlatan, je fourre derrière une étiquette tout ce qui m'intéresse, tout ce qui me touche. Enfance malheureuse, haine, amour – puis haine des bourgeois. » Si bien que la clé du roman n'est plus « combien », comme dans *Golder*, mais plutôt : « M'aimez-vous ? »

Le Charlatan raconte la fabrique d'un escroc. C'est un conte cruel qui accorderait des circonstances atténuantes à Stavisky : « Prenez une bête affamée, harcelée, avec une femelle et des petits à nourrir, et jetez-la dans une riche bergerie, parmi de tendres moutons, sur un vert pâturage [10]... » Asfar l'humilié, Asfar l'offensé a-t-il les « dents longues » ? La chaleur qui brûle son « sang inquiet », c'est l'orgueil rentré, ravalé, piétiné, aliment de sa vengeance sur les idiotes embijoutées qu'Irène Némirovsky a rarement traitées avec autant de mépris. La damnation d'Asfar, parasite par obligation, est aussi la sienne : ne vend-elle pas son âme à *Gringoire*, qui persiste à la présenter comme le phénomène des lettres françaises ? Du coup, ce roman prend une coloration faustienne. « Que sert à un homme de gagner tous les trésors de la terre, s'il doit perdre son âme ? » Cette morale est sa consolation. Morale pessimiste, car Asfar devient précisément celui qu'il ne voulait pas être, un père pour qui même l'amour filial est convertible en devises. « Que diront les cons flous ? s'inquiète-t-elle. "Mme Némirovsky reste fidèle au roman pénible..." ou d'autres conneries. Je devrais être blindée, mais enfin... C'est drôle qu'en 1938 il y ait encore ce désir de voir la vie en rose. »

Autodafé mental

« Hendaye 6 juillet. Le temps le plus beau... autant envie de travailler que de me pendre. » Malgré ce qu'il charrie d'expérience personnelle, *Le Charlatan* reste un pis-aller, une variante feuilletonesque de ce *Juif* reporté à des temps meilleurs. Aussi est-on stupéfait que ce roman heurté résulte d'un défrichage de quatre mois, souvent plus passionnant que l'intrigue brutale finalement frayée dans cette forêt. Irène Némirovsky en amorce la rédaction presque à contrecœur. A-t-elle le choix ? *Le Figaro* n'a pas donné suite à sa proposition de nouvelle : il s'agit peut-être de « Nous avons été heureux », une pathétique histoire de divorce qui paraîtra le 5 août dans *Marie-Claire*, hebdomadaire féminin créé l'année précédente par son amie Hélène Gordon-Lazareff. Tarif : 2 000 francs. « 7 juillet 38. Chaleur brûlante ; ciel flamboyant, tout à l'heure l'orage tombait ; pluie en longs éclairs d'argent. On étouffe à la maison ; on étouffe dans le sable. Pas envie de travailler, et, en même temps cette obscure inquiétude... »

Irène et Michel Epstein ont loué pour l'été une villa de style basque dont le nom, *Ene Etchea*, signifie « ma maison ». Peut-être par mesure d'économie, ou bien, suggère Denise Epstein, parce que celle d'Urrugne était trop éloignée de la mer. Une rue les sépare désormais de la plage, « digue feutrée de sable qui étouffe le bruit des pas [11] ». Non qu'Irène raffole des baignades, mais son bébé a seize mois et, confie-t-elle à ses lecteurs, « la fabrication de pâtés de sable pour cette jeune personne constitue en ce moment le plus clair de mes occupations [12] ». Sous une tente, en jupe et polo rayé, elle lit Katherine Mansfield, soudain consciente de la « plaisanterie tragique » que fut sa vie, et relit *À l'ombre des jeunes filles en fleurs*. Denise, si protégée qu'elle n'a jamais appris à nager – ni, l'hiver, à skier –, se baigne sous la surveillance d'une nounou. Michel, assis sur un pliant, grille une cigarette. « Le soir venu, ils aiment à se rendre à Saint-Jean pour voir rentrer au port les bateaux, ou bien traversent la frontière pour dîner à Fontarabie [13]. » Seul spectacle imposé, celui des réfugiés espagnols passant le pont de la Bidassoa en camion ou traversant la rivière à la nuit tombée, guidés par les torches des Français. Cet été-là, les Epstein hébergent une jeune femme qui a fui les combats. « Je ne sais plus si son mari avait été arrêté ou fusillé... Son petit garçon devait avoir quatre ou cinq ans. Je me rappelle encore la forme de son visage. C'était une très belle Espagnole, magnifique [14]. » Souvenirs inaltérables pour Denise, bientôt huit ans, qui n'a aucune idée des difficultés matérielles que ses parents se font un devoir d'ignorer.

Le 30 juillet, la réplique finale du *Charlatan* tombe, en forme d'éternel recommencement : « Il reviendra. Pour l'héritage. » Un mois plus tard, la rédaction définitive est achevée. Au cours du même été, Irène Némirovsky entreprend un autre roman qui est, ni plus ni moins, la version juive du *Charlatan*. Son titre, *Enfants de la nuit*, est placé sous une citation de l'Évangile : « Vous, soyez des enfants de lumière. » Ce serait, note-t-elle le 21 juillet, « l'histoire d'une famille de juifs russes – oui, toujours! – où il y ait un fils qui devienne Stav[*isky*], l'autre P. S. et une fille. » Elle y montrera comment un Juif russe, Harry Sinner, à deux doigts d'épouser une jeune bourgeoise parisienne, rejoint dans l'opprobre son cousin Ben, portrait craché de Stavisky, qui l'entraîne dans sa déchéance. Malédiction de l'émigré ou force du tropisme juif? Au bout du compte Harry et Ben Sinner, le chien et le loup, ne seront jamais aux yeux des Français que « deux sales étrangers, deux sales métèques [15] », l'un tombé de haut, l'autre monté de bas. « Enfants de la nuit : c'est-à-dire ceux à qui la grâce manque, qui sont partis pour être meilleurs que les autres, qui deviennent plus mauvais parce qu'il leur a manqué l'esprit d'amour. » Irène Némirovsky ne nie pas qu'il y ait des bandits juifs; elle veut simplement démonter le mécanisme qui n'en a fait ni des saints ni des exaltés, façon Trotsky. Le cri du cœur de Ben, extrait de sa misère par la combine, a les accents mêmes de la complainte d'Asfar : « Ah! vos simagrées d'Européen, que je les hais! Ce que vous appelez succès, victoire, amour, haine, moi, je l'appelle argent! C'est un autre mot pour les mêmes choses [16]! »

Irène Némirovsky, en effet, a longtemps confondu ces deux personnages. Ainsi, le 8 juillet, Dario Asfar est encore de mère juive, et « tant pis pour les criailleries ! Elle est, elle ne peut être qu'une Juive et d'Odessa encore ! ». Trois jours après, au prix de ce qu'elle nomme un « autodafé mental », *Enfants de la nuit* acquiert son autonomie romanesque. Asfar sera le métèque indéfini, Ben la « racaille juive », venu porter la poisse aux doux Juifs français, oublieux des larmes et des martyrs. Ada, qui aurait dû être la fiancée d'Asfar et sa compagne d'exil, devient la sœur de Ben. Avec sa prodigieuse mémoire des visages et des paroles, son caractère sombre et nostalgique, sa « perspicace ironie [17] », c'est elle, la Juive de Kiev, qui lance à Harry Sinner l'obscur et envoûtant appel de l'hérédité. De même que, dans *Le Charlatan*, Elinor est celle qui, par son charme et par anagramme, représente l'appel de l'Orient. Ce n'est d'ailleurs pas un hasard si Ada est une artiste et dessine « des caricatures pour des journaux illustrés », créant « un mouvement de curiosité autour de son nom » : n'a-t-on pas assez reproché à Irène Némirovsky de s'être fait connaître de cette façon ? Ada personnifie la judéité latente d'Irène Némirovsky, à la fois très douce et très maléfique, à l'heure où la France pense occuper les crocs d'Hitler en lui jetant des territoires. Française par le génie mais non par décret, juive russe par la naissance mais non par la culture, Irène Némirovsky vit en réalité un double exil. En cela semblable à Harry Sinner, « étranger au Français et étranger au Zyromski ou Silbermann qui lui attire tant d'ennuis », ainsi qu'elle l'entrevoyait dès janvier 1938. Une enfant de la nuit, suspendue entre deux crépuscules...

Les loups, c'est mon affaire...

Le 30 juillet 1938, Irène Némirovsky abandonne l'idée d'écrire jamais *Le Juif*, dont bien des éléments sont alors reversés dans *Enfants de la nuit*, où s'esquisse un tableau subjectif du judaïsme européen. « *Le Juif* cela demande *a lifetime*, se justifiet-elle. Terriblement provocant de plus, toutefois, songer à l'utiliser en cas de refus de C. par ex. Mais il y a d'autres inconvénients : le Juif, à moins ~~de le faire caricatural, ou~~ de répéter D. G. n'est pas un type tranché. Je voudrais adoucir les traits. Je gâcherais tout. »

Les circonstances ne s'y prêtent guère. Depuis le début de l'année, de nombreuses voix – dont celle de Brasillach – se sont élevées pour mettre fin aux naturalisations de Juifs étrangers. Le 2 mai, un premier décret d'État prêtait à confusion en liant le « souci de la sécurité nationale » au « nombre sans cesse croissant d'étrangers résidant en France ». Lucien Rebatet, qui a passé l'été en Autriche, en revient ébloui des pogroms hitlériens qu'il y a vus. À Vienne, les vitrines des commerces juifs n'étaient pas seulement barrées d'interdictions ou d'invites « à nettoyer d'urgence », elles étaient barbouillées de cambouis, de goudron ou d'excréments. Exemple à suivre, si on l'en croit : « L'antisémitisme allemand bouleverse le ghetto et il a raison. On s'est beaucoup trop attendri sur le menu peuple juif. [...] Je cherche ce qui nous empêcherait de dire que l'antisémitisme allemand et plus particulièrement viennois, offre un exemple de justice distributive dont les nations enjuivées devraient faire leur profit plutôt que de se voiler la face en criant à la sauvagerie [18]. »

S'attendrir sur le menu peuple juif, c'est exactement ce que fait Irène Némirovsky dans *Enfants de la nuit*, en ressuscitant le ghetto de Kiev, « les petits artisans, les locataires des boutiques sordides, les vagabonds, un peuple d'enfants qui se roulaient dans la boue, ne parlaient que le yiddisch [19] », les mêmes que tâche d'immortaliser le photographe Roman Vishniac depuis 1935, à dessein de « construire un monument à la souffrance juive ». Le grand-père d'Ada, un intellectuel devenu bijoutier pour nourrir sa mère, travaille secrètement à un essai intitulé *Caractère et Réhabilitation de Shylock*, c'est-à-dire à réparer les préjugés ; l'œuvre de sa vie sera jetée au feu par les cosaques. Quant au pogrom, c'est une « inondation », un « sabbat » cauchemardesque, un « cyclone [20] » plus violent que celui que Rebatet appelle de ses vœux, « jeté comme un bélier contre les murs, les frappant, reculant, revenant en désordre pour mieux les ébranler, les frappant de nouveau en vain [21] ».

Ce n'est pas une illusion : l'antisémitisme est une marée qui vient de l'est. Vingt ans après l'avoir laissé en Russie, le voici qui lèche les marches de la France. Le 7 septembre, les éditions Genio, de Milan, ont adressé à Albin Michel le courrier suivant :

> *Nous vous serions infiniment obligés si vous pouviez nous dire, si Mme Irène Nemirovsky est de race israélite.*
>
> *Suivant la loi italienne ne doit pas être considéré de race israélite la personne dont l'un des parents, le père ou la mère, est de race arienne.*

Indésirable en Russie, Irène Némirovsky n'est pas en odeur de sainteté en Italie. Et en France ? Hasard du calendrier, le 10 novembre, lendemain de la Nuit de Cristal – pogrom d'État qui a laissé plusieurs centaines de victimes juives à travers l'Allemagne –, l'hebdomadaire *Gringoire* claironne en une : « Chassez les métèques ! » Le 12, Paris se dote d'ailleurs d'une législation qui limite l'accès à la nationalité française, fragilise les droits des acquérants et durcit la situation des « indésirables étrangers », susceptibles à tout moment d'internement administratif, qu'ils soient coupables ou non de délits. Les individus dont il s'agit sont essentiellement des réfugiés espagnols, tchèques, allemands ou autrichiens, mais Irène et Michel Epstein pourraient fort bien être à la merci d'un rond-de-cuir. Les « centres spéciaux » prévus à cet effet porteront, dans son nouveau roman, le nom qu'ils méritent et qui leur vient d'Allemagne : des « camps de concentration [22] ».

Irène Némirovsky abandonne alors le titre initial d'*Enfants de la nuit*, qui rappelle un peu trop Céline. Elle songe un temps, significativement, à l'intituler *L'Étranger*, tant il fait peu de doute que Ben Sinner tomberait sous le coup du nouveau décret-loi. Mais Ben l'affamé n'est pas le seul enfant de cette nuit des hommes ; si bien assimilé soit-il, il suffirait d'un virus nostalgique pour qu'Harry s'ensauvage. D'où le titre définitif du roman, *Les Chiens et les Loups*, dont il faut trouver l'origine dans cette note du 26 mai 1938 : « Mon affaire, peindre les loups ! Je n'ai que faire des animaux en tribu, ni des animaux domestiques [23]. Les loups, c'est mon affaire, c'est mon talent. »

Est-ce dans un souci de normalisation que Denise, jusqu'alors élevée sous cloche, est inscrite en septembre au collège

Victor-Duruy ? Une chute dans la cour de récréation, suivie d'un épanchement de synovie, la ramènera bien vite dans les jupes de Miss Matthews, pour préparer à domicile les examens de passage au lycée.

Une nouvelle demande de naturalisation est déposée le 23 novembre 1938, auprès des services de la préfecture de police. Michel bénéficie de la recommandation de ses supérieurs hiérarchiques, le comte Charles-Albert de Boissieu, administrateur délégué, et le consul Philippe de Maizière, l'un des directeurs du conseil d'administration de la Banque des Pays du Nord depuis 1930. « Monsieur Epstein, écrivent-ils, fait partie de notre maison depuis mars 1925. C'est un fidèle collaborateur, dont nous avons pu apprécier les qualités morales et professionnelles, et nous sommes persuadés de son attachement à la France, ainsi que de sa parfaite loyauté. »

Quant à Irène, elle est patronnée par deux éminences des Lettres. Le Saintongeais Jean Vignaud, décoré de guerre, fondateur de la *Revue d'art dramatique* avec Fernand Gregh, est un habitué des rédactions parisiennes, entré au *Petit Parisien* en 1901 pour en prendre la direction trois décennies plus tard. Président de l'Association de la critique littéraire depuis 1930, il a eu tout loisir d'observer l'irruption du météore Némirovsky dans le ciel des Lettres françaises, avec d'autant plus de curiosité qu'il avait été, en 1922, l'un des premiers romanciers français à raconter l'épopée des émigrés russes. Irène Némirovsky a tout à espérer de Vignaud, élu en avril 1936 à la présidence de la Société des Gens de Lettres, et qui entend, par son mandat, « symboliser dans la famille française, aux yeux du monde, la pensée de la race et la noblesse du verbe national [24] »...

L'autre caution d'Irène Némirovsky a encore plus d'envergure. André Chaumeix est le nouveau directeur de la *Revue des Deux Mondes*, depuis que Doumic a succombé à une mauvaise bronchite, le 2 décembre 1937. Naguère directeur de la *Revue de Paris* et rédacteur en chef du *Figaro*, Chaumeix est un « grand laborieux qui ne travaille pas », selon Maurice Martin du Gard [25]. Ceci explique qu'à soixante-quatre ans, et quoique académicien, l'amant le moins secret de Marie de Régnier n'ait signé qu'une poignée d'opuscules savants sur Platon ou la sculpture romaine, mais aucune œuvre littéraire au sens propre. C'est le type de l'honnête homme de IIIe République : normalien, agrégé, tiré à quatre épingles, port britannique, œil frisé, cheveu calamistré, la moustache dessinée au tire-ligne. La panoplie de l'homme-orchestre mondain, qui aurait pu être ambassadeur, ministre ou député. En politique, son nationalisme, son antimarxisme et sa droiture patriotique sont rarement pris en défaut. On a vu sa signature, en octobre 1935, au bas du Manifeste pour la défense de l'Occident en soutien à Mussolini, au côté d'un certain nombre d'ultranationalistes, qu'il accompagne encore le 8 juillet 1937 au Vélodrome d'Hiver acclamer Maurras à sa sortie de prison. Sous sa direction, la *Revue des Deux Mondes* se politisera davantage, jusqu'à embrasser la Révolution nationale en 1940.

Tout bien pesé, Chaumeix est sans doute l'homme de la situation. C'est lui qui portera la requête d'Irène et Michel Epstein en main propre au tout nouveau garde des Sceaux, Paul Marchandeau. D'autant plus que celui-ci prépare le fameux décret-loi qui punira bientôt la diffamation raciale par voie de presse, augmentant d'autant la paranoïa antijuive d'un Brasillach. Texte bienvenu mais pernicieux, dans le sens où il fut le premier à introduire noir sur blanc la captieuse notion de « race » dans la législation française, qui s'était jusqu'alors abstenue de statuer sur la biologie humaine.

Irène Némirovsky, déclare Chaumeix dans la lettre qu'il adresse à Marchandeau le 30 novembre, est « un des auteurs contemporains qui ont le talent le plus original et le plus vigoureux », tandis que Michel Epstein, le lendemain, produit toutes les pièces nécessaires, à l'exception de leurs propres extraits de naissance, disparus dans la nuit soviétique. Est-ce la raison pour laquelle leur requête, plusieurs fois relancée, restera souffrante jusqu'à la déclaration de guerre ? Pourquoi, en dépit d'appuis si prestigieux, et malgré sa réputation, Irène Némirovsky n'obtiendra-t-elle jamais sa naturalisation ? Peut-être, lui répond Dario Asfar, parce qu' « on n'échappe pas à sa destinée [26] »...

Effort vers la pitié

Fin décembre 1938, rien n'indique encore que la procédure soit en mauvaise voie. *Marie-Claire*, interrogeant les astres, prédit même aux femmes de France une rassurante année 1939, car « c'est grâce à l'importance des étoiles protectrices placées dans l'horoscope du Führer que nous éviterons la guerre [27] ». C'est donc par excès de prudence, et par une forme de superstition, qu'Irène Némirovsky entreprend parallèlement une démarche singulière. Car, confie-t-elle à sa bonne Cécile, stupéfaite, « on ne sait jamais de quoi l'avenir sera fait »...

Comme chaque hiver ou presque, la romancière est partie à la montagne avec ses filles. À Besse-en-Chandesse, bourg médiéval et station d'altitude au pied du puits de Sancy, elle a fait la connaissance, cette année ou la précédente, d'un jeune curé de montagne âgé de trente-huit ans, à qui viennent d'être confiés le doyenné de Besse et le célèbre pèlerinage de Notre-Dame-de-Vassivière. L'abbé Roger Bréchard, ordonné prêtre en 1924, avait d'abord pensé devenir missionnaire en Afrique. Sa vraie vocation, il l'a découverte dans le scoutisme, qu'il contribue à implanter en Auvergne à partir de 1926, à la tête d'une troupe de garçons qu'il conduit contre vents et marées, mais surtout contre les coutumes locales. Car l'abbé Bréchard est un esprit curieux, cultivé, plein de charme, ouvert à l'échange. « Rien de banal chez ce jeune curé, reconnaît Mgr Piguet, évêque de Clermont-Ferrand, ni ses propos, ni son accueil, ni même la simplicité de son modeste presbytère, où des gravures bien choisies, suggestives, d'art religieux, sans snobisme et sans prétention, permettaient de découvrir un aspect et une préoccupation artistiques qui complétaient bien la beauté morale de ce curé de campagne [28]. »

Mobilisé après les accords de Munich – gage d'impotence consenti à Hitler par les démocraties –, l'abbé Bréchard est déjà rendu à sa paroisse lorsque Irène Némirovsky lui fait part de son souhait inopiné de recevoir le baptême catholique. Il est tentant de croire qu'elle joue la comédie du christianisme pour se soustraire à la malédiction qui poursuit les Juifs, puisqu'elle est désormais légalement expulsable. Se pourrait-il cependant que son aspiration au baptême, loin d'être dictée par la seule peur du lendemain et le désir d'assimilation, traduise une quête spirituelle sincère ? Son baptême sera-t-il une abjuration, ce reniement de raison auquel un Bergson s'est refusé en 1937, pour ne pas être traité d'apostat par les futures victimes de « la formidable vague d'antisémitisme qui va déferler sur le monde [29] » ? Ou bien trahit-il une détestation du judaïsme, mûrie jusqu'à la rupture ? Elle serait alors semblable à René Schwob, le plus zélé des convertis français, à la fois allergique à la culture juive, qui l'horripile, et ennemi déclaré de l'antisémitisme racial, qui condamne les Juifs à l'exclusion en leur déniant le droit de s'affranchir. Mais se convertir, est-ce bien s'affranchir ?

La christianisation des Juifs n'a jamais vraiment inquiété les autorités judaïques durant l'entre-deux-guerres. Le phénomène ne touche en effet qu'une part infime et le néo-marranisme ne constitue pas une menace aussi grave que les progrès de l'agnosticisme et de l'athéisme, tendance qui traduit à la fois une puissante aspiration des Juifs à se dissoudre dans le marais laïque, et un refus tout aussi net de renier solennellement la foi de leurs pères. Pour nombre d'immigrés, l'assimilation passe en effet par l'oubli pur et simple des vieilles pratiques, non par l'apostasie. Et le rabbinat s'en inquiète davantage que du phénomène marginal des conversions. « Aujourd'hui le judaïsme français donne l'exemple d'un corps exsangue, inanimé. [...] C'est la désertion organisée, la fuite sans fin, l'évasion hors d'une communauté historique qui n'a pas encore achevé son destin [30] », écrivait en 1933 le rabbin Wladimir Rabinovitch, prédisant un « réveil tragique » aux Juifs français qui s'imaginent encore que le baptême des tranchées les a prémunis à tout jamais contre le bacille antisémite.

Dès lors, à quoi bon se convertir, sinon par un surcroît de superstition ? Puisque le judaïsme n'est pas seulement un fait religieux, la conversion ne saurait l'être davantage. Ainsi, ce n'est pas tant pour se renier qu'Alfred Adler, l'« oncle » d'Irène

Némirovsky, s'est lui-même converti, mais pour échapper à l'enfermement ethnique et embrasser une foi universelle ; or pour être devenu catholique, Adler n'en est pas moins resté mécréant ! De même, pour un Juif français, la conversion est souvent un chemin fantasmé vers la citoyenneté, presque jamais une trahison intime. Pour beaucoup de convertis, le Christ est d'ailleurs celui qui est venu accomplir les prophéties. Aussi Bergson, qui fut tenté de franchir le pas, voit-il dans le catholicisme « l'achèvement complet du judaïsme [31] ». La plupart des convertis n'ont pas plus le sentiment d'avoir craché sur le Livre, puisque l'Église est fille d'Israël. Au contraire, parce qu'ils étaient le plus souvent incroyants, ils trouvent dans l'Église, sans toujours se l'avouer, un accès dérobé à l'Ancien Testament et à leurs propres racines. « Ceux-là avaient simplement rejeté de leurs épaules le manteau usé de leurs pères, dira Jean-Jacques Bernard, proche ami d'Irène Némirovsky. Le judaïsme était devenu pour eux un mot vidé de sens. Mais quand un élan spirituel leur a ouvert les portes de l'Église ou celles des Temples, qu'ont-ils découvert au sein même du christianisme ? Leur judaïsme [32] ! » C'est pourquoi, en recevant l'onction, Irène Némirovsky marque une prise de conscience juive. Car rien ne lui interdit, après tout, de demeurer dans l'irréligion.

Est-il si paradoxal qu'elle s'engage sur le chemin d'Emmaüs au moment même où *Les Chiens et les Loups* affirme l'inéluctable résurgence du caractère juif chez l'assimilé et le christianisé, ce « sentiment obscur et un peu effrayant de porter en soi un passé plus long que celui de la plupart des hommes [33] », ce sixième sens qui s'appelle *zakhor* ? Est-ce par hasard, dans ce roman, qu'elle appelle « pécheur » (Sinner) son jeune prétendant à la francité, soudain happé par ses racines vers le vieux fond juif ? « Les événements immenses tels que guerres et révolutions ont pour premier effet, terrible et admirable, d'abolir en nous l'individuel, le particulier et de faire remonter à la surface de l'âme le fond héréditaire, qui s'empare tout entier de l'être humain [34] », écrivait-elle dès 1934. Or, suite au dernier coup de force de Hitler, la France ne vient-elle pas de rappeler ses réservistes et de ressortir les masques à gaz ? « On attendait la guerre comme l'homme attend la mort. Il sait qu'il ne lui échappera pas ; il n'implore qu'un délai [35]. »

Irène Némirovsky sait en outre que son baptême ne trompera pas les fanatiques qui, au contraire du vieux Maurras, ne croient pas qu'un Juif soit rendu moins retors parce qu'il est devenu chrétien. Les antisémites « biologiques » ont d'ailleurs le souci d'en avertir solennellement les candidats à l'hostie : « Le Juif converti reste juif, au même titre que le nègre qui reçoit le baptême conserve la couleur de sa peau et ses caractéristiques raciales. La question juive n'est pas une question religieuse, mais une question de race [36]. » Or n'a-t-elle pas pris acte, depuis 1936, de son « inassimilabilité » ? Elle sait pertinemment que rien, pas même l'eau baptismale, ne pourra lui laver le sang. Alors, pourquoi ? lui demande Cécile. « Pourquoi vous avez changé de religion puisque vous êtes meilleure que bien des catholiques ? »

Même si son œuvre montre qu'elle connaissait bien l'Évangile, et même qu'elle adhérait aux principes de la morale chrétienne – contemption des vanités, pratique de la charité –, Irène Némirovsky n'a jamais montré d'inquiétude religieuse, et les multiples « mon Dieu ! » qui ponctuent ses journaux de travail ne sont pas à prendre au pied de la lettre. Mariée à la synagogue par pure convention, elle ne va tout de même pas abandonner le carcan du rite judaïque pour le chapelet, l'encens et les génuflexions. Elle a même raconté, dans *Le Vin de solitude*, sa terreur enfantine à l'annonce de l'annuelle procession de pèlerins venus adorer les reliques de la laure de Kiev, « précédés d'une horrible odeur de crasse et de plaies », apportant avec eux « toutes les maladies [37] » de la Russie païenne. Aussi, lorsque Denise lui demande quand viendra son tour de porter une aube blanche et de tenir un cierge en jetant des pétales de rose, comme les jolies communiantes de l'église Saint-François-Xavier voisine, sa mère lui répond simplement : « Toi, ma chérie, jamais [38]. » Exprime-t-elle ainsi une défense, ou plutôt un regret ? Et pourquoi, fin 1938, se résout-elle au contraire à ce que Denise reçoive un jour la communion ?

La conversion d'Irène Némirovsky, concomitante de la « montée des périls » et du processus de naturalisation, trahit un besoin évident de consolation spirituelle que le judaïsme, auquel son éducation l'a rendue étrangère, ne peut lui apporter. Quant au fait qu'elle entraîne avec elle ses filles et son mari vers l'autel, il semble au moins indiquer que son souci de protection familiale s'ajoute aux considérants religieux. En outre, l'auteur de *Jézabel*, fille unique, est pour ainsi dire orpheline depuis qu'elle a perpétré le matricide romanesque. C'est même, reconnaît-elle implicitement en juin 1938, la honte d'avoir tant haï cette femme qui l'oriente aujourd'hui vers une forme toute chrétienne de contrition : « Qu'aurais-je ressenti si j'avais vu mourir ma mère ? Ce que je dis : la pitié, l'horreur, et l'épouvante devant la sécheresse de mon cœur. Sachant désespérément au fond de mon âme que je n'avais pas de chagrin, que j'étais froide et indifférente, que ce n'était pas une perte pour moi, hélas, mais, au contraire... et l'esprit frappé de terreur s'arrête devant le sacrilège, craint Dieu. Les lèvres murmurent : "Je lui pardonne, je lui ai pardonné." Mais, dans son cœur, rien, pas un mouvement de chagrin. Une sorte de pitié humaine, et c'est tout, un effort vers la pitié. »

Une piètre recrue

« Je cherche des âmes pour les donner à Jésus [39] », disait l'abbé Bréchard. Trop éloigné de Paris pour se charger lui-même de convertir la romancière, au grand regret de celle-ci, il choisit de l'adresser à Mgr Chevrot, curé de Saint-François-Xavier depuis 1930. Pour quelle raison la confie-t-il aussi à Mgr Vladimir Ghika, qui officie non loin, à l'église diocésaine des Étrangers de la rue de Sèvres ? L'abbé Bréchard a connu cet évêque roumain lorsqu'il était protonotaire apostolique. Tous deux fréquentaient les « jeudis » organisés à Meudon par le philosophe Jacques Maritain, penseur protestant converti au christianisme en 1906 avec sa femme Raïssa, fille d'un tailleur juif d'Ukraine orientale, brillante intellectuelle attirée par défaut vers l'effervescence du renouveau catholique. Depuis 1926, Maritain n'a cessé de s'éloigner de Maurras, jusqu'à se rendre suspect au théoricien du « nationalisme intégral » en proclamant haut et fort, en février 1938, son hostilité totale à l'antisémitisme, prodrome de l'« extermination des Juifs – car c'est bien de cela qu'il s'agit, n'est-ce pas, en définitive [40] ». À Meudon, l'abbé Bréchard s'est notamment lié d'amitié avec l'essayiste Charles Du Bos, l'un des innombrables écrivains convertis ou ramenés au christianisme par le bienfaisant rayonnement des Maritain. Le libertin Cocteau, touché par la grâce, n'a-t-il pas lui-même joint les mains, le temps de transformer ce miracle en littérature, puis en sacrilège ? Désormais, lorsqu'un écrivain de ses amis est blessé par une mauvaise critique, l'abbé Bréchard lui adresse aussitôt une lettre de consolation !

La première lettre qu'Irène Némirovsky adresse à Mgr Ghika date du 21 décembre 1938. Se recommandant de « Parrain », elle y expose, très simplement et sans détours, son « grand désir [...] de recevoir le Saint Baptême pour nous et pour nos deux enfants ». Non seulement Mgr Ghika accède à sa demande, mais il souhaite en personne oindre la catéchumène. Date est prise pour le 2 février : décision d'autant plus précipitée que, dans l'intervalle, les oreillons l'ont empêchée trois semaines de sortir pour préparer la cérémonie.

C'est autour de Noël 1938 – célébré à la russe, autour d'un grand sapin fastueusement décoré – qu'Irène Némirovsky fait la connaissance de ce prélat âgé de soixante-cinq ans, qui fera sur Denise la plus durable impression : « Ah ! qu'il était beau... Des yeux très bleus. Il était très grand et très mince. Il avait les cheveux très blancs et, comme les popes, un peu longs sur les épaules. Sa robe était violette, et je devais lui baiser une bague énorme qu'il avait au doigt. Il m'intimidait énormément [41]. » Pour ces mêmes raisons, Maritain le comparait, en 1936, à « un saint Nicolas de style moderne résistant à toutes les intempéries, curieux de toutes choses et informé de tout [42] ». N'écartons pas l'hypothèse qu'une orpheline ait pu lui trouver des traits paternels.

Selon Pierre Hayet, qui instruit depuis 1992 le dossier en béatification de Mgr Ghika, Irène Némirovsky aurait pu le rencontrer antérieurement, au château de la reine Nathalie de Serbie, sur les hauteurs de Bidart. Petit-fils du dernier souverain de Moldavie, Ghika est en effet, comme tous les princes régnants, de culte orthodoxe. C'est en 1902, au terme d'un long mûrissement intellectuel et fort d'études de théologie au Vatican, qu'il

« passe » au catholicisme. En 1923, âgé de cinquante ans, il accède enfin à la prêtrise et crée dès l'année suivante, en Haute-Marne, une maison d'accueil pour les exclus. Parallèlement, il s'installe à Villejuif, sur la « zone », dans une baraque rudimentaire, afin de suivre les principes exposés dans son livre, *La Visite des pauvres* – ce qui lui vaut du cardinal Verdier le surnom de « prince Vincent de Paul ». Depuis 1930, nommé « membre permanent du Congrès eucharistique », il se livre à une intense activité pastorale qui le conduit de Sydney au Congo et de Tokyo à Buenos Aires. Et qui lui commande d'abandonner sa charge à l'église diocésaine des Étrangers à un Juif russe que Maritain – encore lui – a gagné à la foi catholique : le peintre, poète, critique d'art et désormais abbé Jean-Pierre Altermann.

Lorsqu'il est à Paris, Mgr Ghika continue de fréquenter les cercles littéraires – Claudel, Mauriac, Bergson, Francis Jammes – et pose pour le peintre Mac Avoy. Grâce à son talent d'écrivain et à sa légendaire douceur, il s'est gagné une réputation de directeur spirituel des écrivains. Ses *Pensées pour la suite des jours*, publiées en 1923 et enrichies en 1936, marient élévation spirituelle et bonheur d'expression. N'en citons que quelques-unes, qui durent résonner dans l'âme de l'apprentie communiante : « Celui qui doute en théorie, choisit en pratique. » « La douleur est chez elle parmi nous, mais comme une étrangère naturalisée. » Ou encore : « Plus une route est vraiment une bonne route, moins les passants y laissent la trace de leurs pas. » Ces « belles et nobles pensées » vont d'autant plus au cœur d'Irène Némirovsky que le dogme y revendique la moindre place. « Il ne suffit pas de les lire, lui écrira-t-elle ; il faudrait encore, je le sens bien, les mettre en pratique. Que c'est difficile [43] ! »

Irène, Michel, Denise et Élisabeth Epstein reçoivent tous quatre le « saint baptême » le 2 février 1939, à la chapelle de l'abbaye Sainte-Marie, dans le XVIe arrondissement. L'abbé Bréchard, leur parrain, est venu spécialement de Besse, comme témoin. La cérémonie a bien failli ne pas avoir lieu. « J'ai un gros rhume, écrivait Irène Némirovsky à Mgr Ghika une semaine auparavant, et je crains un peu le froid de l'église, car la date du baptême approche, et il ne faudrait pas la retarder par une indisposition [44]. » Deux jours après la cérémonie, le virus n'a rien perdu en virulence, mais il ne lui permet déjà plus de rendre à Mgr Ghika la visite qu'elle lui avait promise. Ses remerciements sont expédiés :

Paris, 4 février 1939

Monseigneur

Vous ne me verrez ni aujourd'hui, ni demain à mon grand regret, car le docteur me défend de sortir. En effet, ce sont bien les oreillons que j'ai. On s'en est aperçu, parce que, par comble de disgrâce, mon mari les a également et très fort, ce qui m'ennuie beaucoup.

Quel bonheur d'avoir pu nous baptiser tous jeudi !

Monseigneur, daignez nous envoyer, en pensée, à tous, votre bénédiction et croyez-moi très respectueusement vôtre,

Irène Némirovsky-Epstein

Jusqu'à l'été 1939, par courrier interposé, Irène Némirovsky se livre avec Mgr Ghika à un étrange jeu d'excuses et de cordialités, qui a pour principal effet de la soustraire à ses obligations. Drôle de paroissienne qui, lorsqu'elle envoie des livres aux pauvres de « monseigneur », reconnaît aussitôt qu'elle aurait été incapable de leur exprimer sa sympathie « directement ». Bientôt, une nouvelle grippe annule un nouveau rendez-vous et, sentant le ridicule de la situation, Irène Némirovsky retrouve aussitôt son ironie, qui trahit de plus obscurs soucis que celui de la sainte messe : « [...] L'Église catholique a vraiment trouvé en moi une piètre recrue ! Ne m'oubliez pas, Monseigneur car je me sens très en colère, contre les autres et contre moi-même et très découragée, et seule votre bénédiction peut me tirer de là. Donnez-la-moi donc en pensée, je vous en prie. Dès que je serai remise, j'irai vous voir[45]. » Visite sans cesse repoussée. 27 avril : « J'irai vous faire une petite visite dès que je le pourrai. » 4 juin : « Je suis allée deux ou trois semaines de suite le vendredi à l'église des Étrangers, mais je ne vous ai pas vu. » Dès qu'il faut s'entremettre auprès de Paul Morand, de Chaumeix ou d'Albin Michel pour quelque affaire d'édition ou pour recommander une amie de Mgr Ghika, Irène Némirovsky redevient plus loquace ; mais s'il s'agit de matières sacrées, elle montre aussitôt une ferveur empruntée, abrupte, voire factice. Sa maladroite sollicitude se voit dès le 10 février, dans cette lettre de condoléance inattendue :

Monseigneur

Je ne puis m'empêcher de penser ce soir à la tristesse que vous devez ressentir après avoir appris la mort de Sa Sainteté le Pape.

Voulez-vous me permettre de vous dire ici ma profonde et respectueuse sympathie ?

Celui qui vient de mourir était vraiment un Saint et un Père pour tous, et je pense qu'il n'est pas un « homme de bonne volonté » qui ne soit affligé ce soir.

C'est pourquoi je me permets de vous écrire, Monseigneur.

Ce que montre cette correspondance, c'est l'ultime résistance d'Irène Némirovsky, par un orgueil personnel, à se noyer corps et âme dans un bénitier. Même ses plus sincères élans évangéliques ne peuvent effacer un léger et compréhensible remords – non d'avoir parjuré la foi judaïque, qu'elle ignorait, mais de faillir à son ironie en embrassant, avec un corps de doctrine, ses artifices et ses ridicules. Ce remords prendra, dans *Les Chiens et les Loups*, la forme d'une superstition, une simple tache au bas d'une robe : « Nastasia achevait ses prières par le signe de la croix, mais ce serait sans doute un sacrilège pour elle ? Cependant... Elle ne put y résister ; elle le traça sur son front et sa poitrine d'une main tremblante. Elle se releva. En sortant du débarras, elle vit avec consternation que sa robe était salie et son tablier fripé à la place des genoux. Mais il n'y avait rien à faire [46]. » Rien, car la messe est dite.

Le sang inquiet

La rédaction des *Chiens et les Loups* est exactement contemporaine de la conversion d'Irène Némirovsky. Il semble même, à examiner une note en marge du manuscrit, que ce titre se soit imposé dix jours avant la cérémonie, le 24 janvier : « Les chiens et les loups pris entre les ténèbres et les flammes de l'enfer. » Pas étonnant, vu ainsi, que le christianisme y tienne lieu non d'horizon chimérique, mais d'abri contre les persécutions antijuives. Ainsi, dans un épisode écarté du roman, voit-on Lilla, Ben et Ada se réfugier une semaine dans une famille orthodoxe, où « personne ne s'inquiétait pour l'avenir ». Sécurité et insouciance, tel paraît bien être l'atout majeur du christianisme : « Se confier à Dieu pour la maladie et la mort, et les heures coulaient avec une délicieuse lenteur. » Tandis que, chez les Juifs, « tout se faisait par sauts et par bonds. Bonheur et malheur, prospérité et misère fondaient sur eux comme le tonnerre du ciel sur un bétail. C'était cela qui engendrait en eux à la fois une perpétuelle inquiétude et un indicible espoir [47] ».

Ces considérations n'ont rien d'anodin lorsque, au même moment, la propagande antisémite atteint dans la presse française un degré inconnu depuis Drumont. Comment Irène Némirovsky, qui lit *Les Nouvelles littéraires*, peut-elle comprendre, deux jours après son baptême, ce placard publicitaire pour un récent ouvrage paru chez Grasset : « L'antisémitisme est-il contraire à la charité chrétienne ? Se défendre contre les juifs est-il, au contraire, le devoir de tout chrétien [48] ? » Ce même mois de février 1939, *Le Crapouillot* déplore « l'extraordinaire protection qui favorise chez nous les artistes juifs au détriment de leurs confrères purement français [49] ». Et, dans *Je suis partout*, cet appel de Brasillach à priver de la dignité française « tout Juif, demi-Juif, quart de Juif », car « l'antisémitisme, c'est la tradition française [50] ». Paris valait bien une messe ; la citoyenneté vaut-elle un baptême ?

À cette somme d'inquiétudes s'en ajoute une plus secrète, qui ne pèse pas peu dans les surprenants élans de religiosité d'Irène Némirovsky. Après un répit en mars, la santé de Michel s'est brusquement dégradée. Interrogée à la radio au sujet de son dernier roman *(Deux)*, Irène Némirovsky plaisante son intervieweur d'une voix espiègle, puis, soudain grave et mystérieuse, déclare : « Il n'y a pas de terme au mariage, sauf la mort. Il n'y en a pas d'autre. » Très anxieuse et, pour ainsi dire, ne sachant à quel saint se vouer, elle se tourne alors vers Mgr Ghika :

Mon mari vient de tomber subitement malade. On craint une pneumonie. Il est dans une clinique. Mon docteur me rassure, mais je suis bien triste et bien inquiète.

Monseigneur, vous que Jésus écoute mieux que nous, pauvres pécheurs, priez pour que mon mari guérisse bien vite, je vous en supplie[51].

Le 27 avril, le diagnostic est optimiste. Mais Irène Némirovsky a réellement redouté le pire. « J'ai eu si peur de le perdre. Je ne sais pas ce que je serais devenue si je n'avais pas eu le grand bonheur de m'adresser à Dieu avec confiance et espoir[52]. » Le même jour, en effet, le service des naturalisations vient de leur réclamer de nouveau les documents fournis six mois auparavant. Tout est donc à recommencer...

Or il faut vivre. Tout en poursuivant l'élaboration des *Chiens et les Loups*, Irène Némirovsky multiplie les travaux alimentaires. Du 4 janvier au 15 mars, comme d'autres écrivains illustres, elle donne sur Radio Paris une série de six « conférences littéraires » de dix minutes, sur le thème des « Grandes romancières étrangères[53] », pour 2 000 francs. En mars sort enfin *Deux*, premier tirage de quinze mille copies, 40 000 francs d'avance. Le « premier roman d'amour d'Irène Némirovsky[54] », qui se vendra en tout à plus de vingt mille exemplaires, est son plus grand succès depuis *David Golder*. Sans l'entrée en guerre, Albin Michel n'aurait d'ailleurs pas renoncé à en vendre les droits au cinéma ; l'éditeur sait pourtant qu'il faut s'attendre au pire, puisqu'il publie au même moment les *Éclaircissements sur « Mein Kampf »* de Benoist-Méchin, auquel la propagande nazie fera bientôt une publicité inconvenante.

Deux est bien accueilli par Maxence, par Lalou. Seul Lœwel perçoit ce que ce roman doit aux *Demi-Vierges* de Marcel Prévost (à qui elle s'est empressée de dédicacer un exemplaire) et, surtout, quelle nouvelle perspective il ouvre dans l'œuvre d'Irène Némirovsky : celle du grand roman d'analyse sociale. Car bien plus qu'un éloge de l'amour conjugal, *Deux* est le roman d'une génération, celle de Joyce Golder, qui eut vingt ans à l'armistice et qui en a maintenant le double. « Qui, mieux que Mme Némirovsky, et d'un stylet plus effilé tenu d'une main plus ferme, a scruté l'âme passionnelle de la jeunesse de 1920, cette sorte d'emportement frénétique à vivre, ce désir ardent et sensuel de se brûler au plaisir ? » C'était avant que la crise ne transforme en lutte à mort la « recherche désespérée du bonheur qui fuit, cet égoïsme sacré de ceux qui se veulent heureux[55] ».

De toute évidence, les temps incertains et l'hospitalisation de Michel l'ont également décidée à publier son *Charlatan* dans une certaine précipitation, sans prendre le temps d'en effacer les redites et les faiblesses. D'où le caractère hâtif, voire obsessionnel de ce roman où les mots « levantin », « étranger » et « métèque », ressassés comme un maléfice, finissent par produire un frisson de nausée. C'est tout le propos d'Irène Némirovsky : plonger un émigrant idéaliste dans le milieu hostile de l'Occident raciste, pour en ressortir un être cynique et vénal, escroc malgré lui, décidé à conquérir l'honneur par la ruse et le vol. Car rien n'y fera jamais : « J'ai un diplôme de médecin français, l'habitude de la France, j'ai acquis la nationalité française, mais on me traite en étranger, et je me sens étranger [56]. » Amère résonance de ces mots sous la plume de « la grande romancière slave », ainsi que persiste à la présenter *Gringoire* à ses lecteurs le 18 mai 1939 ! Le roman, qui y paraîtra en feuilleton jusqu'au 24 août, a gagné au passage un titre plus vaste, *Les Échelles du Levant*, par allusion à ces comptoirs commerciaux du Proche-Orient qui, depuis toujours, servent de passerelle entre l'Europe et l'Orient. Car au-delà du médecin charlatan, c'est la question de l'immigration qui captive Irène Némirovsky, et le sort de « ces familles venues de Syrie, d'Égypte ou de Grèce, qui essaiment partout et sont jetées *in such different ways*, que dans la même génération on trouve des cousins qui vendent des tapis et des noix aux miel sur les plages de l'Europe, et d'illustres avocats ou médecins à New York. (Mais ils ne se connaissent pas.) La même race, la même souche, le même sang inquiet, les dents longues [57]. »

En une de *Gringoire*, Sennep peut bien représenter Hitler en nain vociférant, les Français se doutent, en juin 1939, que de l'été sortira ou la paix ou la guerre, mais qu'elle sera allemande. « Il n'y a plus pour l'Allemagne en Europe de problème territorial », a déclaré Hitler après les accords de Munich. Mais, alors qu'il a successivement absorbé la Sarre, réoccupé la Rhénanie, annexé l'Autriche, arraché les Sudètes et finalement envahi ce qui restait de la Tchécoslovaquie en mars 1939, les Français se demandent avec anxiété quelle sera la nouvelle revendication du Führer qui, depuis deux ans, consacre les deux tiers de son budget au réarmement. La Pologne prussienne ? Ou même l'Alsace ? L'URSS, écartée du jeu européen à Munich, aspire à ne plus se poser ces questions...

Prévu mi-juin, le départ estival pour Hendaye-Plage est retardé de quinze jours, le temps que Denise réussisse ses examens de passage au lycée et reçoive de Mgr Ghika sa première hostie, le 1er ou le 2 juillet, cérémonie qui laisse à sa mère une « impression de paix et de douceur [58] ». Avant de s'absenter, elle a pris soin de réclamer à Albin Michel quatre mensualités d'avance, et s'est aussi occupée de rédiger une lettre de recommandation à Cécile Michaud, qui vient de quitter son service. Que de soudaines précautions.

« Oui, elles n'étaient pas belles les vacances de 1939 [59]. » De cet été où Irène Némirovsky n'écrivit pas de roman, reste pourtant le souvenir heureux de photos de famille dans le jardin d'*Ene Etchea*. Michel, en marcel et pantalon blanc, a pris une semaine de congé ; comment se douter, à le voir ainsi sourire, que ses oreillons se sont transformés en septicémie ? Irène, en robe fleurie, comprime un énorme chat noir sur son cœur. Denise, en maillot, donne la main à sa petite sœur, qui commence à tenir sur ses jambes. Beaucoup de soleil et beaucoup d'ombre, une photo « pleine de bonheur simple [60] », fragile.

Puis, brusquement, le 22 août, « comme on entend, la nuit, un coup frappé à la porte pour vous avertir que le repos est terminé [61] », ce communiqué du Deutsches Nachrichten-Büro, l'agence officielle allemande, qu'Irène Némirovsky prendra la peine de reproduire intégralement dans une de ses nouvelles : « Le gouvernement du Reich et le gouvernement soviétique ont décidé de conclure entre eux un pacte de non-agression. » Ces quelques mots signifient « peut-être... sans doute... probablement... la guerre [62] ». Ils signifient en outre qu'Irène et Michel Epstein voient s'envoler presque toute chance d'obtenir la nationalité française. Michel, surtout, est inquiet. Rentré à Paris, il semble à ce point s'attendre à une offensive qu'il réclame à Albin Michel un mot de recommandation pour sa femme auprès « des autorités et de la presse » du Sud-Ouest, pour le cas où elle serait empêchée de le rejoindre à Paris. La réponse d'Albin Michel est encore plus alarmante et montre que, tout autant qu'un assaut militaire, Michel redoutait une période de repli nationaliste et un regain de xénophobie. Le 28, l'éditeur d'Irène Némirovsky lui adresse en effet, à Hendaye, les mots d'introduction suivants :

> *Nous vivons en ce moment des heures angoissantes qui peuvent devenir tragiques du jour au lendemain. Or, vous êtes russe et israélite, et il pourrait se faire que ceux qui ne vous connaissent pas – mais qui doivent être rares toutefois, étant donné votre renom d'écrivain – vous créent des ennuis, aussi, comme il faut tout prévoir, j'ai pensé que mon témoignage d'éditeur pourrait vous être utile.*
>
> *Je suis donc prêt à attester que vous êtes une femme de lettres de grand talent, ainsi qu'en témoigne d'ailleurs le succès de vos œuvres tant en France qu'à l'étranger où il existe des traductions de certains de vos ouvrages.* [...]

Moins d'une semaine plus tard, le pressentiment de Michel prend corps : la Pologne ayant refusé de céder aux nouvelles prétentions de Hitler et décrété la mobilisation générale, les troupes allemandes passent à l'offensive. Le jour même de l'invasion, Vignaud écrit encore au ministre Marchandeau pour lui rappeler son appui – et celui de Chaumeix – à la naturalisation des époux Epstein, naguère « accueillie avec faveur » mais retardée « en raison des circonstances ». En deux jours, la France et l'Angleterre, contraintes et forcées, sont happées dans l'engrenage.

Il faisait très beau le 3 septembre 1939. « Tous les Français partaient. Ils serraient à la hâte dans leurs valises le maillot encore humide, les sandales feutrées de sable, et les femmes laissaient tomber une larme dans les plis de la robe d'organdi, si fraîche et que l'on avait gardée précieusement pour les soirs de septembre [63]. » Il est permis de croire qu'Irène Némirovsky n'accompagna pas ses filles à la plage.

TROISIÈME PARTIE

PLUS FORT QUE LE DÉGOÛT

(1939-1942)

10

Mousson française

(1939-1941)

> *« Alors il comprit que ce qu'il ne pouvait encore croire était vrai. Les maisons et leurs habitants, hommes, femmes, enfants, bébés, vieillards, tout le minuscule village, avaient été emportés, balayés par la rivière hurlante et déchaînée au moment de la première vague de fond. »*
>
> Louis Bromfield, *La Mousson*, 1937

Dans les cahiers d'Irène Némirovsky, la première mention de ce gros bourg agricole de plus d'un millier d'âmes, aux confins de la Nièvre et de la Saône-et-Loire, remonte au 25 avril 1938 : « Retour d'Issy-l'Évêque. 4 jours pleins heureux. Que faut-il demander de plus ? Merci à Dieu pour cela et espoir. » Dans ce village de Bourgogne aux toits d'ardoise, blotti au creux des forêts et des vallons, lové comme un chat autour de son église et de son champ de foire, elle se remet pour la première fois de la naissance de « Babet ». C'est pour la confier à Marie-Louise Mitaine, la mère de « Néné » jeune mariée, que la romancière a pris le train jusqu'à Luzy, d'où une voiture l'a conduite à l'hôtel de M. Loctin. Nous la suivons à pied jusqu'à l'auberge cossue de la Grande-Rue : « Je traverse la place du monument aux morts, où monte la garde un soldat peint des plus fraîches couleurs de rose et d'azur ; plus haut se trouve un mail planté de tilleuls, d'antiques remparts noirâtres, une porte en forme d'arc qui ouvre sur le vide et où siffle un courant de bise, enfin la petite place ronde devant l'église. Dans le crépuscule brillent faiblement, aux fenêtres de la boulangerie, les grosses miches blondes en forme de couronne sous une ampoule voilée d'un cornet de papier blanc. Dans cette pluie fine et grise, dans cet air de brouillard, semblent flotter les panonceaux du notaire et l'enseigne du sabotier : un grand sabot creusé dans le bois blond, qui a la taille et la forme d'un berceau. En face, c'est l'*Hôtel des Voyageurs* [1]. »

Dans cet hôtel, fin février 1939, Michel est venu passer une semaine en convalescence. En cuisine, Mme Loctin prépare une nourriture aussi copieuse que la campagne est prodigue en volailles, pain bis et crème, que l'on savoure dans la salle de café enfumée par un gros poêle chauffé à rouge. Quelques tables à plateau de marbre, un billard, un canapé fatigué complètent le décor. Au mur, « le calendrier qui date de 1919 et où on voit une Alsacienne aux bas blancs entre deux militaires [2] ». Les paysans viennent ici jouer au tarot ou heurter des chopines. Le confort, cependant, est tout relatif : à la veille de la guerre, à Issy, l'eau se tire au puits et l'on se chauffe au bois, qui ne manque pas plus que le beurre. Chez Mme Mitaine, on fait ses besoins dans une cabane en planches au fond du jardin. Irène Némirovsky évoquera même « l'inconfort le plus absolu [3] ». Mais ce village est une petite cité-État qui se suffit à elle-même : il y a un boucher, un pâtissier, un quincaillier, un menuisier, un bureau de poste, une épicerie, un boulanger, une étude de notaire, une perception, un buraliste, une pharmacie, une école, une gendarmerie et même un château sur l'éminence de Montrifaut, qui surplombe le bourg. Bref, « un pays extrêmement riche, avec de grands domaines, des bêtes grasses, de beaux gosses. Le caractère des gens ? Comment te dire ? Le caractère de tous les paysans du monde ! Durs pour eux-mêmes et pour les autres [4]. »

Entre la paix et la guerre

Depuis 1938, Irène Némirovsky n'a cessé de revenir à Issy oublier sa fatigue et ses tracas. À l'orée du village, elle est accueillie par une odeur âcre de bois brûlé, grisante aux narines parisiennes. Dans l'atelier du sabotier, celle, pénétrante, du bois frais lui rappelle les cabanes de Mustamäki. Le curé de la paroisse, le chanoine Gaufre, se réjouit de pouvoir converser avec cette femme « tellement intelligente [5] », au gré d'une promenade jusqu'au mont Tharot d'où l'on domine les hameaux voisins. Elle aime passionnément marcher. Jusqu'au verger de la ferme Montjeu, à vingt minutes par le chemin de l'Étang-Neuf, déguster d'énormes prunes « jaunes comme l'ambre, et ce jus sucré qui coulait sur nos doigts [6] ». Ou bien, enveloppée dans une cape, elle monte jusqu'à la propriété des champagnes Pol-Roger, puis bifurque au nord-ouest vers l'étang de Broaille, aujourd'hui asséché ; chemin faisant, laissant le château à main gauche, elle fait halte au bois de sapins de la Maie. La Vierge de Maublanc y veillera sur ses séances d'écriture sylvestre. Là, elle travaille couchée dans l'herbe ou assise en tailleur, sur une jonchée de feuilles. « J'aime nos bois silencieux. On n'y rencontre pas une âme à l'ordinaire [7]. » Une autre de ses promenades favorites la conduit jusqu'au lieudit de l'Étang perdu, bordé d'ajoncs et scintillant de libellules, au cœur des forêts. Comment imaginer le bruit des bottes sous ces frondaisons ? La Vierge de Maublanc n'a-t-elle pas été érigée pour marquer le point d'arrêt des troupes prussiennes en 1870 ?

Dès la déclaration de guerre, Irène Némirovsky a pris la décision de placer ses filles chez Mme Mitaine, loin de tout trafalgar. À sa demande, Cécile est venue chercher Denise et « Babet » à Hendaye pour les conduire en train jusqu'à Luzy, après une nuit avenue Coquelin. Les sachant en sécurité, leur mère remonte aussitôt à Paris retrouver Michel qui, sans avoir pris le temps de soigner sa septicémie, a dû écourter ses vacances pour pallier la mobilisation de ses collègues Maizière et Pradère-Niquet. Cette situation devait être provisoire; elle va durer jusqu'à l'offensive de mai 1940, huit mois plus tard. Tout au long de cet interminable faux jour, cette « sorte de no man's land entre la paix et la guerre [8] », tandis que s'usent les nerfs et qu'incube le découragement de toute une nation, Irène Némirovsky se rend plusieurs fois à Issy, en train ou dans l'auto de son beau-frère Paul, passer quelques jours avec ses « enfants évacués », comme l'indique sa carte de circulation. Denise, scolarisée à l'école du bourg et inscrite au catéchisme, a tôt fait de jeter ses manières aux orties : « Je découvrais un monde nouveau. Je ne portais plus de belles robes, je pouvais me salir, je vivais en compagnie d'enfants de mon âge, ce qui ne m'était jamais arrivé, puisque j'étais éduquée par une gouvernante [9]. » Or Miss Matthews a dû retourner précipitamment en Angleterre. À Issy, plus de révérences aux visiteurs de marque, plus de séances de pose pour les photographes, plus de souliers vernis et de chaussettes tirées. Et ce luxe : des camarades d'école ! Mais sur la photo de classe, elle reste la seule chaussée de souliers, quand les autres petites filles vont en sabots. Indécrottable Parisienne !

Déclaration de guerre, retour à Paris, anticipation de la catastrophe : des événements de septembre 1939, Irène Némirovsky tire la matière de quatre nouvelles, écrites au cours de l'automne. On y voit progresser son angoisse jusqu'à cette vision d'apocalypse, les « tours bombardées de Notre-Dame [10] », suivie d'un exode sur mer qui s'achèvera, une fois encore, par une noyade.

Le premier de ces textes [11], le plus léger, porte l'espoir que l'ombre soudaine du pacte germano-soviétique puisse réconcilier les amants fâchés et faire taire les querelles infantiles. La même « admirable fraternité » subsiste dans « La Nuit en wagon ». Le temps d'un trajet Hendaye-Paris, dans la nuit du 3 au 4 septembre, un échantillon de la France de 1939 communie autour d'œufs durs et de café noir, dans un train bondé de soldats, d'enfants, de vacanciers, de paysans et de bourgeois momentanément soudés par l'appréhension. « On ne dirait pas qu'il y a la guerre [12]. » À cette terreur incrédule des premiers temps succède une nuit de « cristal vert », sillonnée de zeppelins argentés « comme de gros poissons aveugles », qui donne à la troisième de ces nouvelles, ébauchée fin novembre, une couleur surnaturelle. Elle y décrit l' « abîme noir », la « nuit de gouffre » qui recouvre chaque soir la capitale éteinte, défense passive oblige. « Paris, assoupi, prêt à tout, ses armes auprès de lui, respirait doucement dans l'ombre [13]. » Dans « Le Spectateur », n'y tenant plus, Irène Némirovsky immole enfin une victime expiatoire à l'orage qui menace. Un hédoniste comme Hugo Grayer, bouleversé par la poétique des ruines, assiste avec volupté à l'agonie de l'Europe : « On voyait palpiter et mourir un pays en chantant, comme on sentirait sous sa main battre le cœur d'un rossignol blessé. » Spectacle de choix, que la romancière lui donne à priser de plus près en l'embarquant sur un paquebot de fugitifs torpillé sur l'Atlantique, dans un grand désordre de femmes en vison et de « petits enfants judéo-allemands ». L'unanimisme de « La Nuit en wagon » s'est transformé en écœurante mixture humaine, « comme on agite des alcools divers dans un shaker [14] ». Jusqu'au seuil de la mort liquide, cet individu raffiné reste « curieux de savoir quels sentiments éveill[*e*] l'extrême péril ». Pour le punir de sa fascination morbide, Irène Némirovsky soumet le très urbain Grayer à l'humiliation dernière, « la terreur animale, primitive, panique » de la noyade. Car la guerre ne sera pas seulement mondiale : elle sera totale et ne tolérera ni spectateur ni « neutralité bienveillante ». « Le Spectateur » est donc une fable, celle de sept années de je-m'en-foutisme face à l'arrogance nazie : « Ces foules ressemblaient aux volailles qui laissent égorger leurs mères, leurs sœurs en continuant à glousser et à picorer leurs grains, sans comprendre que c'est cette passivité, ce consentement intérieur qui les livrerait, elles aussi, le jour venu, à une main forte et dure [15]. »

Quelle preuve Irène Némirosvky donne-t-elle, fin 1939, qu'elle ne restera pas les bras croisés en attendant le massacre ? « J'ai cherché ce que je pouvais faire de mieux, et quelle offrande d'activité il m'était permis de faire, explique-t-elle. Il m'est apparu que le mieux était de se cantonner dans sa spécialité. Or ce que je sais faire, c'est écrire... J'ai donc écrit pour la presse étrangère – entr'autres pour un journal néerlandais de Rotterdam

– des articles qui font connaître le moral magnifique de la France, qui peignent la décision tranquille des combattants, le calme courage des femmes. J'ai essayé par des traits recueillis chaque jour, de montrer la simplicité, la vaillance françaises. Je dois aussi donner des conférences à la radio – émissions de la vie féminine. Elles seront consacrées à des biographies d'héroïnes polonaises ou anglaises, de femmes qui sont dévouées à la cause de leur pays. J'attends de pouvoir faire mieux [16]. »

Le texte d'une de ces « causeries » paraît avoir été conservé. Irène Némirovsky y célèbre les qualités d'âme et le caractère des Finlandaises, « délicat et précieux équilibre entre les qualités viriles et féminines ». Or, depuis le 30 novembre, l'Armée rouge a franchi la frontière finnoise. En vingt-quatre heures, l'isthme de Carélie est passé aux Soviétiques. Mustamäki, provisoire exil en 1917, ne sera plus jamais finlandaise. Mais, rappelle-t-elle, confiante, « les habitants de ce pays sont, en général, forts et sains. Par le caractère, ils ressemblent au granit dont est fait le sol de leur pays : solide et dur. [...] J'en parle en connaissance de cause : je les ai vus pendant la guerre civile de 1920 : je vous assure que ce sont des ennemis redoutables. » Ces belles dispositions n'empêcheront pas la Finlande d'être amputée d'un dixième de son territoire. Tout au long de l'hiver, Irène Némirovsky suivra avec inquiétude les péripéties de ce premier choc armé, dont les étapes ponctuent son journal de travail, jusqu'à ce pressentiment d'avril 1940 : « Norvège et Danemark envahis. Mauvaise impression. »

Une malédiction particulière

La guerre d'Hiver et l'offensive soviétique coïncident, dans l'œuvre d'Irène Némirovsky, avec le regain du goût russe, que les événements récents présentent à sa nostalgie. Dans « Aïno », elle se remémore la guerre civile de 1918, « l'odeur des villes brûlées [17] » et la canonnade sur Terjoki, à l'heure précise où les Soviétiques viennent d'installer dans cette localité une fallacieuse

« République démocratique » inféodée à Moscou. « ... et je l'aime encore » rajeunit de vingt ans Olga Obolensky, « souriante, avec un grand chapeau à la mode de 1915 et une écharpe de mousseline rose sur sa gorge nue [18] », restée fidèle au souvenir d'un amant perdu, jadis, sur une plage de Crimée. « Le Sortilège », enfin, seule de ses nouvelles dont la narratrice se prénomme Irène, ressuscite la féerie de séjours chez une amie russe, dans une vieille datcha des faubourgs de Kiev. Le maître de maison, se rappelle-t-elle, était un militaire en retraite qui « avait intimement connu Tchekhov » et conservait sur son bureau « un coffret contenant des lettres de l'écrivain [19] ». Cette réminiscence n'est sans doute pas étrangère à la biographie mélancolique et romanesque de Tchekhov, à la manière de Maurois et Semenoff [20], envisagée dès l'été 1939, qu'elle entreprend de rédiger début novembre en s'aidant de ses propres souvenirs de Tauride et de la Côte d'Azur. Car, écrit-elle, « c'est un grand bienfait pour un écrivain dont l'enfance a été malheureuse de faire jaillir cette source de poésie de son passé [21] ».

L'éloignement de Denise et Élisabeth, les longues journées solitaires avenue Coquelin sont pour beaucoup dans cet abandon nostalgique. « Ce n'est pas ma faute, explique Ada dans *Les Chiens et les Loups*, paru en feuilleton durant l'automne. [...] C'est une malédiction particulière qui me force à me souvenir de chaque trait qui, une fois, m'a frappée, de chaque parole prononcée, de chaque instant de joie ou de peine [22]. » Le roman ne paraît pas dans *Gringoire* mais dans les pages de *Candide*, auquel elle a donné un an auparavant une nouvelle épistolaire nonchalamment troussée durant l'été 1938, « La Femme de Don Juan ». Pourquoi cette infidélité à *Gringoire*? Pour 34 000 francs, perçus dès la fin 1938, alors que *Gringoire* s'était déjà engagé à publier *Les Échelles du Levant*. Journal favori de la droite nationale, *Candide* est en effet l'autre poids lourd de la presse hebdomadaire française, lancé en 1924 par les éditions Fayard et tirant à plus de quatre cent mille exemplaires. Ainsi, tandis que *Gringoire* confond dans un même opprobre l'URSS et son allié hitlérien (« Sus aux nazo-staliniens [23] ! »), *Candide*, munichois hier, maurrassien toujours, ne se trompe pas d'ennemi et poursuit durant la drôle de guerre une ligne farouchement anticommuniste. Le jour même où débute la parution des *Chiens et les Loups*, le 11 octobre, René Benjamin y fustige en une « le Monstre communiste ». En pages intérieures, au gré des semaines, défilent les noms les plus réactionnaires de la presse française, Gaxotte, Laubreaux, Blond, Rebatet – ce dernier, il est vrai, cantonné à la chronique musicale. On y croise même André Chaumeix et André Foucault, le « découvreur » de *David Golder*, préposé aux nouvelles du front français, c'est-à-dire aux chiens écrasés !

Que nous sommes petits...

Irène Némirovsky séjourne au moins deux fois à Issy-l'Évêque avant mai 1940, autour du 1er mars, puis de nouveau à la charnière du mois d'avril, « au chevet d'une de ses filles malade [24] » – Élisabeth, qui a la scarlatine. Dans la première des deux nouvelles qu'elle esquisse durant ce séjour, à laquelle l'épicerie d'Issy sert manifestement de décor, Gilberte est une adolescente à qui Denise, ayant passé une partie de l'hiver loin de sa maman, semble avoir dicté ses remontrances : « Il n'y a rien dans ce trou perdu ! Maudit aveuglement des parents qui la forcent à rester à la campagne, loin de l'appartement parisien [25] [...] ! » Dans « Le Départ pour la fête », de même, la petite Rosine désespère d'aller rire et danser au village voisin ; mais son père, un homme fatigué de vivre, a d'autres soucis que de l'y emmener : il vient d'apprendre le suicide d'une ancienne maîtresse. « L'instant où l'on comprend, pour la première fois, qu'on n'intéresse réellement personne est celui où l'on cesse d'être un enfant [26]. » Mais le vrai sujet de la nouvelle est autre : c'est ce personnage invisible, dont rient les enfants et qui glace le sang des adultes ; le lent crépuscule qui commence à recouvrir la vie, la quarantaine venue ; cette dérive des continents, qui met entre gens du même sang un océan d'incompréhension.

Jeunes et Vieux : c'est précisément le titre qu'elle envisage de donner à son nouveau roman. Nul doute que sa maternité ait mûri ce sentiment d'altérité, ralenti dans son cœur ce sang jadis impatient, qui a changé de lit pour inonder les veines de ses filles. Irène Némirovsky a tout simplement trente-sept ans. Le 10 novembre est mort Efim Epstein. Irène et Michel ont définitivement cessé d'être des enfants, car rien n'intéresse moins Fanny que sa propre fille. Le 26 mars, en marge du « Départ pour la fête », elle note : « Je crois que désormais je n'écrirai plus qu'une chose : ce que nous devenons. *Cf.* vivre avilit. [...] Et puis ce détachement intérieur. Ces histoires de guerre, de paix, de vie, d'amour, de mort, vu à cette lumière. Je l'ai déjà fait dans *Deux*. Mais c'est une chose qu'on peut, qu'on doit refaire sans cesse. »

Sans abandonner l'idée d'une vaste méditation sur les âges de la vie, elle voudrait en faire un « drame français », la couler dans l'histoire de l'entre-deux-guerres et montrer l'interminable abnégation qui a fait des enfants de la Belle Époque les dupes de 1940, ayant sacrifié au travail, à la famille, à la patrie leur désir frustré des plaisirs terrestres, sans cesse différés par le devoir sacré. « C'est un destin qui n'est pas plus beau ni plus haut qu'un autre, un destin de fourmi, mais c'est en somme le destin de l'homme sur cette terre, conforme aux lois de la nature. C'est pourquoi le Français est content de lui. » Citant imparfaitement Tchekhov, elle résume son entreprise d'une formule : « Comme il souffre ce peuple ! Comme il se sacrifie pour nous [27]. » S'agit-il de railler le conservatisme, bourreau des élans de la jeunesse ? Pas du tout : cette soumission volontaire, c'est au contraire la beauté de la France, « ce courage souriant, cette généreuse pudeur, ce désir de donner toujours quelque chose de plus qu'on lui demande, non seulement une aide, mais une bonne parole, non seulement un acte de bravoure mais aussi de la bonne grâce, enfin tout ce qui rend le peuple français unique au monde [28] ». Aveugle reconnaissance, à l'heure où tout le pays ne parle que de la « cinquième colonne », cette phalange de traîtres obscurs qui, des ministères aux garnisons, spéculent sur leur propre défaite ? Le 26 mars, quoique épuisé par la maladie, Michel s'est solennellement déclaré « à l'entière disposition du pays ». Quant à Irène Némirovsky, rêvant d'union sacrée, elle est plongée dans les témoignages directs sur la Grande Guerre [29] et dans *Le Sacrifice* d'Henri Massis, dont le titre seul résume son état d'esprit. Peut-elle se douter, à un mois de l'invasion, que la guerre sera finie avant l'été, dans des conditions peu dignes de l'héroïque carnage de 1914 ?

Le premier rudiment d'intrigue est ébauché le 1er mars, à l'*Hôtel des Voyageurs*. Une vie simple et heureuse, un appétit de vivre et d'aimer contrarié par la guerre, les traditions, l'affaire familiale, « les erreurs, les regrets, le mariage, les enfants, les séparations, etc. ». Le désir rebelle de jouir, maté par la force écrasante de l'héritage social et, au-delà, du destin collectif. « Il y a un sujet dans le roman, un seul. C'est le sujet par excellence, et surtout le sujet de notre temps : la lutte entre l'homme et son destin. Entre l'individu et la société, si on veut, mais pas au sens de Sorel, naturellement, entre le désir de l'individu de vivre pour lui-même et le destin qui le pétrit, qui le broie pour ses fins à lui. » Mais un sacrifice consenti, car « le Français se sacrifie toujours pour ses enfants ». Puis, tout ce vain édifice sapé net par une nouvelle guerre : vingt ans d'efforts laminés. La colère tardive des pères face aux ruines, celle des fils devant cet héritage. Le mythe de Sisyphe illustré par l'Histoire contemporaine. « En d'autres mots, comment 14 a agi sur 40. Pourquoi l'un est né de l'autre ? Ou bien, simplement, le monde extérieur a changé. 14 n'y est pour rien, quoique 40 l'engueule et le rende responsable. 14 dit : Fichez-moi la paix. J'ai fait ce que j'ai pu. Et 40 : Puisque tout va si mal, tu y es pour quelque chose. Le vin nouveau dans les vieilles outres, c'est cela le fond du roman. »

Irène Némirovsky vend cet ambitieux canevas à Jean Fayard, qui le retient dès avril, moyennant 60 000 francs payables en deux fois. À une réserve près : *Jeunes et Vieux* ne lui convient pas mieux que les autres titres envisagés, *La Jeunesse et l'Âge mûr*, *Jeunesse et Maturité*, *Jeunesse et Âge mûr*. « Et j'en reviens à ma première idée : une sorte de *Cavalcade* française. La seule chose qui me fasse peur, c'est la banalité de ça, tout le monde aura eu la même idée. Comique aussi de penser qu'au moment où le livre sera fait, les gens diront : Zut pour la guerre ! Et ne voudront plus que des histoires polissonnes. » Ce titre, *Cavalcade*, est celui d'une pièce de Noel Coward, adaptée au cinéma en 1933 : une épopée familiale sur fond d'événements mondiaux, entrelaçant sur vingt années, de la seconde guerre des Boers au traité de Versailles, une multitude de destins discordants, ce tumulte composant malgré tout la symphonie de l'immuable aristocratie britannique. Reprenant ce schéma, elle distribue ses rôles : « Le grand'père, genre grand'père Avot, mais anticlérical, etc. Le père et la mère, Kif-Kif parents Avot. » Une dynastie provinciale de papetiers, incarnation de « tous ces gentils bourgeois que j'ai connus » : endurants, indestructibles, incapables de s'accomplir hors du puissant orbite familial. On songe aux *Thibault* de Martin du Gard, aux *Pasquier* de Duhamel; elle s'appuie plutôt sur Tolstoï : « En somme, ma fille, tu veux faire ta petite *Guerre et Paix*. » Mais aussi sur ce sermon, entendu à Saint-François-Xavier un des premiers dimanches de septembre 1939 : « Que nous sommes petits, mes frères, et que nous sommes grands. » Cette savante confusion de destins individuels et de desseins supérieurs sera la marque de ses derniers romans.

Une histoire de Juifs

Irène Némirovsky crayonne les premières scènes de *Jeunes et Vieux* – qui deviendra *Les Biens de ce monde* – en avril 1940, au moment où Albin Michel annonce la sortie des *Chiens et les Loups* en termes volontairement flous : « Un drame d'une sombre grandeur... Une extraordinaire figure de femme [30]. » C'est vouloir cacher au lecteur la nature exacte de ce livre tendre et cruel qui est une autre *Cavalcade*, mais dans l'univers de l'immigration juive, du ghetto à la finance internationale et inversement. Endurants, idéalistes, insatisfaits, audacieux : tels apparaissent les Juifs russes dans ce grand roman de l'inassimilation au confortable modèle français, ici matérialisé par la « soupe longuement mijotée [31] ». Pour autant, Irène Némirovsky ne veut pas se montrer dupe de l'hypocrisie bourgeoise, incarnée par un banquier qui, de proche en proche, finit par s'avouer sans voile les raisons qui s'opposent au mariage de sa fille avec l'héritier de la banque Sinner : « Il n'était donc pas xénophobe, non, mais... tout ce qui venait de l'Orient lui inspirait une insurmontable méfiance. Slave,

Levantin, Juif, il ne savait lequel de ces termes lui répugnait davantage. Rien de clair là, rien de sûr[32]... » Le long monologue intérieur de Delarcher, véritable éventaire de l'opinion antisémite, démontre avec éclat que celle-ci, dans les romans d'Irène Némirovsky, relève toujours du discours indirect, « une technique qui m'a rendu de grands services », notera-t-elle en marge de *Dolce*, au printemps 1942. Toutefois, afin qu'on ne se méprenne pas derechef sur ses intentions, que l'on n'aille pas prendre sa compassion pour de la hauteur, elle croit bon de rédiger cet orgueilleux prière d'insérer :

> *Ce roman est une histoire de Juifs. Je précise : non pas de Juifs français, mais de Juifs venus de l'Est, d'Ukraine ou de Pologne.*
>
> *Naturellement, tous les Juifs ne sont pas semblables à mes héros : la variété d'une race humaine est infinie. J'ai raconté une histoire qui, pour toutes sortes de raisons, ne pouvait arriver qu'à des Juifs.*
>
> *Je ne l'ai pas écrite sans crainte. Certains diront, je le sais : « Que nous importent les Juifs ? » C'est un point de vue que je comprends et, à ceux-là, je ne peux rien répondre.*
>
> *Je crains davantage, toutefois, l'objection des Juifs eux-mêmes : « Pourquoi », diront-ils, « parler de nous ? Ignorez-vous la persécution dont nous sommes victimes, la haine dont on nous poursuit ? Si, du moins, on parle de nous, que ce soit uniquement pour glorifier nos vertus et pleurer sur nos malheurs ! »*
>
> *À cela je répondrais qu'il n'est pas de sujet « tabou » en littérature. Pourquoi un peuple refuserait-il d'être vu tel qu'il est, avec ses qualités et ses défauts ?*
>
> *Je pense que certains Juifs se reconnaîtront dans mes personnages. Peut-être m'en voudront-ils ? Mais je sais que je dis la vérité.*

L'argument, depuis *David Golder*, n'a guère changé : « Je les ai vus ainsi. » Ce qui est curieux, c'est qu'au moment où elle se défend crânement d'avoir dessiné une physiologie du Juif (« la variété d'une race humaine est infinie »), elle s'efforce parallèlement, au risque d'être taxée d' « outrecuidance de la part d'une étrangère », de faire dans *Jeunes et Vieux* celle du Français : « Un Juif, dit-elle, aime dans l'argent le symbole de ce qu'il pourrait faire (un signe de pouvoir). Il aime l'argent en sadique. Le Français, peuple ou bourgeois, parce qu'il tient à l'estime des pairs. »

Lors même que s'est évanoui tout espoir de naturalisation, Irène Némirovsky ne peut se défendre contre « cette tendresse sincère et un peu moqueuse qu'[*elle*] éprouve pour les Français »... À quelques semaines de l'invasion, croit-elle vraiment que tant de braves gens lui feront un rempart contre la barbarie ? Pas vraiment : « Comment je le vois encore, mon Français ? Un peu sec sauf quand il est atteint jusqu'à l'arrière-fond de l'âme. Mais se donner tout entier et tout de suite ? Non. »

En dépit d'une critique aussi rare qu'inattentive, circonstances obligent, *Les Chiens et les Loups* se vendra tout de même à dix-sept mille exemplaires. Or, malgré les précautions de l'auteur, le livre, quoique apprécié, est plutôt mal compris. *Les Annales*, qui présentent de bonnes feuilles de ce « roman de mœurs juives », ne se formalisent pas d'y voir confirmés des stéréotypes éculés : d'un côté « les juifs opulents, apaisés par la fortune et ayant perdu les qualités agressives de leur race », de l'autre « la juiverie affamée, non pourvue, et ardente à conquérir par tous les moyens sa place au soleil [33] ». Le 25 avril, Pierre Lœwel y discernait à vue de nez une peinture achevée des caractères de l' « âme juive » : « l'insatisfaction perpétuelle qui la stérilise », sans oublier « ce goût morbide de l'argent [34] ». Un mois plus tard, la défaite française est consommée, et le même Lœwel prédit à Ada, passible du « camp de concentration », un affreux destin : « Vous apprendrez, écrit le critique de *L'Ordre*, soudain prophète, comment la menace d'une faillite retentissante la condamnera à l'holocauste [35] »...

Un troupeau sous l'orage

« La ligne Maginot est la barrière la plus efficace contre l'assaillant, elle remplira sa mission aussi longtemps qu'il sera nécessaire jusqu'au jour où le développement de la guerre nous dictera les mots d'ordre imposant la défaite définitive à l'adversaire [36] », se rengorgeait *L'Intransigeant* mi-avril. Six semaines plus tard, la percée allemande à Sedan est un souvenir, et l'infaillibilité de la défense française ne fait plus sourire qu'une célèbre marque de lingerie : « Il y a ligne et ligne. Et de toutes les lignes la plus appréciée est celle que donne la gaine Scandale [37]. » L'honneur est sauf : Paris sera toujours Paris. Du moins, jusqu'à ce que l'état-major ne la déclare ville ouverte et ne livre les Champs-Élysées aux galoches de la Wehrmacht, le 14 juin 1940.

Irène Némirovsky a gagné Issy-l'Évêque depuis deux semaines, avant le flot des civils fuyant le rouleau compresseur allemand – dix millions d'êtres, dira le maréchal Pétain, nouveau et dernier président du Conseil, ajoutant sans forcer le trait : « dans des conditions de désordre et de misère indescriptibles [38] ». Elle a vécu tout le mois de mai à Paris, dans l'attente déçue d'une contre-attaque française. « Soyons patients ! disaient pourtant les journaux. Les Allemands ne sont pas sans avoir des sujets de crainte [39]. » L'une de ses nouvelles, « Destinées », restitue les premières nuits d'alerte dans la capitale, à scruter sur les balcons l'apparition des avions ennemis, au lieu d'aller se cacher dans les caves. Dix jours avant le début de l'offensive a paru dans *Les Œuvres libres* un large échantillon de son *Tchekhov*, rédigé aux deux tiers. Elle y rapproche l'Européen de 1940 du sujet d'Alexandre III, sans que l'on sache si elle songe à la croix gammée ou à la faucille : « Le mal régnait, alors comme maintenant ; il n'avait pas pris, comme aujourd'hui, des formes d'Apocalypse, mais l'esprit de violence, de lâcheté et de corruption était partout. De même qu'à présent, le monde était divisé en bourreaux aveugles et en victimes résignées, mais tout était mesquin, étriqué, pénétré de médiocrité. On attendait l'écrivain qui parlerait de cette médiocrité sans colère, sans dégoût, mais avec la pitié qu'elle méritait [40]. » On l'attend encore. Mais, qui sait, si elle trouve le courage...

Irène Némirovsky n'a subi ni les bombardements, ni les routes de l'Exode. Depuis la Pentecôte, elle est installée à l'*Hôtel des Voyageurs* avec ses filles, lorsque s'engage la « bataille de France ». Écrire, elle n'en a pas encore le cœur : « Je sens bien, reconnaît-elle le 6 juin, qu'il faudrait faire une ou deux nouvelles, tant qu'on peut encore – peut-être – les placer, mais... incertitude, inquiétude, angoisse partout : la guerre, Michel, la petite, les petites, l'argent, l'avenir. Le roman, l'élan du roman coupé net. (Je veux être franche : les critiques des *Chiens et Loups* y sont pour qq. chose.) Alors ? » Alors, tandis que s'entasse sur les routes la marée des Français en déroute, traînant leurs vieillards et leurs matelas sur des chariots de fortune, rançonnés par les ravitailleurs peu scrupuleux, affamés, épuisés, exaspérés, parfois réduits au pillage et au saccage, décourageant les derniers efforts d'une armée en pagaille que pilonne l'aviation, la romancière apprend à Denise à tricoter des écharpes pour les prisonniers de guerre, dédicace un exemplaire de *Deux* à la femme du pâtissier, discute avec l'institutrice des inconvénients de la « méthode globale » et se demande, comme tous les villageois, comment scolariser ces dizaines d'enfants marnais évacués d'office par les champagnes Pol-Roger. Et que faire, aussi, de ces centaines de réfugiés venus de Paris, de Lyon, du Creusot, de Nancy, de Brazey-en-Plaine, d'où encore ?

Elle s'inquiète surtout pour Michel qui, « à bout de forces » selon son médecin, n'a pu arracher de congé exceptionnel. Le 10 juin, se refusant à demeurer plus longtemps à Paris, comme ordre lui en a été donné, tandis que le personnel de la banque au grand complet se trouve déjà à Clermont-Ferrand, Michel réussit à gagner Orléans, d'où il télégraphie le 11 son arrivée sous trois jours à Issy, sain et sauf, en compagnie de Paul. Prenant cette liberté, il n'ignore pas qu'il met en jeu 43 000 francs d'appointements et la perspective d'un prochain avancement. Mais les circonstances sont exceptionnelles. Suffisamment, estimera sa direction, pour se passer dorénavant de ses services. Pour l'heure, loin d'imaginer sa disgrâce, il compose pour Denise de petits problèmes d'arithmétique rimés, façon de tuer le temps. Denise, qui se réjouit d'avoir enfin ses parents pour elle seule. « Malgré tout, dira-t-elle, ce furent les années les plus heureuses de ma vie. Nous vivions ensemble, en famille [41]... »

L'Exode, Irène Némirovsky l'apprend d'abord par les journaux, puis par les récits de Michel et des nombreux réfugiés – celui d'une femme, notamment, qui, du 12 à 17 juin, n'a parcouru que les cent vingt kilomètres séparant Juvisy de Montereau –, avant de le voir à son tour déferler dans la région d'Issy, du 14 au 18 juin. Une édifiante rédaction scolaire de Denise, datée du 26, s'en souvient encore : « Du vendredi au mardi, nous avons vu passer dans notre pays habituellement assez tranquille des milliers d'autos conduites par des gens qui se sauvaient devant l'ennemi. La plupart de ces voitures étaient bien chargées de matelas, de voitures d'enfant, de linge, des bicyclettes qui donnaient à cette course effrénée d'autos un aspect bizarre qui nous serrait le cœur. [...] Sans doute que cette humiliation sera plus utile à l'âme de la France et à tous les Français que la victoire qui nous aurait donné de l'orgueil. Nous profiterons mieux de la défaite. »

Cet acte de contrition, visiblement pris sous la dictée d'un adulte, coïncide avec l'entrée des Allemands à Issy-l'Évêque, puis avec l'armistice, signé le 22 juin. Le maréchal Pétain, afin de les dresser à l'obéissance, a ouvertement exhorté les Français au repentir et désigné les vrais responsables de cette Berezina : « Notre défaite est venue de nos relâchements. L'esprit de jouissance a détruit ce que l'esprit de sacrifice a édifié. » Réquisitoire plagié par René Benjamin dans son récit de la débâcle, *Le Printemps tragique*, qui sera l'une des sources documentaires de *Tempête en juin*. Sous la plume d'Irène Némirovsky, l'égoïste Hugo Grayer, drapé dans l'indifférence, paraît bouleversé par cette révélation ; dans le premier de ses textes publiés après la catastrophe, ce frileux petit-bourgeois, rebaptisé M. Rose mais toujours amoureux des porcelaines, s'ouvre tout de même à la pitié. Hélas, il lui a fallu endurer la marche forcée à l'ombre des stukas, la trahison de son valet, la faim, la soif, le complet dénuement ; enfin, sacrifier une place en voiture pour ne pas abandonner son compagnon d'infortune. En somme, risquer sa vie pour la sauver. Le sacrifice : sur cette vertu française, Irène Némirovsky bâtit justement son nouveau roman. Serait-elle devenue maréchaliste comme elle est devenue chrétienne : faute de mieux ? Les temps sont rudes, les consolations rares, et la Passion de Pétain – « je fais à la France le don de ma personne pour atténuer son malheur » – enduit d'un baume surnaturel les plaies des Français amassés sur les routes ou naufragés sur les bords de la Loire. Quel plus grand réconfort que « l'instinct qui jette l'une vers l'autre les bêtes d'un troupeau sous l'orage [42] » ? Qui sait si ce désastre partagé ne la soudera pas enfin à la grande famille française ?

Une grande angoisse

Mais « un ordre nouveau commence », a annoncé Pétain. Effets immédiats : sacrifice de la République, ministres emprisonnés, sacre du chef, mystique agrarienne, « redressement intellectuel et moral », gages de bonne volonté aux autorités allemandes. Il faut être sourd comme Maurras pour percevoir une « divine surprise » dans ce grand bond en arrière, désiré depuis vingt ans par les antiparlementaires. Cette orientation inquiétante est d'autant moins perceptible à Issy-l'Évêque, encore abrutie par l'écho du chaos de juin, que les soldats allemands installés à l'*Hôtel des Voyageurs*, tête rasée et poil clair, ne sont pas des assassins mais de grands garçons qui n'ont pas fait la Première Guerre, et dont la plupart n'ont encore rencontré aucune résistance au cours de le Seconde. Leur principale occupation consiste à fendre du bois, à boire de la bière, à jouer au billard et à faire sauter « Élissabeth » sur leurs genoux en scintillant des dents, comme sur les affiches de propagande. « J'entrerai chez les Français en libérateur, avait prédit Hitler. Nous nous présenterons au petit-bourgeois comme les champions d'un ordre social équitable et d'une paix éternelle... » Le leurre est amorcé. On en oublierait presque la guerre : « Bruit de bottes, de bottes, de bottes... Dans le jardin, dans le soleil, des papillons blancs et des fleurs amarante, et une haie de jasmins. Et pas la moindre idée, pas l'ombre, pas un projet de nouvelle. Faut-il parler de la guerre ? Faut-il ?... », se demande Irène Némirovsky aux premiers jours de juillet.

Comme il faut prendre son mal en patience, Michel, seul au village à parler l'allemand à la perfection, leur sert d'interprète et en vient même à sympathiser avec deux sous-officiers, le *Feldwebel* Ewald Hammberger et le lieutenant Franz Hohmann. Sans oublier Paul Spiegel, que Babet, dans sa candeur, appelle « mon petit chéri ». Certes, les conventions d'armistice leur font devoir d'appliquer le couvre-feu. Elles leur donnent droit, en outre, de réquisitionner véhicules, bêtes et fourrage, denrées et logements. Mais la contrée est riche, et doux le silence des armes. Paix allemande, bien sûr : avant fin juin, *Feldkommandantur*, *Kreiskommandantur*, *Orstkommandantur*, *Feldgendarmerie* et autres *Feld Geheime Polizei* se substituent aux administrations en place. Du moins, dans la zone occupée du département de Saône-et-Loire, au nord d'une ligne distante d'environ vingt kilomètres, au sud d'Issy-l'Évêque. Au-delà, jusqu'à la Méditerranée, s'étend la zone dite « libre », administrée par le gouvernement français, l'autorité allemande ayant renoncé à y exercer « tous les droits de la puissance occupante », comme l'y autorise au nord la convention d'armistice. Connaissant la conception aryenne desdits droits, une Juive apatride aurait tout lieu d'être inquiète. Dès le 21 juillet, une première loi d'exception est d'ailleurs venue remettre en cause les naturalisations enregistrées depuis 1927, privant six mille Juifs de la nationalité française. Quinze jours plus tard, Irène Némirovsky lit dans *Le Progrès de l'Allier* que les rédacteurs étrangers sont déjà indésirables dans certains journaux. « Croyez-vous que cela concerne une étrangère qui habite comme moi en France, depuis 1920 ? écrit-elle naïvement à la secrétaire d'Albin Michel. S'agit-il d'écrivains politiques ou également d'écrivains d'imagination ? » En l'absence du patron, réfugié dans le Lot et trop souffrant pour reprendre les rênes de sa maison, Sabatier n'ayant en outre donné aucune nouvelle depuis sa mobilisation, Mlle Le Fur lui répond, impuissante, qu'elle n'en sait rien du tout.

Pour fuir, il faut avoir conscience d'un danger ; or, qu'aurait-elle à craindre à Issy-l'Évêque, entourée de ces bonnes gens qui la connaissent, l'attendent et parfois la lisent ? Qui, tel M. Barre, le receveur-buraliste, croix de guerre, père de neuf enfants, sollicite son entremise auprès d'André Bellessort, secrétaire perpétuel de l'Académie française, pour lui faciliter l'obtention d'un prix Ernest-Cognacq de la famille nombreuse ? Et que pèsent ces considérations devant l'impérieuse exigence de se nourrir, de se chauffer et de continuer à payer le loyer de l'appartement parisien, confié en garde à Paul Epstein ? Dès la réouverture des éditions Albin Michel, le 1er juillet, sa première préoccupation a été de se faire adresser par mandat-carte 9 000 francs d'avance sur ses mensualités, afin de parer à tout nouveau tracas. « Actuellement, mon plus grave souci est de me procurer de l'argent », écrit-elle le 12 à Robert Esménard, gendre et homme de confiance de l'éditeur, rendu à la vie civile après la désastreuse campagne de Belgique. Réclamée par Michel Epstein dès le 11 juin, date à laquelle Albin Michel n'envisageait toujours pas de replier sa maison, la somme ne parviendra à Issy que le 4 août, telle est la désorganisation du service postal. Or, « Monsieur Rose » achevé, Irène a toutes les peines du monde à en faire parvenir le texte à *Candide*, replié à Clermont, de l'autre côté de la ligne. Il s'agit pourtant de 3 000 francs, l'équivalent d'une mensualité ! Mais la frontière, flanquée de batteries antiaériennes, est bien étanche. Elle rend presque impossible l'échange de correspondances privées ou de sommes d'argent – sans rien dire de la circulation des personnes. Et pas moyen de savoir quand *Gringoire*, *Candide* et les grands hebdomadaires parisiens, ses principaux clients, auront regagné la capitale.

À Issy-l'Évêque, Irène Némirovsky se trouve en effet « tout à fait isolée du monde » et « ignore tout des mesures qui auraient été adoptées ces temps derniers dans la presse ». En revanche, le bruit court avec insistance que la ligne de démarcation pourrait être retracée. Le village se retrouverait alors en zone sud ! Nombre d'éleveurs et d'agriculteurs s'en réjouissent, à qui cette barrière complique la vie. De fait, sujette à négociations, la ligne fluctuera jusqu'à l'automne. Fin octobre, Irène Némirovsky se demande encore avec angoisse comment percevoir ses mensualités, si Issy doit repasser dans l'orbite de Vichy [43]... Elle choisit ainsi, délibérément, de rester dans la gueule du loup. Calcul saugrenu ? Pas si l'on considère que Michel, depuis son infidélité à la Banque des Pays du Nord, est lui aussi en passe de voir ses revenus décliner de tout à rien. Joseph Koehl, directeur général, n'a voulu entendre aucune excuse, ni certificat médical, ni débâcle militaire : en refusant de demeurer au siège parisien de la banque, quand tous faisaient leurs valises pour le Puy-de-Dôme, Michel a signé son propre arrêt de renvoi, après quinze années de services irréprochables. En fait d'« indemnités de résiliation », il ne recevra en tout et pour tout que 8 027 francs mi-août, plus une « gratification » de 5 000 francs fin octobre.

Passer en zone sud, dans de telles conditions, est inimaginable. Et l'idée de fuir comme une voleuse lui fait horreur. À sa tante Victoria, à Moscou, elle se contente d'expliquer dans une lettre qu'Élisabeth a la scarlatine et ne peut voyager. Et lorsque Cécile, l'enfant du pays, suggère aux Epstein de franchir la ligne tant qu'elle est perméable, elle s'entend répondre d'un ton mi-interloqué, mi-bravache : « Mais je n'ai rien fait, pourquoi voulez-vous qu'on m'arrête ? » Ce cas échéant, fort improbable, Irène Némirovsky sait pouvoir compter sur ses relations parisiennes ; imagine-t-elle en outre, comme tant d'autres, que le pays des droits de l'homme ne peut légiférer qu'à contrecœur contre les Juifs, et qu'il convient d'être patient ?

C'est dans cet état d'esprit, trop confiante dans la mansuétude proverbiale de la France et certaine de son privilège d'écrivain, qu'Irène Némirovsky, bien convaincue d'avoir servi la France, se tourne spontanément vers le maréchal Pétain, protecteur de la nation, lors même qu'il faudrait s'en détourner. Le vieux chef en a pourtant solennellement averti les Français : « N'espérez pas trop de l'État. Il ne peut donner que ce qu'il reçoit. » Et que reçoit-il, sinon des inspirations nazies ? Le 27 août, par exemple, est abrogée la loi Marchandeau sanctionnant l'injure à caractère racial. De ce jour, il devient donc licite d'appeler au lynchage des Juifs dans la presse, et *Gringoire* use aussitôt de ce droit retrouvé pour se peupler de caricatures imbéciles, de dénonciations travesties et d'informations invérifiables, apprenant par exemple à ses lecteurs, le 5 septembre, que le « Juif Lekah, dit Lecache, de parents ukrainiens, métèque tout-puissant place Beauvau du temps de M. Sarraut, a cyniquement avoué que la France se battait pour la juiverie internationale ». Or, le même *Gringoire* ne manque pas un jour de déclarer sa flamme au maréchal Pétain...

Mais les Français, estourbis par la gifle de juin, veulent croire que leur pays est resté souverain, et que le nouveau régime n'a pas aboli la République sans motif. Lorsque Irène Némirovsky entend dire que le gouvernement préparerait « des mesures contre les apatrides », elle veut croire qu'il s'agit d'un malentendu et rédige aussitôt une lettre perplexe à « monsieur le Maréchal », aux bons soins du sous-préfet d'Autun. Pourquoi Pétain ? En premier lieu, parce qu'elle n'a pas moyen d'atteindre Chaumeix, douillettement réfugié à l'*Hôtel Majestic* de Royat, derrière la ligne. Puis, parce qu'elle s'y juge autorisée par leur ancien voisinage à la *Revue des Deux Mondes* : le maréchal ne vient-il pas encore d'y signer un « appel aux Français sur l'éducation nationale » ? On a pu y lire cet avertissement sans fard aux écrivains : « Nous nous attacherons à détruire le funeste prestige d'une pseudo-culture purement livresque, conseillère de paresse et génératrice d'inutilités [44]. »

Datée du 13 septembre, la lettre d'Irène Némirovsky est un mélange de détresse, de feinte humilité et d'orgueil blessé. « Je ressens, lui dit-elle, une grande angoisse à l'idée du sort qui nous attend : ma famille (mon mari qui vient d'être gravement malade, mes filles, âgées de 10 et de 3 ans), et moi-même. » Puis, excipant de ses liens d'amitié avec Chaumeix, Mme Doumic et Marie de Régnier, rappelant qu'elle n'a jamais quitté le territoire français depuis la révolution russe, elle trahit à la fois sa panique et sa rouerie en maniant gauchement la rhétorique en vogue :

Il est à peine besoin de dire que je ne me suis jamais occupée de politique, n'ayant écrit que des ouvrages de littérature pure. Enfin, que ce soit dans les journaux étrangers ou à la radio, je me suis attachée de mon mieux à faire connaître et aimer la France.

Je ne puis croire, Monsieur le Maréchal, que l'on ne fasse aucune distinction entre les indésirables et les étrangers honorables qui, s'ils ont reçu de la France une hospitalité royale, ont conscience d'avoir fait tous leurs efforts pour la mériter.

Je sollicite donc de votre haute bienveillance que ma famille et moi-même soyons compris dans cette deuxième catégorie de personnes, qu'il nous soit permis de résider librement en France et que je puisse continuer à y exercer ma profession de romancière.

Il va de soi que la requête, antérieure à la promulgation des premiers textes faisant des Juifs des citoyens de second rang, ne pouvait recevoir de réponse, pas plus que celle adressée en même temps à la Société des Gens de Lettres, en quête d'un soutien. Au moins cette supplique fait-elle preuve d'un exact pressentiment.

Paris perdu

Durant tout le mois d'août, Irène Némirovsky a poursuivi l'élaboration de *Jeunes et Vieux*. Comme dans *Rêveuse bourgeoisie* de Drieu, elle veut peindre pour la scène d'ouverture une marine avec ombrelles, cerfs-volants et feux d'artifices, une vraie toile de Boudin, d'après ses souvenirs de Paris-Plage, si réconfortants en ces temps troublés : « La paix, des gens heureux qui se ressemblent, et après, ce qu'il y a au fond. Je pense qu'il faudrait voir cette scène du début à vol d'oiseau. La nuit était douce, au bord de la mer, sur le sable gris des dunes... » Comme elle lui manque, cette France des Avot, opiniâtre, honnête, bienveillante ! Elle voudrait, dans ce roman, « les décrire avec simplicité, sympathie ». Elle y accompagnerait jusqu'en 1940 de jeunes mariés d'avant 14, rivés à leur fief de Lumbres par le destin, malgré la guerre et à cause d'elle. Le gendre de Jean Fayard, pourtant, ne l'encourage pas dans cette voie, « puisque le manque de papier et la limitation du nombre de pages qui en est le corollaire ne nous permettent pas de publier des feuilletons [45] ». Mais à quoi bon des nouvelles, si c'est pour le tiroir ? Dans l'attente d'une éclaircie, sans aucune conviction, elle inscrit seulement dans son journal de travail quelques « sujets de nouvelles possibles », à publier « dans n'importe quel journal à Paris ou ailleurs, sous un pseudonyme s'il le faut ». Le mariage de Paul Bourget, Mirabeau et son père, la biographie d'un homme célèbre par son fils... Autant de projets qui ne sortiront pas des limbes, car où et comment les publier ?

En septembre, jours de labeur et de fête : on bat les blés à Issy. « La veille, depuis le matin, d'énormes tartes blondes avaient cuit au four, et pour les décorer, toute la semaine les enfants avaient fait la cueillette des fruits [46]. » Irène Némirovsky, elle, vient de mettre la dernière main à sa *Vie de Tchekhov*. Elle a aimé l'amitié de l'écrivain et du peintre juif Levitan, admiré sa défense de Dreyfus, l'a suivi au bagne de Sakhaline, a vu par ses yeux « ces taudis humides, aux murs grouillants de vermine, où, sur une planche, couchent les prisonniers enchaînés. [...] Russes, Tartares, Juifs, Polonais, toutes les races, toutes les religions se retrouvent là [47]. » Les éditions Albin Michel voudront-elles publier cet exercice d'admiration, l'un des plus honnêtes et sensibles qui se puisse lire sur Tchekhov ? Cette fois, l'obstacle vient de Robert Esménard qui, invoquant la mévente générale et l'évaporation d'un projet d'adaptation cinématographique caressé par son beau-père, n'entend pas poursuivre le versement de mensualités auquel ne l'oblige nul écrit. « Vous me décrivez la situation actuelle, lui répond Irène Némirovsky, à bout de nerfs. Est-elle de ma faute ? Si *les Chiens et les Loups* ont été mis en vente au mois de mai, en suis-je responsable ? [...] Si vous me parlez de la mauvaise situation de la Maison, que vous dire de la mienne [48] ? » La jugeant plus grave que son propre décès, Michel Epstein ne s'apprête-t-il pas à récupérer les 46 000 francs de son assurance-vie ?

Il faudra toute la ténacité et la persuasion d'Irène Némirovsky pour forcer la générosité d'Esménard et gagner son amitié. Mais la dépression morale du peuple français, diagnostiquée par le bon docteur Pétain, ne lui a jamais paru plus criante. Offensée par les lois françaises, décidée à ne jamais renoncer à ce pays qui est aussi celui de son enfance, elle se reconnaît un peu dans cet écrivain, Tchekhov, qui « avait la plus grande sympathie pour la France et semblait la comprendre et sentir ses vertus mieux que ne le faisaient la plupart des Européens [49] ». « Je ne vois qu'une chose : des engagements réciproques ont été pris. Ils doivent être tenus », écrivait-elle à Esménard le 25 septembre, et cette foi inébranlable dans la parole donnée est alors sa plus grande erreur d'appréciation. Pour preuve, l'obligation faite à tous les Juifs de zone occupée, dans la même semaine, de se faire connaître des services de l'État avant le 20 octobre. La qualité française n'est plus une question de valeurs ou de culture, elle repose à nouvel ordre sur d'oiseux critères généalogiques. Seront en effet regardés comme juifs « ceux qui appartiennent ou appartenaient à la religion juive ou qui ont plus de deux grands-parents juifs ». Désormais, note Léon Werth dans son journal, « la messe ne déjuive plus [50] ».

Irène Némirovsky comprend-elle, à cet instant, que son baptême cesse de la protéger ? Que ses filles, pourtant naturalisées, devront tôt ou tard disposer de pièces d'identité frappées des quatre lettres rouges du mot « juif » ? Sans doute pas, puisque dès le 7 octobre Irène et Michel se font immatriculer à la sous-préfecture d'Autun, comme le feront en France 90 % des israélites, désireux de croire que ce dénombrement est le fait d'un État jaloux de ses prérogatives, donc indocile aux nazis. Michel a simplement pris le conseil de Charles-Albert de Boissieu, gros bonnet du groupe Schneider et administrateur de la Banque des Pays du Nord, nommé depuis juillet secrétaire général à la Délégation du gouvernement dans les territoires occupées – l'ambassade de France à Paris, plaisantent les esprits forts. Et Boissieu a suggéré d'obtempérer. On ne peut toutefois manquer d'observer que la réembauche de Michel, à l'ordre du jour fin août, est devenue inopportune un mois plus tard. Michel, « complètement rétabli », aura beau se débattre, recueillir les témoignages d'estime et d'amitié de plusieurs collègues, la décision de M. Koehl est irrévocable. Elle intervient au moment où la Banque des Pays du Nord, l'une des premières parmi les établissements parisiens de crédit, est disposée à remettre ses « avoirs juifs » à la section économique du commandement militaire allemand.

L'employeur de Michel Epstein a-t-il souhaité l'évincer dans les formes, avant d'y être contraint par la loi raciale ? Certes, le discriminatoire « statut des Juifs » du 3 octobre 1940, publié le 18, exclut les Juifs d'un grand nombre de postes de la fonction publique, de l'enseignement, de la presse, du spectacle, mais elle ne leur ferme pas les professions libérales. Toutefois, elle n'abolit pas le *numerus clausus* et autorise même, en termes ambigus, « l'élimination des juifs en surnombre ». Quant aux Juifs étrangers, ils sont désormais passibles d'internement dans des « camps spéciaux », au bon vouloir des préfets départementaux. Lesquels ne sont nommés qu'avec l'aval des autorités d'Occupation. On ne peut vraiment pas dire que Vichy encourage la philanthropie.

Paradoxe du légaliste : tout en soumettant les siens à ce statut qu'il sait inique, Michel s'efforce de s'y soustraire en sollicitant des passe-droits, notamment celui d'être traité « sur le même pied que les Juifs français [51] » devant la menace consciente du camp de concentration. Au délégué gouvernemental Boissieu, arguant de son état de santé, de son baptême, de ses difficultés matérielles, de ses enfants français, de son neveu Victor prisonnier de guerre, il ne réclame qu'un mot d'introduction auprès des autorités françaises. Légaliste lui aussi, Boissieu proteste de son « bon souvenir » et de l'admiration infinie que lui inspire l'œuvre d'Irène Némirovsky... pour lui conseiller de s'acquitter malgré tout des « formalités exigées par les autorités allemandes [52] ». Les dispositions du premier statut des Juifs, pourtant, sont de pure initiative française, quoique maladroitement recopiées du statut nazi de 1935. Deux mois plus tard, Boissieu quittera la fonction publique pour prendre la direction du groupe Schneider et de l'Union européenne industrielle et financière. Michel Epstein, lui, n'ayant obtenu aucune aide tangible de son collègue Maizière, en est réduit à vider ses derniers comptes de prévoyance à la Caisse des dépôts et, par désœuvrement, à entreprendre une adaptation en français de cette biographie russe de Pouchkine qu'Irène avait signalée dans *Marianne* en 1936, à laquelle elle se propose d'ajouter une préface.

Omission ou anonyme bienveillance, la litanie des écrivains proscrits par l'occupant, publiée le 4 octobre dans la *Bibliographie de la France* sous le nom occulte de « liste Otto », ne mentionne nullement le nom d'Irène Némirovsky. Bernard Grasset, chaud partisan d'une soumission complète à la censure nazie, pilonne tous les ouvrages de ses auteurs juifs. L'excellent biographe d'Albin Michel indique que cet éditeur en fit autant des romans d'Irène Némirovsky [53] : c'est inexact, car *Les Chiens et les Loups* est réimprimé dès le mois d'octobre, et *Deux* le sera plusieurs fois jusqu'en janvier 1942 !

Jean Fayard, successeur de son père depuis la mort de celui-ci en novembre 1936, n'a quant à lui pas attendu l'entrée en vigueur du statut des Juifs – qui ne lui en fait d'ailleurs nulle obligation – pour devancer les mesures légales. Dès le 8 octobre, foin de tout contrat, il indique à Irène Némirovsky qu'il n'est plus disposé à publier son prochain roman et lui abandonne de bonne grâce les 30 000 francs déjà consentis avant les hostilités : le prix de la trahison. Elle proteste, suggère de reporter la publication à des temps meilleurs, sous son ancien pseudonyme de Nerey, pourvu que l'éditeur respecte sa parole. Fayard lui oppose un « cas de force majeure [54] ». « Existe-t-il donc une loi qui interdise de publier, en zone libre, les œuvres d'un écrivain juif [55] ? », s'insurge-t-elle, glacée à l'idée d'aborder l'hiver sans ressources. Jusqu'aux premiers jours de décembre, elle devra lutter pour faire valoir ses droits et, devant la très mauvaise volonté de Fayard, porter l'affaire devant la Société des Gens de Lettres. La controverse porte sur la formule « rédacteurs des journaux » spécifiée dans le statut des Juifs, aussi infâme que bâclé. Un feuilletoniste entre-t-il dans cette catégorie ? Bisbille sémantique dont dépend la vie de toute une famille, livrée au verdict d'un rond-de-cuir.

Le 29 octobre, aux abois, la romancière ouvre son journal et écrit : « Par moments, angoisse insupportable. Sensation de cauchemar. Ne crois pas à la réalité. Espoir ténu et absurde. Si je savais trouver un chemin seulement pour me tirer d'affaire, et les miens avec moi. Impossible de croire que Paris est perdu pour moi. Impossible. La seule issue me paraît "l'homme de paille", mais je ne me fais aucune illusion sur les difficultés folles que ce plan présente. Pourtant, il faut. » Elle ignore que, le même jour, le conseil juridique de la Société des Gens de Lettres a rendu son arrêt, et sans ambiguïté : « On ne saurait assimiler le grand écrivain qu'est Madame Némirovsky, indépendante et libre à l'égard du journal, à l'employé intellectuel qu'est le journaliste, et le contrat par lequel elle cède la publication d'un roman au journal ne peut être assimilé à un contrat de travail. » C'est là un simple avis, que Fayard repousse avec insolence, suggérant l'arbitrage du gouvernement ! Sévèrement chapitré, le président Vignaud, caution de la romancière en septembre 1939, est contraint de désavouer son conseil juridique en termes humiliants : « Par expérience, écrira-t-il le 2 décembre à la romancière, je puis vous affirmer que, pour des collaborateurs de notre journal qui ne sont pas des journalistes professionnels, c'est-à-dire pour des romanciers ou des conteurs, nous avons dû fournir des preuves que ces collaborateurs – dont quelques-uns sont célèbres – n'étaient ni étrangers, ni israëlites. » Rappelons ici l'engagement solennel de Jean Vignaud, à sa prise de fonction en 1936 : « Quant aux secours matériels qu'il convient d'apporter aux lettres, si durement frappées par la crise, je veux y employer mon activité la plus immédiate [56]. » Quatre ans ont passé depuis lors : une éternité. « Vous me dites que j'oublie la situation dans laquelle nous nous trouvons, lui répondra la romancière. C'est justement parce que cette situation est, pour moi comme, hélas, pour bien d'autres, tragique que je me débats pour sauvegarder mon gagne-pain et celui de mes enfants. Mais je commence à croire que c'est impossible [57]. »

Le roman d'Irène Némirovsky ne paraîtra pas dans *Candide*. Et le 16 novembre, Jean Fayard peut tranquillement exprimer le fond de sa pensée sur la nouvelle doctrine d'État, qu'il a si intuitivement anticipée : « La collaboration entre les peuples est le signe même de la paix, comme le travail en commun des hommes est le signe de la vie. Comment ne préférerait-on pas la paix à la guerre, la vie à la mort [58] ? »

Une dentellière au milieu des sauvages

Irène Némirovsky s'est entêtée à faire entendre raison à Jean Fayard : le pot de terre s'est heurté au pot de fer. La *Revue des Deux Mondes* et *Marie-Claire* n'ont pas voulu regagner Paris. Mais *Gringoire*, où elle n'a plus publié depuis la défaite ? Pourquoi n'avoir pas songé plus tôt à Horace de Carbuccia, girouette idéologique mais génial marchand de papier ? Remords d'avoir porté son dernier roman à *Candide*, en 1939 ? Ou bien parce que, depuis la défaite, *Gringoire* s'est assis sur ses derniers scrupules ? En mai, exhortant à la mêlée, Henri Béraud annonçait encore qu'une victoire allemande signifierait « des déportations en masse » et la privation de « liberté humaine ». Depuis l'avènement du Maréchal, le ton a changé. Georges Mandel, sur qui la rédaction comptait le 23 mai pour « anéantir la cinquième colonne », est accusé le 1er août de « complot contre la sûreté de l'État » ! Les caricaturistes antisémites Carb et Pafer rivalisent de bassesse. Les collaborateurs Laval, Déat, Doriot, sont présentés comme les hérauts trahis de la paix ; Jules Moch, Louise Weiss, Georges

Boris, comme des fauteurs de guerre. Tous trois juifs. Le 26 septembre, en première page, on a même pu découvrir ce slogan illustré d'une Marianne désignant le paquebot à une cohorte de nez convexes : « Allez, ouste ! La France n'est plus une patrie pour les sans-patrie. » Et toujours, l'allégeance à l'homme sans qui ces insanités seraient illicites : « Vive Pétain[59] ! »

C'est donc en vrai désespoir de cause, en pleins démêlés avec Fayard et tiraillée par le besoin, qu'Irène Némirovsky en appelle à l'amitié de Carbuccia. « Je crois fermement, lui dit-elle, que si vous pouvez faire quelque chose pour moi vous le ferez. [...] Vous seul, cher monsieur de Carbuccia, par l'influence et par la position que vous avez, pouvez, si nous le voulons, intervenir en ma faveur auprès du gouvernement. Franchement, je ne sais que devenir : les issues semblent fermées devant moi. C'est si cruel et injuste que je ne puis m'empêcher de croire qu'on le comprendra et qu'on voudra me secourir. » Horace de Carbuccia n'est pas si influent qu'il puisse soustraire Irène Némirovsky aux lois de Vichy, mais il commence par lui remettre une lettre d'intervention auprès des autorités préfectorales de Saône-et-Loire, afin de faciliter ses démarches. Puis, parce qu'il ne lui a jamais caché sa sympathie, il consent à la publier sous pseudonyme : pas moins de huit nouvelles de décembre 1940 à février 1942, et un roman, *Les Biens de ce monde*, qui paraîtra en avril 1941. Dans un premier temps, c'est Paul Epstein, demeuré avenue Coquelin, qui percevra les paiements.

« J'ai toujours entendu mon père parler d'elle en des termes de très grande affection, se souvient Jean-Luc de Carbuccia. Lorsque l'Occupation s'est abattue sur la France, il est resté fidèle à tous ses collaborateurs. Il y en avait certains, comme Géo London, qui s'étaient cachés. Il a aidé le fils d'Henry Torrès à s'enfuir de France. Quand le problème de la collaboration des Juifs dans la presse s'est posé, même en zone libre, Irène Némirovsky, qui avait besoin de gagner sa vie, lui a proposé de prendre un nom d'emprunt, un "nom aryen". Mais mon père, qui avait fait la guerre de 14, qui était maréchaliste comme la très grande majorité des Français, a considéré qu'il serait indigne de lui donner un pseudonyme sous la pression de l'Occupation. Ils sont convenus de signer le feuilleton de son roman "par une jeune femme", parce que c'était beaucoup plus digne [60]. » Façon à peine dissimulée d'en indiquer l'origine. Et façon de se forger quelques cartouches en prévision d'un retournement de situation ? Carbuccia, en effet, reconnaîtra sans fard avoir laissé *Gringoire* « plaisanter » les Juifs de zone sud « qui changeaient de nom ou se faisaient baptiser », et démentira avoir jamais cité aucun nom de juif converti ou déguisé qui ne l'ait d'abord été par l'*Officiel* « ou par quelque *Semaine religieuse* [61] ». Mesquinerie qui rend plus paradoxal encore son soutien à Irène Némirovsky, mais une « grande affection » n'a que faire de la logique.

La première nouvelle à paraître dans le nouveau *Gringoire*, le 5 décembre, sous la signature de Pierre Nérey, est « Destinées », sans doute achevée depuis l'été. Une deuxième nouvelle paraîtra en mars, « La Confidente », mise en chantier dès mi-novembre, sans entrain. Un secret bien gardé, une jalousie recuite, une intrigue sentimentale machiavélique, située à Issy puisque c'est contre « le petit mur qui se trouve devant la maison des Simon [62] » qu'elle choisit d'écraser la voiture qui conduit la cantatrice Flora et son amant vers leurs amours clandestines. Sujet sans danger, mais « très subtil, trop, sans doute », car si délicat au milieu du bruyant chauvinisme de *Gringoire*. « Ce serait, note-t-elle le 19 novembre, comme une dentellière au milieu des sauvages. »

L'équipe d'*Aujourd'hui* n'était pas composée de sauvages, mais ce quotidien bon enfant, tirant à cent mille exemplaires, était aveuglément pétainiste. Oui, mais il avait ses bureaux place de l'Opéra, et voilà bien tout ce qui importait à Irène Némirovsky lorsque, en novembre 1940, elle se crue perdue pour Paris. Jusqu'à la mi-novembre, *Aujourd'hui* est un quotidien insipide et cocardier, farci de slogans ineptes (« La France, sa tête est à Paris, ses pieds sont à Vichy, mais son cœur est partout [63] »), où l'antisémitisme est réduit à la portion congrue, voire battu en brèche [64]. Louis-Ferdinand Céline l'accusera d'ailleurs de mener depuis juin une « campagne philoyoutre [65] »! Le directeur, Henri Jeanson, s'efforce de conserver une apparente liberté de ton, sans empêcher de régulières bouffées serviles : « Collaborer, c'est se comprendre. Comprendre, c'est être intelligent », proclame *Aujourd'hui* le 8 novembre. Mais le graphiste, qui signe Bécan, s'appelle Kahn. De nombreux rédacteurs sont juifs. Robert

Desnos, fâcheusement déçu par la Révolution nationale, ne s'y prive pas de fustiger la « réaction » vichyssoise et l'« Ordre qualifié de moral par euphémisme[66] ». Et, dans une rubrique quotidienne intitulée « Histoire de lire... », paraissent régulièrement de brèves nouvelles d'écrivains dont les noms ne disent rien à personne. C'est à ce journal, où pige son admirateur Maxence, qu'Irène Némirovsky croit adresser en décembre une de ses nouvelles, intitulée « La Peur ». Elle ignore certainement qu'Henri Jeanson, n'étant plus en odeur de sainteté, a dû soudain céder la main à Georges Suarez, proallemand fanatique et antidémocrate résolu... Raison pour laquelle, sans doute, « La Peur » ne sera pas reproduit dans *Aujourd'hui*, puisque le texte fut retourné à son auteur, frappé de la mention « non censuré ».

« La Peur » repose sur un fait authentique : deux voisins « qui se prenaient mutuellement pour des espions » de la cinquième colonne, et dont l'un tua l'autre à la faveur du brouillard. L'idée première d'Irène Némirovsky était « une paysannerie à la Zola, fausse et noire » : un paysan abattant son fils démobilisé, l'ayant pris pour un pillard. Une petite histoire « très dans la note », donc. Pour endormir la censure, elle est signée « C. Michaud », tout comme « Les Cartes ». Clin d'œil à Pouchkine : une riche danseuse, ayant tiré une dame de pique aux tarots, est abattue à la sortie du casino par sa femme de chambre, congédiée sur ce seul soupçon. Moralité : on n'échappe pas à son destin. Ce joli texte sans façon, qui renvoie Irène Némirovsky à ses débuts, lui a néanmoins coûté de suprêmes efforts : « Grand Dieu ! Que de chichis pour une tentative si insignifiante et presque désespérée ! Qu'est-ce qui est actuel à Paris ? Si on le savait seulement. » À Issy-l'Évêque, elle a le sentiment de perdre contact avec le dernier cri, de ne plus savoir ancrer ses récits dans l'époque. Exactement comme s'il n'y avait pas la guerre.

Dies Irae

Un roman sur la guerre ? Elle y songe, bien sûr, mais seulement « si la liberté d'expression reste possible », car « rien n'est *safe*, en ce moment ». Elle n'a certes pas renoncé à écrire son grand livre sur les Juifs, mais il va de soi qu'elle ne pourra s'y consacrer que si une censure totale l'y réduit, et si elle n'est pas morte de faim : conditions contradictoires. Aussi, forte du soutien de Carbuccia, et sans exclure de le lui soumettre, privilégie-t-elle sa première idée : un grand tableau de la débâcle, tout juste esquissé dans « Le Spectateur » et « Monsieur Rose », où elle montrerait « la lutte entre l'individu et la communauté ».

Dès novembre, elle est capable de projeter les trois volets de ce « roman pour un temps meilleur », n'écartant pas l'hypothèse d'une publication sous pseudonyme. Le titre serait tiré de l'Apocalypse : *Dies Irae*. Hélas, c'était celui d'un vieux roman de « cette garce » de Camille Santerre ! La première partie s'appellera donc *Panique*, ou *Tempête*, puisque Zola s'est réservé *La Débâcle*. Le sujet serait d'ailleurs identique : un reportage romancé sur l'effondrement de la France, vaincue par la puissance et la méthode de l'ennemi, mais aussi par la somme de ses corruptions, de ses égoïsmes, de ses lâchetés individuelles. Et si c'est être maréchaliste que d'observer cela, alors Zola l'était aussi, dont le tableau de la France à genoux est rien moins que reluisant ! Encore faudrait-il s'assurer qu'aucun écrivain non censuré n'ait eu la même idée, et elle en doute : « La débâcle formerait un grand livre comme *la Mousson*, ces qq. jours de juin, vécus par beaucoup de monde. Mais j'ai l'impression que, ou bien ce sera impossible, ou bien, *people will feed upon it.* » D'ailleurs, qui peut dire si, dans six mois, la guerre ne sera pas terminée ? Alors, songe-t-elle, « ce sera comme après l'autre guerre, on voudra oublier qu'on a été malheureux, surtout un malheur comme celui-ci, cette honte. Et on préférera couper les cheveux en quatre... Mais ces considérations sont secondaires, surtout à un moment où, comme maintenant, il est à craindre que je ne serai plus publiée. » Tolstoï s'est-il demandé, en écrivant *Guerre et Paix*, s'il était ou non actuel ?

La Mousson. Irène Némirovsky a-t-elle découvert ce gros livre dès sa parution américaine en 1937, ou a-t-elle attendu sa traduction française en mars 1939 ? Le grand roman de Louis Bromfield, immense succès de librairie, prenait prétexte du séisme et des inondations cataclysmiques qui ravagèrent le Ranchipur en 1936 – causant autant de morts que la débâcle de mai 1940 – pour mettre à nu cent personnages fragilement superposés, puis jetés au sol comme un château de cartes. Un pêle-mêle d'hindous, de musulmans et de colons, de financiers anglais, de missionnaires et d'intouchables, d'aventuriers et de femmes fatales, de maîtres et d'esclaves dépouillés en un instant des attributs de leur caste par une gigantesque vague de boue lâchée par le ciel. Ambitieux roman de sept cents pages, qu'elle se propose d'égaler : « Bromf. a voulu faire aussi un tableau de l'Inde éternelle au début et à la fin, comme je veux faire le tableau de la France. » D'où ce titre, *Tempête* : la défaite éclair de 1940 n'a été en somme qu'une aberration climatique, une bourrasque vert-de-gris qui a soufflé en un clin d'œil un édifice social plus branlant qu'il n'y paraissait. *La Règle du jeu* de Renoir (1939), en quelque sorte, mais sous une pluie battante : orgueils giflés, hypocrisie démasquée, instincts soudain libérés, mais aussi une quantité inattendue d'actes de bravoure isolés, de sursauts d'honneur et d'amours gratuites. Quelle matière ! Quelle pâte humaine ! Jusque-là, Irène Némirovsky s'était ingéniée à vitrioler de riches banquiers, de fats parvenus ou des politiciens véreux, sans les renverser de leur socle ; elle veut cette fois les jeter dans un chaudron de peur et d'absurdité, les souiller sur les routes de l'exode, les frotter malgré eux à la race des intouchables, domestiques, prostituées et petites gens, jusqu'à ce qu'ils disent : « Ce que nous devons être grotesques[67] » !

Dans sa galerie d'écorchés, Irène Némirovsky n'omet pas de se faire elle-même figurer : « Paysans, grands bourgeois, officiers, réfugiés juifs intellectuels, hommes politiques, vieillards que l'on oublie, de ceux qu'on faisait profession de respecter, et que l'on abandonne comme des chiens, les mères qui montrent des prodiges d'endurance et d'égoïsme pour sauver leurs gosses. Ceux qui plastronnent et se dégonflent tour à tour, la jeunesse meurtrie, mais non abattue. Que ce serait amusant : ça et *les Juifs*, que ce serait amusant ! Du train dont vont les choses, ce serait des œuvres posthumes, mais enfin. Et puis, c'est facile : la vie normale, le commencement de mai, la crise, la fin, et naturellement, parce qu'autrement ce serait sinistre, la pérennité (je crois que ça s'appelle comme ça ?) de certaines valeurs. Il faudrait donner une grande place aux enfants pour qui cela sera un enrichissement, certainement, comme pour moi, autrefois, la révolution russe. »

Il y a longtemps, en effet, qu'elle rêve d'écrire son *Guerre et Paix*, un millefeuilles de circonstances historiques et de petites misères liées par ceci qu'en 1938 elle appelait *« a maze »* : « un événement quelconque se trouvant au centre, mais, avant d'y arriver, les réactions de tous ceux qui, de près ou de loin, participent au drame ». Dès avril 1940, elle tramait un « documentaire » sur la montée des périls, qu'elle eût intitulé *Notre temps* : « Pages décousues, le bateau chargé de Juifs, la première communion des enfants dans un village, Munich, les champs de bataille de Chine, d'Espagne, de France... Le premier jour de la guerre 39, le Lambeth Walk, l'entrée des troupes allemandes à Vienne et à Prague. » Aux oubliettes, pour cause de gros temps. Quant à la Révolution russe, les souvenirs exacts lui font défaut. Tandis que le spectacle ahurissant de l'Exode cuit encore tous les esprits. Quelle amère consolation ce serait d'habiller ces millions de Français des frusques d'*heimatlos* qui migrent dans son œuvre depuis 1930 ! Quel plaisir égoïste, dans le sauve-qui-peut, de flétrir les salauds, de réconforter les sans-grade ! Enfin, quelle meilleure médecine, pour oublier les humiliations subies depuis cinq mois, que de les convertir en littérature ? « Évidemment, quoique ayant vécu *in the middle of it*, Dieu m'a protégée, et je n'ai rien vu de ça. Puis, c'est ms *spectacular* que *la Mousson*, mais on peut imaginer assez bien le bombardement, etc. Il faut surtout montrer la foule. Cela doit être le véritable héros, la foule de ceux qui souffrent sans comprendre, et ses sentiments élémentaires de faim, de colère, de peur. Ceux qui meurent sans savoir pourquoi.

L'horrible gâchage des hommes, le gaspillage de toutes ces forces. » Et pas d'histoire d'amour : « c'est trop Hollywood ».

Ombre et clarté

Ainsi commence *Tempête*, récit de l'Exode qu'Irène Némirovsky prévoit d'étaler du 8 au 20 juin 1940, sans oublier, en ouverture, les bombardements du lundi 3 sur Paris. Ce chantier titanesque (« Oh, mais il faudrait pour bien faire ces deux romans, la liberté et dix ans de vie assurée ! ») va l'occuper jusqu'à la fin de l'hiver, jour et nuit puisqu'un flacon de valériane, sur sa table de chevet, atteste de ses insomnies. Michel, au fur et à mesure, saisit à la machine les feuilles sorties de l'imagination d'Irène, couvertes d'une écriture minuscule ; et s'il exerce une sévère censure, c'est sur le seul critère de l'art. En quelques jours de novembre, les personnages de premier plan prennent chair, les uns méprisables, qu'elle relègue dans « l'ombre », les autres admirables, dans « la clarté ». Car « lorsque, dans une nouvelle ou un roman, on met en relief un héros ou un fait, on appauvrit l'histoire ; la complexité, la beauté, la profondeur de la réalité dépendent de ces liens nombreux qui vont d'un homme à un autre, d'une existence à une autre existence, d'une joie à une douleur[68] ». Méthode simultanéiste, éprouvée par Zola dans sa *Débâcle*.

D'abord paraît l'homme politique, « un grand et gros personnage, genre Herriot », flanqué d'une « petite grue de maîtresse ». Un individu « habitué aux foules, aux réunions publiques, qui organisait l'Europe sur le papier et n'est pas fichu de se débrouiller d'abord », mais qui retombera toujours sur ses pattes. Pour ne pas ajouter à l'acharnement de saison sur les hiérarques déchus de la République, « poncifs de mauvaiseté », Irène Némirovsky le remplace en cours de route par un intellectuel nanti, quoiqu'il lui paraisse improbable qu'un seul homme de cette caste se soit trouvé sur les routes de juin, comme son Corte : écrivain affecté et condescendant, bouffi de vanité, observant de son

Aventin l'onde infecte de la plèbe déversée sur la France. « Oh ! la laideur, la vulgarité, l'affreuse bassesse de cette foule [69] ! » Il y glissera, le malheureux, mais pour retrouver ses privilèges intacts et adopter d'instinct la nouvelle rhétorique, gage de sa survie : « L'époque est passée de ces jouisseurs, de ces politicards [70]... » Cet acrobate de l'opportunisme, fournisseur régulier d' « une grande revue parisienne [71] », a décidément tous les traits distinctifs d'André Chaumeix, dont la *Revue des Deux Mondes* est alors le fidèle écho de la propagande pétainiste. Le directeur de cabinet du Maréchal se souviendra, à ce propos, que Chaumeix faisait à l'Hôtel du Parc de fréquentes visites d'amitié [72]. Mais Corte, arroseur arrosé, aura tout de même vérifié sa propre maxime : « Rien de plus salutaire dans un roman que cette leçon d'humilité donnée aux héros [73]. »

Le deuxième personnage de l'ombre à recevoir la « mousson » d'Irène Némirovsky n'est autre que le délicat collectionneur qu'elle a successivement noyé puis racheté dans deux nouvelles de 1939 et 1940. Elle le baptise Langelet, car ce rentier dodu cache un démon et un faux apôtre. Par malice, elle lui a prêté la passion d'un de ses lecteurs les plus attentifs : l'avocat Pierre Lœwel [74], ex-chroniqueur antimunichois de *L'Ordre* et grand amateur de porcelaines ! Comme la Miss Hodge de Bromfield, Langelet ne songe, après le fléau, qu'à vérifier ses vases et ses soupières : « Y a-t-il eu des dégâts ? Le service à thé a-t-il été cassé [75] ? » Et, comme Corte, il s'écœure de devoir se crotter à « la lie de Belleville [76] » ; lui s'imaginait plutôt en Pline l'Ancien, fuyant les nuées du Vésuve en emportant dans sa tunique quelque rare statuette ou « quelque coupe moulée sur un beau sein [77] ». Suprême ironie, c'est à Gien qu'Irène Némirovsky brise cette potiche et révèle sa barbarie feutrée. « Il peut ne pas être juif, précise-t-elle, mais abs[t] intellectuel, livres, "valeurs spirituelles", etc., parti libéral, revient hitlérien convaincu. » On a dit que le mot « juif » était absent de *Suite française*. Il s'y trouve pourtant deux fois, et c'est Langelet qui le formule en premier, « avec un sourire méprisant », au sujet des fuyards qui ont gagné le Portugal ou l'Amérique du Sud [78]. Irène Némirovsky jettera cette belle âme sous les roues d'une auto. Sa mort symbolise, écrira-t-elle en marge du manuscrit, « la fin de la bourgeoisie libérale ».

Toujours dans l'ombre, un couple de grands bourgeois parisiens, les Péricand, avec nombreuse progéniture et domesticité. Un peu sur le modèle des Deschamps, amis parisiens du couple Epstein. Négatif des Hardelot dans *Les Biens de ce monde*, ils sont le prototype de « la famille catholique, bien-pensante », traînant derrière elle un vieillard gâteux mais fortuné, auquel Irène Némirovsky a d'abord prêté les traits de son bon-papa Iona, « ou plutôt non, se ravise-t-elle, un vieillard très riche, adulé, craint, etc., et qui maintenant est considéré comme *a burden* ». À la première étape de l'Exode, Mme Péricand, qui serre son argent et ses bijoux sur son cœur, aura tôt fait d'oublier son catéchisme pour révéler « son âme aride et nue » de mère carnassière : « Ils étaient seuls dans un monde hostile, ses enfants et elle. Il lui fallait nourrir et abriter ses petits. Le reste ne comptait plus [79]. » Irène Némirovsky ne raille ici que la tartufferie, non la vraie charité ; elle observe simplement qu'un grand péril suffit à balayer des siècles de culture et de piété, et que les pulsions bestiales couvent sous la civilité. C'est d'ailleurs la leçon de *Tempête en juin* : l'ensauvagement ne guette les sociétés humaines qu'à leur point de plus haut raffinement, c'est-à-dire d'inattention. « La panique abolissait tout ce qui n'était pas instinct, mouvement animal frémissant de la chair [80]. » Témoin le chat des Péricand, créature d'appartement soudain livrée à la nuit sauvage, qui s'enivre de l'odeur ignorée du sang. Ce qu'Irène Némirovsky appelle, dans ses brouillons, *« the pure joy »*, n'est rien d'autre que l'innocente cruauté.

Dernier personnage de l'ombre, un « salaud », un vrai : Joseph Koehl *himself*. Ce personnage de financier doit endosser tout le poids de la trahison. Et, pour lever toute ambiguïté, sa banque sera sise avenue de l'Opéra, comme celle des Pays du Nord. Mais Irène Némirovsky ne « voit » pas Koehl. D'ailleurs, elle a « une indigestion d'hommes d'affaires »... Ne resteront, dans le roman, que deux banquiers sans scrupules ni relief, le comte de Furières et Corbin. C'est du second que le comptable Michaud reçoit une lettre odieuse, datée du 25 juillet, lui signifiant son renvoi dans des termes assez proches de ceux dont Koehl a lui-même usé pour évincer Michel Epstein à une date approchante. Et pour le même motif : abandon de poste.

Maurice Michaud est trop renseigné sur la nature humaine pour se scandaliser ou s'armer contre une mer de fatalité car « pour notre malheur nous sommes nés dans un siècle d'orages [81] », et l'orage est aveugle et sourd. Sa femme ne philosophe pas ainsi : elle est mère et son fils est porté disparu. Tous deux forment le « *middle-aged couple* » qu'Irène Némirovsky a placé dans la clarté, parce qu'au lieu d'emporter un manuscrit, des pièces de musée, des bijoux ou du linge de maison, ils ne pensent qu'à leur Jean-Marie. Tandis que Mme Péricand, dans sa fuite, a su oublier l'aïeul sous les bombes. Eux, les Michaud, ne redeviennent pas des bêtes : ils font partie du menu peuple, rompu à survivre, qui est l'humus de ce roman. Ils ignorent seulement que leur enfant est en vie, quelque part dans une ferme de Bourgogne, au hameau des Labarie [82], amoureusement veillé par deux filles de ferme patoisantes, inspirées de la Louise V. d'Issy, mais secrètes et « fermées à double tour [83] » comme une armoire de paysan. L'une s'appelle Cécile, parce que « ma grosse Néné doit être immortalisée ». L'autre, Madeleine, parce qu'Irène Némirovsky a beaucoup repensé à son amie de vingt ans, qu'elle croit avoir injustement délaissée. « Mais dans ces tristes moments que nous traversons, on se souvient de ses anciens amis et on voudrait savoir qu'ils sont tous en bonne santé... », ainsi qu'elle le lui écrit le 4 décembre, pour renouer les liens.

Un dernier être de lumière n'était pas initialement prévu, qui est pourtant la figure centrale de ce roman, comme l'était Ransome, le « jeune premier un peu fatigué » de *La Mousson*. Peut-être Irène Némirovsky ne lui aurait-elle pas accordé tant d'importance, sans cette laconique carte interzone postée le 22 octobre à Busséol, Puy-de-Dôme, lui apprenant la mort tragique de l'abbé Bréchard. Irène aimait le « beau visage » de celui qu'elle appelait affectueusement « Parrain ». « Il a vécu d'une façon qui était au-dessus de celle des autres hommes, répond-elle à ses parents, et il est mort également ainsi. Je l'aimais et le respectais infiniment, car c'était un véritable saint [84]. » L'abbé, lieutenant du 613e régiment de pionniers, est tombé le matin du 20 juin en défendant le village vosgien de Ménil-Tillot, à la tête de deux sections de sa compagnie, face à quatre automitrailleuses et une trentaine de chars allemands. « Les uns ont dit qu'il avait pris sur le fusil-mitrailleur la place d'un soldat père de trois enfants », rapportera Henri Pourrat, le grand romancier de l'Auvergne rurale ; « les autres qu'ayant vu tomber un de ses hommes, père de famille, il s'était immédiatement porté à son secours. Ce qui est certain, c'est que tous ont eu la même idée, l'idée qu'il s'était dévoué [85]. »

« Parrain » a reçu une balle en plein visage tandis qu'il pansait un soldat blessé. On l'a trouvé un crucifix sur les lèvres. Il est enterré au Ménil, mais Irène Némirovsky fera célébrer plusieurs messes à sa mémoire à Issy-l'Évêque, et une autre dans *Tempête*, où il perce de façon non dissimulée sous les traits du sportif abbé Péricand, curé du Puy-de-Dôme, missionnaire contrarié, catéchiste, skieur et randonneur, à l'image de son modèle. Pourquoi se gêner, « puisque cela ne paraîtra, si ça doit paraître, que dans un temps apaisé, ou bien sous un faux nom » ? Mais en novembre 1940, Irène Némirovsky n'a pas encore connaissance de ces terribles détails, qui ne lui seront révélés que dans neuf mois. Et c'est pourquoi, dans le premier jet de *Tempête*, Philippe Péricand ne meurt pas au combat, comme dans une version ultérieure, mais sous les jets de pierres de ses petits orphelins rendus à la vie sauvage, tels des chiens redevenus loups. C'est aussi pourquoi, dans cet hommage posthume, l'abbé n'est pas seulement un prêtre dynamique, mais aussi un fébrile prosélyte, incapable d'affronter le mal, et littéralement possédé par « le désir d'accumuler autour de lui des âmes délivrées, une hâte frémissante qui, dès qu'il avait conquis un cœur à Dieu, le jetait vers d'autres batailles, le laissant toujours frustré, insatisfait, mécontent de lui-même [86] ». Est-ce à dire qu'Irène Némirovsky, près de deux ans après son baptême, a le sentiment d'avoir été prise comme un poisson dans les filets de ce « pêcheur enragé », portée à la colonne des crédits sur le livre de comptes de l'Église catholique ? Oui. Ce qui n'entame en rien son besoin de croire.

Trop pur pour l'ombre, trop ambigu pour la pleine clarté, l'abbé Péricand est le crucifié de *Suite française*. Il a même connu sa tentation, celle d'abandonner à leur sort ces indociles « enfants des ténèbres [87] ». Et c'est debout, les bras en croix, l'œil crevé, bombardé de pierres et d'insultes, qu'il s'enfonce dans l'eau vaseuse, tel un Christ aux outrages.

Comme l'oiseau attend le serpent

Le 21 novembre 1940, Irène Némirovsky peut écrire la première phrase – provisoire – de sa *Tempête* : « Les vêtements et les masques à gaz étaient mis de côté, dans la petite pièce sombre qui sentait la naphtaline et qui servait de cabinet noir pour les plus jeunes enfants de la famille. L'hiver était passé, le premier depuis la déclaration de guerre... » Franchir la ligne de démarcation ? Elle y songe moins que jamais. D'ailleurs, une ordonnance allemande interdit dorénavant aux Juifs passés en zone sud de revenir au nord, où l'on estime qu'ils constitueraient une menace pour la sécurité des occupants. S'exiler ? Pas deux fois cet arrachement. « Je n'ai placé hors du sol de France ni ma personne, ni mon espoir », a dit Pétain. Eh bien, elle non plus ! Il ne sera pas dit qu'Irène Némirovsky a quitté la France. À Paris, Samuel Epstein a la même réaction : « J'ai assez fui dans ma vie. » Et comment irait-elle consulter son ophtalmologue parisien ? Déménager, pourquoi pas, mais en zone nord, et dans une maison pourvue du confort minimum, comme elle l'explique trois jours avant Noël à Madeleine, réfugiée dans un village du Loir-et-Cher, avec une pointe d'autodérision :

> *Nous habitons en plein bled comme vous, avec les mêmes inconvénients (ennui mortel, isolement), et les mêmes inappréciables avantages, chauffage et excellente nourriture. Mais vous marquez un avantage d'un point puisque vous avez le confort tandis que nous vivons dans une petite auberge de village, très propre, mais c'est tout. Ma fille Élisabeth, qui a trois ans et demi, ne sait pas ce que c'est que l'eau courante, un ascenseur, etc., d'ailleurs elle ne s'en porte pas plus mal. L'aînée va à l'école du village. Elle n'a que onze ans, et ça peut aller, mais il ne faudrait pas que la situation s'éternise, sans quoi elle ne sera plus bonne qu'à garder les vaches, et comme je n'ai malheureusement pas de vaches...*

Bravade ? Inconscience ? Accoutumance au péril. Irène Némirovsky a traversé le pogrom de Kiev, la Révolution russe, la guerre civile finlandaise. Elle n'a pas eu peur. « Je n'ai jamais connu une époque paisible, expliquait-elle à la radio en 1934, j'ai toujours vécu dans l'angoisse et souvent le danger. Eh bien, malgré tout, j'ai mené une vie de jeune fille normale, je travaillais, je lisais comme maintenant [88]... » Rien n'a changé. À Issy-l'Évêque, claquemurée dans sa chambre, elle relit Tolstoï, Pouchkine, Byron. Achevant la rédaction des *Biens de ce monde*, elle tente d'analyser la prostration des Parisiens menacés de bombardement : « On attendait, sans peur réelle, avec une curiosité fascinée, comme l'oiseau attend le serpent, sans doute. On ne peut fuir, mais le danger semble trop fantastique. On ne le comprend pas ; on ne l'imagine pas [89]. » Et puis, c'est à Issy-l'Évêque qu'elle a résolu de situer *Dolce*, le deuxième volet de son *Guerre et Paix* : son village à l'heure allemande. Comme Tchekhov, elle va « s'asseoir en face de la vérité, à regarder longtemps, fixement, sans faire un geste pour la fuir, à la regarder si bien qu'elle fini[*ra*] par perdre toute forme, par se fondre en une sorte de brume, par se dissoudre et disparaître [90] ». Romancière, Irène Némirovsky a possédé au plus haut degré le don corrosif de l'observation. Pas un simulacre de vertu, de courage ou d'harmonie familiale n'a soutenu la patience de ce regard. Son œuvre est un cimetière d'illusions perdues et de vanités défardées, trahies par le miroir révélateur de Rosine Kampf : « Je suis à faire peur [91]... » Dès 1930, Henri de Régnier avait compris ce ressort essentiel de son génie : « l'intérêt est plus fort que le dégoût ».

À l'approche du rude hiver bourguignon, elle se réchauffe à une source de chaleur inattendue : une lettre d'André Sabatier, revenu sain et sauf de l'armée du Levant où, lui annonce-t-il le 11 décembre, il a dû faire « un rabiot substantiel ». De retour rue Huygens, il retrouve naturellement auprès d'Irène Némirovsky son rôle d'éditeur et d'ami. Comment refuser cette épaule ? Après l'ordonnance allemande du 12 novembre relative à « l'influence juive dans l'économie », la maison a vécu dans la terreur d'être placée sous la tutelle d'un « commissaire gérant ». Albin Michel était suspecté de ne pouvoir fournir de certificats d'aryanité... Mais l'alerte est passée. Le premier geste de Sabatier est de convaincre Esménard de continuer à verser, tant bien que mal, ses mensualités à Irène Némirovsky tout au long de l'année 1941, au besoin en les faisant encaisser par Paul Epstein. Aussitôt, la romancière évoque *La Vie de Tchekhov*, le *Pouchkine* de Veresaev traduit par Michel, *Les Biens de ce monde* et aussi *Tempête*, à mots couverts, comptant sur un prochain séjour à Paris – son premier depuis l'Occupation – pour l'entretenir plus librement de ses difficultés matérielles et de ses projets. Que dirait-il par exemple d'une « histoire d'amour *romantik*, bien peu de circonstance », qui s'intitulerait *Le Souffle du Seigneur*?

Sabatier accueille chaudement l'idée du *Pouchkine*; il ignore sans doute qu'une telle traduction existe déjà, et que Michel a œuvré en vain [92]. Il n'est pas encore question de publier *Tempête*, mais il lui adresse tout de même des livres et des journaux – une collection de *Match* de décembre 1938 à juin 1940 –, à titre de documentation. Quant au *Tchekhov*, il est déjà programmé pour 1942, illustré de rares documents que Sabatier a suggéré d'obtenir par l'entremise du célèbre danseur Lifar, né à Kiev en 1905, grand maître de l'Opéra de Paris et familier des autorités d'Occupation; à cette date, en effet, l'URSS est toujours l'alliée objective du IIIe Reich. En attendant, suggère Irène Némirovsky, Sabatier ne peut-il se débrouiller pour annoncer la parution du *Tchekhov*? « Cela me serait bien agréable, je vous l'avoue, car les gens à qui j'ai affaire verraient ainsi que je ne suis pas "tabou" », lui écrit-elle le 9 janvier.

La propagande de Vichy l'assomme, surtout les ritournelles cocardières sur les ondes nationales : « Je suppose que la radio française est pour faire plaisir aux enfants. » Quant à la logorrhée patriotique de la Révolution nationale, sa constante invocation aux valeurs d'ordre et d'obéissance, sa mystique en forme de képi, son culte religieux du chef, ils lui inspirent une méfiance croissante. « Issy-l'Évêque. 12 janvier 41. Ils parlent de communauté nationale : ce sera l'époque de l'individualisme exaspéré [...], où un homme, deux ou trois au plus mènent le monde. Toute la question est – comme toujours de savoir jusqu'à quel point le monde se laissera mener – et, surtout : si nous serons là pour voir la fin de l'histoire. » Et pourtant, « l'expérience montre que le bouleversement terrible comme celui qu'on a vécu en juin ne laisse pas subsister l'individuel. Rien que de grands remous qui viennent du fond des âges. Mais, sans doute l'individuel demeure par fragments. » De janvier à avril 1941, Irène Némirovsky peaufine donc les individualités de son roman, esquissant ici une sourde rivalité entre Cécile et Madeleine, là une étreinte entre « la petite grue » Arlette et Hubert, le fils rebelle des Péricand, jeté au cœur de la bataille de Moulins comme Fabrice à Waterloo. Mais il y avait peu d'amour dans les ballots des réfugiés de juin.

Le 23 février, le roman trouve son titre définitif : *Tempête en juin.* Ce jour-là, elle dessine sur une page du manuscrit une grande carte du Massif central, pour mieux suivre les pérégrinations de ses héros. Issy-l'Évêque figure dans le coin supérieur. Cet aide-mémoire n'empêchera pas quelques erreurs de parcours ; ainsi, l'arrivée de Corte à Tours, et son réveil le lendemain à Paray-le-Monial...

Le 2 avril, une première version de *Tempête* est achevée, insatisfaisante à son goût : « Comme tout paraît chétif à la relecture. C'est très drôle : il y a des choses comme "Destinées" qu'on écrit, sans effort, ou plutôt, sans vouloir faire très bien, simplement pour l'argent, et qui me plaisent quand je les relis. Et d'autres dans lesquelles je mets tout mon cœur... » Une chose toutefois la rassure : l'Exode ne semble pas avoir inspiré beaucoup d'écrivains, à l'exception de Colette, dont le *Journal à rebours* vient de paraître chez Fayard. On y trouve, sous le titre de « Fin juin 1940 », une suite d'instantanés, bien insuffisants pour former un roman, si télescopés qu'ils en deviennent cubistes :

> *Dépassés les chars à bœufs, les fourragères, les grosses autos masquées de poussière, les brouettes et les chars à bancs, plus loin que les puys en série, les régions assombries de verdures bleues, les prés d'herbe mûre où chaque combre recevait le sommeil d'une tribu, d'une voiture caparaçonnée de matelas, le repos d'un enfant roulé dans un peignoir éponge, d'une paire de colombes en cage, d'un fox-terrier attaché à un arbre, d'une jeune fille serrant sur elle un paletot d'homme ; par-delà les cinq cents kilomètres de route que couvrait en désordre la France glissant sur elle-même, une crédule, une oublieuse fatigue me dotait d'illusion*[93]...

« Si c'est tout ce qu'elle a pu tirer de Juin, se réjouit Irène Némirovsky, je suis tranquille. Mais, chez moi, peut-être trop d'horreur... » Quant à *Dolce*, dont elle commence à tirer les plans, il lui suffit d'ouvrir les yeux pour en imaginer les scènes. Ainsi, le 24 avril en matinée, l'arrestation de deux « soldats » emportés par les Allemands. « On leur a donné un quart d'heure pour se préparer. » Sinistre présage. Pourtant, la dizaine d'Allemands hébergés à l'*Hôtel des voyageurs* sont toujours aussi charmants et courtois. Ils sont juste plus nombreux.

La terre ne ment pas

La bonté de Carbuccia et Sabatier, une soudaine pléthore de projets, une lente habituation aux incommodités ont redonné courage à Irène Némirovsky. Certes, l'argent manque. L'administration fiscale harcèle le foyer Epstein. L'appartement de l'avenue Coquelin n'est plus payé depuis des mois, et le propriétaire refuse de baisser le loyer. Les mensualités accordées par Albin Michel ne parviennent à Issy qu'au petit bonheur. Mais pour son anniversaire, le 24 février, ses filles lui rappellent le bien le plus précieux, qui est en abondance :

Malheureusement, en ce moment,
Le cœur est riche et les sous rares.
Pour remplacer ces beaux présents
Reçois donc, notre chère maman,
Un don encore beaucoup plus rare :
Les bons baisers de tes enfants !

Les baisers n'écartent pas les nuages. Début avril, la crise de péritonite de Denise tourne au cauchemar : le docteur Benoît-Gonin se déclarant impuissant, il a fallu la transporter en gazogène jusqu'à Luzy, où un chirurgien a consenti à l'opérer en pleine nuit, sur une table de cuisine ! « Vous imaginez le désarroi », écrit sa mère, soulagée, à Madeleine Cabour, plus que jamais sollicitée de lui trouver un logement vacant dans les environs de Beaugency, idéalement « une maison de trois ou quatre pièces, meublée, avec jardin et possibilité d'être chauffé en hiver [94] ». Irène pose d'autres conditions : proximité d'un médecin et d'un pharmacien, ravitaillement en viande et en beurre pour nourrir les enfants. Et surtout, pas de troupes d'occupation ! Hélas, la location dénichée par Madeleine à Jailly, dans le Nivernais, à deux heures de route vers le nord, n'est pas libre avant le mois de septembre. Quant à la seule maison disponible à Issy, elle compte pas moins de quatorze pièces et son propriétaire exige un bail de neuf ans ! Faudra-t-il encore longtemps supporter les effluves de tabac de « ces messieurs », montant par nuées du rez-de-chaussée de l'auberge ?

Faute de mieux, Irène Némirovsky en est réduite à observer ce décor quotidien, pour le restituer avec « une objectivité parfaite » dans une série de nouvelles réalistes façonnées à la charnière du printemps 1941, dans un style plus Maupassant que Tchekhov. Voici pour commencer, saisi sur le vif un dimanche de mars finissant, le café des Loctin, « éclairé de cette lumière particulière aux jours de printemps froids, un gris clair qui glace l'âme, un gris de cafard et frissonnant. À l'horizon au-dessus des toits gris inclinés, cette faible lueur orange. Chaque fois que la porte s'ouvre il entre une bouffée de vent très froid, très pur et une odeur de lilas mouillé et de lait, car c'est l'heure où l'on trait les vaches (?). La sonnette appelle à la prière. Deux tables où l'on joue au tarot. Grosses figures vermeilles, bien nourries. Mains fortes et noires, inlavables tellement la terre est entrée dans les crevasses. Par terre, le sol est fait de carrelages (dont chacun renferme l'image d'une fleur semblable à la fleur du lys). Les poutres du plafond. De la cuisine voisine vient le jacassement des femmes qui crient très fort pour couvrir le bruit du beurre qui cuit. [...] L'air sent le lilas mouillé et le lait et un très léger parfum de pain frais, parce que c'est dimanche et que les restrictions n'ont pas touché les campagnes. Mais ça, il vaut peut-être mieux ne pas le dire. Le poêle que l'on n'allume plus depuis le commencement du mois... Son odeur de suie froide. Les tables de marbre, les canons de vin rouge, le carreau gris et marron en forme de mosaïque glissant et froid. Voyons ce que ça donne ! »

Cela donne « L'Honnête Homme », que publie *Gringoire* le 30 mai, sous le pseudonyme de Nerey. Sombre histoire, où l'on voit un vieux grigou, M. Mitaine, déshériter son fils parce qu'il le soupçonne de l'avoir volé, ayant lui-même dépouillé son père lorsqu'il était jeune. La moralité est signée Joseph de Maistre : « Je ne sais pas ce qui se passe dans le cœur d'un coquin, mais je connais celui d'un honnête homme, et c'est affreux [95]. » Irène Némirovsky exploite ici deux de ses thèmes favoris : l'hérédité du vice et « la peur créant le fantôme ». Surtout, ayant appris à connaître les paysans d'Issy, économes et durs au labeur, mais « discrets, méfiants, fermés à double tour [96] », elle regarde la campagne issyquoise sans œillères. Elle en vient à considérer le paysan français comme Tchekhov les purs moujiks tolstoïens : « Il y avait parmi eux des natures douces, résignées, d'éternelles victimes [...]. Mais, dans l'ensemble, quelle dureté, quelle bestialité, quelle vie féroce et misérable [97] ! »

On retrouve tous ces thèmes dans « La Voleuse », située à la ferme Montjeu, ancien manoir tombé en quenouille entre les mains de ses nouveaux propriétaires, paysans cauteleux et grippe-sous, qui l'ont transformé en souille. La jeune Marcelle, petite-fille adoptive de la tribu, a dérobé quelques billets. Nul ne s'en étonne : sa mère était une fille de ferme renvoyée pour le vol d'une broche. En réalité, l'enfant a caché son butin, pour faire honte à la soupçonneuse aïeule lorsque éclatera son innocence. Vengeance digne du *Bal* ! Marcelle ignore pourtant que sa mère n'était pas une voleuse, mais la victime d'une jalouse machination. N'importe, elle a hérité de la malédiction. La nouvelle – inédite – fourmille de noms réels, et l'on sent, à une série d'observations familières – « murmure de la neige qui fond et s'écoule entre deux pierres ; roucoulements des pigeons sur le toit ; gambades joyeuses des poulains dans le pré voisin et le cot-cot-cot engourdi de la volaille heureuse qui picore ses grains, tandis que s'envole légèrement et retombe une plume ébouriffée, d'un blanc de neige » –, qu'Irène Némirovsky a relevé ces croquis à la ferme Montjeu.

Deux autres nouvelles de cette période sont purement alimentaires. « L'Ogresse », signée du pseudonyme indéchiffrable de Charles Blancat, ressuscite des souvenirs du casino de Plombières, et probablement du baryton niçois Léon Ponzio, ici grimé en vieille actrice ratée forçant sa fille à rebâtir son rêve délabré, tel

Saturne dévorant sa progéniture, car « il n'y a rien de plus dangereux qu'un désir insatisfait de femme [98] ». Elle paraîtra dans *Gringoire* quelques mois après *Les Biens de ce monde*, « roman inédit par une jeune femme » dont le feuilleton tient le lecteur en haleine du 10 avril au 20 juin. C'est, de loin, le roman le plus long qu'elle ait écrit, car « monsieur de Carbuccia » n'est plus aussi prodigue qu'avant guerre. Trente chapitres, trois décennies d'Histoire française, des dizaines de personnages, de longues phrases patientes et opulentes, à l'image de la famille Hardelot, toujours éprouvée, jamais abattue. Ce nom de plage proche du Touquet est celui dont Irène Némirovsky a doté la famille Avot, sur laquelle elle pose, à vingt ans de distance, un regard tendre et moqueur, moins dupe de ses ridicules, mais infiniment nostalgique et compréhensif. Il est vrai qu'en 1940, les usines Avot ont été entièrement détruites par les bombardements.

Les Biens de ce monde n'a ni l'application de *La Proie*, ni la charge émotionnelle du *Vin de solitude*, ni la véhémence des *Chiens et les Loups*. Mais sa retenue même est poignante. C'est le grand roman classique d'Irène Némirovsky. Elle y affirme ce qui est le secret de la France : la solidité à toute épreuve de la bourgeoisie provinciale, qui ne se laisse jamais démembrer et affronte bravement le sort à coups de naissances, de mariages et de testaments. Serait-ce la paysannerie d'Issy qui, par contraste, lui rend plus nettes les qualités des Avot, si distants dans sa mémoire ? D'entrée de jeu, le sujet est sentencieusement énoncé : « Une famille de bonne bourgeoisie doit être assez grande, assez résistante pour faire pièce à la mort [99]. » Et Dieu, que la mort s'acharne ! Entrepris avant le conflit de 1940, le récit s'achève dans le fracas des armes, si assourdissant qu'il finit par recouvrir chaque voix, comme si elle avait refait *Deux* sur un champ de bataille. Magnifiquement maîtrisé, le procédé qui consiste à élargir le champ *in extremis* réduit ses personnages à la taille de microbes, de sorte que, les ayant presque perdus de vue, elle ne puisse empêcher son roman de célébrer le triomphe de la nuit. Triomphe passager : « On rebâtira. On s'arrangera. On vivra [100]. » Fût-ce en retournant à la terre cultiver les authentiques « biens de ce monde », que l'on récolte à sa propre sueur. Antienne vichyssoise ? Mais la terre n'a pas attendu Vichy pour haïr le mensonge.

Un cadre nouveau

Dans « L'Ami et la Femme », une épouse infidèle au souvenir de son mari, aviateur mort dans un désert d'Asie, fait un vol plané de deux étages dans l'escalier d'un café-restaurant de banlieue, comme autrefois Ida, la meneuse de revue de *Films parlés*. Cette nouvelle inédite semble contemporaine de l'élaboration des *Biens de ce monde* : on y trouve en effet citée la même rengaine idiote de Georges Milton, qui devait, et pour cause, trotter dans la tête d'Irène Némirovsky :

T'en fais pas Bouboule !
Pleure pas comme une moule
Ne t' mets pas les nerfs en boule.
Les tracas ça rend maboule...

Et quels tracas. En Europe, l'Allemagne progresse sur tous les fronts. Le maréchal Pétain parle de collaboration avec l'ennemi, mais il a fait démettre son dauphin Pierre Laval, qui l'a mise en œuvre. Exigeant des actes, l'occupant obtient le remplacement du pâle Flandin, son éphémère successeur, par un fonctionnaire plus zélé, l'amiral Darlan. En mars 1941, un Commissariat aux questions juives est confié à Xavier Vallat, antisémite empressé mais méthodique, chargé de préparer un nouveau statut des Juifs, plus restrictif et prédateur que le premier. Agitant le spectre de « la collusion des juifs, des Anglais et des maçons », Henri Béraud déploie des merveilles de mauvaise foi et de grossièreté pour légitimer la haine des Juifs, d'autant plus radicale que réfléchie : « D'un mot, est-il bon, est-il juste, est-il raisonnable de se dire antisémite ? M'étant posé la question, je réponds : en conscience, oui, il faut être antisémite [101]. »

Au revers même des *Biens de ce monde*, dans les pages de *Gringoire*, Béraud tient parole, démasquant les journalistes et les politicards embusqués sous de faux noms. Certaines feuilles parisiennes, telles que *Le Pilori* ou *Je suis partout*, se spécialisent dans la diatribe antijuive, l'insulte *ad hominem*, la dénonciation, l'appel au meurtre et même au génocide [102]. Dans la capitale, les appartements de Juifs « absents de Paris » sont réquisitionnés par des inconnus. Des textes viendront entériner ces voies de fait. Enfin, dans un factum fanfaron paru en avril, Lucien Rebatet, fustigeant « les tribus du théâtre et du cinéma », appelle à l'épuration pure et simple des milieux du spectacle. Et s'il lui faut donner des noms : Delac, le coproducteur de *David Golder*; Nozière, son adaptateur; Duvivier, son réalisateur, marié à une Juive; et même « un certain Nemirowsky [103] », propriétaire de deux cinémas parisiens à la veille de la guerre... Quant au bon vieux Harry Baur, faute d'avoir pu faire la preuve aveuglante de son « aryanité », il sera détenu plusieurs semaines par la Gestapo. Y a-t-il une malédiction autour de *David Golder*?

Le 26 avril, une ordonnance allemande fait obligation aux éditeurs français de verser les sommes dues aux auteurs juifs sur des comptes bloqués. Or, les retards de paiement d'Albin Michel atteignent alors 24 000 francs, qu'Irène Némirovsky se hâte de faire verser à l'ordre de Paul Epstein. Celui-ci les perçoit le jour même de la première grande rafle de Juifs à Paris, le 14 mai : trois mille sept cents personnes, aussitôt conduites dans les camps d'internement administratif de Pithiviers et Beaune-la-Rolande, dans le Loiret. On a forgé pour l'occasion un motif technocratique : « En surnombre dans l'économie nationale. » Le 2 juin est publiée la nouvelle loi portant statut des Juifs, plus draconienne que l'ancienne, qui énumère une longue liste de métiers proscrits, de banquier à exploitant forestier. Un nouveau recensement est exigé sous un mois, celui-là prélude à l'extermination, auquel se soumettent stoïquement les époux Epstein, rongeant leur frein. À ce ban d'infamie viendra s'ajouter, au fil des mois, tout un catalogue d'ordonnances vexatoires, fixant les heures de sortie accordées aux Juifs, leur imposant un couvre-feu, les excluant des lieux publics ou stigmatisant leurs boutiques – avec pour principal effet que celles-ci seront aussitôt prises d'assaut par les Parisiens, toujours à l'affût d'un bon tuyau!

Mais à part ça, tout va très bien : le 29 mai 1941, c'est une Banque des Pays du Nord aryanisée qui peut tenir sa première assemblée générale extraordinaire depuis la défaite. Le nouveau président du conseil d'administration, Charles-Albert de Boissieu, les directeurs Koehl et Maizière y assistent. Leur rapport final fait montre d'une bouleversante sollicitude :

> *Les événements qui se sont déroulés pendant l'exercice sous revue ont amené une violente perturbation dans le mouvement des affaires.* [...] *Vous vous associerez certainement à nous pour remercier chaleureusement notre personnel de tous grades, pour le courage, le dévouement et l'abnégation dont il a fait preuve. Grâce à lui nous avons pu – dans les moments graves – mener à bien une évacuation parfois difficile de nos avoirs. Nous avons à regretter la captivité d'un certain nombre de nos collaborateurs. Nous pensons que vous approuverez les mesures bienveillantes prises à leur égard, et qui permettent à leurs familles de bénéficier des avantages qui leur étaient alloués durant la mobilisation.*

Pas un mot sur le personnel écarté, mais qu'on se console : « Depuis la fin de l'été 1940, un certain retour à l'équilibre se manifeste progressivement dans les affaires de notre clientèle, qui reprend peu à peu son activité dans un cadre nouveau. » Bénéfice net de l'exercice : 11,451 millions de francs. Comme disait David Golder : « En ce temps-là, on avait de l'argent [104]... »

11

Haine + Mépris

(1941-1942)

> *« L'homme n'a les yeux grands ouverts que lorsqu'il est malheureux. »*
>
> Tchekhov, *Carnets*

« À l'échec, l'instinct humain oppose d'invincibles barrières d'espoir. Ces barrières, il faut que le sentiment du malheur les enlève une à une et alors seulement il pénètre dans la place, jusqu'au cœur même de l'homme qui, peu à peu, reconnaît l'adversaire, le nomme par son nom et s'épouvante [1] », écrit Irène Némirovsky dans le premier de ses romans achevés qu'elle ne verra pas imprimé.

La première de ces barrières cède à l'aube du dimanche 22 juin 1941, enfoncée par les blindés allemands qui viennent de franchir la frontière soviétique. Irène Némirovsky n'a certes aucune sympathie pour Moscou, mais ce retournement menace l'équilibre qui rendait supportable la présence allemande au village d'Issy-l'Évêque. Michel pouvait se prévaloir de ses amis Spiegel, Hammberger ou Hohmann, soldats qui n'étaient pas antisémites. Or, chacun s'attend à ce que le soldat allemand, occupé depuis un an à sonner le couvre-feu, à distribuer des friandises et à se rendre aimable aux populations civiles, soit bientôt affecté à l'immense front de l'Est. Qui le remplacera ?

Coup de tonnerre

Le soir du 21, pour célébrer le premier anniversaire de leur installation, les officiers ont organisé au bord de l'Étang-Neuf, sous les fenêtres du château de Montrifaut, une grande fête suivie d'un feu d'artifice, avec l'aide plus ou moins bénévole des villageois. Ces soldats, qui commençaient tout juste à parler français et à s'acclimater, n'apprennent que dans la nuit le « coup de tonnerre » de l'opération Barbarossa, qu'Hitler entend conduire victorieusement avant l'automne. La fête se transforme en bacchanale. Les détonations du champagne saluent l'acte final de la guerre et la probable montée au feu que tous redoutent.

Irène Némirovsky, elle, n'a pas attendu cette « folle nuit » pour se convaincre que la guerre est à son tournant. Le jour même, d'une discussion avec un dénommé Pied-de-Marmite qui devait avoir le nez creux, elle a retiré la certitude que les victoires tous azimuts du Reich et de l'aviation japonaise briseront la nuque anglaise et que la France sera forcée de « marcher main en main avec l'Allemagne », puisqu'il n'y aura plus de motif de la ménager. Un seul souci désormais : être encore vivante dans un an pour raconter ce « dimanche inoubliable », lorsque la mort rouge s'invita à la fête et que les convives lui dirent de se saouler.

Dire que l'été promettait d'être beau. « Chaleur inouïe, note Irène Némirovsky le 25 juin. Le jardin est pavoisé aux couleurs de juin-azur, vert tendre et rose. J'ai perdu mon stylo. Il y a encore d'autres soucis tels que menace du camp de concentration, statut des Juifs etc. » Non qu'elle redoute vraiment d'être arrêtée : on n'assassine quand même pas les Juifs dans les camps français ! Mais qui s'occuperait de Denise ? Et à qui indiquer le régime spécifique réclamé par les crises d'entérite de Babet ? C'est face à cette éventualité que, dès le 22, elle a écrit à Julie Dumot, à Marmande, de les rejoindre illico. Elle a déposé pour elle une forte somme d'argent chez le notaire du village, ainsi qu'une lettre en forme de testament, lui donnant pouvoir de tutelle :

> [...] *Lorsque l'argent sera épuisé, commencez par vendre les fourrures que vous trouverez dans nos valises et que vous reconnaîtrez certainement... Il y a aussi pas mal d'étoffes, toutes barbotées quai de Passy. Autant que possible, gardez les zibelines. Il y a également de l'argenterie. Vendez-la après les fourrures et avant les bijoux.*
>
> *Enfin, pour la toute dernière extrémité, il y aura chez Loctin le manuscrit d'un roman que je n'aurai peut-être pas le temps de terminer et qui s'appelle* Tempête en juin.

Quant à l'appartement de l'avenue Coquelin, elle l'autorise tout simplement à le « bazarder » si la situation l'y réduit. Mais pourquoi se reposer à ce point sur Julie, qu'elle n'aime guère et qu'elle a d'ailleurs à peine revue depuis la mort de Léon en 1932? Parce que Cécile est enceinte. Et parce que Julie Dumot, cinquante-six ans, célibataire, de retour en France en avril 1940 après avoir longtemps résidé à l'étranger, se trouve alors désœuvrée. C'est d'ailleurs pour l'installer à demeure qu'Irène et Michel se décident finalement à louer la grande maison de quatre chambres, place du Monument aux morts, que consent à leur céder le sieur Marius Simon pour 4 500 francs annuels [2], à compter du 11 novembre. Il n'y manque que du bois de chauffage, un fourneau et quelques meubles commandés au menuisier Billaut.

Il n'est pourtant pas trop tard pour passer clandestinement en zone sud où, paraît-il, « on se fout de la guerre » (28 juin). « Ils auraient pu fuir en Suisse, dira Cécile; ils n'ont même pas essayé [3]. » Mais Irène Némirovsky continue de compter sur les Morand, Benoist-Méchin et même Grasset qui, en cas de malheur, n'auraient qu'un mot à dire au très civil ambassadeur Otto Abetz. Dans une lettre rédigée à l'avance, autorisant Julie, le jour venu, à récupérer tous ses meubles parisiens, la romancière le précise d'ailleurs à son gérant : « J'espère que cet état de choses ne saurait durer et que nos amis influents réussiront à nous libérer. » Elle redoute pourtant les conséquences du « coup de tonnerre » du 22 juin : politique de collaboration renforcée – qu'illustre dès juillet la création de la Légion des volontaires français contre le bolchevisme – et nazification à grand train de la zone occupée. Elle pressent en outre qu'en la laissant aux prises avec l'administration française, ces jeunes soldats de vingt ans, futures victimes de guerre, lui font courir un plus grand risque que sous l'ordre allemand. Aussi, lorsque Issy-l'Évêque apprend la mobilisation de « ses » Allemands, le premier geste de Michel est-il de se faire délivrer par le *Feldwebel* Hammberger, leur voisin de l'*Hôtel des Voyageurs*, un billet de recommandation ainsi rédigé : « Nous avons vécu auprès de la famille Epstein depuis longtemps et nous les avons connus comme une famille honnête et aimable. Nous vous prions de les traiter en conséquence. *Heil Hitler !* » On ne sait jamais.

Les troupes d'occupation quittent le village le 28 juin. « Ils ont été abattus pendant 24 heures, maintenant ils sont gais, surtout quand ils sont ensemble. Le petit chéri dit tristement que "les temps heureux sont passés". Ils envoient chez eux leurs paquets. Ils sont surexcités, cela se voit. Discipline admirable et, je crois, au fond du cœur pas de révolte. Je fais ici serment de ne jamais plus reporter ma rancune, si justifiée soit-elle, sur une masse d'hommes quelles que soient race, religion, conviction, préjugés, erreurs. Je plains ces pauvres enfants. Mais je ne puis pardonner aux individus, ceux qui me repoussent, ceux qui froidement nous laissent tomber, ceux qui sont prêts à vous donner un coup de vache. Ceux-là... que je les tienne un jour... »

Irène Némirovsky pense à Koehl, Boissieu, Vignaud et Fayard, bien sûr, mais aussi à l'État français, qu'une « relecture attentive » du *Journal officiel* rappelle à son souvenir. C'est le 14 juin, en effet, qu'y est publiée la nouvelle « loi portant statut des Juifs », dont l'article 5 leur ferme notamment la profession de « rédacteur, même au titre de correspondant local, de journaux ou d'écrits périodiques ». Précision ambiguë, qui la condamne soit au silence, soit à la ruse. C'est donc le pseudonyme « Pierre Imphy », du nom d'un bourg nivernais, qu'elle inscrit en juillet au bas de sa première nouvelle écrite depuis le 22 juin. Dans cette fable pacifiste, un soldat français découvre que l'ennemi qu'il a abattu était son demi-frère, conçu pendant l'occupation de la Rhénanie, vingt ans auparavant. L'Allemand s'appelait Franz Hohmann : hommage délibéré au lieutenant qui était devenu l'ami d'Irène et Michel Epstein, parti semer la mort ou la recevoir quelque part entre Kiev et Moscou. « L'Inconnu, nouvelle écrite par une jeune femme », paraîtra dans *Gringoire* le 8 août. Quant à Michel, après le départ de ses « protecteurs », il saisit la première occasion de demander à la *Kreiskommandantur* d'Autun, par une lettre du 30 juillet qu'on lui indique le moyen d'envoyer à Hohmann sa montre laissée en réparation « dans les environs d'Issy-l'Évêque »...

Tandis que, depuis le mois de mai, plusieurs milliers de Juifs ont déjà fait l'objet de rafles en zone occupée, les Epstein se reposent plus que jamais sur la loyauté des forces d'occupation. Ils n'ont pas forcément tort : en juillet 1941, le maire d'Issy-l'Évêque, M. Cogny, est brutalement relevé de ses fonctions pour « attitude contraire à la ligne de conduite actuelle » et remplacé par M. de Villette, châtelain de Montrifaut, plus conciliant. Irène Némirovsky lui prêtera dans *Dolce* les dehors du pusillanime vicomte de Montmort, collaborateur malgré lui, qui imagine d'autant moins se dérober à sa mission que son épouse est une maréchaliste exaltée, romantiquement antisémite, féodale dans l'âme, et que c'est elle qui détient les nombreuses métairies du pays. Et c'est pourquoi Montmort, en dernier ressort, « lèche les bottes aux Allemands [4] ». Parallèlement, le conseil municipal d'Issy, à majorité SFIO, est dissous d'autorité par le sous-préfet d'Autun, et le garde champêtre révoqué pour « avoir tenu des propos offensants envers la personne du chef de l'État [5] ». Irène Némirovsky a donc vu juste : la politique de collaboration commence à se faire sentir et, si Issy-l'Évêque abrite sous l'Occupation un noyau actif de Résistance – au sein duquel le pâtissier Morlay et le boulanger Lacombre –, le village aura aussi son lot de délateurs, dont l'un au moins, « dévoué au gouvernement du Maréchal » et convaincu de « menées antinationales », sera jugé et condamné à deux ans d'emprisonnement à la Libération [6].

C'est dans ce lourd climat que Julie Dumot arrive à Issy-l'Évêque, le 11 juillet 1941. Elle joue désormais auprès des filles le rôle jusque-là tenu par Cécile Michaud, dont Irène Némirovsky biffe d'ailleurs le nom en tête de ses nouvelles restées inédites, « Les Cartes » et « L'Inconnue ». Ce dernier texte, moins anodin qu'il y paraît, met en scène un romancier passé de mode, victime d'une admiratrice assidue qui a fini par l'acculer au mariage. Ce Driant qui « fuyait l'Europe parce qu'il était dégoûté du monde actuel » rappelle diablement Morand, mais son nom résulte de l'hybridation de Drieu et Châteaubriant, hitléromanes déclarés. Moralité : « Ne le plaignez pas : il n'a que ce qu'il mérite. »

Irène Némirovsky espère que, dissimulée sous l'identité de Julie, libre d'aller à Paris ou de publier sous son nom, il lui sera désormais plus facile de placer le produit de ses interminables journées d'écriture. Elle vient en effet de remettre *Tempête* sur le métier. Il ne lui manque, pour polir son roman et corriger ses erreurs, qu'un peu de documentation : « 1) Une carte de France extrêmement détaillée ou un guide Michelin. 2) La collection complète de plusieurs journaux français et étrangers entre le 1er juin et le 1er juillet. 3) Un traité sur les porcelaines. 4) Les oiseaux en juin, leurs noms et leurs chants. » À la relecture, elle est frappée de voir que ce tableau fourmillant de la débâcle, d'une complexité qu'elle se reproche, offre en réalité une vue en coupe de la société française, et que n'en sortent pas forcément grandis ceux qu'elle imaginait. 30 juin : « Insister sur les figures des Michaud. Ceux qui trinquent toujours et les seuls qui soient nobles vraiment. Curieux que la masse, masse haïssable soit formée en majorité de ces braves types. Elle n'en devient pas meilleure ni eux pires. »

Il y a deux morales dans *Tempête* : la première, digne de La Fontaine, est que l'ouragan peut abattre un régime de soixante-dix ans, l'ordre social, lui, se contente de ployer et se redresse plus ferme ; la seconde, que l'héroïsme est vain, mais pas plus que le déshonneur. Le 24 juillet, Irène Némirovsky vient d'apprendre les circonstances exactes de la mort de « Parrain », en juin 1940, et soudain la lapidation de l'abbé Péricand lui paraît cruelle, à la fois « trop mélo » et indigne de son sacrifice. Dans le nouveau chapitre qu'elle rédige alors, l'abbé mourra tout aussi inutilement, mais en portant secours à un camarade blessé sur le front des Vosges. C'est encore une crucifixion, mais sa foi paraît ébranlée par l'horreur déchaînée, et la mort reçue par une balle perdue est un bien dérisoire sacrifice. Si peu de sang et tant de péché : pour qui donc meurt l'abbé Péricand ?

L'esprit de la ruche

Au cours de l'été 1941, Irène Némirovsky peut envisager le second volet de son roman-fleuve. Après la tourmente, *tempestuoso*, elle veut observer dans *Dolce* comment un village français s'accommode de la défaite, à quel degré il feint la soumission ou la fraternisation, et ce village, Bussy-la-Croix, n'est autre évidemment qu'Issy-l'Évêque. Le cadre temporel est lui aussi tout trouvé : le roman, qui commence au début du printemps 1941, s'achèvera avec le départ des Allemands pour le front russe et le réveil de l'instinct germanophobe, endormi ou réprimé depuis le début de l'Occupation.

La vraie difficulté consistera à rattacher *Dolce* à *Tempête*. Mme Angellier, personnification de l'invincible bourgeoisie provinciale, pourrait être « une sœur de Mme Péricand ». La vicomtesse de Montmort, confite en pétainisme, pourrait être liée au comte de Furières, codirecteur de la banque Corbin. Arlette serait, de nouveau, l' « instrument de la destinée ». Et Corte ? Et Langelet ? « Non ! à liquider sans perte... » Au bout du compte, presque aucun personnage de *Tempête* ne subsistera dans *Dolce*. Bussy n'est que le village où les sœurs Labarie ont recueilli le soldat Jean-Marie, et l'on apprendra que, par un hasard invraisemblable, Mme Angellier avait hébergé ses parents durant l'Exode. Liens ténus, qui auraient dû faire de *Dolce* l'intermède printanier de la *Suite française* d'Irène Némirovsky.

Collusion, endurance ou rébellion sont affaire de circonstances et de tempérament ; que le danger s'éloigne, que le printemps finisse, les Français se retrouveront d'accord pour haïr les Allemands. Mais il sera permis de regretter que cet atavisme, plus puissant que la tentation amoureuse ou que l'esprit universel, demeure à jamais irréductible. *Dolce* généralise le thème de l'incompatibilité des races, « ces mouvements obscurs du sang » que ni le cœur ni la raison ne parviennent à dominer. « Étranger ! Étranger ! ennemi, malgré tout et pour toujours ennemi [7]. » C'est tout le drame de Lucile Angellier, que mille conventions et préjugés qui ne sont pas les siens, mais ceux d'une société, retiendront de céder aux avances du lieutenant Bruno von Falk, pas nazi pour un sou. C'est sans doute leur idylle qu'Irène Némirovsky avait projeté d'isoler sous le titre *Nuit et Songes* : « Et pourtant, ils auraient pu s'aimer, ils auraient pu être heureux. Il faudrait beaucoup de poésie, nature, musique, etc. Je suis drôle. Je sais que c'est impubliable. Alors, pourquoi ne pas le faire franchement "pour après" ? Ce serait le seul moyen. » Mais dans *Dolce*, destiné malgré tout à la publication, Lucile ne peut que se refuser à Bruno, ni lui oublier qu'il est un soldat : « On me dit d'aller là, j'y vais. De me battre, je me bats. De me faire tuer, je meurs [8]. »

C'est le sens profond de ce roman : l'âge des nationalismes et du pas cadencé, « l'esprit de ruche » comme l'appelle von Falk, prétend rassembler les hommes par la force et non par un élan naturel. Non seulement il interdit aux sangs de se mêler, mais il crée des réflexes de répulsion chez telle jeune femme française éprise d'un sous-officier allemand. Irène Némirovsky a mis beaucoup d'elle-même dans le personnage de Lucile, si étrangère aux passions politiques qu'elle ménage à la fois l'envahisseur allemand et l'assassin français. Elle, juive, apatride, proscrite, n'entre dans aucune des alvéoles prévues par l'idéologie de l'enracinement, triomphante de Madrid à Moscou. C'est bien l'orgueil d'Irène Némirovsky qui retentit à la fin de *Dolce*, un refus sauvage de « suivre l'essaim », de fondre son propre destin dans celui de la France, bien explicable si l'on songe à tant d'efforts déçus pour entrer dans la communauté nationale et aboutir à cette porte close : le Statut des Juifs. « Je hais, dit Lucile, cet esprit communautaire dont on nous rebat les oreilles. Les Allemands, les Français, les gaullistes s'entendent tous sur un point : il faut vivre, penser, aimer avec les autres, en fonction d'un État, d'un pays, d'un parti. Oh, mon Dieu ! je ne veux pas [9] ! » N'était-ce pas déjà, ce farouche individualisme, la raison de son indifférence à l'appartenance juive ?

Chaleur du sang

Ce sujet, la « lutte entre le destin individuel et le destin communautaire », n'apparaîtra distinctement qu'en 1942, mais dès les premiers chapitres de *Dolce*, ébauchés durant l'été 1941, il est là, réduit à sa plus simple expression : le conflit entre le sentiment du devoir et les lancinantes pulsions d'amour. C'est la servante de l'*Hôtel des Voyageurs*, tiraillée entre sa dignité française et l'instinct qui lui brûle les veines, rougissant des flatteries de jeunes fauves allemands. C'est la couturière du bourg qui, refusant de jauger son plaisir au malheur collectif, le prend avec un soldat « ennemi », car « s'il fallait vraiment marcher pour les autres, on serait pires que des bêtes [10] ». Que valent les vieilles notions de sol sacré ou d'aversion héréditaire devant l'empire tout-puissant des sens ? N'est-ce pas « le sang chaud et riche de la jeunesse [11] » qui a détourné de Lucile son mari Gaston, et non la guerre, qui le retient prisonnier en Allemagne ? L'amour vaincra ou périra.

La « chaleur du sang » ! Il y a si longtemps qu'Irène Némirovsky a fait de ce principe d'impulsivité et de jeunesse le ressort irrationnel de ses romans, détournant de leur cours les destins tracés. L'expression apparaît dans son œuvre dès 1934 : « Il est merveilleux d'avoir vingt ans. Est-ce que toutes les jeunes filles savent le voir comme moi, goûter cette félicité, cette ardeur, cette vigueur, cette chaleur du sang [12] ? » Depuis 1938, elle souhaite montrer dans un récit que l'« expérience », comme l'appellent les vieux, est en général le résultat du hasard, et la « sagesse » une forme de ruine, ce qui reste de souffle pour crier grâce lorsqu'on a poursuivi des chimères toute sa vie. De jeunes amants creusent les ornières de l'amour, croyant choisir leur voie, sourds aux avertissements des aînés. Quand bien même leurs parents en auraient triomphé, comme François et Hélène Érard, la « chaleur du sang » se transmet de génération en génération, tel un mal héréditaire. Car ses ravages ne servent d'aucune leçon. Aussi Silvio, qu'une ancienne passion a réduit à néant, est-il disposé à s'y consumer de nouveau.

Chaleur du sang, commencé durant le brûlant été 1941, serait en somme l'illustration de la phrase fameuse de Proust : « On ne reçoit pas la sagesse, il faut la découvrir soi-même après un trajet que personne ne peut faire pour nous, ne peut nous épargner, car elle est un point de vue sur les choses [13]. » C'est à Issy-l'Évêque, sans prendre la peine de changer les noms de personnes et de lieux, presque tous réels, qu'Irène Némirovsky a situé cette parabole sur les âges de la vie et l'imprévisibilité du destin, menée comme une énigme policière. Il est d'ailleurs impossible de dissocier de *Dolce* l'élaboration de *Chaleur du sang*, dont le sujet commun est le primat de l'instinct, mais aussi la « malveillance merveilleusement agissante » du monde paysan, expression qui montre qu'elle n'était plus dupe de la mythologie rurale de Vichy. La terre ne ment pas, c'est un fait... mais ceux qui en vivent ! « Ce pays, au centre de la France, est à la fois sauvage et riche. Chacun vit chez soi, sur son domaine, se méfie du voisin, rentre son blé, compte ses sous et ne s'occupe pas du reste [14]. » Phrase que l'on retrouve, presque identique, au début de *Dolce* : « La vie dans ces provinces du Centre est opulente et sauvage ; chacun vit chez soi, sur son domaine, rentre ses blés et compte ses sous [15]. » Indifférence appréciable en temps de paix. Mais à l'heure allemande ?

Blessures

Automne 1941. Denise, qui a passé l'été chez une amie bordelaise, est de retour à Issy-l'Évêque, certificat d'études primaires en poche. Elle a une petite chatte, Sara, et un camarade empressé qui s'appelle André. Faute de coiffeur, Irène Némirovsky dissimule ses longs cheveux dans une épaisse résille en velours. Paris lui manque cruellement. Sa vue baisse, ses dents la font souffrir, elle ne peut les soigner. Le bonheur rustique ? « Ce genre de vie non seulement ne présente aucun caractère de luxe, mais constitue pour moi une privation tant au point de vue moral que matériel (manque absolu de confort, logement exigu etc.) [16] », écrit-elle au propriétaire de son appartement parisien, pour le convaincre d'en baisser le loyer. Elle voit déjà venir le jour où les difficultés l'obligeront à s'en séparer. Et le fisc qui s'obstine à nier la défaite !

Le 5 septembre a paru dans *Gringoire*, sous le pseudonyme de Nerey, un court récit nostalgique dont les personnages et les lieux – l'ancienne ferme Montjeu, tombée en déshérence – sont aussi ceux de *Chaleur du sang*. « Que nous sommes drôlement faits, tout de même ! Notre faible mémoire ne garde que la trace du bonheur, si profondément marquée parfois que l'on dirait une blessure [17]. » L'une de ces blessures : une lettre reçue, le 6 août, d'un amant de Fanny, réfugiée sur la Côte d'Azur avec de faux papiers lettons, et réclamant restitution des fourrures « barbotées » quai de Passy au début de l'année ! Rien à espérer de ce côté-là. « Puisque vous aurez l'occasion de voir ma mère, a-t-elle répondu, je vous serais obligée de lui confirmer que c'est en effet moi qui ai pris les fourrures dont elle vous a parlé (entre autres, une pelisse qui a appartenu à mon père) et différents autres objets. Vous lui direz également que j'ai immédiatement vendu tout cela, ce qui a permis à ses petites-filles et à moi-même de subsister pendant quelque temps. Je pense qu'elle sera ravie d'avoir pu ainsi me venir en aide. En raison des circonstances actuelles, elle devait certainement se douter que je n'avais ni argent, ni travail au moment où elle s'est enfuie de Paris. Je le lui avais cependant écrit, mais je suppose que cette lettre ne lui est pas parvenue, puisque je n'ai jamais eu de réponse de sa part. [...] P. S. J'ai malheureusement retiré peu d'argent de la vente de ces fourrures, car elles étaient dans un état pitoyable [18]. » L'ironie conserve ses droits – et aussi le tendre amour maternel de Fanny !

En Russie, Odessa est tombée en août, Kiev le 19 septembre, et chacune de ces conquêtes s'est accompagnée de massacres sans aucune mesure avec les vieux pogroms russes. Avant l'hiver, Victoria et sa fille Elena auront dû quitter Moscou précipitamment, abandonnant dans leur fuite des lettres et des photos de famille à jamais perdues. Ici se séparent les destins d'Irène et de sa tante chérie.

En France occupée, la litanie des vexations antisémites n'en finit plus. Depuis le 26 avril, les comptes en banque des Juifs sont gelés. Le 22 juillet, une loi « relative aux entreprises, biens et valeurs appartenant aux Juifs » a institué la spoliation légale, « en vue d'éliminer toute influence juive dans l'économie nationale ». Cette mesure va permettre à trois banques parisiennes, dont celle des Pays du Nord, de financer la création d'un Omnium français d'études et de participations (Ofepar) destiné à « la reprise éventuelle d'affaires juives avec les seules ressources de la société ou avec le concours de l'État [19] ». Depuis le 13 août, il est également interdit aux Juifs de détenir un poste de radio. À Paris, en septembre, s'est ouverte au Palais Berlitz une exposition de sinistre fantaisie sur « Le Juif et la France », qui attirera près de deux cent mille visiteurs. Un journal collaborationniste pose gravement la question : « Faut-il exterminer les Juifs [20] ? »

Elle enrage de subir à Issy une résidence forcée. Qu'il lui tarde de retrouver Paris et s'assurer de vive voix qu'Albin Michel a bien l'intention de publier ses nouvelles œuvres. Michel Epstein s'en ouvre avec une inexplicable franchise dans la requête qu'il adresse, le 2 septembre, au sous-préfet d'Autun :

> *L'on m'écrit de Paris que les personnes assimilées aux Juifs ne peuvent quitter la commune où elles résident sans autorisation préfectorale.*
>
> *Je me trouve dans ce cas, ainsi que ma femme, puisque, bien qu'étant catholiques, nous sommes d'origine juive. Je me permets donc de vous demander de bien vouloir autoriser ma femme, née Irène Némirovsky, ainsi que moi-même, de passer 6 semaines à Paris où nous avons également un domicile : 10 avenue Constant-Coquelin, pendant la période allant du 20 septembre au 5 novembre 1941.* [...]

Autorisation refusée. Irène Némirovsky se débat. Parce qu'elle a vu dans les journaux que venaient de paraître des livres de Daniel Halévy et Jean Fréville, tous deux juifs (« pour le second surtout, que je connais depuis l'enfance, j'en suis sûre [21] »), elle ne comprend pas pourquoi Robert Esménard diffère encore la parution de sa *Vie de Tchekhov*. L'explication est aussi simple qu'amère : non seulement Halévy n'est pas juif, mais Fréville, fervent communiste, spécialiste des questions économiques, n'a rien publié depuis sa traduction de textes de Marx sur la famille en 1938.

Esménard répond à toutes les lettres, toutes les angoisses de son auteur, accepte de poursuivre le versement de ses avances mensuelles tout au long de 1942, mais jamais il n'ose lui avouer que tout s'oppose à la publier, ne serait-ce que pour ne pas attirer l'attention de la censure allemande. « Il s'agit d'attendre le moment propice, lui écrit-il. Très vraisemblablement, une occasion favorable se présentera bientôt et Sabatier effectuera alors avec toute la discrétion voulue, une nouvelle démarche en votre faveur [22]. » Irène Némirovsky, dont les pensées « ne peuvent être que noires », se nourrit de ces faux espoirs ; « je sais maintenant, grâce à vous et à M. Esménard, que j'ai encore des amis, et cela est très réconfortant », confie-t-elle à Sabatier le 14 octobre, non sans lui joindre copie d'une lettre flatteuse des Films Gibé, transmise par Carbuccia, au sujet d'une adaptation cinématographique des *Biens de ce monde*. Elle ne s'est donc pas inspirée en vain de *Cavalcade* ! « Cela prouve, plaide-t-elle, ainsi que d'autres échos qui me sont revenus au sujet de ce roman, qu'une signature connue n'est pas indispensable au succès d'un ouvrage. » La solution la plus simple ne consisterait-elle pas à la publier désormais sous un nom d'emprunt ? Esménard s'applique à décevoir toutes ces interrogations avec une fermeté d'autant plus surprenante que la vente de livres n'a jamais été aussi florissante. Ainsi, cette lettre du 27 octobre :

[...] *je dois vous signaler que conformément aux indications très précises que nous avons reçues du Syndicat des éditeurs au sujet de l'interprétation des dispositions résultant de l'ordonnance allemande du 26 avril, article 5, nous nous trouvons dans l'obligation d'affecter à leur « compte bloqué » tous paiements revenant à des auteurs israélites. Partant de ce principe, il est dit que « les éditeurs doivent payer les droits d'auteur aux auteurs israélites en les adressant à leur compte dans une banque après avoir eu de cette banque l'assurance que ce compte est bloqué ».*

D'autre part, je vous retourne la lettre que vous avez reçue des Films Gibé (après en avoir conservé une copie). Des renseignements que j'ai obtenus de source qualifiée, il résulte qu'une affaire de ce genre ne peut être réalisée que lorsque l'auteur d'un roman susceptible d'être adapté à l'écran est d'origine aryenne, aussi bien dans cette zone-ci que dans l'autre. Je ne puis donc traiter une telle affaire que quand l'auteur de l'ouvrage à porter à l'écran me donne les garanties les plus formelles à ce sujet.

Irène Némirovsky prend cette rudesse pour ce qu'elle est : une façon déguisée de lui indiquer la marche à suivre, et c'est sur le même ton qu'elle lui suggère de faire désormais bénéficier de tous ses droits son « amie » Julie Dumot, puisque celle-ci « est indiscutablement aryenne et peut vous donner toutes preuves à cet égard [23] ». Le 17 décembre, en effet, Julie Dumot, « en littérature Jacques Labarre » – un nom déniché dans *Les Misérables* de Hugo –, signe avec Albin Michel un contrat d'auteur en tout point comparable à celui dont jouissait Irène Némirovsky, valable pour deux romans annuels à compter du 1er janvier 1942. Malgré cet arrangement, *Les Biens de ce monde* ne paraîtra jamais sous couverture jaune et ne sera pas porté à l'écran.

Cependant elle n'abandonne pas l'idée d'obtenir un permis d'aller à Paris « pour trois semaines, un mois [24] ». Dans cet espoir, elle récupère le 1er décembre ses manuscrits déposés à l'étude de Me Vernet en avril et septembre, afin de les confier à Sabatier, certaine qu'ils seront mieux abrités dans les greniers de la rue Huygens, si d'aventure elle et Michel venaient à être internés. Cet ensemble comprend, notamment, les diverses rédactions de *David Golder*, le journal du *Pion sur l'échiquie*, celui du *Vin de solitude* et celui du *Charlatan*, le premier jet des *Chiens et les Loups*. Elle y joindra *Chaleur du sang* et quelques nouvelles inédites en tête desquelles le nom de Cécile est remplacé par celui de Julie. Elle a maintenant l'assurance qu'Albin Michel publiera sans attendre *La Vie de Tchekhov*, grâce au subterfuge du prête-nom. Or elle seule peut indiquer où trouver les illustrations photographiques et la bibliographie qui conviendraient. Elle ignore que les cent trente mille volumes de la bibliothèque Tourgueniev, où elle aimait tant flâner avant-guerre, ont été emportés en Allemagne dès l'été 1940 par le *Reichslater* Alfred Rosenberg, théoricien du parti nazi et féru de lettres russes...

Parallèlement, elle se propose de solliciter son *Ausweiss* directement à la *Kreiskommandantur* d'Autun, pourvu qu'Esménard veuille faire appuyer sa demande par quelque autorité parisienne. Hélas, même les démarches de Sabatier restent vaines ; du reste, Irène Némirovsky craignait qu'elles ne la mettent en danger « en attirant l'attention sur [*s*]on humble personne [25] »... Il ne lui reste désormais qu'une solution pour se rapprocher de ses éditeurs : que l'un d'eux veuille bien faire le long trajet jusqu'à Issy-l'Évêque où elle le recevra dans sa nouvelle maison. C'est, sur l'ancienne place du marché aux petits animaux, une large bâtisse de quatorze pièces, froide mais spacieuse, qui dispose d'un potager et d'un verger d'où l'on voit les monts du Morvan. Michel y cultive des salades, des radis, des betteraves et entretient la vigne. Des cerisiers et des poiriers fleuriront au printemps. Des poules donnent six œufs par jour. Il y a même un clapier. L'ordinaire en est très amélioré. « Je ne vous promets pas un grand confort, écrit-elle à Sabatier le 11 décembre, du moins vous pouvez être assuré que vous mangeriez à peu près comme avant-guerre. » Il lui faudra pourtant patienter trois mois avant que son éditeur ne se résolve à prendre le train.

Un verre d'eau de Vichy

Dans ce qui sera sa dernière demeure, à deux pas du poste de gendarmerie, Irène Némirovsky reprend confiance et s'accroche à tout espoir. Convaincue que sa *Vie de Tchekhov* va paraître, elle supplie Sabatier de s'assurer que ce livre n'est en rien susceptible de froisser la censure, « quoique je le croie irréprochable à ce point de vue [26] ». Installée dans un fauteuil sous la véranda, elle griffonne pour *Gringoire* – qui ne la publiera pas – l'amusante histoire du mariage de raison d'Octave, paisible collectionneur de porcelaines et de verreries anciennes, avec une riche Américaine, puis son remariage avec la bonne de maison [27]. Ce vaudeville est une évocation déguisée du divorce haut en couleur du prince de Caraman-Chimay et de l'extravagante Clara Ward après sept ans de vie conjugale, en 1897. C'est sans doute Julie Dumot qui lui a remis cet épisode en mémoire, elle qui fut un temps au service de la belle-sœur du prince, la princesse Alexandre de Caraman-Chimay (1878-1929), sœur d'Anna de Noailles et correspondante de Marcel Proust.

Pour les vacances de Noël, Julie a emmené Denise et Babet trouver le soleil à Cézac, son village des Landes. Un froid sibérien est tombé sur Issy-l'Évêque. Irène a reçu pour les fêtes quelques livres de Sabatier et Michel attend du champagne. Avant le printemps, il se promet de commander des semences de fleurs et de légumes chez Vilmorin, quai de la Mégisserie, mais déjà il commence à tirer un petit revenu des colis de victuailles qu'il adresse à leurs amis parisiens, soumis au rationnement. Une forme de vie reprend, diminuée mais presque sereine. Voici bientôt six mois que les Allemands ont quitté Issy. Certes, tout n'est pas rose. Michel s'est mis à boire du vin, plus que d'ordinaire. Certains s'étonnent, dans le village, qu'une aussi grande maison soit nécessaire pour abriter deux réfugiés oisifs, leurs enfants, une bonne et une grosse cuisinière prénommée Francine.

Non seulement le débit de son compte d'auteur chez Albin Michel avoisine les 120 000 francs, mais il apparaît assez vite que Carbuccia ne prendra pas le risque de publier *Tempête en juin*, dont elle espérait 50 000. « L'Incendie » sera le dernier de ses textes à paraître dans *Gringoire*, le 27 février 1942. C'est un conte très étrange. Un peintre sarcastique, Mario, retiré dans un château isolé qui n'est autre que la ferme Montjeu, feint d'avoir fui la médiocrité et la laideur modernes. À sa mort, dans un incendie, on découvre qu'il cachait chez lui deux nains difformes, qui suivront son corbillard en habit de deuil. Ses fils. En guise d'énigme, Irène Némirovsky invite le lecteur à deviner la « signification profonde » de ce curieux « spectacle [28] », mais quelle peut-elle être ? Que l'excès de pureté dissimule une turpitude ? Qu'elle se sent regardée à Issy comme une bête curieuse ? André Suarès, qui lira cette nouvelle par hasard, n'en délivre pas la clé. Mais sa surprise n'est pas mince de découvrir un récit de cette qualité dans le torchon qu'est devenu *Gringoire*. « Une perle au fond de l'auge à cochons, cela se trouve. Dans une feuille infâme, je lis une nouvelle de Pierre Neyret, "L'Incendie". Quel est cet auteur ? Je l'ignore ; j'en connais et j'en lis si peu. Récit ferme et sobre, qui peint les caractères et les fait voir. Autant de sens que de mérite. Nouvelle qui ferait honneur à Mérimée, dont elle n'a rien d'ailleurs. Vraie dans le détail et belle dans la fiction [29]. » Même sous pseudonyme, même alimentaire, une nouvelle d'Irène Némirovsky ne passe pas inaperçue. Elle est alors au sommet de son art et ne cède rien. Car comme dit Mario : « Je vis dans l'obscurité. L'œil accoutumé à l'ombre devient d'une délicatesse de perception exquise [30]. »

Encouragée par le bon accueil réservé aux *Biens de ce monde*, Irène Némirovsky s'est aussitôt lancée dans une nouvelle saga familiale, qui couvrira la période de l'entre-deux-guerres jusqu'au triomphe du pétainisme, à l'automne 1941. *Les Feux de l'automne* n'est donc qu'en apparence un jumeau des *Biens de ce monde*. Tandis que, dans ce premier roman, elle chantait les louanges de l'increvable bourgeoisie terrienne, sans peur et sans reproche, dans *Les Feux de l'automne* elle extrait du marais social ceux qui, ayant rejeté tout souci d'honneur et de probité, ont mijoté la défaite de la France, pourrie par l'addition de ses égoïsmes. La fripouille de salon triomphant du Soldat inconnu : quel joli tableau, tellement dans l'air du temps ! Tellement *Gringoire* !

Les choses sont moins simples. Bernard Jacquelain, en 1914, était un adolescent intrépide, impatient de prouver sa bravoure. Quatre ans de front l'ont transformé en chacal. Travail, famille, patrie ? Attrape-nigauds. Tandis qu'il pataugeait en Lorraine, un Raymond Détang, à l'arrière, se graissait la patte au nom de « l'union sacrée ». Désormais, Bernard n'est pressé que de gaspiller, puis de mourir. « Qu'on me laisse seulement sortir de là et je jouirai de tout ce qui m'a été refusé [31]. » Ce qu'il fera, vautré dans le Paris cosmopolite d'après-guerre. En amour, en affaires, en politique, Bernard ne respecte rien et scandalise son pauvre père, un patriote en chambre qui n'y comprend goutte. C'est pourtant simple : cette vie de stupre et de corruption, c'est tout bonnement « la mentalité de la guerre transposée dans la paix [32] », la boue de Verdun déposée au fond des âmes. Après le crime, le châtiment : parce qu'il a sciemment pourvu l'aviation française de pièces américaines bon marché, Bernard est directement responsable de la mort de son fils, dont l'appareil, un cercueil volant, s'est écrasé sans avoir combattu, aux premières heures de la nouvelle guerre.

À vue de nez, ce roman véhicule une morale vichyste : l'humiliation de 1940 a vengé la profanation des morts sacrés. Perverti par « l'esprit de jouissance », Bernard est puni par où il avait péché. Mais le grand incendie a nettoyé son âme. La cendre des années perdues sera l'engrais du renouveau moral. Irène Némirovsky n'est pas loin de partager le rêve prémonitoire de la vieille Mme Pain : « Tu vois, lui disait-elle : ce sont les feux de l'automne ; ils purifient la terre ; ils la préparent pour de nouvelles semences [33]. » Mais en enracinant son roman dans les grandioses illusions de la Belle Époque, défigurées par l'ypérite, les shrapnells et la gangrène, Irène Némirovsky démontre que c'est le culte hypocrite de la guerre, le sacrifice prêché en chaire, en un mot le barrésisme qui a fait des rescapés de la « der des ders » les prophètes de la future débâcle. On ne revient pas du royaume des morts pour y retourner. D'ailleurs, *Les Feux de l'automne* est l'amplification d'une nouvelle ébauchée fin 1939, « En raison des circonstances » ; déjà, le permissionnaire René y confondait sagesse, colère et passion nationaliste, héritage empoisonné des combattants de la Grande Guerre, trompeusement persuadés « que ce sont les obus, les torpilles, les flammes qui sont les seules réalités »...

Ce n'est donc pas l'avachissement moral du peuple français qu'Irène Némirovsky fustige, mais l'idolâtrie du profit, effet pervers de la guerre : « Moi, après tout, je m'en fous, pourvu que je fasse mon beurre [34]... » Car qui, dans son roman, en appelle à « une poigne, un chef [35] », qui rêve de dictature et de coup d'État, sinon les affairistes et les défaitistes de Megève, tous bien convaincus de l'infériorité militaire de la France ? « Esprit de jouissance », a dit Pétain ? Mais c'est lui-même, et tous les généraux de 14-18, et tous les calvaires républicains, qui l'ont rendue si désirable ! La Grande Guerre fut l'école de l'avidité et du mépris de la vie. Les chiens ne font pas de chats, et c'est Verdun qui a fait Vichy. Par une phrase à double sens, Irène Némirovsky se défend d'ailleurs d'avoir cédé à la politique du bouc émissaire et laisse entrevoir que sa docilité est une ruse, peut-être destinée à amadouer *Gringoire* : « Elle accepta avec une fausse humilité le verre d'eau de Vichy que lui présentait Thérèse et, dès que celle-ci eut le dos tourné, elle sortit de son lit, ouvrit la fenêtre et jeta dans la cour le contenu du verre [36]. »

Un triste bonheur

À la fin de son roman, Irène Némirovsky décrit l'installation de Bernard dans une robinsonnade, « à deux cents kilomètres de Paris », qui n'est autre que son nouveau domicile issyquois : « Quel repos ! Il y avait un jardinet, un banc dans l'herbe, une petite source qui coulait dans une prairie. » De toute évidence, au terme d'une année de descente aux enfers, la romancière est convaincue qu'elle ne retrouvera plus jamais sa vie antérieure. Cette mort intermédiaire peut être une renaissance. Et si tout ce malheur, toutes ces trahisons qui lui ont permis de compter ses amis, n'avaient pas été vains ? Si les « bûchers purificateurs de l'automne » avaient brûlé la part factice de son succès, le parisianisme, pour ne lui laisser que le plus précieux don : son art ? Ce serait bien le seul profit de cette guerre. « C'était un triste bonheur, mais elle était calme et confiante[37]. » Aussi, elle écrit plus que jamais. Julie lui prête son nom, et surtout elle va publier : en février, Sabatier lui annonce qu'elle pourra bientôt relire les épreuves du *Tchekhov*. Augure favorable, *Deux* vient d'être réimprimé par autorisation spéciale. Et en avril, Julie Dumot pourra encore acheter à Paris un exemplaire des *Chiens et les Loups*. Il est vrai qu'il ne s'agit pas de nouveautés. Il est vrai aussi que ces deux livres sont, de loin, ses meilleures ventes de librairie depuis *Golder*.

Ce mirage ne passera pas l'hiver. Harcelé par le fisc, Michel, excédé, a retourné au contrôleur des contributions directes du VIIe arrondissement une déclaration dont toutes les colonnes sont marquées « NÉANT », puisque les 48 000 francs perçus d'Albin Michel au cours de l'année 1941 l'étaient à titre d'avance, non de revenu. Aux sommations du percepteur, étant apatride, il croit bon de préciser que ses enfants sont français. Dérisoire précaution. Et qu'adviendra-t-il de son frère Paul, logé avenue Coquelin, dont le loyer n'est plus réglé, en dépit d'une réduction de 25 % à cause du manque de chauffage ? Michel ne peut qu'alerter son frère d'une probable saisie par huissier de justice : mais même dans ce cas, tout irait au fisc, « auquel nous devons une grosse somme ». « Je ne peux pas, lui dit-il, prendre l'engagement de verser tout l'arriéré de mon loyer à la fin de la guerre – si cela faisait 100.000 frs[38] ? » Et toujours impossible de monter à Paris régler ces problèmes de vive voix !

En février 1942, ni Sabatier ni Esménard n'ayant répondu à son invitation, Irène Némirovsky, avec une témérité extraordinaire, se résout à tenter le tout pour le tout. Interdiction de rouler à bicyclette, interdiction de pénétrer dans tout lieu public, interdiction de changer de nom, multiplication des rafles en région parisienne... Elle choisit de tout ignorer des persécutions antijuives, pour arracher froidement son *Ausweiss* à la *Kreiskommandantur* d'Autun, par une lettre d'une franchise désarmante :

> *Chers Messieurs,*
>
> *Je me permets de vous écrire pour vous prier de m'autoriser un séjour d'un mois à Paris.*
>
> *Je suis née en Russie mais n'ai jamais été membre d'un soviet. À la suite de la Révolution bolchevique, mes parents et moi nous sommes réfugiés en France, où je vis toujours. Mes deux parents sont français ; je suis catholique mais mes parents étaient juifs. Je suis écrivain de profession et les autorités allemandes à Paris ont autorisé mon éditeur à publier de nouveau mes livres.*
>
> *Les raisons qui rendent ma présence à Paris indispensable à mes yeux sont les suivantes :*
>
> *1° Ma fille aînée, âgée de 12 ans, souffre de douleurs aux yeux et son médecin, le docteur Morax, doit l'examiner.*
>
> *2° Mon nouveau livre va bientôt être publié et je dois absolument avoir un entretien avec mon éditeur, Monsieur Albin Michel, avant la parution.*
>
> *3° J'ai un appartement à Paris, que je ne peux plus garder. Je dois donc m'arranger avec le propriétaire.*
>
> *J'espère qu'il vous sera possible de me donner cette autorisation et je vous en remercie d'avance*[39]. [...]

Cet excès de confiance peut venir de ce que le lieutenant Kurt Bonnet, interprète à la *Kommandantur* dans *Dolce*, est un personnage bien réel (« très jeune, 18 ans, très pâle, des mains de drogué, longues, maigres, blanches, grandes »), sur la complaisance duquel compte peut-être Michel, qui a d'ailleurs conservé des liens épistolaires, aussi cordiaux que prévoyants, avec Spiegel et Hammberger. Michel ne craignait pas le contact des Allemands. En octobre 1941, il s'est déplacé en personne à Autun pour déposer la fameuse montre de Hohmann à la *Kommandantur*.

Afin de mettre toutes les chances de son côté, Irène Némirovsky écrit parallèlement à Hélène Morand, de crainte de déranger Paul ; elle sait probablement que l'épouse du romancier ne s'effarouche pas de la collaboration. Ne pourrait-elle faire intervenir une connaissance auprès de l'ambassade allemande, « afin qu'un laissez-passer d'un mois me soit accordé ? Je vous signale, à toutes fins utiles, que lesdites autorités ont permis à mon éditeur la vente et la réimpression de mes livres, ainsi que la publication de mes nouveaux ouvrages [40] ». Au passage, elle révèle qu'elle aussi a besoin de consulter un oculiste, car la rareté du papier l'oblige à écrire en lettres minuscules, et de sa plume dépend désormais la survie de son foyer. Elle n'obtiendra rien d'Hélène Morand, si ce n'est l'adresse de Mgr Ghika, roumain comme elle, rentré à Bucarest depuis 1940, qui lui adresse le 2 mars, au dos d'une « carte postale autorisée », ce bref mot de sympathie : « [...] je ne vous oublie pas devant Dieu, ni vous ni les vôtres. Réfugiez-vous bien auprès de Lui, dans toutes les épreuves traversées et à traverser... Dites aux enfants que je leur envoie ma plus paternelle bénédiction, et partagez-la avec eux, ainsi que votre mari. Votre tout dévoué in X^{to}. » Ces lignes, hélas, ne parviendront à Issy qu'en septembre 1942.

C'est au moment où tout espoir paraît évanoui qu'André Sabatier annonce enfin sa venue, prévue fin mars. Il ne sera donc pas nécessaire de solliciter ce fou furieux de Grasset, et c'est tant mieux : « Vous le connaissez comme moi, sans doute, écrit-elle encore à Hélène Morand le 25 février : toujours prêt à accepter et même à réclamer des services, mais peu disposé à les rendre. C'est son caractère ; il n'y a rien à faire... » Est-ce pour apitoyer Sabatier qu'elle lui écrit le 20 février : « Jusqu'ici nous avons pu tenir en vendant quelques objets que nous avions, mais cette ressource est épuisée. Vous comprenez ce que cette situation a de pénible ; elle influe sur ma santé ; elle aura certainement tôt ou tard un mauvais effet sur mon travail, car il est décourageant d'écrire en sachant que tant de peine n'assure même pas la subsistance, que mes enfants sont élevés comme des paysans et que l'avenir reste si noir. Tandis que si je pouvais placer de temps en temps des nouvelles, la situation en serait améliorée de beaucoup. » Probablement, car Carbuccia fait désormais la sourde oreille. Mi-mars, il se propose encore d'intervenir en sa faveur à Vichy, mais ce ne sont déjà plus que des mots.

Le 23 février, Irène Némirovsky n'a toujours pas reçu les épreuves de sa *Vie de Tchekhov*. Occupée par la fin de son nouveau roman, elle se passionne pour les comptes rendus – biaisés à la demande l'État – des premières audiences du procès de Riom, qui s'est ouvert le 19 février et doit juger – non : condamner – les responsables politiques de la défaite militaire. Les coupables désignés sont Léon Blum, Édouard Daladier, le général Gamelin, mais c'est la République et le Front populaire, suspectés d'impéritie, que Vichy entend clouer au pilori. On sait que l'accusation, grossière et embarrassée, se couvrit de ridicule, et qu'Hitler en personne se fâcha de cette mascarade. Mais la défense insolente de Daladier, comparant Pétain à Bazaine, celle, argumentée, de Blum, prouvant l'efficacité industrielle de la loi des 40 heures, intéressent moins Irène Némirovsky que l'interrogatoire de Guy La Chambre, les 4 et 5 mars 1942. L'ancien ministre de l'Air explique qu'à sa prise de fonction, en janvier 1938, l'aéronautique offrait « un spectacle affligeant » : « C'était une industrie artisanale conduite par des chefs découragés. » Raison pour laquelle il dut passer commande de matériel à l'étranger, notamment aux États-Unis, afin de doter la France d'une flotte digne de ce nom. On l'accuse aujourd'hui d'avoir sciemment bradé la défense nationale aux intérêts étrangers ? Mais, rappelle La Chambre, c'est bien le baron Amaury de La Grange, président de l'Aéroclub de France, qui s'était fait l'avocat des achats de milliers de moteurs américains ! Le sénateur La Grange, cité comme témoin à charge au procès de Riom, offre bien des points communs avec Raymond Détang, le lobbyiste des *Feux de l'automne*, qui parvient à faire plier l'Assemblée en faveur de l'achat de pièces américaines défectueuses. Ainsi, jusque dans ce roman, ce sont les clientélistes et les opportunistes, aujourd'hui à Vichy, qui se retrouvent sur le banc des accusés... Quant au procès raté de Riom, ajourné « pour complément d'information » au mois d'avril, c'est le premier accroc sérieux porté à l'infaillibilité du Maréchal [41].

L'esprit communautaire

On aurait donc tort de présenter *Les Feux de l'automne* comme le grand roman de la résignation idéologique qu'il paraît être. Au contraire, Irène Némirovsky a bel et bien soupé de la Révolution nationale. Relisant par hasard ses notes d'avril 1940, elle est interloquée de voir qu'elle éprouvait alors une « tendresse sincère et un peu moqueuse » pour les Français. Prenant bien soin de la dater, elle ajoute au-dessus cette simple équation : « haine + mépris = mars 1942 ». Revirement qui n'est pas sans rappeler la subite rancune dont Henri Heine se prit pour l'Allemagne, lorsque, s'étant converti, il comprit qu'il n'y serait pas mieux considéré. De cette époque datent d'amères et cinglantes réflexions « sur l'état de la France », qui ne contribueront pas peu au succès posthume de *Suite française*, où elles figurent – pour partie – en annexe : « Mon Dieu ! que me fait ce pays ? Puisqu'il me rejette, considérons-le froidement, regardons-le perdre son honneur et sa vie. [...] Conservons une tête froide. Durcissons-nous le cœur. Attendons. »

Sa voix a changé. Autrefois rieuse, moirée, elle est devenue « grave et triste [42] ». Elle n'a jamais eu peur, mais elle comprend que c'est la « trouille » des autres qui la met en danger. Que ce sont les riches qui ont le moins à perdre à la vassalisation, donc à la dénonciation. « Tout ce qui se fait en France dans une certaine classe sociale depuis quelques années n'a qu'un mobile : la peur. [...] Au collège, l'écolier le plus faible préfère l'oppression d'un seul à l'indépendance ; le tyran le brime mais défend aux autres de lui chiper ses billes, de le battre. S'il échappe au tyran, il est seul, abandonné dans la mêlée. » Des gens de peu qui font du marché noir, tel le boucher d'Issy, « qui a gagné cinq cent mille francs d'une monnaie dont il connaît le taux à l'étranger (exactement zéro) », elle n'a rien à redouter, tandis qu'un banquier vendra père et mère pour conserver ses titres, un bourgeois ses biens, un politicien ses privilèges. On ne peut expliquer autrement la rivalité servile à laquelle se livrent « les hommes les plus haïs de France », le « tigre » Philippe Henriot, propagandiste de Radio Paris, et l'« hyène » Pierre Laval, rappelé au pouvoir le 16 avril : « on respire autour du premier l'odeur de sang frais, et la puanteur de la charogne autour du deuxième ». Les mêmes hommes, qui continuent de prôner le relèvement national, non seulement attisent le cycle « terrorisme »-répression qui met la France à feu et à sang, mais ils ne poursuivent que leur propre dessein.

L'« esprit communautaire », socle idéologique du vichysme, est le grand mensonge de ce temps. En réalité, c'est une guerre civile qui oppose, dans toute l'Europe, la ploutocratie à la plèbe, sous couvert de campagne antisoviétique. En France, le collaborationnisme n'est en somme que l'expiation du Front populaire, si ce n'est un sursaut d'Ancien Régime. Du moins, c'est ainsi que l'envisage Mme de Montmort, chauffée à blanc par les airs défiants du croquant Labarie. Habile à exiger des villageois la confection de colis pour les prisonniers, la très-chrétienne vicomtesse interdit qu'un seul lapin de son domaine, chasse gardée de l'occupant, soit braconné par des paysans. Ce qu'Irène Némirovsky appelle ironiquement « l'esprit communautaire », c'est simplement « l'accaparement des denrées à l'usage exclusif de quelques-uns »; car « enfin, ces officiers allemands, c'était des gens bien élevés après tout! Ce qui sépare ou unit les êtres, ce n'est pas le langage, les lois, les mœurs, les principes, mais une manière identique de tenir son couteau et sa fourchette [43]! » Sur de telles valeurs, et quelques cadavres, Hitler construit l'Europe civilisée.

Dans *Captivité*, où se retrouveront pour en découdre tous les protagonistes de *Tempête en juin*, le brave Jean-Marie Michaud a choisi son camp : « Qu'on ne me parle donc pas de l'esprit communautaire. Je veux bien mourir mais Français et raisonneur, j'entends comprendre pourquoi je meurs, et moi, Jean-Marie Michaud, je péris pour P. Henriot et P. Laval et d'autres seigneurs comme un poulet est égorgé pour être servi sur la table de ces traîtres. Et je maintiens, moi, que le poulet vaut mieux que ceux qui le mangeront. » Cette rébellion la tente, mais elle se sent garante de Michel et des enfants. Elle se reproche assez son attentisme : « Pour que Jean-Marie ait une attitude politique juste il faudrait 1) que je connaisse l'avenir 2) que j'aie moi une attitude politique juste, autre que celle qui consiste à grincer des dents et à mordre mes barreaux ou à faire des trous dans la terre pour m'échapper. » Enfin, son grand roman ne devra rien laisser paraître de son point de vue, ni prendre aucun parti. « Ne rien prouver surtout. Ici moins que partout ailleurs. Ni que les uns sont bons et les autres mauvais, ni que celui-ci a tort et un autre raison. Même si c'est vrai, surtout si c'est vrai. Dépeindre, décrire. » Irène Némirovsky est bien plus préoccupée de littérature que de sauver sa peau, mais il se pourrait que cela revienne au même car : « Ce qui demeure : 1) notre humble vie quotidienne ; 2) l'art ; 3) Dieu. »

Du 6 au 31 mars, Irène Némirovsky démêle les lignes directrices du troisième volet de sa « tragédie à plusieurs plans », dont l'idée générale et quasi mystique, déjà exploitée par Julien Green dans *Varouna* (1940), est que « nos destinées dépendent toutes les unes des autres ». Elle agite ses personnages, mélange leurs destinées, essaie toutes les combinaisons. Le ministre Jules Blanc, réfugié à l'*Hôtel des Voyageurs*, est victime d'un attentat à la bombe. Sa maîtresse, « une sorte d'Odette Swann, d'un étage en dessous », a une fille prénommée Brigitte, une enfant sage qui défie Corte d'un « regard clair et méprisant ». Celui-ci donne des dîners parisiens « où on vitupère les prolétaires, les Juifs, le déni de jouissance et de paresse qui s'était emparé du peuple », tout en se fournissant au marché noir. Porté par sa vanité d'écrivain, « vexé parce qu'on ne reconnaît pas ses mérites », Corte se fait tout aussi naturellement « l'apôtre de la Résistance », mais loin du feu : « Ce ne serait pas mal de montrer ces gens prudents à l'étranger qui gagnèrent honneur et argent à prêcher la révolte et ceux qui se faisaient casser la gueule. » Et, puisque l'abbé Péricand est mort au champ d'honneur, rien ne s'opposera à ce que Corte périsse à son tour lapidé par les Petits Repentis !

À Paris, par l'entremise d'Arlette, les directeurs de la banque Corbin « font des affaires avec les Allemands ». À Issy, ce « pauvre

Sp[*iegel*] » est mort. Cécile s'enrichit au marché noir. Madeleine, qui couche avec l'ennemi, finira dans un bordel. Jean-Marie vit une romance avec Brigitte et se retrouve lié à Hubert par « une très belle, très virile amitié, allant jusqu'au sacrifice, et dévouée à une grande cause » : la Résistance, pour la nommer. Mais la cause de la France, en 1942, est devenue « un tel chaos » que ses partisans n'ont entre eux rien de commun. Hubert est « un jeune du Maréchal ou qq. chose comme ça », Jean-Marie un gaulliste trafiquant d'armes, et Benoît – qui sera fusillé – un mari jaloux de la terre entière. « En somme, pour que mon livre tienne, il faut deux choses : 1) une révolution communiste en France de courte durée et 2) la victoire des Anglais. *Oh, God! Topsy, don't be blasphemous!* »

Captivité – autre mot pour Occupation ou pour *Servage*, titre envisagé – n'est d'abord pas distinct de *Dolce*. Il ne s'en détache vraiment qu'au cours du printemps 1942. Car la romancière n'est pas satisfaite de cette « nébuleuse de chapitres » tournés en tous sens, dont ne se dégage aucune « idée directrice ». « *Tempête* était un chaos; ça se défend, mais dans *Captivité* qq. chose doit se dessiner », qui n'est ni « l'effort de libérer la France », ni l'histoire d'amour de Brigitte et Jean-Marie. Mais qui pourrait bien être, une fois de plus, « l'instinct de vie » qui les inspire, comme il inspire tant de conduites si opposées. « D'abord, la lâcheté. Mais soyons charitables. Ensuite, un approfondissement de l'âme. Le feu devient plus concentré, brûle plus fort, dévore le cœur : les directeurs de banque aiment plus l'argent. Jean-Marie et Hubert deviennent plus violemment patriotes, ou hommes de parti, si on veut... Madeleine est plus amoureuse qu'avec Jean-Marie : elle devient la maîtresse de l'Allemand. Benoît n'hésite pas à tuer. » Inextinguible chaleur du sang!

Sur de la lave brûlante

André Sabatier a fini par annoncer sa venue le mercredi 1er avril. Une voiture l'attendra en soirée à la gare de Luzy pour le conduire à Issy, à onze kilomètres plein sud. Séjour de courte durée : dès vendredi, il sera remonté à Paris *via* Dijon, où il a rendez-vous. « Nous vous attendons avec une vive impatience, se réjouit Irène Némirovsky le 23 mars. Mlle Julie Dumot qui par un heureux hasard se trouve ici, vous prie de bien vouloir lui apporter les 16.000 francs que la maison reste lui devoir. Quant à moi, si vous pouviez m'apporter des hebdomadaires, des revues et des livres, vous me combleriez. Je n'ai pas reçu les épreuves de *Tchekhov*. J'espère qu'il n'y a rien de changé de ce côté ? »

La veille de son arrivée, elle vient de procéder au découpage définitif de sa nouvelle œuvre. « J'ai une idée que je crois bonne. Je tue Brigitte dans l'œuf. C'est tout ce qu'elle mérite. J'y fous Lucile. C'est-à-dire : I *Tempête*, II *Dolce*, puis Jean-Marie et Lucile. » C'est l'acte de naissance de *Suite française*, ce roman-fleuve encore anonyme qui sera son *Iliade*, son *Énéide*, son *Guerre et Paix*. À cette différence qu'elle n'a aucun recul. Tolstoï écrivait à froid, un demi-siècle après l'événement. « Il s'en foutait. Oui, mais moi, je travaille sur de la lave brûlante. À tort ou à raison, je crois que c'est ce qui doit distinguer l'art de notre temps de celui des autres, c'est que nous sculptons l'instantané, nous travaillons sur des choses brûlantes. Ça se défait, certes, mais c'est justement ce qui est nécessaire dans l'art d'aujourd'hui. Si pareille impression a un sens, c'est un devenir perpétuel, et non qq. chose de déjà achevé. *Cf.* cinéma. »

Sabatier ne dort que deux nuits à Issy-l'Évêque. Le 3 avril, il est déjà reparti, emportant le mètre linéaire de manuscrits, journaux et brouillons qu'elle lui a demandé de conserver rue Huygens, où ils dormiront soixante-trois ans d'un sommeil de plomb. Une semaine plus tard, Denise est à Paris, où sa mère l'a envoyée avec Julie consulter l'oculiste, faire quelques emplettes, dévaliser le quai de Passy (dont Fanny, hélas, a manifestement fait changer les serrures !) et récupérer à l'appartement des fauteuils, des livres anglais, des draps, une machine à coudre, un étui à cigarettes en laque et quelques babioles. C'est évidemment une folie, mais Denise n'a que douze ans et dispose de papiers français : qui songerait à l'arrêter ? Après un voyage rocambolesque, elle est accueillie par son oncle Paul, « un vrai ange [44] », qui l'emmène dîner d'huîtres, de bœuf et de vins fins. Les restrictions ? Quelles restrictions ? Ce bref séjour parisien a un goût de vacances : Mavlik l'emmène voir *La Symphonie fantastique* de Christian-Jaque, elle prend le métro pour la première fois et subit deux alertes aériennes qui mettent un comble à son excitation. « Pour moi, c'était Byzance. Mon oncle m'a emmenée au théâtre voir *Cyrano de Bergerac.* C'est avec le recul que je me suis dit : mon Dieu, si j'avais été prise dans une rafle à ce moment-là [45]... »

Mais Denise ne passe que deux ou trois jours à Paris. Dès le 12, elle se trouve à Audenge, sur le bassin d'Arcachon, où Julie l'a emmenée se fortifier jusqu'à la mi-mai dans un bungalow. Poisson frais et huîtres à tous les repas, courses en bicyclette, cinéma et plage le dimanche : presque les grandes vacances, s'il n'y avait l'école et la messe que Julie ne manquerait pour rien au monde. « [*Elle*] est très pieuse, écrit "Nanette" à sa maman. Cet après-midi elle était plongée au point de s'endormir dans la lecture d'un livre nommé *Préparation à la mort* [46]. » Denise a de plus saines lectures : les albums de la Bibliothèque de Suzette et *Les Aventures de Monsieur Pickwick*, que sa mère lui a postés. À Paris comme à Bordeaux, elle semble très surprise de voir que les fillettes de son âge sont maigres, mais ne tarde pas à en comprendre la raison : si l'on ne manque pas de fruits de mer à Audenge, en revanche le pain n'est pas toujours frais et l'alimentation de base est rare. « Nous avons ricané un tantinet, papa et moi, en apprenant que vous réclamiez du beurre et des pâtes, lui écrit sa mère le 24 avril. Issy-l'Évêque a tout de même du bon, je crois. » Pourtant, même à Issy, le ravitaillement n'est plus aussi aisé. On ne peut rien obtenir de consistant que moyennant tickets et « il est impossible d'avoir un gramme de viande ou autre chose de supplément ».

Denise est de nouveau à Paris fin mai, escortée de Julie à qui Esménard confirme, le 27, que « ses » mensualités seront prochainement portées de 3 000 à 5 000 francs, compte tenu des difficultés de l'heure et de l'espoir conservé d'adapter à l'écran un de ses romans. Bonne nouvelle ? Au contraire : la romancière avait espéré que cette faveur prendrait effet rétroactif à compter du 1er janvier. Mais Albin Michel n'a rien voulu entendre. « Quelle mesquinerie ! se plaignait-elle à Sabatier le 4 mai. Et comme il a tort ! Veut-il donc me pousser à la seule issue que vous devinez ? (et qui n'est pas le suicide...) » Ces gémissements, et les arguments de Sabatier, auront raison de l'intransigeance d'Albin Michel, qui ira jusqu'à consentir des versements de 6 000 francs pour 1943...

Denise n'est de retour à Issy qu'après le 29 mai, date de l'ordonnance allemande faisant obligation aux Juifs de zone occupée de porter un signe distinctif visible, sous la forme d'une étoile jaune cousue sur la poitrine, mesure en vigueur en Allemagne depuis septembre 1941. Deux mois seulement après avoir coiffé la couronne de fleurs des grandes communiantes, elle va de surprise en surprise : « Maman m'a dit que j'étais juive, le jour où nous avons été obligés de porter l'étoile jaune. Elle m'a expliqué que nous croyions être catholiques, puisque baptisées, mais qu'en fait, nous étions d'origine juive, et que les Allemands exigeaient qu'on porte cette petite étoile [47]... » Cette fois encore, Irène et Michel pourraient aisément se soustraire à une obligation qui ne concerne qu'eux dans le village. Ils s'y soumettent pourtant : toujours cette attitude « qui consiste à grincer des dents et à mordre mes barreaux ». Quant à violer la ligne de démarcation, plusieurs Juifs s'y sont essayés : traqués par les chiens-loups de la *Feldgendarmerie*, ils croupissent à la caserne de Chalon-sur-Saône ou au « refuge Salengro » de Montceau-les-Mines, sous la garde de policiers français [48]. Or, depuis le 6 mai, René Bousquet, chef de la police de Vichy, s'est entendu avec son homologue allemand Reinhardt Heydrich sur la prochaine déportation en Allemagne de cinq mille Juifs détenus dans les geôles de zone occupée. C'est le début de la Solution finale en France [49].

L'étoile jaune est le premier exercice de couture d'Irène Némirovsky, qui n'a voulu laisser ce soin à personne [50]. Seule Babet, âgée de moins de six ans, ne la portera pas. Quant à Denise, elle n'est pas le moins du monde mortifiée. « On m'a dit : "C'est la loi." Je l'ai portée jusqu'au mois d'octobre. À l'école, jamais je n'ai eu une réflexion d'un enfant, mais j'étais très protégée par mes institutrices [51]... » Qui à Issy, cependant, eût pu lui faire reproche de ne pas la porter ?

Une suite française

« Aujourd'hui 24 avril, un peu de calme pour la première fois depuis bien longtemps. Se pénétrer de la conviction que la série des *Tempêtes,* si je puis dire, doit être, est un chef-d'œuvre. Travailler sans défaillance. » Le début du printemps 1942, en l'absence de Denise, est bien silencieux à Issy-l'Évêque. Irène Némirovsky, presque livrée à elle-même, profite de ce répit pour travailler avec acharnement sur son grand œuvre. Elle hésite encore à intituler la première partie *Tempête* ou *Naufrage,* mais c'est au cours de ce mois d'avril qu'elle discerne enfin le titre général : « Il faut faire une suite de *Tempête, Dolce, Captivité.* »

Donc, une suite française. Pourquoi ce titre, qu'on ne rencontre avant elle que chez... Jean-Sébastien Bach ? Ce n'est pas la première fois, certes, qu'elle pense à son œuvre en termes de création musicale : *Le Vin de solitude* était calqué sur la *Symphonie* de Franck. Quant à la « série des *Tempêtes* », elle voudrait lui donner une forme sonate ou bien l'aspect d'une symphonie en quatre mouvements : « lent, suivi d'une fugue ; allegro dans un ton autre mais voisin ; adagio, et pour terminer une série de danses rapides ». Soit quatre livres, dont trois sont en chantier. Une symphonie cyclique, toute la difficulté consistant à relier les parties par un thème commun ou des leitmotive.

Les comparaisons abondent sous sa plume, éloquentes : sonate *Hammerklavier, Missa Solemnis,* « dernières scènes de *Parsifal* », vingtième des *Variations Diabelli,* « ce sphinx aux sourcils sombres qui contemple l'abîme ». Les indications de tempo et les nuances – *presto, prestissimo, adagio, andante, con amore...* – lui manquent pour bien cerner ce qu'elle a en tête, mais c'est l'art contrapuntique qui définit le mieux son idée, un écheveau de misères individuelles et de grands remous collectifs : « Bach ramène sa matière à deux thèmes contrastants, dont une phase finale, sans lourdeur, fait la synthèse. La ligne mélodique, le sujet de la fugue, à certains moments disparaissent comme un fleuve souterrain où n'affleurent que par de simples accords de temps à autre – des allusions. »

Ailleurs, elle compare ses personnages aux *soli* instrumentaux d'une symphonie, et les scènes de foule aux chœurs qui donnent à l'intrigue ampleur et contraste. « D'un côté le destin du peuple, de l'autre Jean-Marie et Lucile, leur amour, la musique de l'allemand, etc. » C'est exactement ce que le lieutenant Bruno von Falk, dans *Dolce*, essaie de faire entendre à Lucile lorsqu'il improvise au piano la triste, universelle histoire du soldat : « Les tambours, les camions, les pas des soldats... Entendez-vous ? Entendez-vous ? Ce piétinement lent, sourd, inexorable... Un peuple en marche... Le soldat est perdu parmi eux... À cette place il doit y avoir un chœur, une espèce de chant religieux qui n'est pas terminé encore. Maintenant, écoutez ! c'est la bataille... [...] Le soldat meurt, et, au moment de mourir, il entend de nouveau ce chœur qui n'est plus de la terre mais des milices divines [52]... » C'est tout le sujet de *Dolce*, et ce sera celui de *Captivité* : la torture de ne pouvoir se cacher de l'actualité, l'illusion de trouver à Issy un ermitage abrité des passions politiques et du fracas du monde. Là est le seul sens unanime de la guerre : allemands, français, juifs, les hommes n'ont qu'un ennemi mortel, l'Histoire qui les broie. « En somme : lutte entre le destin individuel et le destin communautaire. [...] Le chef-d'œuvre musical de l'allemand. »

Ce chef-d'œuvre sans patrie, une symphonie avec piano obligé, n'en doutons plus, c'est *Suite française*. On ne s'étonnera pas qu'Aulis Sallinen, compositeur de filiation sibélienne, en ait tiré en 2005 la matière d'un *Concerto de chambre* pour violon et piano [53]. « En effet, semble lui répondre Irène Némirovsky, c'est comme la musique où on entend parfois l'orchestre, parfois le violon seul. Du moins ça devrait être ainsi. »

La solitude amère de l'abandon

En mai 1942, son ultime espoir de revoir Paris est découragé par André Sabatier, qui juge imprudent d'actionner le plus puissant levier dont il dispose : son ami Benoist-Méchin, désormais secrétaire d'État aux Affaires étrangères, qui vient d'applaudir « le grondement puissant des divisions blindées de la Wehrmacht, avant-coureuses de la grande croisade de l'Occident [54] ». « Je comprends votre point de vue, lui répond-elle. Mais, voyez-vous, à mon sens, les deux "autorités" me sont également ennemies. C'est pourquoi je ne faisais aucune différence entre elles. Je vois bien qu'il est inutile de rien tenter. [...] Vraiment, poursuit-elle, je n'espère plus rien actuellement. La seule chose possible, je crois, serait de publier dès que vous le pourrez, le livre de Julie. Cela, du coup, ouvrirait bien des portes et aplanirait quelques difficultés [55]. » Ce livre, *Les Feux de l'automne*, restera pourtant dans les tiroirs. Tout juste Sabatier parvient-il à vendre deux nouvelles inédites au nouvel hebdomadaire *Présent*. La seconde, « Un beau mariage », lui a été retournée par *Gringoire*, auquel Irène Némirovsky l'avait adressée en décembre; Carbuccia ne veut plus prendre de risque, mettant un comble à son « état d'amertume, de lassitude, de dégoût [56] ». Cet abattement transparaît nettement dans la seconde de ces nouvelles, « Les Vierges », qui raconte l'installation, « dans un petit village du Centre », d'une mère seule et de sa fille :

> *C'est la vie qui est affreuse. Vous êtes à l'écart de la vie, vous avez raison. La vie ne peut que faire du mal, mutiler, salir, blesser. [...] Regardez-moi. Je suis seule comme vous à présent, mais non pas d'une solitude choisie, recherchée, mais de la pire solitude, humiliée, amère, celle de l'abandon, de la trahison [57].*

Présent, « hebdomadaire politique et littéraire » fondé en décembre, professait un maréchalisme de bon aloi et ne s'était d'ailleurs pas fait faute de railler le style « talmudique » de la défense de Blum à Riom. À cela près, il était rarement pris en délit d'antisémitisme, ce qui explique, sans doute, la qualité de ses rédacteurs, dont certains étaient juifs, d'autres engagés dans l'action communiste, d'autres encore issus d'Action française. Pêle-mêle : Kléber Haedens, André Salmon, Claude Roy, Jacques de Lacretelle, Joë Bousquet, Edmond Jaloux, Roger Vailland, ou encore la très jeune Françoise Giroud. Irène Némirovsky, *alias* Denise Mérande (un double clin d'œil à sa fille et à Esménard, dont ce nom est presque l'anagramme), n'y lira aucune de ses deux nouvelles, puisque « Les Vierges » ne paraîtra que le 15 juillet, deux jours après son arrestation, et « Un beau mariage » le 23 février 1943, plus de six mois après sa mort.

Il lui reste une issue : que Chaumeix, qui a repris contact avec elle par carte postale, publie lui aussi quelques nouvelles dans la *Revue des Deux Mondes* et, qui sait, un roman, au printemps 1943. Mais si la chose ne pouvait se faire, ou à trop mauvais compte, il ne lui resterait qu'à « continuer ce qui l'occupe depuis déjà deux ans, un roman en plusieurs volumes et qu'elle considère comme l'œuvre principale de sa vie [58] » : sa *Suite française*. Or c'était un faux espoir, et Irène Némirovsky ne veut plus se battre pour mille francs. « J'avais beaucoup de choses "publiables" en train, explique-t-elle à Sabatier, mais j'ai si bien compris que, malgré tous vos efforts, je me heurtais à des portes closes ou que l'on n'entr'ouvrait que par une espèce de charité, que j'ai abandonné tout cela pour ne plus penser qu'à l'avenir et travailler à cet ouvrage en plusieurs volumes dont je vous ai parlé [59]. »

De mai à juillet, Irène Némirovsky donne à *Dolce* la forme que nous lui connaissons, et précise le contenu de *Captivité*. Elle est désormais certaine d'écrire pour l'avenir, « sur les genoux des dieux » puisque, superstitieusement, elle s'attend à voir revenir les troupes allemandes à Issy. Or elle arbore l'étoile jaune. Qu'adviendrait-il ? Elle n'a plus d'espoir qu'en Sabatier, qui a tout fait, et en Nostradamus, qui a tout dit. « Enfin, si le 14 juillet arrivent ceux qui l'ont promis, écrit-elle mystérieusement, cela aura entre autres conséquences deux ou, au moins, une partie de moins. » Il est peu probable que cette phrase énigmatique, en marge du manuscrit de *Dolce*, fasse allusion à quelque action des maquis. Deux parties de son livre en moins, en effet, cela signifierait ni reconquête, ni paix. D'ailleurs, elle ne croit plus à la victoire anglaise, qui aurait eu sa préférence.

L'événement qui semble avoir mis un comble à ses inquiétudes est l'allocution radiodiffusée du président Laval, le jour anniversaire de l'agression nazie en URSS : « Nous avons eu tort, en 1939, de faire la guerre. [...] Je souhaite la victoire de l'Allemagne, parce que, sans elle, le bolchevisme, demain, s'installerait partout. » Dix jours après, elle note : « Mon parti : régime bourgeois représenté par Angleterre. Malheureusement fichu, demande du moins à être renouvelé car au fond il est immuable dans son essence ; mais il ne se reprendra sans doute qu'après ma mort ; restent donc en présence deux formes de socialisme. Ne m'enchantent ni l'un ni l'autre, mais *there are facts* ! Un d'eux me rejette donc... Le second... Mais ceci est hors de question. »

Tout au long du mois de juin, l'étau s'est resserré sur les Juifs. Au Commissariat général aux questions juives, Vallat a cédé la place à Darquier de Pellepoix, dont l'occupant préfère le tempérament moins juridique. Dans *Je suis partout*, le 6 juin, Rebatet estime que les nouveaux croisés de la LVF meurent « victimes des juifs » et du « marxisme juif ». Au même moment, la mise en service des chambres à gaz et des crématoires du bagne d'Auschwitz-Birkenau, en Pologne occupée, réclame l'arrestation et la déportation de dizaines de milliers de Juifs occidentaux, y compris en zone libre et avec le concours de la police française, comme en convient sans difficulté le secrétaire d'État Bousquet. Quant aux Juifs de zone occupée, le président Laval remet leur sort entre les mains de l'occupant, n'acceptant d'offrir le concours de sa police que s'il s'agit d'expulser des étrangers. Pour satisfaire aux quotas tout en soulageant sa conscience, il suggérera seulement que les enfants, même naturalisés, ne soient pas séparés de leurs parents dans cette navrante odyssée.

J'ai peur, j'ai peur...

Bien entendu, Irène Némirovsky ne sait rien de ces conciliabules qui complotent l'arrestation de ses filles, de son mari, de toute sa belle-famille et d'elle-même. Il n'est presque pas question des Juifs dans les brouillons de *Captivité*, sinon pour regretter de ne pouvoir appeler Langelet « Laangelé », et hormis cette étrange vision, qui exprime à la fois un remords et un pressentiment : « Pour le camp de concentration, le blasphème des Juifs baptisés : "Mon Dieu, pardonnez-nous nos offenses comme nous Vous pardonnons." – Évidemment les martyrs n'auraient pas dit ça. » Mais le présent et le proche avenir lui importent peu, ils sont au mieux le décor de son œuvre posthume, « ou la victoire à laquelle je n'ose plus penser, ou le choc, la lutte, la *Pax Germanica*, tout ce qu'on voudra, tout ce que Dieu a voulu, tout ce qu'il y aura d'un côté et de l'autre des destins individuels ». Quand on entre dans la nuit, on ne songe pas à l'aurore. Mais si le soleil ne revenait pas ? Il reviendra, croit-elle, dans longtemps. « Ne jamais oublier que la guerre passera et que toute la partie historique pâlira, note-t-elle le 2 juin. Tâcher de faire le plus possible de choses, de débats... qui peuvent intéresser les gens en 52 ou 2052. »

Captivité sort des limbes. Le 17 juin, ne lui reste à écrire que cinq des vingt-deux chapitres de *Dolce*, dont la dantesque fête dans le parc du château de Montmort, qu'elle datera, par une erreur révélatrice, du « 22 juin 1942 ». L'opportuniste Corte, qui successivement s'est mis au service de la Révolution nationale, a prêté sa plume à un « journal clandestin », a même pris les accents d'Aragon pour trousser une *Défaite de la France* et s'est imaginé devenir « le grand homme du Parti, hé hé hé ! », retourne soudain sa veste pour dénoncer ses « camarades » et chanter la croisade : « Aujourd'hui le Rhin coule sur les monts de l'Oural... » Jusqu'au bout, Corte hésitera à prendre un seul parti ou à les prendre tous. « Est-ce qu'un Corte peut avoir des idées aussi cyniques ? Mais oui, mais à certains moments. Quand il a bu ou bien quand il a fait l'amour de la façon qu'il préfère, façon dont le simple mortel ne peut avoir qu'une faible idée [...]. »

Pendant ce temps, à Bussy, Jules Blanc, l'ancien cacique de la République, « enseveli comme un cadavre », tremble de tous ses membres. Sa détresse et sa « stupeur douloureuse » trahissent Irène Némirovsky : « Le facteur est passé. Rien ? Rien pour moi ? Ah ! Si ? Une lettre, une carte postale. Non, ce n'était pas pour moi, vous vous êtes trompé ! De rien, non merci, ce n'est rien. Rien, rien, néant, *nada*, rien jusqu'à demain ! Et demain ? Rien ou pire ? Dieu, j'ai peur, j'ai peur, j'ai peur, il faut tenir, il faut plastronner. Je ne suis pas le premier venu. J'ai des relations. » Elle qui n'avait jamais tremblé depuis 1917.

Et Benoît Labarie, désormais convaincu de « terrorisme », qui s'est enfui à la faveur du départ des Allemands ? Irène Némirovsky l'envoie se cacher à Paris, chez les Michaud, mais la Gestapo est à ses trousses. Dans un réseau clandestin, il retrouve Jean-Marie et Hubert Péricand, qui s'est refusé à faire jouer en sa faveur les amitiés de « sa puissante famille qui est tout entière collaborationniste ». Ils sont déportés, Jean-Marie s'évade et, *happy end*, fuit la France avec Lucile, bras dessus bras dessous. « FIN : l'audition de la musique de Bruno. » *Suite française* pourrait donc être « un de ces films américains [...]. Poursuite – les amoureux – le rire, les larmes etc... C'est ce genre de rythme que je voudrais atteindre. » Ce sera d'abord un « gros volume de mille pages » au moins, « *well, well, If I live in it !* ».

Dans ses dernières notes relatives à la composition de *Suite française*, datées du 1er juillet, Irène Némirovsky tente de discerner les mobiles de Jean-Marie « vis-à-vis de cette grande partie d'échecs ». Il s'agit, essentiellement, d'aller jusqu'à « la revanche de la France » – et ce pourrait être l'objet des deux derniers volumes, *Batailles* et *La Paix* –, mais « qui dit revanche dit haine et vengeance ». Comment gagner la guerre sans la faire, sans vainqueurs ni vaincus, sans qu'il y ait chaque fois « un plus fort et un plus faible » ? À deux ans de distance, elle anticipe lucidement les excès de l'épuration, exécutions sommaires, violences sadiques et procès bâclés qui accompagneront la libération de la France. Dans cette dernière partie, on assisterait tout de même, se réjouit-elle, au « triomphe du destin individuel » sur l'« esprit de la ruche ». La revanche du pion sur l'échiquier.

Comme sur un radeau

Suite française est un texte abouti, dont la perfection a saisi tous ses lecteurs. Cependant, Irène Némirovsky l'eût profondément modifié s'il avait été suivi de *Captivité* et des deux volumes suivants, *Batailles* et *La Paix* – car, dans son esprit, celle-ci pouvait tout aussi bien être la *Pax Britannica* que la *Sovietica* ou la *Germanica*. L'*Americana* ? Cette hypothèse ne l'a jamais effleurée.

Sa dernière nouvelle date vraisemblablement de la fin juin. La mort du bonhomme Carillon, dans « La Grande Allée », a en effet beaucoup à voir avec celle du « pauvre père Milleret », un paysan d'Issy-l'Évêque décédé le 13 juin dans sa petite maison, et dont elle a vu le corps veillé de pleureuses. D'ailleurs, le père Milleret « aimait le pinard », et Carillon était le surnom du père Grandvin. « Ses mains étaient enroulées d'un vieux chapelet. Son visage était calme. Près du corps, des femmes récitaient le chapelet, en lançant un regard interrogateur à la Marie, tandis que le murmure continuait : "Pardonnez-nous nos offenses comme nous pardonnons à ceux qui nous ont offensés." »

Le 1er juillet, raffinement d'humiliation, les PTT reçoivent des autorités d'Occupation l'obligation d'interdire aux Juifs – y compris aux médecins – l'usage du téléphone. À Paris, Theodor Dannecker et Adolf Eichmann planifient la déportation rapide et massive des Juifs de France par convois de mille, « en vue de libérer totalement et le plus vite possible la France des Juifs ». Six convois de ce type sont prévus à partir du 6 juillet. À Vichy, le bruit court que ces mesures nécessiteront des rafles d'envergure, tant en zone occupée qu'en zone libre. Dans la nuit du 2 au 3, l'ambassadeur Abetz télégraphie à Berlin qu'il n'a « pas d'objections de principe à ce que 40 000 Juifs soient évacués de France pour être envoyés au travail dans le camp d'Auschwitz », à condition de cibler en premier lieu les étrangers, de façon à flatter l'antisémitisme français. Laval, qui feint de croire à la création d'un État juif à l'est de l'Europe, griffonne le 3 juillet en Conseil des ministres : « Je ne serais pas déshonoré si j'expédiais un jour vers cet État les innombrables Juifs étrangers qui sont en France. » Puisque l'honneur est sauf...

De toute façon, elle est désabusée, découragée. Il lui tarde presque que sonne l'heure. « 3 juillet 42 – Décidément, et à moins que les choses ne durent et ne se compliquent en durant ! Mais que ça finisse, bien ou mal ! » Le 8 juillet, jour de la sortie sur les écrans de zone occupée du film de propagande *Le Péril juif*, est également publiée la seconde liste Otto des « ouvrages littéraires français non désirables », dans laquelle ne figure toujours pas le nom d'Irène Némirovsky. Mais un appendice précise que « tous les livres d'auteurs juifs [...] sont à retirer de la vente ». Le même jour, une nouvelle ordonnance allemande interdit aux Juifs la fréquentation des cinémas, des théâtres et de tous lieux publics. Elle restreint en outre leur accès aux commerces. En vérité, leur situation ne saurait être pire, si ce n'est l'internement. Elle s'y attend, évidemment, car elle est en train de relire le *Journal* de Katherine Mansfield : « Quand on songe : "Maintenant, j'ai touché le fond de la mer – maintenant, je ne puis descendre plus bas", voilà qu'on s'est enfoncé encore. Et ainsi de suite à jamais[60]. »

Le 11 juillet, Irène Némirovsky monte au bois de la Maie retrouver des « amis » et goûter les derniers plaisirs qui ne lui soient pas défendus. Son cœur est léger, trop léger, comme si toute angoisse avait reflué vers de lointains rivages. C'est un matin très calme, presque miraculeux :

> *Les pins autour de moi. Je suis assise sur mon chandail bleu au milieu d'un océan de feuilles pourries et trempées par l'orage de la nuit dernière, comme sur un radeau, les jambes repliées sur moi. J'ai dans mon sac le tome II d'*Anna Karénine*, le* Journal *de K. M. et une orange. Mes amis les bourdons, insectes délicieux, semblent contents d'eux-mêmes et leur bourdonnement est profond et grave. J'aime les tons bas et graves dans les voix et dans la nature. Ce "chirrup, chirrup" pointu des petits oiseaux dans les branches m'agace. Tout à l'heure je tâcherai de retrouver l'Étang perdu.*

Ce sont ses derniers mots d'écrivain. « J'ai beaucoup écrit, ces derniers temps », explique-t-elle à Sabatier le même jour, d'une plume étale. « Je suppose que ce seront des œuvres posthumes mais cela fait toujours passer le temps. » Dimanche 12 juillet : néant. Cette nuit-là, Denise dort mal. Demain soir commencent les grandes vacances. Mais elle n'a plus le droit de prendre le train.

Lundi 13 juillet. Un temps magnifique. Vers 10 heures du matin, le bruit d'une voiture qui s'arrête place du Monument aux morts. Des pas, des coups à la porte. Deux gendarmes français sur le seuil, munis d'un mandat d'amener. « Je ne comprenais rien, j'entendais les bottes, et j'ai entendu mes parents rentrer dans leur chambre, tout ceci dans un silence très lourd », se rappelle Denise, autorisée après quelques minutes à embrasser sa mère. Car c'est elle qu'on est venu chercher. On ne lui a laissé le temps que de jeter quelques affaires dans une valise. À ses filles, dans un filet de voix, elle explique qu'elle part en voyage quelques jours, peut-être plus. Puis elle leur recommande d'être sages. Michel est décomposé. « Nous avons respecté une vieille coutume russe, qui est de faire silence lorsqu'un membre de la famille part seul. Il y a eu un baiser léger, léger [61]. » Pas de larmes. La portière de la voiture qui claque, puis le silence. Tout s'est passé si vite qu'elle n'a pas eu la présence d'esprit d'emporter son stylo, ses verres de lecture, ni même un livre. Ce *Journal* de Katherine Mansfield, par exemple, où elle s'était replongée. Sentant sa mort prochaine, l'auteur de *La Baie* y prônait la résignation pure et simple au mauvais sort : « Tout événement de notre vie que nous acceptons pour de bon en est transformé. Donc la souffrance doit devenir Amour. Tel est le mystère [62]. » Comment y croire ?

12

Comme dans un bateau naufragé

(13 juillet-9 novembre 1942)

« Vivre – vivre – voilà tout. Puis quitter la vie sur cette terre, comme Tchékhov l'a quittée, et Tolstoï. »

Katherine Mansfield, *Journal*, 19 décembre 1920

Irène Némirovsky a été conduite à la gendarmerie de Toulon-sur-Arroux, à une dizaine de kilomètres d'Issy. De ce jour elle cesse d'être une romancière, une mère, une épouse, une femme, une Russe, une Française : elle n'est plus que juive.

Michel sait qu'elle doit être conduite au camp de concentration de Pithiviers, dans le Loiret. On lui en a même indiqué le motif : « mesure générale contre les Juifs apatrides de 16 à 45 ans [1] ». C'est parce que ni lui ni ses filles n'entraient dans cette catégorie, croit-il, que seule Irène a été emmenée. Cette raison, si elle est exacte, écarte l'hypothèse d'une dénonciation. Qu'il faut pourtant envisager, car sur quelle soudaine inspiration des gendarmes seraient-ils venus arrêter une romancière dans une bourgade perdue. Dénoncée ? Elle n'en eût pas été surprise, car Bruno von Falk, jetant au feu les paquets de lettres anonymes reçues à la *Kommandantur*, disait : « Les hommes ne valent pas cher, et la défaite éveille ce qu'il y a de plus mauvais en eux [2]. »

Avant d'embrasser ses filles, elle a eu le temps d'indiquer à Michel les recours les plus urgents. En priorité, faire jouer les relations allemandes de Paul Morand, Bernard Grasset et Albin Michel. Aussitôt prévenu par télégramme, André Sabatier se charge de ces premières démarches. Dans une courte lettre crayonnée au commissariat, le même jour à 17 heures, Irène indique d'autres pistes, en s'efforçant de dissimuler son angoisse :

> *Mon cher amour*
> *Pour le moment je suis à la gendarmerie où j'ai mangé des cassis et des groseilles en attendant qu'on vienne me prendre. Surtout, sois calme, j'ai la conviction que ce ne sera pas bien long. J'ai pensé qu'on pourrait aussi s'adresser à Caillaux et à l'abbé Dimnet. Qu'en penses-tu ?*
> *Je couvre de baisers mes filles bien-aimées, que ma Denise soit raisonnable et sage… Je te serre sur mon cœur ainsi que Babet, que le bon Dieu vous protège. Pour moi je me sens calme et forte.*
> *Si vous pouvez m'envoyer quelque chose, je crois que la 2e paire de lunettes est restée dans l'autre valise (dans le portefeuille). Livres SVP, si possible également un peu de beurre salé. Au revoir mon amour !*

Le sénateur Joseph Caillaux, ex-président du Conseil, plusieurs fois ministre, était un ami personnel d'Irène Némirovsky, à qui il adressait encore, fin 1941, un volume dédicacé de ses mémoires. Il ne semble pas que l'appui de ce pilier de la IIIe République ait été recherché. Quant au chanoine mondain Ernest Dimnet, dont Grasset avait publié le fameux *Art de penser* l'année même de *David Golder*, il se trouvait aux États-Unis depuis 1920 ; tout espoir était presque évanoui lorsque, le 25 septembre, Michel reçut son offre d'intercéder auprès de l'ultra-collabo Alphonse de Châteaubriant, directeur de *La Gerbe*. Encore n'était-ce pas pour la faire libérer, mais pour lui « trouver un bon médecin [3] »…

Tout au long de l'été 1942, cloué à Issy-l'Évêque, Michel Epstein remue ciel et terre. Il en perd le sommeil, l'appétit et le sourire, se noie dans le vin de Bordeaux que lui expédient les parents de Julie. L'anxiété et l'exaspération l'ont rendu irascible. Lorsque, le lendemain de l'arrestation, la pauvre Francine a cru bon de ne pas disposer le couvert de « Madame », il s'est emporté et a jeté les assiettes. Denise et Élisabeth, reléguées dans une pièce de cette maison soudain gigantesque, craignent ses explosions de colère. Interdit de rire, interdit de paraître. « Il ne voulait pas nous voir [4]. » Lui-même redoute d'être arrêté et prévoit le jour où il lui faudra abandonner ses filles. « J'ai peur pour les enfants », écrit-il à Sabatier le 27 juillet.

Chaque jour, il tente de nouvelles démarches, écrit des lettres, envoie des télégrammes, contourne l'interdiction faite aux Juifs de recevoir ou de donner des appels téléphoniques, adresse un courrier « réponse payée » au commandant de Pithiviers. Il ne récolte qu'échec, impuissance ou silence. À mesure que les recours s'épuisent, que les jours passent, il s'obstine, s'entête, s'abaisse aux plus humiliantes, aux plus aberrantes requêtes, songeant même à se constituer prisonnier pour la rejoindre ou procéder à un échange. André Sabatier a le plus grand mal – et le plus grand remords – à le raisonner, mais s'offre jusqu'au bout à lui venir en aide.

Sur la charité humaine, Irène Némirovsky savait à quoi s'en tenir. « Dans la vie, comme dans un bateau naufragé, il faut couper les mains de ceux qui veulent s'accrocher à votre barque. Seul, on surnage. Si on s'attarde à sauver les autres, on est foutu [5] ! » Ainsi, Paul Epstein avait rendez-vous le 14 juillet avec le comte René de Chambrun, gendre et proche collaborateur du président Laval. Deux jours plus tard, Paul fait partie des quelque treize mille raflés du Vél d'Hiv. Ils seront déportés le 22 juillet, deux jours avant Samuel et sa femme, dont une lettre jetée du train demeure l'un des témoignages les plus crus sur ce que furent les geôles sordides de Drancy [6]. Quant à Chambrun, il ne donnera guère suite aux relances de Sabatier.

Jacques Benoist-Méchin, secrétaire d'État à la vice-présidence du Conseil, littéralement supplié d'intervenir par le même Sabatier, ne consentira qu'une stérile oraison administrative. Son amie Hélène Morand, princesse Soutzo, antisémite viscérale mais femme du monde, qui reçoit dans son salon la fine fleur franco-allemande, s'efforce de décourager tout excès de confiance :

Sitôt reçu votre coup de téléphone de Moulins, j'ai parlé à mon mari et me suis mise en campagne pour obtenir l'intervention des personnes les plus susceptibles d'arranger cette affaire. On s'occupe de votre pauvre femme et il faut avoir de l'espoir et beaucoup de patience hélas. Par quelle erreur ne partage-t-elle pas votre nationalité ? Je ne puis vous dire avec quelle compassion et quelle sympathie je pense à elle et je mettrai toute mon ardeur à plaider sa cause. Je crois qu'il est néanmoins de mon devoir de vous dire que c'est extrêmement difficile justement parce que c'est une mesure générale [7].

Secrètement flattée que l'on songe au crédit dont elle jouit auprès de Mme Abetz, épouse de l'ambassadeur allemand, Hélène Morand accepte toutefois de coordonner les efforts de Michel et de Sabatier. Mais avant de s'entremettre, et vu le cours actuel de l'amitié, elle réclame de sérieux gages d'antibolchevisme, afin d'amadouer les autorités d'Occupation. Michel Epstein pourrait se contenter de rappeler que les Némirovsky ont été spoliés et expulsés de Russie rouge, et que l'œuvre de sa femme résonne d'antipathie pour le régime soviétique, comme il s'échine à en réunir les preuves. Il va au-delà. Dans une lettre « d'une grande audace » destinée à Otto Abetz, il exhibe la dérisoire recommandation du *Feldwebel* Hammberger, assure l'ambassadeur de leur commune « haine pour le régime bolchévique » et ravive les mauvais procès faits à Irène Némirovsky, dans l'espoir qu'ils puissent cette fois la sauver :

Dans aucun de ses livres (ils n'ont d'ailleurs pas été interdits par les autorités occupantes), vous ne trouverez un mot contre l'Allemagne et, bien que ma femme soit de race juive, elle y parle des juifs sans aucune tendresse. [...] Je me permets aussi de vous signaler que ma femme s'est toujours tenue à l'écart de tout groupement politique, qu'elle n'a jamais bénéficié d'aucune faveur des gouvernements ni de gauche ni de droite, et que le journal auquel elle collaborait en tant que romancière Gringoire, *dont le directeur est H. de Carbuccia n'a certainement jamais été favorable ni aux juifs ni aux communistes* [8].

Bien entendu, Michel n'omet pas de préciser qu'Irène est catholique, que ses filles sont françaises et que son asthme lui fait courir un danger de mort, toutes précisions sans poids, qui trahissent surtout une grande fébrilité. Au point qu'André Sabatier juge inopportun, en l'état, de donner à cette lettre effarante « la destination que souhaite son auteur [9] ». Quinze jours plus tard, Hélène Morand ne l'a toujours pas transmise, et probablement ne le fera-t-elle jamais, car la lecture des *Mouches d'automne* ne lui a pas paru présenter de garanties suffisantes : « anti-révolutionnaire certes mais non pas antibolchévique [10] ». Il est vrai qu'Irène Némirovsky n'a jamais fait de politique, n'a écrit que des romans, n'est pas l'auteur de *Je brûle Moscou*.

Mavlik, exhortant son frère Michel au courage et à la prière, lui explique calmement que la notoriété d'Irène est son principal handicap : « plus les intéressés sont peu connus [...], mieux cela vaut [11] ». De son côté, elle-même obtient du vieux comte Kokovtzov, ami de la famille et jadis auteur d'un virulent pamphlet antisoviétique préfacé par Poincaré [12], un brevet d'antibolchevisme pour venir en aide à Samuel, Paul et Irène. Effet nul.

Tout doucement, Michel se décourage. Du professeur Louis Bazy, successeur de Pasteur Vallery-Radot à la direction de la Croix-Rouge, il espère tout au plus pouvoir rassurer Irène sur le sort de ses filles et lui faire parvenir un colis – puisqu'il la croit déplacée dans un camp français. Le 9 août, son inquiétude croît d'un degré : « d'une source très sérieuse », il vient d'apprendre que les internés de Pithiviers, hommes, femmes et enfants, ont été acheminés « vers l'Est – Pologne ou Russie probablement ». Il adresse à Sabatier une lettre pathétique :

> *Jusqu'à maintenant, je croyais ma femme dans un camp quelconque en France, sous la garde de soldats français. Savoir qu'elle se trouve dans un pays sauvage, dans des conditions probablement atroces, sans argent ni vivres et parmi des gens dont elle ne connaît même pas la langue, c'est intolérable. Il ne s'agit plus maintenant d'essayer de la faire sortir plus ou moins rapidement d'un camp mais de lui sauver la vie.*
>
> [...]
>
> *Enfin, cher ami, c'est un dernier appel que je lance. Je sais que je suis impardonnable d'abuser ainsi de vous et des amis qui nous restent encore, mais je le répète, c'est une question de vie ou de mort non seulement pour ma femme mais aussi pour nos enfants, sans parler de moi-même. C'est sérieux. Seul ici, avec les gosses, presqu'en prison puisqu'il m'est interdit de bouger, je n'ai même pas la consolation d'agir. Je ne peux plus ni dormir, ni manger, que cela serve d'excuse à cette lettre incohérente.*

Hélène Morand se veut rassurante : il est certes probable qu'Irène Némirovsky, comme des milliers d'autres, a été envoyée outre-Rhin, mais pour une de ces « villes de Pologne où l'on regroupe les apatrides [13] ». La ville en question s'appelle Oswiecim, en allemand Auschwitz, à proximité de l'ancienne frontière slovaque. C'est en effet une métropole, mais peuplée de morts-vivants. Ici s'arrête la bonne grâce de la princesse Soutzo qui suggère, en dernier recours, de frapper à la porte de l'Union générale des israélites de France, organe « représentatif » créé par Vichy, dont l'un des desseins était de donner une apparence honorable à l'antisémitisme d'État. En réalité, l'UGIF est un leurre destiné à endormir la méfiance des Juifs ou à récompenser leur concours.

Le 12 août, la lettre récapitulative de Sabatier sonne le glas : « Tout ceci est très dur, je ne le conçois que trop vivement, cher Monsieur. Votre seul devoir est de penser aux enfants et de tenir pour eux, conseil bien facile à donner, me direz-vous. Hélas ! j'ai fait tout ce que je pouvais. Je suis votre très fidèlement. André. » Michel se démène encore un peu, mais assure qu'il ne tentera plus de démarches inopportunes. Il semble surtout soucieux, désormais, d'anticiper l'inéluctable. L'appartement de l'avenue Coquelin est cédé à d'anciens domestiques. Le 15 septembre, immobile et muet depuis un mois, inquiet à l'approche de l'hiver, il perd patience. Nouvelle démarche de Sabatier auprès d'Hélène Morand, qui répond : « On se heurte à des murs [14]. » Et les murs n'ont plus d'oreilles.

Depuis le 17 juillet, dix-neuf mille Juifs ont connu le sort d'Irène Némirovsky, dont un cinquième étaient des enfants. Ce n'est pas dans les journaux, mais la rumeur est bien renseignée. Mgr Saliège, archevêque de Toulouse, sauve l'honneur de l'Église en faisant lire en chaire, par les curés de son diocèse, une vibrante lettre pastorale : « Les Juifs sont des hommes, les Juives sont des femmes. Les étrangers sont des hommes, les étrangères sont des femmes. Tout n'est pas permis contre eux, contre ces hommes, contre ces femmes, contre ces pères et mères de famille. Ils font partie du genre humain. Ils sont nos frères, comme tant d'autres. Un chrétien ne peut l'oublier. »

On ne se résout pas à l'invraisemblable. Le 5 octobre 1942, André Sabatier doit vigoureusement dissuader Michel Epstein de solliciter le renouvellement de sa carte d'étranger. Lui croit qu'il courrait plus de risques dans l'illégalité. Il obtempère, mais prend immédiatement les dispositions qui lui paraissent s'imposer. Le 8, il délègue à Julie Dumot toute autorité sur ses filles, par-devant Me Vernet, notaire d'Issy-l'Évêque. Puis il adresse à Madeleine sa seule recommandation : « N'abandonnez pas les petites si un malheur leur arrive. » Enfin, d'un ton extraordinairement calme, il demande à Sabatier : « Si vous avez l'impression que je devrais changer mes enfants de climat, voulez-vous me le dire ? Bien à vous et que Dieu nous garde tous. » Il est arrêté le lendemain.

Ayant vu coup sur coup, en l'espace de deux semaines, disparaître sa femme et ses frères, sans nouvelles, assigné à résidence, fou d'angoisse et d'insomnie, Michel s'attendait à son arrestation. Davantage, il en était venu à la désirer. À la faciliter ? Le soin étonnant de ses derniers actes d'homme libre, leur concomitance, leur sérénité, la veille même de son arrestation, sont troublants. Puisque ses recours s'étaient écroulés l'un après l'autre, il ne lui restait qu'à prendre les devants. Irène ne lui était pas rendue ? Il se rendit à elle. Sa fille Denise ne peut en jurer, et cependant : « Il ne s'est retrouvé lui-même que le jour où il a été arrêté. Il était heureux comme tout, parce qu'il était persuadé qu'il allait retrouver ma mère, en tout cas partager le même sort [15]. » Et l'esprit tranquille, puisque ses filles seront sous la garde de « Tatie Julie », qui perçoit désormais les mensualités versées par Esménard. Michel n'ignore qu'une chose : Denise et Élisabeth, quoique françaises et baptisées, et bien que la dernière n'ait que cinq ans, sont dûment fichées au nombre des « Juifs domiciliés actuellement dans l'arrondissement d'Autun & Charollais rattaché [16] ».

Le 9 octobre 1942, le scénario du 13 juillet se reproduit à l'identique : les gendarmes connaissent le chemin. Père et filles sont conduits ensemble à la préfecture d'Autun. Ici se situent les deux scènes qui vont décider à la fois du sort des filles d'Irène Némirovsky et du destin de *Suite française*. C'est, d'abord, un officier allemand qui tire de son portefeuille la photo de sa petite fille, aussi blonde que Denise, et qui dit aux deux fillettes : « Je vous donne quarante-huit heures pour disparaître [17]. » Puis, l'ultime recommandation de Michel avant d'être conduit à la prison du Creusot : « Ne vous séparez jamais de cette valise, car elle contient le manuscrit de votre mère [18]. » Manuscrit interrompu, non inachevé : Michel ne songe pas un instant à la postérité, mais à l'œuvre en cours, qu'Irène finira bientôt. Cette valise, marquée aux initiales de Léon Némirovsky, Denise mettra d'ailleurs de longues années avant de l'ouvrir, la priorité en revenant à sa mère.

Michel est détenu au moins dix jours au Creusot, bombardé le 17, puis transféré à Drancy, camp de transit de l'Est parisien. Avant de l'envoyer à la mort, on a pris soin de le dépouiller des 8 500 francs dont il n'aura pas besoin. Ses filles n'ont pas aussitôt fui Issy-l'Évêque, où Julie a continué de correspondre quelques jours avec leur père. Jusqu'au jour de fin octobre où, vers 14 heures, deux gendarmes et un milicien se présentent à l'école du village. Mme Ravaud, l'institutrice, n'a que le temps de cacher Denise à l'étage, derrière le lit de sa mère, une veuve de la Grande Guerre que l'on n'osera pas déranger. Le soir, à la sortie des classes, Denise est rendue à Julie Dumot, qui jette précipitamment quelques papiers, des photos et des bijoux dans la valise, arrache et jette au feu l'étoile jaune, puis file sans plus attendre à Bordeaux avec les fillettes. La poupée Bleuette et le chiot Copain, orphelins, ne font pas partie du voyage.

Le 6 novembre 1942, à Paris, André Sabatier adresse à Julie Dumot un mandat de 1 150 francs correspondant à la publication dans *Présent* de l'ultime nouvelle d'Irène Némirovsky. À dix kilomètres de là, le même jour, environ mille hommes et femmes, et cent treize enfants de moins de douze ans, s'entassent dans le convoi n° 42 pour Auschwitz, en partance de Drancy. Trente-six convois, trente-six mille condamnations à mort depuis le 17 juillet ! Presque aucun de celui-là ne survivra, car tous ou presque seront gazés à leur arrivée. Ce n'est pas ainsi que Michel pensait retrouver Irène. Mais il l'a retrouvée.

De son père, Élisabeth conservera surtout un souvenir : le peigne qu'il forçait dans ses cheveux frisés, et qui lui faisait un mal délicieux...

Épilogue

UN LONG VOYAGE
(1943-2004)

> *« Née à l'Est, Irène est allée périr à l'Est. Arrachée pour vivre à sa terre natale, elle a été arrachée pour mourir à sa terre d'élection. Entre ces deux pages s'inscrit une existence trop courte, mais brillante : une jeune Russe est venue déposer sur le livre d'or de notre langue des pages qui l'enrichissent. Pour les vingt années qu'elle aura passées chez nous, nous pleurons en elle un écrivain français. »*
>
> Jean-Jacques Bernard, 1946

Julie Dumot était très croyante. Cachées dans un pensionnat catholique de Bordeaux, Denise et Élisabeth purent échapper un temps à l'arrestation, sous de faux noms qu'elles retenaient difficilement. À partir de février 1944, commence le cycle des caches, des bombardements et de la peur. Élisabeth qu'il faut bâillonner pour que son rire n'attire pas les patrouilles allemandes. Le nez qu'il faut cacher parce que Julie dit qu'il est un traître. Le silence absolu, consigne de vie ou de mort. Et les séquelles : « Le régime des caves étant mauvais pour la santé, j'étais malade [1]. » Cet euphémisme désigne une pleurite qui ne sera résorbée qu'en août 1945.

Le 28 août 1944, Bordeaux est libérée. En septembre, Denise et Élisabeth, démunies de tout, peuvent reprendre l'école. Si André Sabatier ne publie pas immédiatement *Les Biens de ce monde* et *La Vie de Tchekhov*, c'est qu'il croit surtout « dangereux d'attirer l'attention à un moment où sa situation ne la met pas à l'abri des mesures de représailles toujours à craindre [2] ». À cette date, en effet, le camp d'Auschwitz n'a pas encore été « découvert » par les Soviétiques et la Shoah n'a pas de nom. Tous les amis d'Irène et Michel Epstein ont conservé l'espoir de leur retour. Madeleine Cabour, qui accepte de recueillir leurs enfants. Raïssa Adler, qui demande des nouvelles. La journaliste Janine Auscher, qui a vécu l'enfer de Drancy. Le chanoine Dimnet. Mila Gordon. Personne ne veut croire à leur mort. Au point que Julie Dumot, qui les appelait par leur prénom, expédiera encore des bouteilles de bordeaux à Issy-l'Évêque en avril 1945...

À la gare de l'Est, à l'hôtel *Lutetia*, Denise et Babet brandissent leurs écriteaux jusqu'à l'évanouissement. « Elle n'était pas morte. Elle revenait d'un long voyage. Elle était pâle, fatiguée, faible, avec ces traits à peine marqués et si reconnaissables pourtant qu'ont les morts chéris en rêve ; elle était toujours vêtue de noir, elle était inquiète ; elle se hâtait ; quelqu'un l'attendait, l'appelait [3]. » Une seule n'attend rien : Fanny Némirovsky, à soixante-dix ans, n'a toujours ni l'âge ni l'art d'être grand-mère. À travers la porte fermée de son appartement, à Julie venue lui réclamer de l'aide, elle aurait lancé : « Je n'ai pas de petits-enfants. » Elle lui versera pourtant une pension bénévole, plutôt une aumône : 1 000 francs.

Irène Némirovsky ne reviendra pas. À Genève, en février 1945, l'envoyée du ministère des Réfugiés auprès de la Croix-Rouge, Olga Jungelson, n'obtient d'informations ni sur elle, ni sur les autres écrivains déportés dont elle a charge de retrouver trace : Benjamin Crémieux, Robert Desnos, Jean Cavaillès, Maurice Halbwachs [4]... Et lorsqu'en juin, saisie d'un remords tardif, la Banque des Pays du Nord s'avise de faire un geste pour Denise et Babet, c'est « en souvenir de M. Epstein [5] », radié de ses services aux premiers mois de l'Occupation. La banque prend place dans un « conseil de famille » où siègent la Société des Gens de Lettres et Albin Michel, qui pourvoiront à la scolarité et à la subsistance des enfants, jusqu'à leur majorité. « J'aurais dû réussir, j'aurais dû faire plus [6]... », se lamentera longtemps Robert Esménard. Il ne s'agit d'abord que d'avances sur droits, mais en décembre 1945, après une réunion du « comité d'aide aux enfants d'Irène Némirovsky » chez la romancière Simone Saint-Clair, rescapée de Ravensbrück, l'éditeur s'engage à abandonner 2 000 francs mensuels sans compensation, afin de ne pas aggraver le débit du compte de l'écrivain, qui se monte alors à 89 000 francs.

Dans le même esprit, André Sabatier se fait un devoir de publier tout ce qui peut l'être. À commencer par *Chaleur du sang*, ce court roman – ou cette « grande nouvelle achevée [7] » – qu'il souhaite insérer dès 1945 dans le mensuel *La Nef*, mais sur lequel, étrangement, il ne parvient pas à remettre la main. *La Vie de Tchekhov* sera donc le premier posthume d'Irène Némirovsky. Il paraît en octobre 1946, précédé d'une préface de son ami Jean-Jacques Bernard, lui-même revenu du « camp de la mort lente » de Compiègne. Cet hommage est paru une première fois dans *La Nef*, en juillet, suivi d'un court extrait de l'œuvre.

Jean-Jacques Bernard est bon prophète : « Irène Némirovsky, écrit-il, ne laisse pas ses admirateurs les mains vides. Elle a travaillé jusqu'au dernier jour. Son œuvre ne s'arrête pas avec elle. De précieux manuscrits, s'ajoutant à ses ouvrages publiés, affermiront sa survie littéraire. » Viendront d'abord *Les Biens de ce monde* en février 1947, puis *Les Feux de l'automne*, dix ans plus tard. Et c'est tout. Jean-Jacques Bernard croyait pourtant savoir qu'Irène Némirovsky, à Issy-l'Évêque, « préparait un grand roman cyclique [...], dont nous n'avons malheureusement que des fragments [8] ».

À cause de son état lacunaire, *Suite française* restera plusieurs décennies sur une étagère. Jusqu'à ce que Denise Epstein, avec une forte loupe, ne se décide à en entreprendre la dactylographie, sous la dictée de sa mère. C'est cette voix qu'elle a souhaité faire entendre, en septembre 2004, à ceux qu'elle devait toucher. « Tâcher de faire le plus possible de choses, de débats qui peuvent intéresser les gens en 52 ou 2052 », se promettait Irène Némirovsky. Ses lecteurs n'auront pu attendre si longtemps.

★

Fanny Némirovsky est morte en 1972, à l'âge approximatif de quatre-vingt-dix-sept ans. « Elle avait vendu son appartement en viager et vivait très confortablement de la fortune de notre grand-père et de la vente de ses bijoux [9]. »

Victoria, sa jeune sœur, est morte en 1988, à Moscou, à l'âge de quatre-vingt-quatorze ans. Elle était la dernière à se rappeler la « vie antérieure » d'Irotchka.

Élisabeth Gille, éditrice, traductrice, écrivain, est morte en 1996. Elle avait consacré à sa mère une poignante « biographie rêvée », *Le Mirador*, récompensée en avril 1992 par le prix littéraire de la Wizo.

Denise Epstein espérait que *Suite française*, ce roman lu par dix personnes en soixante ans, ne serait pas trop vite oublié. Elle ne se doutait pas qu'en le publiant, elle rendrait sa mère à l'amour et à la gratitude de ses lecteurs, dont un long contretemps les avait privés. Qui peut aujourd'hui douter qu'Irène Némirovsky ne soit singulièrement vivante ?

ANNEXE

QUATRE INTERVIEWS RETROUVÉES D'IRÈNE NÉMIROVSKY

Nous avons choisi de reproduire, en annexe de cette biographie, quatre interviews données par Irène Némirovsky en 1930, 1931, 1933 et 1935, qui n'avaient jamais été exhumées depuis.

I. CLAUDE PIERREY (*CHANTECLER*, 8 MARS 1930)

[...]

J'ai été voir Irène Némirovsky.

Elle paraît jeune, – presque trop! – mince, petite, brune, type juif accentué, sans beauté. Les yeux noirs, voilés par les paupières tombantes, expriment une sorte de douceur malicieuse, sans plus. Les cheveux coupés courts, collés, accentuent l'exiguïté de la tête, allongée en arrière. Les lèvres charnues sourient franchement. Les manières sont d'une élégance aisée, fruit d'une première éducation impeccable.

Telle, Irène Némirovsky est une femme comme beaucoup d'autres, sans que rien ne semble devoir, particulièrement, la distinguer. Dans son salon d'un luxe raffiné, où les meubles et les objets de prix, habilement disséminés, n'en sont que mieux mis en valeur, l'auteur de *David Golder* s'avère, avant tout, femme du monde, infiniment gracieuse et accueillante.

Vive, mobile, armée de son sourire – sûr bouclier, – la romancière répond et questionne avec beaucoup de naturel.

— On dit, Madame...

— Quoi donc? renseignez-moi...

— Tout d'abord, que vous êtes très riche, que la publicité, payée par vous, n'a fait qu'exploiter la légende adroite de la « poste restante », celle, touchante, des *relevailles*...

— Oh! mon Dieu! que c'est amusant... Riche? C'est selon... je ne suis pas pauvre, évidemment. Mais cette condition serait-elle indispensable au talent? Quant à la *légende*, elle est authentique, ne vous en déplaise. Certes, Grasset est un *as de la publicité*. Ce n'est pas moi qui le nierai et qui songerai jamais à m'en plaindre. Mais la vérité est, tout de même, celle-ci : j'ai envoyé le manuscrit de *David Golder* à la maison Grasset en indiquant une adresse poste-restante, pour qu'en cas d'échec, ma démarche restât ignorée des miens. Entre temps, j'ai accouché d'une petite fille, et, immobilisée au lit plusieurs semaines, je n'ai eu connaissance des recherches sur l'auteur anonyme de *David Golder* qu'après mes relevailles. Déjà, la publicité avait alerté les curiosités... et, le livre paru...

— Ce fut la gloire !

Irène Némirovsky rit comme une petite fille, puis, toujours intriguée, amorce d'autres confidences.

— On dit encore que votre propre père, banquier juif également, vous a servi de modèle pour *David Golder*, que, s'étant reconnu, il vous garde une rancune tenace, que Joyce a réellement existé, aussi jolie, aussi « déchaînée » que votre héroïne, et qu'elle s'est suicidée, à dix-huit ans, terminant logiquement, en somme, une vie d'exception...

Démentir pareilles assertions ? À quoi bon ! Chacun garderait « in petto » ses convictions. Irène Némirovsky est trop fine pour ne pas le comprendre. Nous parlons du livre, de sa surprenante répercussion.

Nulle griserie, nulle vanité, nulle emphase. Irène Némirovsky est contente et le dit, gentiment, simplement. Elle a eu du génie sans le savoir et ne s'en émerveille ni ne s'en étonne. C'est une vérité proclamée par tous, à laquelle elle est bien obligée de croire, elle aussi... Dans ce rôle périlleux, Irène Némirovsky se montre parfaite en tous points, sans la moindre fausse note, sans la plus légère faiblesse. Et là, je reconnais cette intelligence juive hors de pair, cette compréhension aiguë qui caractérisent l'élite de la race et lui permettent l'accession des sommets...

David Golder est une œuvre de grande envergure, taillée en plein roc, solide, virile, dramatique, poignante, et, cependant, mesurée... [...] On a évoqué Balzac, Dostoïevsky. Je pense, plutôt, à Bernstein. Même frénésie âpre, même émotion brutale, même force agissante, même talent direct, balayant en rafale les résistances, drainant les enthousiasmes, talent superbement victorieux !

— Vos goûts littéraires, Madame ?

— Les grands Russes : Tolstoï, Dostoïevsky. Parmi les vôtres : Racine, Chateaubriand, Mérimée, Proust, Maurois, les Tharaud, Valéry Larbaud.

— Et parmi les femmes de lettres ?

— Colette, naturellement, dont j'admire beaucoup : *la Fin de Chéri*. Gérard d'Houville.

— Hum ! vous êtes cependant, il me semble, assez loin de Gérard d'Houville ?...

Le rire d'Irène Némirovsky s'égrène, en notes claires...

— Que voulez-vous, j'adore les choses « coco »...

Et je ris à mon tour.

II. Michelle Deroyer, « Irène Némirovsky et le cinéma. "Je ne pense qu'en images", nous dit-elle » (*Pour vous*, juin 1931)

La surprise est grande quand, ici ou là, on vous présente Irène Némirowsky. D'abord, elle est si jeune de visage et d'allure qu'elle peut vraiment être prise pour une lycéenne. Et elle rit gaiement... Et elle arrange, tout en parlant, avec beaucoup de coquetterie, ses cheveux, ondulés et sombres.

— Holà ! crie-t-elle à quelqu'un qui braque sur elle un objectif... Non... Je vous dis qu'aujourd'hui je ne suis pas une miette photogénique... Je le sens... Je le sens... Ce n'est pas comme ma fille.

— Votre fille ?

— Mais oui. On vous présentera la jeune personne tout à l'heure.

La voici. C'est une enfant blonde aux yeux dorés, à la peau éclatante...

— Denise est belle tous les jours... En réalité et sur le papier... 17 mois... Elle a dix-sept mois...

Un gros chat noir survient. Il est lourd, électrique, mystérieux... C'est Satan fait chat...

— Lui aussi est épatant en photo, dit la jeune romancière.

Irène Némirovsky parle gentiment, d'une voix douce et pas du tout catégorique. Le succès qu'elle connut dans les Lettres, dès son premier livre, ne l'a point grisée. Elle dit :

— En somme, j'avais travaillé quatre années pour mettre debout mon *David Golder*..., et avant de donner le manuscrit à l'éditeur, quatre fois j'avais écrit et récrit mon roman.

» Auparavant ?... Oh ! j'écris depuis l'âge de treize ans.

— Des vers, d'abord, comme tout le monde ?

— Jamais de la vie... Écrire des vers me paraît un sport, dans lequel je n'ai nulle adresse... Non, j'écrivais d'abord des contes de fées... Dans mon imagination, je les faisais aller, venir. Après, je transcrivais ces visions.

» Ensuite, j'écrivis des espèces de dialogues pour un journal très parisien... C'était enfantin et gai... Pensez, je n'avais que dix-huit ans... Après, ce fut *David Golder*...

» C'est vrai, je connus un immense étonnement et une joie extrême quand mon manuscrit fut accepté... et surtout quand on m'apporta les épreuves à corriger.

Le nom d'Irène Némirovsky n'est pas seulement connu des amateurs de beaux romans. Voilà que, en lettres formidables, son ouvrage est annoncé, car une firme cinématographique en a tiré un film... Je demande :

— Vous avez dû être très fière de...

— Cela fut bien étrange pour moi quand je vis, en chair et en os, mon David Golder, quand j'entendis sa voix, quand je devinai, derrière ses paroles, l'âme que j'avais créée. Un instant, je fus bouleversée...

» Il y a aussi l'actrice qui joue le rôle de Joyce. Elle est belle, elle a tous les gestes que j'avais inventés pour mon héroïne...

— Si j'aime le cinéma ! Ah ! mais oui ! Le cinéma est l'art qui se rapproche le plus de la vie, qui a le plus de parenté avec la vérité...

» J'aime beaucoup mieux le cinéma parlant et chantant, et dansant... et 100 pour 100, voyons. Le cinéma muet ne nous faisait accomplir que des voyages chez les fantômes... Merci bien ! Le cinéma parlant est un enrichissement prodigieux...

— Oh ! je sais. Moi j'aime tant la vie, le mouvement, la danse, les voyages que plus le cinéma est turbulent et plus je l'aime. J'attends déjà que les images nous apparaissent en relief et parées des vraies couleurs qu'elles ont dans la réalité...

» Non, je n'écris pas un nouveau roman, et je ne prépare rien pour le théâtre.

Mais dans ma tête, je médite des projets de films, je vois les images. Mes personnages se meuvent devant moi. Je n'invente les sentiments qu'après...

» Kissou... Kissou...

Le chat, long, large, hirsute et affolé montre son museau entre deux portes...

Irène Némirovsky, comme une petite fille, joue avec Kissou...

— Vous n'avez pas peur de cette bête... dissimulée ?

— Peur ?... Peur ?... Mais je n'ai jamais peur... Je n'ai jamais eu peur... Sauf une fois en Russie, pendant la révolution... Et une autre fois, sur un petit cargo qui m'amenait de Suède à Rouen. J'avais 14 ans. Nous essuyâmes une tempête terrible, le bateau dansait ; j'avais peur de tomber dans l'eau verte... Tiens, ma foi, c'était au commencement du printemps.

— Oui, j'ai eu déjà une vie mouvementée. La Russie, la Suède, l'Europe centrale... et Paris... On ferait un scénario plein d'accidents avec ce qui m'est arrivé...

— Et ce qui vous arrivera...

— Oh ! je vous en prie... Il ne faut pas parler d'avenir. Le présent ne suffit-il pas ?

III. Frédéric Lefèvre, « En marge de *l'Affaire Courilof*. Radio-Dialogue entre F. Lefèvre et Mme I. Némirovsky[1] » (*Sud de Montpellier*, 7 juin 1933)

— Madame Irène Némirovsky, avant même d'avoir lu votre nouveau roman, *l'Affaire Courilof*, je suis sûr que tous les critiques sont prêts à le lire avec sympathie pour la raison que le succès immédiat et si grand de *David Golder*, votre premier roman publié, ne vous fit pas perdre la tête ; vous ne vous crûtes pas obligée de nous donner quelques mois après une nouvelle œuvre.

— La raison en est surtout que j'aime beaucoup travailler, écrire et recommencer plusieurs fois mes ouvrages. [...] En écrivant *David Golder* j'ai voulu faire l'histoire d'un homme âgé et très dur. Ce qui m'intéresse toujours c'est d'essayer de surprendre l'âme humaine sous les dehors sociaux du financier comme dans *David Golder* ou de l'homme d'État comme dans *l'Affaire Courilof*, de démasquer, en un mot, la vérité profonde qui est presque toujours en opposition avec l'apparence.

— Est-ce que *David Golder* a été beaucoup traduit ?

— Il a été traduit dans toutes les langues européennes sans exception. J'ai pu juger des traductions allemande et anglaise, connaissant les deux langues ; elles étaient toutes les deux parfaites. La plus mauvaise fut la russe, éditée à Riga, qui ne m'a jamais été payée d'ailleurs.

— Parlez-nous maintenant de *l'Affaire Courilof*. Ce qui m'a frappé tout d'abord en le lisant, c'est la vérité d'une définition du roman que me donnait l'autre jour le grand écrivain Guglielmo Ferrero. Il me disait qu'un vrai roman n'était autre chose

1. Il s'agit de la transcription d'un entretien diffusé sur Radio Paris le 2 juin 1933. *(NdA)*

qu'une parabole. La parabole est très sensible dans *l'Affaire Courilof* mais je voudrais savoir si dans votre esprit elle préexistait au récit lui-même.

— Lorsqu'on écrit quoi que ce soit on a toujours une préoccupation dominante qui peut être la même pour tous les livres mais qui peut aussi changer avec chaque livre ; chez moi elle est toujours la même. Je ne peux pas dire que ce soit précisément une préoccupation morale, c'est la préoccupation de la sympathie humaine, l'effort pour comprendre les êtres humains. Non seulement *l'Affaire Courilof* mais tout ce que j'ai écrit est dominé.

» L'idée de *l'Affaire Courilof* part de très loin, de mon enfance encore. En ce temps-là j'habitais Kiev, dont le général gouverneur, roi incontesté du pays, était Soukhomlinoff. La partie israélite de la ville dont était ma famille le craignait extrêmement. Il y avait à Kiev une œuvre de charité qui plaçait des gouvernantes françaises et qui s'appelait le « home français ». Tous les ans, cette œuvre organisait une fête de charité à laquelle assistait toute la haute société. Enfant, je récitais très bien et on me demanda de réciter en français à cette fête. À cette époque, j'avais huit ans, j'étais folle d'Edmond Rostand. Je me souviens que ce fut des tirades de *l'Aiglon* que je déclamai ce jour-là, vêtue d'une exacte réplique du costume de Sarah Bernhardt. Après la représentation, le gouverneur général qui y assistait voulut me féliciter et me voir. J'étais très émue de me trouver en face de cet être qui, pour nous, symbolisait la terreur, la tyrannie et la férocité. À ma grande surprise, je vis un homme charmant qui ressemblait à mon grand-père et qui avait les yeux les plus doux qu'on puisse voir. Il me demanda comment il se faisait qu'une petite russe parlât si bien le français ; je lui expliquai que j'allais avec mes parents tous les ans en France. Il me dit alors textuellement : « Ah ! ma petite enfant, comme je vous envie et comme je voudrais y retourner et y vivre tranquille toute ma vie. »

» Naturellement Courilof n'est pas Soukhomlinoff pas plus que David Golder n'était le portrait précis d'un financier quelconque, ce sont des portraits imaginaires mais je crois que le choc, l'idée initiale du roman doit dater des réflexions que cette entrevue m'a fait faire. Tout cela a été déclenché par le goût qui me prit il y a deux ans de l'histoire et je lus alors énormément de biographies, de mémoires, de correspondances de ce temps-là. Il y en a une très grande quantité, tant en russe qu'en français. J'y ai puisé beaucoup de détails authentiques, jusqu'à des phrases réellement prononcées et écrites par les gens de cette époque et que j'ai mis dans la bouche de mes héros.

» Plus tard, quand nous habitâmes Pétersbourg, mon père, par sa situation, eut affaire bien souvent aux gouverneurs et je vis de près tout ce monde-là.

— Quelles ont été vos méthodes pour écrire ce livre ?

— Je ne fais jamais de plan. Je commence par écrire pour moi toute seule l'apparence physique et la biographie complète de tous les personnages, même les moins importants. De cette façon, avant même de m'atteler à la rédaction proprement dite, je connais parfaitement mes personnages et il me semble jusqu'à leurs intonations ; je sais comment ils se comporteront, non pas seulement dans le cas du livre mais dans tous les cas de la vie. Lorsque ceci est fait, je commence à écrire, dans un brouillon informe, le roman lui-même et en même temps les réflexions qu'il me suggère, le journal même du roman, pour reprendre l'expression d'André Gide. Ensuite je laisse le tout reposer en m'efforçant de ne plus penser à la littérature. Quand je le reprends, tout paraît s'organiser, se composer de soi-même.

— Et c'est alors la version définitive ?

— Non, il y en a encore une troisième que je tape moi-même – les deux autres ont été écrites – mais elle ne porte guère que sur le style que j'essaye tout bonnement de rendre le plus simple possible.

— Et sur les épreuves?

— Je ne corrige que les détails.

— Quelles sont aujourd'hui vos grandes admirations littéraires? En France, en Russie, en Angleterre?

— Vous faites bien de préciser en disant « aujourd'hui ». C'est curieux de voir combien les admirations littéraires changent avec l'âge et les conditions de la vie. J'ai commencé par aimer par-dessus tout les auteurs de la dernière moitié du XIXe siècle, comme Huysmans. Puis, j'ai eu une admiration passionnée pour Proust; je connaissais son œuvre dans tous ses détails; je pouvais vous réciter comment était la toilette d'Odette et les moindres nuances des jeunes amours de Gilberte et de Marcel. Maintenant, mon admiration pour Proust n'a pas bougé, certes, mais je ne le lis plus aussi souvent. Mes préférences, aujourd'hui, vont aux auteurs qu'il est convenu d'appeler « démodés ». Par exemple, pour la France, George Sand. Quand on a bien été saturé par toute la fièvre de notre belle vie d'aujourd'hui, il faut lire *la Petite Fadette*. Quelle merveilleuse sensation de repos! En ce qui concerne la Russie, je ne mets rien au-dessus de Tolstoï; il contient tout. Je crois que les Français, en général, préfèrent Dostoïevski, mais je ne partage pas ce goût : Dostoïevski est un genre purement russe, Tolstoï est humain; *le Drapeau d'Ivan Ilitch*[2], par exemple, peut être compris par n'importe quel homme, vieux et malade et qui craint la mort, tandis que pour se mettre dans l'esprit de Raskolnikof ou de l'Idiot, il faut une mentalité spéciale et pour tout dire, être un peu fou... Quant à l'Angleterre, elle a des romans merveilleux, mais j'aime mieux la mesure et la clarté françaises. À mon avis, les romans de Mauriac, pour ne citer que celui-là, qui sont cependant admirables de clarté et de raison éclairent davantage l'âme humaine jusqu'en ses dessous les plus ténébreux que les romans anglais qui ont en ce moment une si grande vogue. Mais je dois reconnaître à ces derniers, à mon sens, une supériorité : ils donnent par l'accumulation de petits détails concrets une plus grande impression de vie. Je viens justement de lire un roman anglais qui m'a beaucoup frappée : *le Meilleur des mondes*, d'Aldous Huxley. Il est effrayant, amusant et profond à la fois.

— Que pensez-vous du roman-fleuve?

— Je l'aime beaucoup quand il jaillit de source. C'est-à-dire quand l'histoire écrite en deux tomes ne pouvait pas être écrite en un seul. Par exemple *Guerre et Paix*, à mon avis, ne pouvait pas être diminué d'une ligne. De même, en France, la série des *Thibault*.

» Mais dans d'autres cas, cela s'appelle tout bonnement du remplissage, et je vous avoue que mes préférences vont à ce qui peut être dit en une page au lieu de deux, et en dix lignes au lieu d'une page. Mais tout cela est une affaire de goût personnel.

— Quelles sont selon vous les vraies patries du roman?

— À cette question, il m'est difficile de vous répondre. Je n'en sais rien. Je crois que partout où l'on a le goût des histoires, des récits fictifs, des contes, le roman naît.

— La révolution a-t-elle eu une influence sur le cours de la littérature russe?

— J'ai peur d'être injuste en parlant de la nouvelle littérature russe. Je ne la connais pas assez; j'ai lu quelques livres très bien. Par exemple, un qui a été traduit en

---

2. *Sic.* Il s'agit bien entendu de *la Mort d'Ivan Ilitch. (NdA)*

français sous le nom de *Mangeurs de grenouilles*, vieux de quelques années déjà. À côté, il y a des monuments de prétentieuse ineptie. Mais je viens de lire des contes de Zotchenko, un jeune également, que je mets au-dessus de Tchekov. Ses contes sont des merveilles de fine satire. J'ignore s'ils ont été traduits.

» En résumé, je crois que la révolution ne fait rien à la littérature d'un pays. Seuls comptent et compteront dans cet ordre d'idée, les individus.

IV. Jeanine Auscher, « Sous la lampe. Irène Némirowsky » (*Marianne*, 13 février 1935)

Dans un immeuble neuf, près de Montparnasse, un studio moderne aux murs tapissés de livres. Au fond, près de la vaste baie, une jeune femme lit. Profil calme. Front lisse. Voix douce et chantante. C'est Irène Némirowsky.

Quelle contradiction apparente existe donc entre cette jeune femme sincèrement éprise de son foyer, et l'écrivain âpre qui a stigmatisé certains aspects conventionnels de la famille ; entre cette créature pleine de vie, dont le rire éclate sans contrainte, et l'auteur désabusé du *Pion sur l'échiquier* ?

— Lorsque je regarde mon enfance, me dit Irène Némirowsky, mon enfance en Russie, au déclin du régime tsariste, je vois une succession de leçons et de professeurs. Jamais de temps pour rêver ou se détendre. Pas de distractions frivoles. Le dimanche, une heure de patinage, c'est tout. Je crois que c'est de cette enfance assez triste que vient le fond de pessimisme qui vous a frappée dans mes livres. La révolution me donna des vacances... mais m'incita à méditer. Et ce fut enfin Paris, l'évasion, le travail librement accepté, l'atmosphère de la Sorbonne, la licence de lettres et la soif inextinguible de lectures propres à l'adolescence.

Une pause. Irène Némirowsky reprend en souriant :

— Ne croyez pas, cependant, que mon adolescence n'ait été que salles de cours et examens... Je n'ai nullement méprisé les plaisirs de la jeunesse, j'ai beaucoup voyagé et... beaucoup dansé !

« Comment je travaille ? poursuit le grand écrivain. Voyez plutôt. »

Irène Némirowsky atteint un livre ancien de grand format et l'ouvre. Surprise. Ce volume aux ors vieillis est un coffret qui recèle le manuscrit de son prochain roman. Elle parcourt les nombreux feuillets couverts d'une écriture fine et serrée, et s'amuse de ma stupeur.

— Rassurez-vous. Le livre ne sera pas si copieux, je n'aime pas les romans qui s'étirent désespérément... Vous voyez ces traits de crayon rouges et bleus ? Tous les passages encadrés seront impitoyablement supprimés. Les autres seuls demeureront. Un plan ? Je crois qu'un plan trop serré est un danger, j'écris d'abord le livre entier, le plan vient ensuite de lui-même. C'était la manière de Barrès, et je pense que c'est la bonne.

Quelques « non » énergiques barrent sur le manuscrit les passages incriminés.

Quelques surprises encore. Cette intellectuelle toujours à la recherche de culture nouvelle préfère le cinéma au théâtre. Elle se proclame résolument antimusicienne. Cependant, incidemment, on apprend qu'elle aime Bach, Mozart, Beethoven et Chopin.

Sportive, alors? Pas davantage. Elle confesse même volontiers son faible pour le doux farniente, un livre à la main... Mais un goût vif pour les grandes randonnées à travers Paris, ou en plein air, sur cette côte basque qu'elle a si bien chantée. Irène Némirowsky est une littéraire avant tout. Polyglotte (« Mais tous les Russes le sont... », affirme-t-elle, plaisamment), elle dévore toute la littérature étrangère contemporaine, car, à son talent d'écrivain, elle joint celui de critique à une de nos grandes revues. Il n'est pas un livre qu'elle n'ait lu, pas une question qu'elle n'ait approfondie. Et, malgré cela ou à cause de cela, tout le contraire d'un bas bleu...

— Mes projets? *Le Vin de solitude*, qui sera de la lignée du *Bal* et, très prochainement, *Films parlés*. J'ai essayé dans ce livre, d'aborder une technique qui s'inspire de celle du cinéma. Peu de développements, une intrigue ramassée, toutes choses dont s'accommode fort bien le style de la « grande nouvelle », mais qui ne pourraient convenir au roman.

Un tel équilibre souriant anime Irène Némirowsky, qu'on demeure surprise que la créatrice de tant de caractères poussés au noir n'en porte pas le poids dans la vie quotidienne. Mais est-ce la première fois, dans le domaine artistique ou littéraire, que l'œuvre et le caractère se séparent jusqu'à sembler s'opposer? Cette romancière de grande classe garde une simplicité quasi miraculeuse, qui la préserve de toute mélancolie romantique. Et c'est sans amertume qu'elle évoquait tout à l'heure, cette enfance sans joie.

— Je vous assure, conclut-elle, que je saurai épargner à ma fille tout travail disproportionné. Je vis beaucoup avec elle, je veux qu'elle s'épanouisse sans contrainte, à l'air et au soleil.

Heureuse, cette enfant de quatre ans, qui ne sait pas encore que sa mère est célèbre!

NOTES

NOTES DU PROLOGUE

1. J. de Nibelle, « Israël dans le Loiret ! », *L'Écho de Pithiviers. Journal de la Beauce et du Gâtinais*, 24 mai 1941.
2. Mémoire du convoi n° 6 et A. Mercier, *Convoi n° 6. Destination : Auschwitz 17 juillet 1942*, Le Cherche Midi, 2005, p. 42.
3. Entretien avec Samuel Chymisz, 5 mars 2005.
4. *Ibid.*
5. *Ibid.* L'un des témoignages les plus complets sur le convoi n° 6 est celui de Moshè Garbarz, auteur d'un livre de souvenirs, *Un survivant. Auschwitz-Birkenau-Buchenwald 1942-1945*, Ramsay, 2006. On lira également, dans le remarquable ouvrage *Convoi n° 6 (op. cit.)*, les témoignages complémentaires de Samuel Chymisz, Berek Wancier, Joseph Pinta, Bernard Hubel, Albert Abram Wainstein et Moshé Cukierman, quelques-uns des quatre-vingt-onze survivants de ce convoi en 1945. Les premiers convois en provenance de Pithiviers furent peu sujets à la « sélection », de façon à reconstituer les effectifs récemment gazés et à fournir de la main-d'œuvre pour achever la construction du camp.
6. J. de Nibelle, « Israël dans le Loiret ! », *op. cit.*
7. *Le Vin de solitude*, I, III.
8. *La Vie de Tchekhov*, XXII.
9. *Les Chiens et les Loups*, XXXIII.

NOTES DU CHAPITRE 1

1. *Les Chiens et les Loups*, XX.
2. M. Boulgakov, « La Ville de Kiev », *Nakanounié*, 6 juillet 1923.
3. « Le Sortilège », *Gringoire*, 1er février 1940 ; in *Dimanche*, Stock, 2000, p. 303.
4. *Les Chiens et les Loups*, IV.
5. *Ibid.*
6. *Le Malentendu*, I, *Les Œuvres libres*, n° 56, Fayard, février 1926. On retrouve plusieurs fois cette formulation dans l'œuvre d'I. Némirovsky, notamment dans « Nativité » : « Le jour se levait, le vent avait tourné. En tendant le visage au-dehors, elle sentit que *la saveur même de l'air* avait changé pendant la nuit. » (*Gringoire*, 8 décembre 1933, in *Destinées*, p. 132.) Mais aussi, dans son journal de travail de l'été 1933 : « Ce que je crains un peu, si je montre la Finlande, c'est d'une part, que j'ai oublié *la saveur de l'air*, l'atmosphère et les détails du climat, et d'autre part, que les événements, en somme, sont triviaux [...]. »
7. *Le Vin de solitude*, I, VII.
8. *Ibid.*, I, I.
9. B. Lecache, *Quand Israël meurt... Au pays des pogroms*, Éditions du « Progrès civique », 1927, p. 135.

10. *Les Chiens et les Loups*, XIX.
11. A. Biély, *Pétersbourg*, L'Âge d'Homme, 1967, p. 15-16.
12. P. Nerey [I. Némirovsky], *L'Ennemie*, in *Les Œuvres libres*, n° 85, Fayard, juillet 1928, IV, III et I, III.
13. F. Lefèvre, « Une révélation. Une heure avec Irène Némirovsky », *Les Nouvelles littéraires*, 11 janvier 1930.
14. H. de Régnier, *Les Cahiers inédits 1887-1936*, Pygmalion/Gérard Watelet, 2002, p. 881 (3 novembre 1935).
15. « La Confidence », *Revue des Deux Mondes*, 15 octobre 1938, in *Destinées*, Sables, p. 53.
16. *L'Ennemie*, III, III.
17. « La Confidence », *op. cit.*
18. A. Tchekhov, « Elle et lui », in *Nouvelles*, Le Livre de Poche, « La Pochothèque », 1993, p. 24.
19. Carte adressée « Mme Sprecher, Hôtel de Berne, 90 rue de Châteaudun, Paris ».
20. *L'Affaire Courilof*, V.
21. *Le Vin de solitude*, I, I.
22. *Les Chiens et les Loups*, XX.
23. R. Bourget-Pailleron, « La nouvelle équipe. Mme Irène Némirovsky. M. Joseph Peyré », *Revue des Deux Mondes*, n° 591, 1936.
24. *Le Vin de solitude*, I, VIII.
25. R. Bourget-Pailleron, « La nouvelle équipe... », *op. cit.*
26. *Le Vin de solitude*, I, III.
27. Aucune des répliques reproduites dans ce chapitre, comme dans les suivants, n'est imaginée : elles proviennent du travail de remémoration d'Irène Némirovsky, qui les a consignées dans le journal de travail du *Vin de solitude*, conservé à l'IMEC.
28. *Le Vin de solitude*, I, VIII.
29. *L'Ennemie*, I, I.
30. Il s'agit du roman *Les Échelles du Levant*, paru en feuilleton dans *Gringoire* de mai à août 1939, et publié en 2005 chez Denoël sous le titre *Le Maître des âmes*, que nous conservons ici.
31. A. Tchekhov, *Carnets* (8 septembre 1897), Christian Bourgois, 2005, p. 79.
32. Un écho du carnaval de Nice, auquel Irène Némirovsky dut assister plusieurs fois, passe dans *David Golder* : « Ils se turent, revoyant en même temps, sans doute, la rue de Nice, cette nuit de Carnaval, pleine de masques qui passaient en chantant, les palmiers, la lune et les cris de la foule sur la place Masséna... » (Grasset, « Les Cahiers rouges », p. 148.) On pouvait encore voir ces masques en 1930 dans *À propos de Nice*, un bref documentaire de Jean Vigo.
33. Th. Purdy, « A French Success » [*The Nation*, 1931]. Un critique obscur touche encore plus juste : « Les caractères sont très simples. Ils perdent en nuances, en humanité ce qu'ils gagnent en force, en intensité. Leur relief en fait des masques. Tous nous font peur ; aucun ne nous fait pitié. » (M. Hénon, *La Collaboration pédagogique*, 27 avril 1930.)
34. *La Vie de Tchekhov*, XXVIII.
35. Prince F. Youssoupoff, *Mémoires*, Éditions du Rocher, 2005, p. 58.
36. A. Rémizov, *La Russie dans la tourmente*, L'Âge d'Homme, 2000, p. 352.
37. Conversation avec Tatiana Morozova, Moscou, 28 janvier 2006.
38. *Le Vin de solitude*, I, I.
39. *L'Ennemie*, IV, I.
40. Conversation avec Tatiana Morozova, Moscou, 28 janvier 2006. Dans *Le*

Vin de solitude, I. Némirovsky indique entre elle et sa mère un écart d'âge qui correspond presque exactement : « J'ai dix-huit ans et elle quarante-cinq... » (IV, V). Si Anna était réellement née le 1er avril 1887, elle aurait dû concevoir Irène à l'âge de quinze ans ; or elle était femme quand Léon l'épousa. Lorsqu'elle mourut le 9 juillet 1972, Jeanne Némirovsky – nom sous lequel l'avait enregistrée en 1948 l'Office français de protection des réfugiés et apatrides, en qualité de « réfugiée lettone » – était donc âgée de quatre-vingt-seize ou quatre-vingt-dix-sept ans, et non de cent deux, comme choisirent de le faire croire ses petites-filles, pour prix de son égoïsme et de ses mensonges. Car, de même qu'en 1945 Anna/Fanny avait refusé de recueillir Denise et Élisabeth Epstein, désormais orphelines, elle récusa plus tard toute parenté avec Irène Némirovsky. « Quand nous sommes allées sonner à sa porte, elle a répondu, sans ouvrir, qu'elle n'avait pas de petits-enfants, raconte Élisabeth Gille. [...] Bien des années plus tard, je lui ai téléphoné en lui disant que j'étais journaliste, que je voulais écrire un article sur les écrivains des années trente, que je venais de découvrir son nom dans le bottin, et que je me demandais si elle appartenait à la même famille que la romancière. Elle a crié qu'elle n'avait jamais entendu parler d'Irène Némirovsky. » (*Cf.* Myriam Anissimov, « Les filles d'Irène Némirovsky », *Les Nouveaux Cahiers*, n° 108, printemps 1992, p. 70-74.) Anna/Fanny/Jeanne Némirovsky fut inhumée le 13 juillet 1972 au cimetière de Belleville, dans le carré juif, près de Léon et d'Iona et Rosa Margoulis. Sa tombe porte l'inscription hébraïque : « Que les âmes des morts restent toujours avec les vivants. »

41. Conversation avec Tatiana Morozova, Moscou, janvier 2006.

42. C. Aleikhem, *Menahem-Mendl le rêveur*, Albin Michel, 1975, p. 54-55.

43. *Le Vin de solitude*, I, I.

44. Antoine Vincent Arnault (1766-1834), poète, fabuliste et dramaturge français, émigré en Angleterre en 1792, fut arrêté à son retour puis relâché. Personnage officiel sous l'Empire, il est de nouveau contraint à l'exil sous la Restauration et est exclu de l'Académie française. Il en deviendra le secrétaire perpétuel en 1829, suite à son retour définitif.

45. Ces deux villes ont été renommées Dniepropetrovsk et Zaporojié.

46. Conversation avec Tatiana Morozova, Moscou, 28 janvier 2006. Victoria Zilpert, née Margoulis, est morte en 1988, à l'âge de quatre-vingt-quinze ans.

47. « Le Sortilège », *op. cit.*, p. 294.

48. *Les Chiens et les Loups*, VI.

49. *Le Vin de solitude, op. cit.*, IV, III.

50. *David Golder*, Grasset, « Les Cahiers rouges », p. 260.

51. On en trouve un écho dans *David Golder* : « Les enfants... tous pareils... et c'est pour ça qu'on vit, pour ça qu'on travaille. Comme mon père, oui... à treize ans, fous le camp, débrouille-toi... c'est tout ce que ça mérite... » *(Ibid.*, p. 55.*)*

52. Isroel Rabon a dépeint Baluty, l'abject ghetto de Lodz, dans *Balut* (Folies d'encres, 2006), sans plus sacrifier à l'imagier yiddish qu'Irène Némirovsky dans *L'Enfant génial* ou *Les Chiens et les Loups*.

53. *L'Enfant génial*, in *Les Œuvres libres*, n° 70, Fayard, avril 1927.

54. *Cf.* M. Druon, *L'aurore vient du fond du ciel. Mémoires*, Plon/Éditions de Fallois, 2006, p. 64-68. On pourra également consulter le *Dictionnaire khazar* de Milorad Pavic, Belfond, 1988 ; Mémoire du Livre, 2002.

55. *Le Vin de solitude*, I, I.

56. *Cf.* M. N. Tchirkoff, « Allumettes », in W. de Kovalevsky (dir.), *La Russie à la fin du 19e siècle*, Paul Dupont/Guillaumin et Cie, 1900.

57. *L'Enfant génial, op. cit.*, p. 334.

58. *Les Chiens et les Loups*, VI.

59. I. Zangwill, « Samouborona », in *Comédies du ghetto*, Autrement, 1997, p. 367.

60. *L'Enfant génial*.

61. I. Babel, *Entre chien et loup,* Gallimard, 1970.

62. « Cette rue ressemblait étonnamment à l'intérieur retourné d'une basse-cour. Il semblait que le soleil n'y pénétrât jamais. [...] Chacun jetait dans la rue tout ce qu'il avait d'inutile et de sale, offrant aux passants l'occasion d'exercer leurs divers sentiments à propos de ces guenilles. [...] Un tas de petits juifs, sales, déguenillés, aux cheveux crépus, criaient et se vautraient dans la boue. » (Gogol, *Tarass Boulba*, Librairie Gründ, 1947.)

63. *David Golder, op. cit.*, p. 198.

64. A. Spire, « Israël Zangwill », *Quelques Juifs et demi-Juifs*, Grasset, 1928, p. 73. Les citations de Zangwill, extraites d'*Enfants du ghetto*, proviennent du même ouvrage.

65. Les premiers soulèvements de cosaques Zaporogues contre les fermiers juifs débutent en 1638, sous la conduite de l'hetman Pawliuk, mais la rébellion de Bogdan Chmielnicki causa la mort de cent quatre-vingt mille Juifs, sans compter ceux de Nemirov, massacrés par les *haidamaks*, partisans fanatiques regroupés en hordes sanguinaires. Plus de six cents villages furent réduits à néant. Pour les besoins de la cause, les Juifs étaient en outre accusés d'empoisonner les puits, d'assassiner les enfants chrétiens ou de causer des épidémies. Quelques Juifs de Nemirov trouvèrent leur salut dans le baptême, d'autres purent se réfugier dans la ville voisine de Toulchin. (*Cf.* S. Asch, *La Sanctification du nom*, L'Âge d'Homme, 1985.) Quelques années plus tard, le général Wischniowiecki, à la tête de trois mille hommes, reprit Nemirov aux Zaporogues, permettant ainsi aux « marranes » de Nemirov de recouvrer leur ancienne foi. Devenu un important centre hassidique au XIXe siècle, Nemirov comptait près de trois mille Juifs en 1896, soit deux fois moins qu'en 1648. On notera qu'en 2006, l'institut Yad Vashem recensait près de deux mille Némirovsky victimes de la Shoah.

66. I. Babel, *Contes d'Odessa*, « Folio bilingue », Gallimard, 1999, p. 61.

67. Ainsi les notables de Sholem Asch que rien n'effraie plus que la proximité du ghetto : « Qui sont ces êtres si loin de nous, au fond de la colonie juive ? Comment y vivent-ils ? Quelle est cette langue qu'ils parlent ? Comme ils sont loin ! Qu'ils nous sont étrangers ! Des gens d'un autre pays, d'une région si lointaine, d'un domaine dans lequel on n'arrive jamais ! Ne dirait-on pas des Esquimaux ou quelque autre tribu d'un coin inexploré de cet immense Empire russe ? » (*Pétersbourg*, Mémoire du Livre, p. 144.) On trouve par ailleurs chez Asch, peu suspect d'antisémitisme, des clichés qui seraient révoltants chez d'autres auteurs. Ainsi, p. 207 : « Un jeune homme les suivait, grand, maigre, d'un type juif fortement accusé par la courbe osseuse du nez et le pli de la lèvre pendante. »

68. *Les Chiens et les Loups*, VI.

69. *Ibid.*, I.

70. *Ibid.*, VIII.

71. *Lettres de Nicolas II et de sa mère*, trad. Paul Léon, Paris, s.d., p. 84-85. Dans ses *Mémoires* (Plon, 1921), le comte Witte rapporte que « l'empereur était entouré d'antisémites avérés, tels que Trépov, Plehve, Ignatyev, et les chefs des Cent Noirs » (VI, p. 168), qu'il « appelait les Anglais des juifs » (VI, p. 167) et qu'il tenait les Juifs pour seuls responsables des persécutions qui les visaient, affirmant : « Mais ce sont eux-mêmes, les *zhidy*, qui sont coupables » (VI, p. 168).

72. Cité par A. Spire, *op. cit.*, I, p. 94-95. Le Parlement anglais avait suggéré aux Juifs d'établir leur « Foyer national » en Ouganda ; le Congrès sioniste mondial rejeta cette offre.

73. Conversation avec Tatiana Morozova, Moscou, 28 janvier 2006.

74. *Les Chiens et les Loups*, VII. Cholem Aleikhem a témoigné des mêmes faits : « Sous nos yeux et sous les yeux du monde entier, les cosaques ont aidé à briser les fenêtres, les portes, les serrures et à s'en mettre plein les poches. Sous les yeux de nos enfants, ils ont tué, torturé les Juifs, femmes et enfants. » (Lettre à Morris Fischberg, cité par H. Bulawko, *Monsieur Cholem Aleichem*, Paris, Gil Wern Éditions, 1995, p. 106.)

75. Au-dessus de cette phrase tirée du « Journal » du *Vin de solitude*, I. Némirovsky a noté : « La différence de ton. La santé, cela va de soi. Mais la ferveur religieuse pour demander le pain quotidien. »

76. *Les Chiens et les Loups*, IV.

77. On ignore où habitaient les Némirovsky avant 1909 ; rue Foundoukleev, selon Tatiana Morozova.

78. *Les Chiens et les Loups*, VIII.

79. *Ibid.*, IV.

80. *L'Ennemie*, II, I.

81. *Le Vin de solitude*, I, I.

82. Fin 1937-début 1938, I. Némirovsky a également projeté d'écrire une vie de « Napoléon jeune ».

83. C'est, du moins, ce qu'affirme Janine Auscher, « Nos interviews : Irène Némirovsky », *L'Univers israélite*, 5 juillet 1935.

84. G. Higgins, « Les Conrad français », *Les Nouvelles littéraires*, 6 avril 1940.

85. *Cf.* Ph. Jullian, *Sarah Bernhardt*, Balland, 1977, p. 143.

86. *Cf.* J. Huret, *Sarah Bernhardt*, F. Juven, 1899, p. 58.

87. Vladimir Alexandrovitch Soukhomlinov (1848-1926) prend le commandement des chevaliers-gardes du tsar en 1876. De 1886 à 1897, il dirige l'École des officiers de cavalerie dont il est le fondateur. En 1899, promu lieutenant-général, il est nommé chef d'état-major du district militaire de Kiev, puis commandant en chef en 1904. En 1905, il est nommé gouverneur général de Kiev, Volyne et Podolie, puis, en décembre 1908, chef d'état-major de l'armée russe, et enfin ministre de la Guerre en avril 1909, jusqu'à son remplacement par le général Polivanov, le 29 juin 1915. Accusé d'impréparation délibérée des armées russes, de prévarication, de sabotage du ravitaillement en munitions et d'espionnage au service des armées allemandes, auxquelles il aurait livré des plans d'état-major, il est arrêté et jugé en mai 1916 pour haute trahison, emprisonné puis relâché par le Premier ministre Stürmer en octobre 1916, puis arrêté de nouveau, rejugé et amnistié en mai 1918 en raison de son âge. Il réussit à passer en Allemagne où il publie ses mémoires en 1923. « Homme insignifiant et taré » selon Trotsky, il aurait malgré lui « favorisé le développement du communisme, ou, si l'on veut, du bolchevisme », par sa soumission à « l'or allemand », révélatrice de la « navrante décomposition des classes dirigeantes » *(Histoire de la révolution russe)*.

88. « En marge de *L'Affaire Courilof*, Radio-Dialogue entre F. Lefèvre et Mme I. Némirovsky », *Sud de Montpellier*, 7 juin 1933.

89. *Les Chiens et les Loups*, X.

90. *Le Vin de solitude*, I, III.

NOTES DU CHAPITRE 2

1. *Le Vin de solitude*, I, VIII.
2. *L'Ennemie*, IV, III.
3. *Le Vin de solitude*, I, III.
4. *Ibid.*, I, VIII.
5. *Ibid.*, I, VII.
6. *Ibid.*, I, VIII.

7. On retrouve dans *David Golder* un « petit Porjès », ancien amant de Gloria, « qui remu[*ait*] des fortunes immenses » (Grasset, « Les Cahiers rouges », p. 157 et 162).

8. *Ibid.*, p. 167.

9. *L'Ennemie*, IV, II.

10. « Le Sortilège », *op. cit.*, p. 294-296.

11. F. Lefèvre, « Une révélation. Une heure avec Irène Némirovsky », *Les Nouvelles littéraires*, 11 janvier 1930.

12. *La Vie de Tchekhov*, XXX.

13. *Le Vin de solitude,* I, I.

14. *Ibid.,* I, IV.

15. Janine Auscher, « Sous la lampe. Irène Némirowsky », *Marianne*, n° 121, 13 février 1935.

16. *L'Ennemie,* II, III.

17. *Ibid.*, II, II.

18. *Le Vin de solitude,* II, III.

19. *Ibid.*, I, I.

20. *Ibid.*, I, I.

21. *Ibid.*, IV, VIII.

22. *Ibid.*, I, VIII.

23. *Ibid.*, I, III.

24. *Ibid.*, I, VIII.

25. *Ibid.*, I, VIII.

26. F. Dostoïevsky, *Crime et Châtiment.*

27. *Le Vin de solitude,* II, I.

28. M. Gorki, *Vie nouvelle*, n° 106, 2 juin 1918, in *Pensées intempestives*, L'Âge d'Homme, 1975.

29. Le nom de L. B. Némirovsky n'apparaît pas dans les listes du conseil d'administration de la Banque de commerce privée de Saint-Pétersbourg publiées par le *Journal de Saint-Pétersbourg*, feuille financière en langue française, en 1913 ni en 1914. Sauf omission, il est probable que Léon Némirovsky n'entra officiellement au CA qu'après la déclaration de guerre.

30. *Le Vin de solitude*, II, I, II et III.

31. *L'Ennemie,* II, II.

32. É. Gille, *Le Mirador. Mémoires rêvés*, Stock, 2000, p. 152.

33. Zaharoff est un des modèles du personnage de James Bohun, dans *Le Pion sur l'échiquier* (1934).

34. *Le Vin de solitude*, II, II.

35. *Ibid.*, II, II.

36. « En marge de *L'Affaire Courilof...* », *op. cit.*

37. M. Paléologue, *La Russie des tsars pendant la Grande Guerre*, II. *3 juin 1915-18 août 1916*, Plon, 1922, p. 271.

38. *Le Vin de Solitude*, II, III.

39. M. Paléologue, *op. cit.*, p. 281-282.

40. *L'Ennemie,* II, III.

41. *Le Vin de solitude,* II, I.

42. *Ibid.,* II, III.

43. Mot difficilement lisible dans le manuscrit préparatoire du « Mercredi des Cendres », dont est tiré cet extrait.

44. *L'Ennemie*, I, V.

45. *Le Vin de solitude*, II, IV.

46. Voici comment, le 25 mars 1934, dans le manuscrit préparatoire du *Vin de*

solitude, Irène Némirovsky met au point la scène de la disparition de Mlle Rose : « En règle générale, une trouvaille qui me paraît épatante ne vaut rien ensuite. Et pourtant ! Lettre anonyme – Scène. Maman va renvoyer Z. et prendre une Anglaise. Z se tue. Voici qui explique bien la vengeance. Seulement bien montrer que Z n'a plus toute sa raison. Alors, il faut attendre la Révolution. [...] Oui, c'est une bonne chose. Et ce qui me séduit aussi, c'est que je peux placer là ce point névralgique. Il n'y a qu'un tout petit coup de pouce à donner, et la lumière tombe d'une façon différente, bien plus saisissante. Seulement, il y faut des précautions. 1) insister sur le secours moral que Z. apporte à l'enfant 2) bien montrer le poids terrible du temps et la folie commençant chez Z. 3) changer un peu la mort (aussi pour que cela ne soit pas trop imité des *Mouches d'automne*). Là, je ne sais plus comment faire : je vois la première partie, quand elle s'en va, qu'elle disparaît dans cette ville sombre qui, lentement se désagrège, ville de fumier, de brouillards, les coups de feu dans l'ombre etc. Mais comment la faire mourir ? [...] Ou tuée par un soldat rouge ivre ? Je pense qu'il faut qu'elle disparaisse et que l'enfant ne sache que bien plus tard comment elle est morte. Rôdant sur la berge de ces canaux noirs : elle avait tout juste mouillé ses pieds et elle était morte d'un arrêt du cœur. Mais l'enfant ne l'avait su que bien plus tard... »

47. *David Golder*, p. 47.

48. *Les Mouches d'automne*, IX.

49. « Les Rivages heureux », *Gringoire*, 2 novembre 1934, in *Dimanche*, Stock, 2000, p. 49.

50. « Le Spectateur », *Gringoire*, 7 décembre 1939, in *Dimanche*, Stock, 2000, p. 346.

51. *Le Vin de solitude*, II, V et III, I.

52. *L'Ennemie*, II, V.

53. *Le Vin de solitude*, II, V.

54. *Ibid.*, II, IV.

55. *Ibid.*, I, V.

56. R. Bourget-Pailleron, « La nouvelle équipe... », *op. cit.*

NOTES DU CHAPITRE 3

1. « Bulletin » du 21 février 1917, cité par Alia Rachmanowa, *Aube de vie, aube de mort. Journal d'une étudiante russe pendant la Révolution*, Plon, 1935, p. 76.

2. L. Trotsky, *Histoire de la révolution russe*, vol. I, *La Révolution de février*, Seuil, « Points Essais », 1995, p. 144.

3. Il est difficile de dater avec précision l'épisode du simulacre d'exécution du *dvornik* Ivan R. Irène Némirovsky semble le situer durant les premiers temps de la Révolution de février, cependant la mention de l'acclamation des portraits de Kerensky le placerait plutôt au printemps. Enfin, dans ce récit autobiographique du 27 mars 1938, en marge de son travail sur « Espoir », Zézelle est encore vivante, mais sous le nom fictionnel de « Mlle Rose ».

4. *Le Vin de solitude*, II, VI.

5. *La Vie de Tchekhov*, XIV.

6. *L'Affaire Courilof*, XXI.

7. *Ibid.*, XVIII.

8. J. Auscher, « Sous la lampe. Irène Némirowsky », *op. cit.*

9. Ainsi, dans ses *Mémoires*, le prince F. Youssoupov, absolument convaincu que le tsarisme périt de « commissaires juifs, plus ou moins camouflés sous des patronymes russes » (*op. cit.*, p. 223).

10. A. Rachmanowa, *op. cit.*, p. 92.

11. M. Gorki, *Vie nouvelle*, n° 52, 18 juin 1917, in *Pensées intempestives, op. cit.* Gorki a toujours proclamé son dégoût de l'antisémitisme ; ainsi, dans ses *Notes et Souvenirs* : « Quand on pense aux Juifs on se sent déshonoré. Bien que personnellement je crois n'avoir de toute ma vie fait aucun mal aux gens de cette race étonnamment résistante, lorsque je rencontre un Juif, je songe aussitôt à ma parenté nationale avec la secte fanatique des antisémites et à ma responsabilité dans la stupidité de mes compatriotes. » (Éd. Français réunis, 1959, tome 8, *La Guerre et la Révolution*, p. 225.)

12. *Cf.* I. Deutscher, « La révolution russe et le problème juif », conférence du 29 octobre 1964 devant la Jewish Society du Syndicat des étudiants de la London School of Economics, in *Essais sur le problème juif*, Payot, 1969, traduction d'Élisabeth Gille, p. 82.

13. *Le Vin de solitude*, II, V.

14. Z. Hippius, *Journal sous la terreur*, Éditions du Rocher, 2006, p. 194.

15. Cité par L. Poliakov, *La Causalité diabolique*, II. *Du joug mongol à la victoire de Lénine 1250-1920*, Calmann-Lévy/Mémorial de la Shoah, 2006, p. 290.

16. « La Nuit en wagon », *Gringoire*, 5 octobre 1939, in *Destinées*, p. 207.

17. F. Lefèvre, « Une révélation... », *op. cit.*

18. « Les hommes se marient par lassitude, les femmes par curiosité ; ils sont pareillement déçus. »

19. « Mme Irène Némirovsky [*a surtout été impressionnée*] par *le Livre de la Jungle* » (« Le livre de votre enfance », *Toute l'édition*, n° 152, 19 novembre 1932).

20. F. Lefèvre, « Une révélation... », *op. cit.*

21. Gorki, « À Moscou », *Vie nouvelle*, n° 175, 8 novembre 1917, in *Pensées intempestives, op. cit.*

22. F. Lefèvre, « Une révélation... », *op. cit.*

23. O. Wilde, *Le Portrait de Dorian Gray*, traduction d'Edmond Jaloux et Félix Frapereau, IV.

24. « Le but de ma vie est le développement de soi. »

25. F. Lefèvre, « Une révélation... », *op. cit.*

26. *Ibid.*

27. J. Reed, *Dix jours qui ébranlèrent le monde*, Éditions sociales, 1958, p. 39.

28. A. Edallin, *La Révolution russe par un témoin*, Éditions de la *Revue contemporaine*, 1920, p. 46.

29. Cité par L. Poliakov, *op. cit.*, p. 317.

30. « Les Fumées du vin », in *Films parlés*, Gallimard, 1934, p. 232 et 241.

31. *Ibid.*, p. 240. On trouve un autre écho de ces pogroms alcooliques dans *Les Mouches d'automne*, III : c'est sous prétexte de discuter du « partage du vin » de sa cave que Youri Nicolaévitch Karine est emmené au village et abattu d'une balle dans le dos.

32. *Cf. Le Vin de solitude*, III, II : « La frontière n'était pas fermée encore, mais chaque train qui passait semblait être le dernier. »

33. J. Lied, *Pionnier en Sibérie et dans la mer de Kara*, Payot, 1951, p. 205. L'affaire ne put se conclure, les associés de Lied n'ayant « pas suffisamment compris ce qui se passait » en Russie soviétique.

34. *Cf.* E. Jutikkala, K. Pirinen, *Histoire de la Finlande*, Neuchâtel, Éditions de la Baconnière, 1978, p. 289-300.

35. *Le Vin de solitude*, II, II.

36. N. Berberova, *C'est moi qui souligne*, Actes Sud, « Thesaurus », p. 106.

37. La nouvelle « Aïno », publiée en janvier 1940 dans la *Revue des Deux Mondes*, a été rédigée en même temps que les authentiques « Souvenirs de Finlande », probablement destinés à une « causerie » radiophonique.

38. Terjoki (ou Terrioki) était une « petite station balnéaire finlandaise, située à

deux heures de chemin de fer de Pétersbourg » (N. Berberova, *Alexandre Blok et son temps*, Actes Sud, « Thesaurus », XVII, p. 1049).

39. *Cf.* G. Sanders, *Mémoires d'une fripouille*, PUF, 2004.

40. M.-J. Viel [J. Reuillon], « Comment travaille une romancière », interview radiodiffusée, 1934.

41. Ces « souvenirs de Finlande, authentiques », rassemblés durant l'été 1933 à Urrugne, serviront à composer la troisième partie du *Vin de solitude* et le décor de la nouvelle « Magie » (*L'Intransigeant*, 4 août 1938).

42. « Aïno », in *Dimanche*, p. 59.

43. *Le Vin de solitude*, III, II.

44. « Magie », *op. cit.*

45. *Ibid.*

46. M.-J. Viel, *op. cit.*

47. J. Bouissounouse, « Femmes écrivains, leurs débuts », *Les Nouvelles littéraires*, 2 novembre 1935.

48. F. Lefèvre, « Une révélation... », *op. cit.*

49. Nous remercions vivement Anastasia Lester, qui nous a fourni une traduction de ces vers.

50. M. Derroyer, « Irène Némirowsky et le cinéma », *Pour vous*, juin 1931.

51. J. Bouissounouse, « Femmes écrivains, leurs débuts », *op. cit.*

52. *Le Vin de solitude*, III, IV.

53. « Magie », *op. cit.*

54. *Le Vin de solitude*, III, V.

55. En 2006, cette maison était devenue une confiserie.

56. M. Boulgakov, *La Garde blanche*, I, IV, Gallimard, « Bibliothèque de la Pléiade », 1997, p. 350.

57. Mikhail Gordieyevitch Drosdovski (1882-1919), ayant constitué en 1917 une armée de volontaires antibolcheviks et antiallemands, prit Rostov-sur-le-Don et mourut près de Stavropol le 1er janvier 1919.

58. « Le Mercredi des Cendres », IMEC.

59. M. Derroyer, « Irène Némirowsky et le cinéma », *op. cit.*

60. « Aïno », *op. cit.*

61. *Nord-Sud*, revue bimestrielle franco-scandinave, 15 février 1930.

62. *Le Vin de solitude*, IV, I.

63. *Nord-Sud*, 15 février 1930.

64. *Ibid.*

65. F. Lefèvre, « Une révélation... », *op. cit.*

66. M. Derroyer, « Irène Némirowsky et le cinéma », *op. cit.*

67. *Le Vin de solitude*, IV, I.

NOTES DU CHAPITRE 4

1. F. Lefèvre, « Une révélation..., *op. cit.*

2. R. Bourget-Pailleron, « La nouvelle équipe... », *op. cit.*

3. *L'Ennemie*, I, I.

4. *Ibid.*

5. Entretien avec Denise Epstein, 10 janvier 2005.

6. *L'Ennemie*, II, III.

7. *Le Vin de solitude*, II, III.

8. I. Némirovsky, lettre à Madeleine Cabour (IMEC).

9. P. Nerey [I. Némirovsky], « Destinées », *Gringoire*, 5 décembre 1940, in *Desti-*

nées, p. 254-255. Les précisions apportées dans cette nouvelle sont conformes à la réalité : « Écoute : tu sais, j'avais treize ans au moment de la révolution russe. Je te rappelle que mon père fut tué [...]. »

10. « ... et je l'aime encore », *Marie-Claire*, 2 février 1940, in *Destinées*, p. 179. Le personnage principal de cette nouvelle s'appelle Olga, tout comme Olga Valerianovna Boutourline (10 mars 1905-14 juin 1947), fille de Valerian Boutourline (1885-1918) et Maria Oustinov, épouse du prince Alexander Alexandrovitch Obolensky (30 mars 1905-1988).

11. « Destinées », *op. cit.*, p. 254.

12. Cette partie de la citation a été omise par Olga Boutourline.

13. D. Dubois-Jallais, *La Tzarine. Hélène Lazareff et l'aventure de « Elle »*, Robert Laffont, 1984, p. 161.

14. J. Kessel, *Nuits de princes*, II, I, Éditions de France, 1927.

15. *Ibid.*

16. J. Auscher, « Sous la lampe. Irène Némirowsky », *op. cit.*

17. G. Higgins, « Les Conrad français », *Les Nouvelles littéraires*, 6 avril 1940.

18. Nous remercions Anastasia Lester, qui nous a fourni une traduction de ces vers.

19. *L'Ennemie*, III, III.

20. *L'Enfant génial*, *op. cit.*, p. 344.

21. É. Gille, *Le Mirador*, p. 270. Cette description s'appuie sur une photographie très abîmée d'Irène Némirovsky en costume tzigane.

22. J. Auscher, « Sous la lampe », *op. cit.*

23. *L'Ennemie*, III, II.

24. *Ibid.*

25. *Les Feux de l'automne*, II, I.

26. *Les Mouches d'automne*, IV.

27. « Ida », *Marianne*, n° 82, 16 mai 1934 ; in *Films parlés*, Gallimard, « La Renaissance de la nouvelle », 1934, p. 65.

28. *L'Ennemie*, IV, IV.

29. *Le Vin de solitude*, I, III.

30. Entretien avec Mme Edwige Becquart, fille de René Avot, Versailles, 26 mars 2005.

31. *Le Vin de solitude*, IV, VIII.

32. « Nativité », *Gringoire*, 8 décembre 1933, in *Destinées*, p. 128.

33. À Saint-Pétersbourg, Ida Rubinstein avait dansé avant guerre dans *Salomé*, d'après Oscar Wilde ; en 1919, pour la première fois depuis la guerre, elle reparut sur la scène parisienne dans *Imroulcaïs*, un drame islamique adapté par son ami le dramaturge et critique théâtral Fernand Nozière (1874-1931), dont il est question au chapitre 6.

34. M. Derroyer, « Irène Némirowsky et le cinéma », *op. cit.*

35. J. Bouissounouse, « Femmes écrivains, leurs débuts », *op. cit.*

36. M. Derroyer, « Irène Némirowsky et le cinéma », *op. cit.*

37. *Fantasio*, n° 353, 15 octobre 1921.

38. *Fantasio*, n° 346, 1er juillet 1921.

39. R. Benjamin, « Les propos de Fantasio », *Fantasio*, n° 331, 15 novembre 1920.

40. *Journal officiel*, 3 décembre 1920 ; cité par M. Prazan et T. Mendès France, *La Maladie n° 9, récit historique*, Berg International Éditeurs, 2001, p. 32 et 36.

41. *Action française*, 9 mars 1920 ; cité par Michel Leymarie, « Les frères Tharaud. De l'ambiguïté du "filon juif" dans la littérature des années vingt », *Archives juives*, n° 39/1, 1er semestre 2006, p. 104.

42. *Excelsior*, 17 mai 1920.
43. *Le Vin de solitude*, IV, VI.
44. *Les Mouches d'automne*, V.
45. « Nativité », *Gringoire*, 8 décembre 1933, in *Destinées*, p. 115.
46. *L'Ennemie*, II, III.
47. « L'Ogresse », *Gringoire*, 24 octobre 1941, in *Dimanche*, p. 314.
48. Yvonne Comesse, lettre à Élisabeth Gille, 15 mars 1992.
49. Dans *La Littérature française entre les deux guerres 1919-1939* (Lymanhouse, 1941), F. Baldensperger mentionne David Golder, cet « âpre petit Juif de Russie devenant manieur d'argent aux États-Unis » (p. 67).
50. « Mais elle était plus captivée encore par ce qu'il taisait que par ce qu'il contait, par cette âme entrevue, insouciante et mélancolique, simple et compliquée à la fois, ondoyante, diverse, ou qui paraissait telle tout bonnement parce qu'elle était étrangère. » (*L'Ennemie*, III, III, p. 329.)
51. Conversation avec Tatiana Morozova, Moscou, 28 janvier 2006.
52. J. Kessel, *Makhno et sa juive*, Paris, Éditions Eos, 1926.
53. *Cf.* Liberty, « Amour fantôme », *Le Matin*, 1er juin 1923, ou Nina Mdivani, « La Princesse Roussadana », *Le Matin*, 30 juillet 1923.
54. F. Lefèvre, « Une révélation... », *op. cit.* Il n'a pas été possible de trouver trace de ce conte entre le 1er janvier 1921 et le 31 décembre 1923. Dans une coupure de 1930, Irène Némirovsky va jusqu'à préciser qu'elle adressa « quelques nouvelles » au *Matin*... (« Après "David Golder"... Irène Némirovsky », source inconnue.)
55. *La Vie de Tchekhov*, p. 105.
56. P. Léautaud, *Journal littéraire*.
57. L. Daudet, *Souvenirs et Polémiques*, Robert Laffont, « Bouquins », 1992, p. 476.
58. Marie de Hérédia avait épousé Henri de Régnier en 1896. Poète et romancière sous le pseudonyme de Gérard d'Houville, elle fut aussi l'une des femmes les plus courtisées de Paris. Avant la Première Guerre, elle avait été la maîtresse des hommes de lettres Jean-Louis Vaudoyer, Binet-Valmer, Edmond Jaloux et Henry Bernstein. Il semble qu'Irène Némirovsky ait continué à la fréquenter rue Boissière après la mort d'Henri de Régnier en 1936.
59. Bibliothèque de l'Institut, fonds Henri de Régnier.
60. *L'Ennemie*, III, IV.
61. *Ibid.*, IV, V, p. 378.
62. *Le Vin de solitude*, IV, V.
63. *L'Ennemie*, IV, II.

NOTES DU CHAPITRE 5

1. Le 13 janvier 1921, *Le Matin* annonçait en première page le décès de Karpoff, *alias* Lénine.
2. E. Epstein, *Les Banques de commerce russes. Leur rôle dans l'évolution économique de la Russie. Leur nationalisation*, Marcel Giard éd., 1925, p. XVII et XXI.
3. *Cf.* F. Albéra, *Albatros, des Russes à Paris (1919-1929)*, Mazzotta/Cinémathèque française, 1995.
4. Irène Némirovsky indique en 1930 à F. Lefèvre qu'elle écrivit *L'Enfant génial* « en 1923, à dix-huit ans », conformément à la consigne de Grasset de se rajeunir de deux ans pour le lancement de *David Golder* ; si l'âge est erroné, la date de 1923 n'en reste pas moins plausible.
5. F. Lefèvre, « Une révélation... », *op. cit.*

6. J. et J. Tharaud, *Un royaume de Dieu*, Plon, 1920, p. 15.

7. O. Wilde, *Le Portrait de Dorian Gray*, traduction d'Edmond Jaloux et Félix Frapereau, IV.

8. Binet-Valmer, *Quatre jeunes filles et le jeune homme incertain*, II, in *Les Œuvres libres*, n° 70, avril 1927, p. 220. Binet-Valmer, président de la Ligue des Chefs de section et des Anciens Combattants, admirateur de Mussolini et D'Annunzio, biographe de Sarah Bernhardt (Flammarion, 1936), n'était pas ennemi de la caricature antisémite ; ainsi, dans *Les Métèques* (Ollendorf, 1907), réédité chez Flammarion en 1922, ce portrait de Nicolo, consul de Chalcédoine : « Lui, le Grec affreux, plus Juif qu'un juif, nez immense, vulgaire, offensant, front qui se sauve de peur de rencontrer votre regard, bouche faite de lèvres serrées et proéminentes : double rebord de chair rouge, pris entre la moustache et le menton ; des yeux petits et longs, craintifs, des pommettes brillantes, des cheveux coupés court et qui frisent ; un teint jaune, bilieux, sale ; un corps malingre, campé de travers sur de petites jambes, sur des cuisses épaisses. » (XI, p. 73.)

9. A. Spire, « Israël Zangwill », *op. cit.*, p. 22.

10. L'image du Juif russe dans la littérature française, à l'orée du XXe siècle, est presque toujours négative. « Le stéréotype est total. Les Juifs sont avares, rapaces, comme en témoignent leurs doigts crochus, ils sont crasseux, graisseux, serviles et traîtres. » (J. Neboit-Mombet, *L'Image de la Russie dans le roman français (1859-1900)*, Presses universitaires Blaise-Pascal/Maison de la Recherche, 2005, p. 459.) Le prototype du « roman ukrainien » d'expression française, avant 1900, est *Dymitr le Cosaque* d'Étienne Marcel (1883), pseudonyme de Mme Malimuska, née Caroline Thuez. Les Juifs y sont « sales, déguenillés », ont les « doigts crochus », le ricanement « hideux », le « nez recourbé en bec d'oiseau de proie », le « regard toujours fuyant ».

11. F. Lefèvre, « Une révélation... », *op. cit.*

12. B. Crémieux, « Les livres. Irène Némirovsky : *David Golder* », *Les Annales*, 1er février 1930.

13. Le pianiste russe et « génie juif » Rozenoffski fait la même expérience dans « Les Larbins » de Zangwill : c'est en improvisant sur des thèmes hébraïques qu'il finit par atteindre Mrs Wilhammer, qui avait pourtant refusé de le recevoir dans son salon new-yorkais. Mais, l'ayant touchée, il oublie aussitôt sa promesse de mettre son génie au service des Juifs du ghetto... (in *Comédies du ghetto*, *op. cit.*, p. 331-353).

14. *Le Malentendu*, XVIII, p. 301.

15. *Ibid.*, IV, p. 234.

16. *Ibid.*, XVII, p. 294.

17. *Ibid.*, XIX, p. 309.

18. *Ibid.*, X, p. 261.

19. *Ibid.*, XVIII, p. 305.

20. *Ibid.*, XVIII, p. 305. On notera que Paul Bourget était l'auteur favori de « Zézelle ».

21. F. Lefèvre, « Une révélation... », *op. cit.*

22. Le *Times* (« French by adoption », 13 février 1930) sera le premier et le seul journal à tracer un parallèle entre Bove et Némirovsky : *« Here is another Russian, after Kessel, Emmanuel Bove and Ignace Legrand, to place among the youngest French writers, and one begins to wonder whether, for good or for evil, the dispersion of Russian intelligence caused by the triumph of the Soviets may not carry consequences scarcely less important to Western literature than the taking of Constantinople by the Turks in 1452. »*

23. *Le Malentendu*, I, p. 223-224.

24. *Ibid.*, XX, p. 326.

25. *Ibid.*, I, p. 223.

26. *Ibid.*, X, p. 259.

27. Certificat du 9 novembre 1940, signé « Ph. de Maizière ».

28. Rapport du conseil d'administration à l'assemblée générale ordinaire des actionnaires, exercice 1924 (30 avril 1925). La Banque des Pays du Nord est à cette date une société anonyme au capital de 50 millions de francs ; son bénéfice net cumulé, pour l'exercice 1924, se monte à 6,834 millions de francs.

29. *Le Malentendu*, XVI, p. 287.

30. *Ibid.*, XI, p. 264.

31. *Le Vin de solitude*, IV, IX.

32. *Le Malentendu*, IV, p. 223.

33. *L'Ennemie*, IV, IV.

34. *Ibid.*, IV, IV.

35. D. Halévy, « Lœwenstein ou la vie d'un joueur », in *Courrier de Paris*, Éd. du Cavalier, 1932.

36. *Ibid.*

37. F. Lefèvre, « Une révélation... », *op. cit.*

38. A. Maurois, « Les œuvres et les hommes. *David Golder*, d'Irène Némirovsky », *Le Spectacle des Lettres*, mars 1930.

39. B. Crémieux, « Les livres. Irène Némirovsky : *David Golder* », *Les Annales*, 1er février 1930.

40. C. Pierrey, *Chantecler*, 8 mars 1930. Cette rumeur est reprise en 1931 par André Hirschmann : « Une femme d'une intelligence et d'une sensibilité remarquables, Irène Nimerovsky [*sic*], a su capter la vie d'une de ses camarades, qu'elle a retracée dans le personnage de Joyce Golder. » (« *David Golder* ou la victoire du cinéma sur le théâtre », *Cinégraph*, février 1931.)

41. M.-J. Viel, « Comment travaille une romancière », *op. cit.*

42. F. Lefèvre, « Une révélation... », *op. cit.*

43. L'actuelle rue de Montevideo.

44. C. Pierrey, *op. cit.*

45. F. Lefèvre, « En marge de *L'Affaire Courilof...* » *op. cit.*

46. F. Lefèvre, « Une révélation... », *op. cit.*

47. F. Lefèvre, « En marge de *L'Affaire Courilof...* », *op. cit.*

48. C. Pierrey, *op. cit.*

49. M. Deroyer, *op. cit.*

50. J. d'Assac, « Maris de femmes célèbres. Monsieur Irène Némirovsky », [mars 1935 ?], source inconnue, probablement *Je suis partout*.

51. P. Morand, « Je brûle Moscou », in *Nouvelles complètes*, t. I, Gallimard, Bibliothèque de la Pléiade, 1992, p. 403.

52. L'un des premiers mots de *L'Enfant génial* est le mot « pogrom ». Il était mieux connu des Français depuis que, le 25 mai 1926, un jeune anarchiste ukrainien avait assassiné en plein Paris, à la terrasse d'un café de Saint-Germain-des-Prés, l'ataman Petlioura, fauteur des massacres antijuifs de 1920. Un mois exactement avant la parution de *l'Enfant génial*, le militant de gauche Bernard Lecache, mobilisé en faveur de l'acquittement de Samuel Schwartzbard, publiait dans *Le Quotidien* son édifiante enquête « au pays des pogroms », réalisée en Ukraine en août 1926. Un tableau apocalyptique – « tous les chemins de l'Ukraine mènent aux pogroms » (B. Lecache, *op. cit.*, p. 6) –, qui n'appelait qu'un reproche : il négligeait les exactions soviétiques. Au procès de Schwartzbard, en 1927, Joseph Kessel, cité comme témoin, tint le discours d'un écrivain français qui avait avec Irène Némirovsky bien des traits communs : « Comme Schwartzbard, je suis juif et comme lui originaire de Russie. C'est déjà un point de ressemblance. Un autre est le fait que, comme lui, j'ai eu la chance d'être marqué par l'incomparable génie de la France, génie de liberté, de courage et de justice. [...] Quand

ce ne serait que pour avoir attiré l'attention du monde civilisé sur l'atroce tradition des pogroms [...], Schwartzbard devait faire ce qu'il a fait. »

53. *Le Malentendu*, XVI, p. 288.

54. *Cf.* A. Spire, *op. cit.*, vol. 1, p. 44 : « Car le Juif est moqueur, comme le Français. Comme le Français, poli et plein de soi, il aime à se railler soi-même par politesse et par orgueil. » La suite de la citation tend à minimiser la portée du cliché antisémite, lorsqu'il est devancé par celui qui en est l'objet : « C'est comme s'il disait à son corps : tu n'es pas très joli, tu es grêle et gauche ; à ses bras : vous êtes remuants ; à ses mains : vous êtes des touche-à-tout ; à son cœur même : tu n'es pas toujours chevaleresque ; je n'y peux rien, c'est le legs de siècles douloureux, et il faut plus d'une vie pour changer ça ; mais, au-dessus de ces esclaves du passé, siège mon esprit affranchi, mon esprit libre qui les connaît et qui les juge. » (*Ibid.*) Spire souligne les effets pervers de ce mode de pensée, qui sont le reniement et le déni de soi.

55. Par exemple, dans *Vie parisienne*, le 1er février 1930 : « On a nommé feu Lœwenstein comme type de Golder. Allons ! Lœwenstein c'était autre chose. »

56. N. Gourfinkel, « L'expérience juive d'Irène Némirovsky. Une interview de l'auteur de *David Golder* », *L'Univers israélite*, 28 février 1930.

57. F. Lefèvre, « Une révélation... », *op. cit.*

58. *Ibid.* Le livre de Louis Fischer – par ailleurs spécialiste d'économie soviétique – était paru en juillet 1928 chez Rieder (coll. « Cahiers internationaux »).

59. F. Lefèvre, « Une révélation... », *op. cit.*

60. « *David Golder...* », *Revue pétrolifère,* 25 janvier 1930.

61. *L'Ennemie*, I, V.

62. *Ibid.*, IV, III.

63. *Ibid.*, III, IV.

64. *Ibid.*, IV, III.

65. *Ibid.*, IV, II.

66. *Ibid.*, IV, II.

67. *David Golder*, p. 68.

68. *Le Vin de solitude*, IV, V.

69. R. Bourget-Pailleron, « La nouvelle équipe... », *op. cit.*

70. *David Golder*, p. 27, 152, 89, 163, 48 et 111.

71. *Le Bal*, « Les Cahiers rouges », Grasset, 2002, I, p. 19.

72. *Ibid.*, II, p. 32.

73. *Ibid.*, V, p. 82.

74. *Le Vin de solitude*, IV, III.

75. Cette citation et les précédentes : *Le Bal*, II et III, p. 44, 48, 49, 53. C'est nous qui soulignons « ennemie ».

76. *Ibid.*, VI, p. 120.

77. Ce rapprochement est souligné par M. Bernard dans le journal procommuniste *Monde*, le 16 août 1930 : « Ce couple ressemble étrangement à ces hideuses figures qui servent à Grosz à stigmatiser une classe. Toute fraîcheur est morte en eux, (mais sans doute n'a-t-elle jamais existé) tous les sentiments humains sont remplacés par de bas préjugés et par une furieuse impatience de rattraper le temps perdu, à leurs yeux, dans la pauvreté, en rassemblant hâtivement les puissances les plus stupides et les plus grossières. »

78. J. Cocteau, *Le Passé défini II* (11 septembre 1953), Gallimard, p. 273. Dans « Le Bal », conte paru le 6 février 1921 dans *Le Matin*, Henri Duvernois avait déjà choisi de raconter la panique provoquée par l'annulation d'un bal, mais pour cause de décès.

79. Prière d'insérer du *Bal*, 1930, cité *in* « ... des livres de femmes », *L'Archer*, 1er octobre 1930.

80. *David Golder*, p. 144.

81. *Le Bal*, I, p. 11.

82. H. Bernstein, *Samson*, IV, v, in *Théâtre*, Éditions du Rocher, 1997, p. 172. Dans une version primitive de cette pièce (1907), Samson était « un Juif levantin du nom de Melliori » (G. Bernstein Gruber, G. Maurin, *Bernstein le Magnifique*, Lattès, 1988, p. 66)..

83. *David Golder*, p. 260.

84. « Le point de vue du mari », *Œil de Paris*, 12 avril 1931.

85. Irène Némirovsky cite déjà *La Semaine de Suzette* dans *L'Ennemie*, écrit en 1928. Il est donc probable qu'elle lisait cette publication enfantine avant d'être enceinte.

86. *Le Vin de solitude*, II, v.

NOTES DU CHAPITRE 6

1. Irène Némirovsky à C. Pierrey, *Chantecler*, 8 mars 1930.

2. H. Muller, *Trois pas en arrière*, Paris, La Table Ronde, 1952 ; « La Petite Vermillon », 2002, p. 68.

3. *David Golder*, p. 12.

4. *Ibid.*, p. 162.

5. F. Lefèvre, « Une révélation... », *op. cit.*

6. S. Duvernon, « Un entretien avec Bernard Grasset », *L'Opinion*, 18 janvier 1930.

7. É. Bourdet, *Vient de paraître*, Gallimard, « Folio Théâtre », 2004, acte II, p. 106.

8. J. Chardonne, *Matinales*, Albin Michel, 1956, p. 136-137.

9. J. Giraudoux, *Bella*, IV.

10. S. Zweig, *Destruction d'un cœur*, in *Les Œuvres libres*, n° 82, avril 1928, p. 104, 110.

11. F. Mauriac, *Dieu et Mammon*, Éditions du Capitole, février 1929.

12. H. Muller, *op. cit.*, p. 69.

13. F. Lefèvre, « Une révélation... », *op. cit.*

14. Claude Pierrey, *op. cit.*

15. *Les Chiens et les Loups*, XXXIII.

16. Lettre à Madeleine Cabour, 7 janvier 1931.

17. « À la recherche d'Irène Némirovsky, jeune femme russe, écrivain français », *Elle*, 9 décembre 1985.

18. B., *Vie parisienne*, 1er février 1930.

19. *Ibid.*

20. C. Pierrey, *op. cit.*

21. S. Duvernon, « Un entretien avec Bernard Grasset », *op. cit.*

22. C. Pierrey, *op. cit.*

23. Hélène Iswolsky, fille de l'ex-ambassadeur de Russie en France, avait amorcé sa carrière littéraire en 1925, en cosignant avec Kessel *Les Rois aveugles* (Éditions de France), puis un livre de souvenirs avec Anna Kachina, *La Jeunesse rouge d'Inna* (Éditions de France, 1928). Amie de Nicolas Berdiaev et Emmanuel Mounier, on lui doit en outre des traductions de Pouchkine, Gontcharov (*Oblomov*, 1926), Tolstoï, Dostoïevski.

24. « En marge de *L'Affaire Courilof...* », *op. cit.* I. Némirovsky le redira en 1940, en moins de mots : « Ivan Ilitch est un homme ordinaire qui, un beau jour, se trouve face à face avec la mort. » (*La Vie de Tchekhov*, XXI.)

25. R. Kemp, « *David Golder* », *Liberté*, 30 décembre 1929.

26. H. de Régnier, « *David Golder*, par Irène Némirovski », *Le Figaro*, 28 janvier 1930.

27. H. Muller, *op. cit.*, p. 68.

28. M. Thiébaut, « Chronique bibliographique. *David Golder*, par Irène Nemirowsky », *Revue de Paris*, janvier 1930.

29. A. Thérive, « Les livres », *Le Temps*, 10 janvier 1930.

30. Daniel-Rops, *La République*, 22 janvier 1930.

31. P. Lœwe, « *David Golder*, par Irène Nemirovsky », *L'Ordre*, 29 janvier 1930.

32. E. Jaloux, « *David Golder*, par Irène Némirovsky », *Le Cahier*, 1er février 1930.

33. A. Maurois, « Les œuvres et les hommes. *David Golder*, d'Irène Némirovsky », *Le Spectacle des Lettres*, [mars 1930 ?].

34. *Action française*, 9 janvier 1930.

35. « Le succès foudroyant de *David Golder* », *Le Matin* et *L'Œuvre*, 18 janvier 1930.

36. « Une femme de lettres peut-elle réussir sans accepter certains hommages de ses juges ? », *Candide*, juin 1931.

37. *Ève*, 2 février 1930.

38. A. Billy, *La Femme de France*, [1930].

39. « *David Golder* », *Fantasio*, 15 février 1930.

40. F. Lefèvre, « Une révélation... », *op. cit.*

41. A. Bellessort, « Un roman de femme », *Journal des débats*, 13 février 1930.

42. Ainsi F. Prieur dans *Le Petit Provençal* : « Il faut avertir, tout d'abord, que *David Golder*, roman de l'argent, des affaires, est une véritable galerie de monstres. » (« Chronique des livres », 31 janvier 1930.) Et C. Santelli, dans *La Dépêche de Strasbourg* : « Mais l'auteur croit-il lui-même que l'humanité n'est vraiment faite que de cela ? Croit-il vraiment que les David Golder ne songeant qu'à entasser de l'argent sur la misère d'autrui, que les Gloria, véritable truie couverte de perles, que les Joyce, grue de bas étage, s'offrant au plus riche amateur, représentent de quelque manière, l'homme, la femme, la jeune fille de notre époque ? » [mars 1930 ?]

43. *Comœdia*, 21 janvier 1930.

44. A. Redier, « Un livre à la mode », *Revue française*, 16 mars 1930.

45. A. Ryckmans, « Les livres dont on parle. *David Golder* par Irène Némirovsky », *La Cité chrétienne*, 5 mai 1930.

46. G. de Pawlowski, « *David Golder*, de I. Némirovsky », *Gringoire*, 31 janvier 1930.

47. *Le Petit Parisien*, 31 décembre 1929.

48. R. de Saint Jean, « Chroniques et documents. La vie littéraire. *David Golder*, par Hélène Nemirovsky » [*sic*], *Revue hebdomadaire*, 1er février 1930.

49. G. Rency, « Irène Némirovsky : *David Golder* », *L'Indépendance belge*, 3 janvier 1930.

50. J. de Pierrefeu, « Un roman juif », *La Dépêche*, 30 janvier 1930.

51. *La Volonté*, 9 février 1930.

52. Erget, « *David Golder*, par Irène Némirovsky », *Le Libertaire*, 8 mars 1930.

53. L. de Mondadon, *Études*, 1930.

54. Erget, « *David Golder...* », *op. cit.*

55. N. Gourfinkel, « L'expérience juive d'Irène Némirovsky... », *op. cit.*

56. F. Lefèvre, « Une révélation... », *op. cit.*

57. N. Sabord, « Sur le pavois... Sous les pieds du veau d'or. Le *David Golder* de Mme Irène Nemirovsky », *Paris-Midi*, [1930].

58. N. Gourfinkel, « L'expérience juive d'Irène Némirovsky... », *op. cit.*

59. *Ibid.*

60. R. de Saint Jean, « Chroniques et documents... », *op. cit.*

61. P. Audiat, « Livres à relire. David Golder, Moïse de la finance », *L'Européen*, 8 janvier 1930.

62. Cité par R. Gouze, *Les Bêtes à Goncourt. Un demi-siècle de batailles littéraires*, Hachette Littératures, 1973, p. 135-136.

63. « En littérature, la révélation est une pratique courante de l'après-guerre. On ne conçoit plus la vie que traversée de secousses comme la guerre, coupée de surprises et de coups de main. Les éditeurs, devant un public formé au combat, ont adopté des procédés militaires. Ils vous sortent tout à coup un auteur avec ses cinquante mille mots tout neufs, comme une division fraîche. Ils le jettent sur la critique, sur le public et, avant même d'avoir obtenu le moindre avantage, poussent des cris de triomphe et lancent des communiqués de victoire. Et c'est aussitôt, à les entendre, la reddition, mains aux poches, de cent mille lecteurs. / La réalité n'est pas aussi brillante que leurs bulletins, et comme les moins informés des lecteurs ont fini, à la longue, par s'en apercevoir, on se demande par quelle grâce d'état de jeunes auteurs d'un mérite éclatant, mais que le public, trop souvent trompé, tient suspects, trouvent encore audience parmi des lecteurs au crâne bourré. / Mais chez nous, les crânes bourrés gardent toujours assez de liberté d'esprit pour juger de tout par eux-mêmes, et plus on les trompe, plus ils se font curieux et perspicaces. Et c'est sans doute pourquoi une suspicion apparemment légitime n'a point privé du succès qu'il mérite le *David Golder* de Mme Irène Némirovsky. » (N. Sabord, « Sur le pavois... », *op. cit.*)

64. Les 93, « Prix », *D'Artagnan*, 20 février 1930.

65. Lettre à Madeleine Cabour, 22 janvier 1930.

66. N. Sabord, « Sur le pavois... », *op. cit.*

67. M. Thiébaut, « Chronique bibliographique... », *op. cit.*

68. Thibaud-Gerson, « *David Golder*, par Irène Némirovsky », *Le Courrier littéraire*, 1er mars 1930. Franc-Nohain, de même, s'étonne que Golder, bien qu'il soit à ses yeux l'incarnation du caractère juif, ne sacrifie aucunement au culte du foyer : « [...] ce "sens de la famille", du "patriarcat", – ou de la "tribu", – si puissant chez les juifs, quelle que soit leur situation sociale, et qu'ils soient "dégrossis" ou non, avant ou après le "gomina", nous nous étonnons de ne pas en retrouver plus de traces chez David et dans l'entourage de David. La femme de David est simplement frivole, cupide et féroce, et sa fille folle de son corps. Nous n'avons pas l'impression de la "tribu Golder". » (« *David Golder*, par Irène Nemirovsky », *Écho de Paris*, 16 janvier 1930.)

69. Ainsi, Franc-Nohain : « Il est impossible de ne point songer ici aux frères Tharaud, car ce sont eux, il faut bien le dire, qui ont mis à la mode ces juifs à cadenettes, les mêmes, d'ailleurs, que nous retrouverons plus tard, avec leurs cheveux si impeccablement lustrés et passés au gomina. Nous aimons dans *David Golder* une sorte de prolongement, de mise en action ardente, fébrile, des ouvrages parfaits et précis, mais d'une précision, d'une perfection presque dogmatiques, des frères Tharaud. Nous y goûtons, comme une pâtisserie ou une friandise exotique, tout ce qui est, ou que nous croyons être, spécifiquement juif, – ainsi du brochet farci du petit restaurant de la rue des Rosiers... » (*Ibid.*)

70. R. Millet, « Irène Némirovski et le roman français », *Paris-Presse*, 30 janvier 1930.

71. *Adam*, 15 mars 1930.

72. « Après "David Golder"... Irène Némirovsky », coupure de presse, source inconnue.

73. A. Billy, *La Femme de France*, [1930].

74. « *David Golder* », *Fantasio*, 15 février 1930. Le véritable prénom de Gloria est pourtant donné dans le roman : Havké.

75. J. de Pierrefeu, *op. cit.*

76. Dans ce manuscrit à l'encre noire, qui porte le titre « Golder. roman », toute l'entrée en matière a été profondément remaniée : « "Non", dit Golder. Les mains de l'homme en face de lui, des mains juives agiles et pâles, serraient le bois de la table et remuaient faiblement avec un petit crissement d'ongles rapide et aigre. Golder les

examina un instant sans rien dire, d'un air attentif et réfléchi, comme s'il mesurait, aux derniers tressaillements d'une bête blessée, ce qui restait de vie en elles. » La suite est très raturée. Les « mains agiles » des Juifs sont un lieu commun que l'on trouve par exemple chez les Tharaud : « Les mains, les longues mains nerveuses, s'agitaient avec une rapidité folle, en mille gestes qui exprimaient à merveille toutes les nuances des pensées qui traversaient les esprits. Chacun de ces longs doigts minces, terminés par des ongles noirs, se démenait devant les visages comme autant de marionnettes, autant de petits personnages doués d'une vie particulière », etc. (*L'Ombre de la Croix*, Émile-Paul, 1917, p. 8.)

77. J. Blaize, « Un chef-d'œuvre commence l'année », *La Dépêche*, 23 janvier 1930.

78. I.-R. See, « Un chef-d'œuvre ?... », *Réveil juif*, 31 janvier 1930.

79. J. Auscher, « Une interview de l'auteur de *David Golder* », *L'Univers israélite*, 5 juillet 1935.

80. *Ibid.*

81. N. Gourfinkel, « L'expérience juive d'Irène Némirovsky... », *op. cit.*

82. J. Auscher, « Une interview de l'auteur de *David Golder* », *op. cit.*

83. N. Gourfinkel, « L'expérience juive d'Irène Némirovsky... », *op. cit.*

84. *Le Matin*, 12 octobre 1908.

85. N. Gourfinkel, « L'expérience juive d'Irène Némirovsky... », *op. cit.*

86. Dans cette pièce de 1907, Samson désigne Jacques Brochart, un ancien portefaix de Marseille devenu pacha des Cuivres égyptiens, à qui un aristocrate ruiné a été contraint de donner la main de sa fille. Trompé par celle-ci, il décide de causer la perte de son rival en l'entraînant avec lui dans une désastreuse opération de Bourse. Comme la « David Town » de Golder dans la première ébauche du roman, Brochart rêve de bâtir une ville d'Ys sortie de son imagination : « Une véritable ville aux confins du Sahara... Parfaitement... une ville de santé, de repos, de plaisir aussi... Une Nice égyptienne... Cette ville comporterait un sanatorium immense, d'immenses hôtels, un théâtre, un casino, des aqueducs... Et nous créerions aussi, pour ravitailler notre colonie, une voie ferrée... C'est là un projet colossal et très séduisant. » (*Samson*, I, XIV.)

87. A. Londres, *Le Juif errant est arrivé*, Albin Michel, janvier 1930, p. 301.

88. *David Golder*, p. 98.

89. *Ibid.*, p. 106.

90. H. de Régnier, « *David Golder*, par Irène Némirovski », *op. cit.*

91. N. Gourfinkel, « De Silbermann à David Golder », *Nouvelle Revue juive*, mars 1930.

92. N. Gourfinkel, « L'expérience juive d'Irène Némirovsky... », *op. cit.*

93. « *David Golder*, by Irène Némirowsky, translated by Sylvia Stuart, Horace Liveright », *New York Herald*, 15 décembre 1930.

94. D. Decourdemanche, « *David Golder*, par Irène Némirovsky », *Nouvelle Revue française*, 1er février 1930 ; B. Crémieux, « Les livres. Irène Némirovsky : *David Golder* », *Les Annales*, 1er février 1930.

95. P. Léautaud, *Journal littéraire*, 10 mai 1911, Mercure de France, vol. I., p. 818.

96. Delini, « Les avant-premières. Avant *David Golder* à la Porte Saint-Martin », *Comœdia*, 23 décembre 1930.

97. « À la Porte-Saint-Martin. Avant "David Golder" », *L'Écho de Paris*, 26 décembre 1930.

98. Delini, *op. cit.*

99. J. Duvivier, entretiens radiophoniques avec René Jeanne et Charles Ford, 1957.

100. J. Duvivier, *L'Intransigeant*, 18 février 1933.

101. J.-P. C., « Julien Duvivier va tourner *David Golder* d'après le roman d'Irène Némirovsky. Entretien avec le réalisateur de *Maman Colibri* », *Comœdia*, 23 mai 1930.

102. Réponse à l'enquête de R. Groos, « Estimez-vous que le cinéma ait eu ou puisse avoir une influence sur le roman ? Et laquelle ? », *L'Ordre*, 18 octobre 1930.

103. Dans la première version du *Bal*, parue aux *Œuvres libres* en février 1929, Irène Némirovsky avait cité de mémoire les personnages des *Demi-Vierges* de Marcel Prévost, « Julien de Roudre et Maud », au lieu de Julien de Suberceaux et Maud de Rouvre.

104. *Le Bal*, VI.

105. Petrus, *D'Artagnan*, 16 août 1930.

106. E. Langevin, « Les livres. Du roman cynique. *David Golder*, par Irène Némirovsky. *Le Bal*, par Irène Némirovsky », *Revue française*, 5 octobre 1930.

107. S. Ratel, « "Le Bal", par Irène Nemirovsky. Contre la forcerie des talents », *Comœdia*, 1er octobre 1930.

108. P. Reboux, « Un livre par semaine. *Le Bal*, par Irène Némirowsky », *Paris-Soir*, 13 août 1930.

109. *Revue des lectures*, 15 septembre 1930.

110. *Fiches du mois*, 1er novembre 1930.

111. *Mercure de France*, 15 septembre 1930.

112. N. Gourfinkel, *Nouvelle Revue juive*, septembre-octobre 1930.

113. *Comœdia*, 2 novembre 1930.

114. *La Cinématographie française*, 29 novembre 1930.

115. Lettre du 9 décembre 1930, publiée dans *La Cinématographie française* le 13 décembre.

116. « Curieuse confrontation. *David Golder* au théâtre et au cinéma », *Comœdia*, 18 décembre 1930.

117. « À la Porte Saint-Martin. *David Golder*, pièce en trois actes de M. Nozière », *Comœdia*, 28 décembre 1930.

118. F. Lefèvre, *République*, 12 août 1931.

119. Franc-Nohain, « *David Golder* », *L'Écho de Paris*, 29 décembre 1930.

120. G. Pitard, « Au théâtre de la Porte Saint-Martin : "David Golder", de M. Fernand Nozière, d'après le roman de Mme Irène Némirovsky », *L'Humanité*, 9 janvier 1931.

121. *L'Europe nouvelle*, 21 mars 1931.

122. « Ce qu'ils pensent de *David Golder* », *Le Figaro*, 6 mars 1931.

123. F. Vinneuil [L. Rebatet], « L'écran de la semaine, *David Golder* », *Action française*, 13 mars 1931.

124. Lettre du 16 mars 1931, fonds Jacques-Émile Blanche, Bibliothèque de l'Institut.

125. Lettre du 6 janvier 1931, archives Grasset.

126. S. Volonskij, « Un curieux conflit à propos de *David Golder* », *Poslednija Novosti*, 31 janvier 1931. Traduit du russe par Irène Dauplé.

127. L. Moussinac, cité par É. Bonnefille, *Julien Duvivier. Le mal aimant du cinéma français*. Vol. I : *1896-1940*, L'Harmattan, 2002.

128. « Nous voici loin des histoires juives et autres grosses plaisanteries dont les frères sont Jacob, Isaac, Lévy et Cie. Il y a ici un drame – des âmes et des cœurs qui souffrent, il n'y a pas de place pour les gaudrioles à la Gaudissart. » (J. Robin, « *David Golder* de Julien Duvivier », *Cinémonde*, 25 décembre 1930.)

129. *NRF*, novembre 1931, p. 823. « Il faut avoir vu Harry Baur le ventre en avant, les mains à bout de bras, pendantes, le buste roide, la tête tournée de côté, et dans cette tête tournée de côté l'œil qui regarde en avant avec la plus hilarante fixité, pour comprendre à quelles hauteurs de comique l'utilisation maladroite de toute une stéréotypie d'attitudes conventionnelles peut amener. »

130. F. Vinneuil [L. Rebatet], « L'écran de la semaine... », *op. cit.* « M. Julien Duvivier ne jouissait pas jusqu'à présent d'une bien grande réputation dans le monde du cinéma. Certains le classaient même parmi les commerçants reconnus. Mais on l'a chargé cette année d'illustrer le roman à gros tirages de Mme Irène Némirovsky, *David Golder*. On ne s'était pas demandé si M. Duvivier était vraiment qualifié pour mener l'ouvrage à bien. Le titre du film semble avoir suffi à lui conférer d'emblée beaucoup de talent. [...] *David Golder*, ainsi lancé, est le type du film dont il est recommandé de parler, dans les chroniques, avec des mots sourds, graves, forts, et une "émotion contenue". Nous avouons notre incompétence pour ce genre d'exercices. »

131. *La Petite Illustration*, 11 avril 1931.

132. « Irène Némirovsky et le cinéma. "Je ne pense qu'en images...", nous dit-elle », entretien avec M. Deroyer, *Pour vous*, juin 1931.

133. *Poslednija Novosti*, 1er mai 1931, traduit du russe par Irène Dauplé.

134. *L'Intermédiaire des éditeurs, imprimeurs, libraires, papetiers et intéressés de la presse et du livre*, n° 118, 5 juin 1931.

135. « Film parlé », *in Films parlés*, Gallimard, 1934, p. 128.

136. *Ibid.*, p. 98.

137. *Ibid.*, p. 116.

138. « En marge de *L'Affaire Courilof...* », *op. cit.* Gallimard avait toutefois publié en 1931 *La Vie joyeuse* de Zochtchenko.

139. R. Brasillach, « Message de Russie », *Action française*, 26 février 1931.

140. L. Pierre-Quint, lettre à Irène Némirovsky, 23 juin 1930, archives Grasset.

141. *Bibliographie de la France*, 1er juillet 1927. Sur l'histoire de la collection « Femmes », *cf.* François Laurent et Béatrice Mousli, *Les Éditions du Sagittaire 1919-1979*, Éditions de l'Institut Mémoires de l'édition contemporaine, 2003.

142. *Les Mouches d'automne*, VI.

143. F. Lefèvre, *République*, 12 août 1931.

144. D. Saurat (et non Marguerite Yourcenar, comme l'indiquait É. Gille), *Nouvelle Revue française*, octobre 1931, p. 670.

145. *L'Écho de Paris*, 31 décembre 1931.

146. *Le Temps*, 3 mars 1932.

147. R. Brasillach, « Irène Némirovski : *les Mouches d'automne* », *Action française*, 7 janvier 1932. C'est Antonine Coullet-Tessier, auteur de *Chambre à louer*, qui sert dans cet article de faire-valoir à Irène Némirovsky.

148. *Le Bal*, VI.

149. « Au Gaumont-Palace. Un film de Marcel Vandal et Charles Delac. *Le Bal*. Mise en scène de W. Thiele d'après le roman d'Irène Némirovsky », *L'Ami du film*, [septembre 1931].

150. *Danielle Darrieux, filmographie commentée par elle-même*, Ramsay, « Cinéma », 1995, p. 17-19.

151. *Françoise Giroud vous présente le Tout-Paris*, « L'Air du temps », Gallimard, 1952, p. 67. Le rôle d'Antoinette, dans la version allemande, est tenu par Dolly Hall.

152. Cette citation et les précédentes : « Irène Némirovsky et le cinéma... », *op. cit.*

153. *Bravo*, « La chance », février 1931. Les autres réponses sont celles de Giraudoux, Colette, Ravel, Maurice Bedel, Moro-Giafferi, Pawlowski, Spinelly, Alfred Savoir, Henri Decoin, André Birabeau, Louis Lumière et Georges Neveux.

NOTES DU CHAPITRE 7

1. R. Brasillach, « Irène Némirovski : *les Mouches d'automne* », *op. cit.*

2. Les Treize, *L'Intransigeant*, 18 janvier 1932.

3. E. Jaloux, *Excelsior*, 28 janvier 1932.

4. M. Prévost, « *Les Mouches d'automne*, par I. Némirovsky », *Gringoire*, 13 mai 1932.

5. R. Kemp, « La vie des livres. Tchekhov et son peintre », *Les Nouvelles littéraires*, 30 janvier 1947. Kemp fait ici allusion à une strophe du *Cimetière marin* de Valéry, où il est précisément question d'orgueil : « Beau ciel, vrai ciel, regarde-moi qui change ! / Après tant d'orgueil, après tant d'étrange / Oisiveté, mais pleine de pouvoir, / Je m'abandonne à ce brillant espace, / Sur les maisons des morts mon ombre passe / Qui m'apprivoise à son frêle mouvoir. »

6. Lettre à J.-É. Blanche, 25 février 1932, fonds J.-É. Blanche, Bibliothèque de l'Institut, Paris.

7. *Le Vin de solitude*, IV, X.

8. « La Comédie bourgeoise », in *Films parlés*, p. 173.

9. *Ibid.*, p. 155-156.

10. *Le Vin de solitude*, IV, X.

11. Cité par M. Fralie, *Le Secret d'Ivar Kreuger*, Nouvelle Librairie française, 1932, p. 13.

12. *Ibid.*, p. 169.

13. R. Mennevée, *Monsieur Ivar Kreuger et le Trust suédois des allumettes*, Les Documents politiques, avril 1932.

14. *Le Pion sur l'échiquier*, XVIII.

15. M. Anissimov, « Les filles d'Irène Némirovski », *Les Nouveaux Cahiers*, n° 108, printemps 1992, p. 71.

16. *Le Vin de solitude*, IV, XI.

17. *Ibid.*

18. *L'Affaire Courilof*, VII et IX.

19. *Ibid.*, XVII et XXI.

20. Correspondance I. Némirovsky-P. Brisson, 13 et 23 octobre 1932, fonds IMEC/*Figaro*.

21. Prière d'insérer de *L'Affaire Courilof*, reproduit notamment le 23 mai 1933 dans le périodique professionnel *Toute l'édition*, n° 178.

22. *Paris-Midi*, 26 mai 1933.

23. « En marge de *L'Affaire Courilof...* », *op. cit. Cf.* chapitre 1, p. 53-54.

24. *Cf.* N. Gourfinkel, « Irène Némirovsky. *L'Affaire Courilof* », *La Terre retrouvée*, 25 juin 1933.

25. Exilé en Allemagne, Kourlov a publié un volume de mémoires, *La Catastrophe de la Russie impériale* (O. Kirkner, Berlin, 1923).

26. *Le Pion sur l'échiquier*, VI.

27. X. de Hautecloque, « Sir Basil Zaharof, le magnat de la mort subite », *Le Crapouillot*, « Les Maîtres du monde », mars 1932. Article annoté par Irène Némirovsky, qui en a tiré un pré-portrait de James Bohun. On signalera, dans le même exemplaire du *Crapouillot*, un article de J. Aubry sur « Ivar Kreuger, le roi des allumettes ».

28. *Le Pion sur l'échiquier*, X.

29. *Ibid.*, VI.

30. *Ibid.*, II.

31. Ézéchiel, 18, 12, cité au chapitre VI.

32. *Le Pion sur l'échiquier*, V.

33. *Ibid.*, XI.

34. *Ibid.*, XI. Yves Harteloup, dans *Le Malentendu* (1926, *op. cit.*, III, p. 231-232),

présente déjà les symptômes d'inadaptation sociale de Christophe Bohun : « Ce garçon, qui avait été pendant quatre ans une manière de héros, était lâche devant l'effort quotidien, le travail imposé, la tyrannie mesquine de l'existence. [...] L'idée même ne lui venait pas qu'il pût faire des affaires, lutter, essayer de s'enrichir. Fils, petit-fils de riches, d'oisifs, il souffrait du manque d'aisance, d'insouciance, comme on souffre de la faim, du froid. »

35. *Le Pion sur l'échiquier*, XVI.

36. M.-J. Viel, « Comment travaille une romancière », interview radiodiffusée, 1934. Dans cet entretien consécutif à la sortie du *Pion sur l'échiquier* (mai 1934), Irène Némirovsky décrit par le menu sa méthode de travail : « Je vous l'ai dit tout à l'heure, j'adore me raconter des histoires ; or, c'est exactement ce que je fais avant d'écrire un roman, je travaille dans la masse, je sors un à un mes personnages dont j'écris toute la vie, leur physique, leur éducation, ce que seraient leurs réactions en présence d'événements étrangers au livre lui-même. Je couvre ainsi des pages et des pages, je vis avec eux. [...] Je remplis des cahiers avec les caractères de mes personnages les plus secondaires. Cette vie antérieure du roman est pour moi passionnante. C'est très amusant de faire vivre les personnages dans l'enfance : ainsi, pour *Le Pion sur l'échiquier*, j'ai mis Muriel en prison, je l'ai fait débuter dans le monde. Toute l'enfance et la jeunesse de Geneviève, je pris un plaisir extrême à les imaginer. [...] c'est pour moi le commencement du roman, la naissance de mes personnages qui constitue le plaisir d'écrire, le reste est le vrai travail. [...] J'invente tous mes personnages, et ceux que je n'invente pas demeurent toujours un peu flous. On ne les voit pas aussi nettement que les autres. Ils sont toujours outrés, ils dépassent le modèle. [...] Gloria, dans *David Golder*, Philippe du *Pion sur l'échiquier* et même Muriel, pour laquelle j'ai emprunté quelques traits. L'être humain est trop complexe pour entrer dans le cadre d'un roman, il éclate ou il reste inférieur à lui-même, les types que je ne connaîtrais pas assez bien pour imaginer leurs sentiments, leurs réactions. Aussi, je continue à peindre la société que je connais le mieux et qui se compose de gens désaxés, sortis du milieu, du pays où ils eussent normalement vécu, et qui ne s'adaptent pas sans choc ni sans souffrances à une vie nouvelle. [...] Oui, mes héros sont cosmopolites, à l'exception de Geneviève, dans mon dernier roman, qui est la grande bourgeoise française autour de laquelle se maintient toute la famille Bohun. J'en ai fait un pivot de résistance paisible, et c'est la première fois que je peins une Française dans un roman, ma première tentative. »

37. J. Auscher, « Sous la lampe. Irène Némirowsky », *op. cit.*

38. *La Revue française*, 25 juin 1933 : « Cette sorte de monstre assez repoussant demandait une autre plume que celle de l'auteur pour être formidable et... vraisemblable. Tel quel, il est raté. »

39. *Marianne*, 14 juin 1933.

40. M. Prévost, « Deux nouveaux romans », *Gringoire*, 26 mai 1933.

41. Aristide, *Aux écoutes*, 27 mai 1933.

42. J. Ernest-Charles, « Littérature. Une romancière », *L'Opinion*, 3 juin 1933.

43. J. Morienval, *L'Aube*, 14 juin 1933.

44. J.-B. Séverac, « Russie d'hier et Russie d'aujourd'hui. Deux romans : *L'Affaire Courilof*, par Irène Némirovsky (Grasset), *Le Camarade Kisliakov*, par P. Romanov (Éditions Babu) », *Midi socialiste*, 24 juin 1933.

45. *Action française*, 25 mai 1933.

46. « Un déjeuner en septembre », *Revue de Paris*, 1er mai 1933, p. 38-55 ; in *Destinées et autres nouvelles*, Sables, 2004, p. 104 et 110.

47. R. Brasillach, « Causerie littéraire », *Action française*, 30 mai 1934.

48. *L'Amour du prochain*, sixième volume de la collection « Pour mon plaisir », n'était pas un roman mais une suite de « réflexions sur la littérature ».

49. F. Lefèvre, « En marge de *L'Affaire Courilof...* », *op. cit.*

50. W. d'Ormesson, « L'antisémitisme en Allemagne », *Revue de Paris*, 1er mai 1933, p. 228-240 : « Il est au moins une chose qu'on ne peut reprocher aux Hitlériens. C'est, dans leur action antisémite, d'avoir pris les gens à l'improviste. On peut même s'étonner que la persécution des Juifs n'ait pas revêtu un caractère plus violent quand on lit les écrits où s'étale la doctrine nationale-socialiste et quand on songe aux excitations qu'elle déchaîne. Il est vrai que nous ne sommes qu'au début d'une campagne qui sera menée méthodiquement. Mais il ne s'agit pas, outre-Rhin, d'exterminer Israël à coups de pogroms. Il s'agit de le faire périr par asphyxie. »

51. J. Bardanne, *L'Allemagne attaquera le... (documents secrets)*, Baudinière, 1932.

52. *Action française*, 18 juin 1933.

53. J. et J. Tharaud, *Quand Israël n'est plus roi*, Plon, 1933, p. 8.

54. J. Van Melle, « Vacances d'écrivains », *Toute l'édition*, n° 188, 29 juillet 1933.

55. F. Lefèvre, « En marge de *L'Affaire Courilof...* », *op. cit.*

56. A. Maurois, *Le Cercle de famille*, I, XV.

57. « Au théâtre Saint-Georges. *L'Homme*, de Denys Amiel », *Aujourd'hui*, n° 275, 21 janvier 1934.

58. *Poslednija Novosti*, 1er mai 1931, traduit du russe par Irène Dauplé.

59. I. Némirovsky se reconnaît deux autres modèles involontaires pour *Le Vin de solitude* : *Le Bois du templier pendu* de H. Béraud (1926) et *La Marche funèbre* de Claude Farrère (1929).

60. Il convient d'indiquer qu'Hélène Borissovna Stoudnitzki *(Nuits de prince)* et Hélène Borissovna Karol *(Le Vin de solitude)* sont toutes deux filles d'un Boris... de même qu'Hélène Borissovna Gordon, l'amie d'Irène et future épouse de Pierre Lazareff.

61. J.-É. Blanche, journal, 19/20 juin 1930, fonds J.-É. Blanche, Bibliothèque de l'Institut.

62. I. Némirovsky, lettre à B. Grasset, 19 octobre 1933, archives Grasset.

63. H. Béraud, *Les Derniers Beaux Jours*, Plon, 1953, p. 254.

64. Entretien avec J.-L. de Carbuccia, 28 septembre 2005.

65. *La Vie de Tchekhov*, XVII, p. 121-122.

66. M. Anissimov, « Les filles d'Irène Némirovski », *op. cit.*, p. 74.

67. J. Auscher, « Sous la lampe. Irène Némirowsky », *op. cit.*

68. *Ibid.*

69. Le journal de travail du *Vin de solitude* est un épais manuscrit conservé à l'IMEC. Il est impossible de citer intégralement ce document extraordinaire, mais il nous paraît utile d'en reproduire un extrait significatif et représentatif de la méthode de composition d'Irène Némirovsky : « Je pense qu'il sera absolument impossible de laisser Max tel qu'il est. *Premièrement, il faut qu'il soit un Safronov. Deuxièmement il faut le changer physiquement et moralement, le faire plus fin, plus* bogatii mal'tchik i bartchouk [*un adolescent riche, le fils d'un riche propriétaire*]... *Troisièmement*, montrer davantage l'antagonisme entre lui et Hélène. *Quatrièmement, pas de séduction charnelle, plus de viol.* Au contraire, cela sera beaucoup plus "diabolique" de montrer Hélène devinant par un certain instinct que le moment est venu où Max *or whoever he is*, est saturé d'amour charnel et se laissera prendre par la jeunesse, la fraîcheur, la naïveté. *Cinquièmement* bien marquer la nuit qui suit le moment (l'orage) quand elle a senti autre chose que l'orgueil et la vengeance satisfaite, comment, pour la première fois, et cela est très important, *she has a moral struggle.* Rappeler les paroles si simples, vraies et nobles de Proust, *comment on se fait soi-même ses principes et sa morale, et qu'alors ils sont mêlés de douleur, faits de chair et de sang, vivants et pantelants* ; comme Pascal découvre la géométrie, ainsi Hélène doit découvrir par elle-même que le *Seigneur s'est réservé la vengeance*, mais il est trop tard....... *Sixièmement*, quand elle va chez lui, leur conversation doit contenir ceci : "Pourquoi ne pas nous marier ?..." ou q.q. chose d'approchant, mais à cela, elle répond : "Je ne vous aime

pas. J'ai éprouvé pour vous de la tendresse, oui, cela est vrai, mais je sais bien que ce n'est pas l'amour. Voyez-vous, vous êtes trop mêlé à mon passé, à mon enfance. ~~Je voudrais~~ Si jamais je me marie ce sera avec quelqu'un qui ne pourra pas raviver un seul de mes vieux souvenirs. J'ai la honte et la crainte de mon enfance, ~~à un point maladif.~~ Je veux les oublier. Je veux changer de vie. Je veux m'en aller. Votre présence me serait odieuse." *Septièmement*, que devient-il ? ~~Cela, c'est une autre~~..... ça.......... c'est autre chose... »

70. P. Morand, *France la doulce*, Gallimard, février 1934, p. 218.

71. Dans une de ses notes de lecture de 1934. On observera que son ami Tristan Bernard n'a rien trouvé à reprocher à *France la doulce*, ainsi qu'il l'exprime ouvertement à l'auteur dans *Le Figaro*, le 14 avril 1934 : « Cher Paul Morand, votre livre est fait pour servir notre cause : il a tout ce qu'il faut pour cela. Il ne lui manquera que la possibilité d'être compris par ceux qui ne peuvent rien comprendre et qui continueront à se laisser entôler, parfois par des faisans, le plus souvent par des imbéciles plein d'illusions. Mais, si cet ouvrage ne rend pas à cet art magnifique qu'on appelle le cinéma, le service que l'on doit en attendre, il nous restera la compensation de nous être divertis avec une œuvre des plus réussies, des plus amusantes, l'œuvre d'un homme qui sait voir le monde et nous en donne une frémissante image. »

72. P. Morand, *France la doulce*, *op. cit.*, p. 10-11.

73. R. Giron, « Conversations : Paul Morand », *Toute l'édition*, n° 217, 10 mars 1934.

74. H. Béraud, *Les Derniers Beaux Jours*, Plon, 1953, p. 248.

75. « Des écrivains présentent », *Toute l'édition*, n° 233, 30 juin 1934.

76. *Toute l'édition*, n° 229, 2 juin 1934.

77. *Le Pion sur l'échiquier*, VI.

78. Discours de F. de La Rocque, 14 juin 1936.

79. R. Millman, « Les Croix-de-Feu et l'antisémitisme », *Vingtième Siècle*, vol. 38, n° 38, 1993, p. 51.

80. I. Némirovsky, « Théâtre de la Michodière. *Les Temps difficiles*, pièce en trois actes de M. É. Bourdet », *Aujourd'hui*, n° 285, 31 janvier 1934.

81. *Le Pion sur l'échiquier*, IX.

82. M.-J. Viel, « Comment travaille une romancière », *op. cit.*

83. Il s'agit de la scène où Yves accompagne Denise au *Perroquet*, une boîte à la mode dans les années 1920 : « À la table voisine une Américaine sans âge, des épaules pointues de squelette ornées de perles qui se perdaient parmi les fanons du cou, minaudait en berçant dans ses bras une poupée habillée en Pierrot ; sous la poudre et le fard les poches de ses yeux se gonflaient et saillaient monstrueusement... Une autre, ressemblant vaguement à un crapaud avec sa grosse tête et son corps de nabote, enroulé dans les plis d'une robe divine, couvait du regard avec une tendresse effrayante d'ogresse un malheureux gosse, ahuri, terrifié et résigné, que ses bras serraient, comme deux tentacules... », etc. (*Le Malentendu*, XVII, p. 294.)

84. R. Lalou, « *Le Pion sur l'échiquier* ou : Les vertiges de la solitude », *Noir et Blanc*, 7 juin 1934. Article illustré d'une caricature d'I. Némirovsky par Pol Ferjac.

85. A. Bellessort, *Je suis partout*, 9 juin 1934.

86. M. Prévost, « Romans imaginés et vécus », *Gringoire*, 15 juin 1934.

87. R. Brasillach, *Action française*, 30 mai 1934. Le déjeuner dont il est question est le « Déjeuner en septembre » paru dans la *Revue de Paris* en mai 1933.

88. R. Brasillach, *Action française*, 16 mars 1934.

89. *La Vie de Tchekhov*, XI, p. 81.

90. « Écho », *Noir et Blanc*, 22 juillet 1934.

91. « Dimanche », *Revue de Paris*, 1er juin 1934 ; in *Dimanche*, p. 13.

92. « Les Rivages heureux », *Gringoire*, 2 novembre 1934 ; in *Dimanche*, p. 49-50.
93. J. Auscher, « Sous la lampe. Irène Némirowsky », *op. cit.*
94. *Sequana*, août 1935.
95. R. Fernandez, « Le livre de la semaine », *Marianne*, 9 octobre 1935.
96. J.-P. Maxence, « Les livres de la semaine », *Gringoire*, 25 octobre 1935.
97. H. de Régnier, « La vie littéraire », *Le Figaro*, 2 novembre 1935.
98. H. Bidou, « Le mouvement littéraire », *Revue de Paris*, 15 novembre 1935.

NOTES DU CHAPITRE 8

1. J. d'Assac, « Maris de femmes. Monsieur Irène Némirovsky », source indéterminée, probablement *Je suis partout*, [février ou mars 1935].
2. Y. Moustiers, « Comment elles travaillent », *Toute l'édition*, n° 410, 5 mars 1938.
3. J. d'Assac, *op. cit.*
4. « Une enquête en marge des souliers de Noël. Ce que voudraient lire les enfants des écrivains », *Toute l'édition*, n° 397, 4 décembre 1937.
5. Denise Epstein à M. Anissimov, « Les filles d'Irène Némirovski », *op. cit.*, p. 72.
6. *Cf.* R. Groos, « Estimez-vous que le cinéma ait eu ou puisse avoir une influence sur le roman ? Et laquelle ? », *op. cit.*
7. R. Fernandez, « Le livre de la semaine », *Marianne*, 27 février 1935.
8. E. Jaloux, « L'esprit des livres », *Les Nouvelles littéraires*, 9 mars 1935.
9. H. de Régnier, « La vie littéraire », *Le Figaro*, 9 mars 1935.
10. J.-P. Maxence, « Les livres de la semaine », *Gringoire*, 22 mars 1935.
11. J.-P. Maxence, « Les livres de la semaine », *Gringoire*, 25 octobre 1935.
12. *Fantasio*, 15 juillet 1921.
13. A. Chaumeix, allocution au quinzième dîner de la *Revue des Deux Mondes*, Union interalliée, 3 décembre 1935, in *Revue des Deux Mondes*, 15 décembre 1935.
14. « Jour d'été », *Revue des Deux Mondes*, 1er avril 1935 ; in *Destinées*, p. 12.
15. *Ibid.*, p. 33.
16. Cité par G. de Broglie, *Histoire politique de la « Revue des Deux Mondes » de 1829 à 1979*, Librairie académique Perrin, 1979, p. 356.
17. « Silhouettes. René Doumic », *Toute l'édition*, n° 161, 21 janvier 1933.
18. Cité par R. Schor, *L'Antisémitisme en France dans l'entre-deux-guerres*, Complexe, 2005, p. 96.
19. L. Rebatet, « Les étrangers en France. L'invasion », *Je suis partout*, 16 février, 23 février et 2 mars 1935.
20. E. Berl, « Pour ou contre les étrangers », *Marianne*, n° 121, 13 février 1935, p. 5.
21. I. Némirovsky, « Théâtre de l'Œuvre. *Les Races*, 8 tableaux de Ferdinand Brückner, adaptation de René Cave », *Aujourd'hui*, n° 323, 10 mars 1934.
22. J. Auscher, « Nos interviews : Irène Némirovsky... », *op. cit.*
23. A. Chaumeix, « Revue littéraire. Romans d'automne », *Revue des Deux Mondes*, 1er décembre 1935, p. 689.
24. *Jézabel*, V.
25. *Ibid.*, prologue.
26. P. Langers, « Mme Irène Némirovsky, peintre de mœurs », *Toute l'édition*, n° 331, 4 juillet 1936.
27. J. Auscher, « Nos interviews : Irène Némirovsky... », *op. cit.*
28. *Jézabel*, VII.

29. *Ibid.*, IX.

30. D. Desanti, « Mère et fille : la haine et le rêve », *Magazine littéraire*, n° 386, 1er avril 2000, p. 86.

31. L'accouchement de Marie-Thérèse rappelle la scène d'ouverture de *Génitrix* où Mauriac, en 1923, inondait Mathilde Cazenave du sang de sa fausse-couche, dans un pavillon isolé de la maison familiale.

32. *Jézabel*, II.

33. *Ibid.*, XIII.

34. J.-C. Daven [C. Descargues], « Au moment où paraît son dernier livre : souvenez-vous d'Irène Némirovsky », *La Tribune de Lausanne*, 14 avril 1957.

35. *Jézabel*, XXII.

36. S. Voronoff, *Vivre. Études des moyens de relever l'énergie vitale et de prolonger la vie*, Grasset, 1920.

37. *Jézabel*, VI.

38. P. Langers, « Mme Irène Némirovsky, peintre de mœurs », *op. cit.*

39. *Jézabel*, I.

40. « Le Commencement et la Fin », *Gringoire*, 20 décembre 1935 ; in *Destinées*, p. 63.

41. « Hommage à Grasset », *Marianne*, 15 janvier 1936. La liste complète des signataires est donnée le 11 janvier dans *Toute l'édition*, n° 306, p. 6.

42. E. Haymann, *Albin Michel, le roman d'un éditeur*, Albin Michel, 1993, p. 213.

43. « Liens du sang », in *Dimanche*, p. 161-162.

44. *Ibid.*, p. 144.

45. Présentation de *Jézabel*, *Toute l'édition*, n° 328, 13 juin 1936.

46. *La Proie*, I, XV.

47. Prière d'insérer de *La Proie*, mai 1938.

48. *La Proie*, I, XII.

49. *Ibid.*, I, III.

50. *Ibid.*, II, XV.

51. R. Lalou, « Le livres de la semaine. *Jézabel* », *Les Nouvelles littéraires*, 30 mai 1936.

52. H. de Régnier, « La vie littéraire », *Le Figaro*, 23 mai 1936.

53. J.-P. Maxence, « Les livres de la semaine », *Gringoire*, [*juin*] 1936.

54. I. Némirovsky, « Le mariage de Pouchkine et sa mort », *Marianne*, 25 mars 1936.

55. Lettre à Albin Michel, 10 juin 1936.

56. « Les devoirs de vacances de nos écrivains », *Toute l'édition*, n° 337, 12 septembre 1936, p. 2.

57. R. Bourget-Pailleron, « La nouvelle équipe... », *op. cit.*

58. *Toute l'édition*, n° 336, 5 septembre 1936.

59. *La Proie*, II, IV.

60. *Cf.* R. Thalmann, « Xénophobie et antisémitisme sous le Front populaire », *Matériaux pour l'histoire de notre temps*, vol. 6, n° 6, 1986, p. 18-20.

61. Réponse de R. Doumic à A. Chaumeix, quinzième dîner de la *Revue des Deux Mondes* à l'Union interalliée, 3 décembre 1935, in *op. cit.*

62. « Les devoirs de vacances de nos écrivains », *Toute l'édition*, n° 337, 12 septembre 1936, p. 2.

63. « Fraternité », *Gringoire*, 5 février 1937 , in *Dimanche*, p. 77.

64. *Ibid.*, p. 86.

65. *Ibid.*, p. 86.

66. J. et J. Tharaud, *L'An prochain à Jérusalem*, Plon, 1924, p. 302-303 ; cité par

L. Landau, *De l'aversion à l'estime. Juifs et catholiques en France de 1919 à 1939*, Le Centurion, 1980, p. 76-77.

67. « Fraternité », *Gringoire*, 5 février 1937 ; in *Dimanche*, p. 84.

68. J. Delpech, « Chez Irène Némirovsky ou la Russie boulevard des Invalides », *Les Nouvelles littéraires*, samedi 4 juin 1938. La reprise de *David Golder* au Théâtre russe date de décembre 1937.

69. R. Brasillach, *Notre avant-guerre*, Plon, 1941, p. 189.

70. « Fraternité », *Gringoire*, 5 février 1937 ; in *Dimanche*, p. 73-74.

71. *Ibid.*, p. 86.

72. G. de Broglie, *Histoire politique de la « Revue des Deux Mondes » de 1829 à 1979*, *op. cit.*, p. 363.

73. Correspondance I. Némirovsky-A. Michel, 7 et 12 octobre 1936.

74. P. Mourousy, interview d'A. Michel, *Comœdia*, 18 septembre 1936.

75. Entretien avec Mme É. Zehrfuss, 19 février 2006.

76. J.-R. Leygues, *Chroniques des années incertaines 1935-1945*, France Empire, 1977, p. 60.

77. J. Van Melle, « Où avez-vous passé vos vacances ? Qu'avez-vous fait de vos vacances ? », *Toute l'édition*, n° 386, 18 septembre 1937.

78. *Deux*, IV.

79. *Ibid.*, V.

80. *Gringoire*, 24 octobre 1941.

81. *L'Intransigeant*, 4 août 1938.

82. *Gringoire*, 11 avril 1940.

83. *Revue des Deux Mondes*, 15 octobre 1938 ; in *Destinées*, p. 53.

84. *Action française*, 13 juillet 1938.

85. « Espoirs », *Gringoire*, 19 août 1938 ; in *Destinées*, p. 141, 142, 150-151.

86. *Les Nouvelles littéraires*, 21 mai 1938.

87. *Excelsior*, 25 mai 1938.

88. J. Delpech, « Chez Irène Nemirovski... », *op. cit.*

89. « Revue littéraire. Romans et critique », *Revue des Deux Mondes* [1938].

90. J.-P. Maxence, « Les livres de la semaine », *Gringoire*, 10 juin 1938.

NOTES DU CHAPITRE 9

1. *Le Maître des âmes*, I.

2. *Ibid.*, X.

3. *Ibid.*,X.

4. É. Zola, « Pour les Juifs », *Le Figaro*, 16 mai 1896.

5. P. Morand, *La Nuit de Putney*, in *Les Œuvres libres*, n° XV, septembre 1922.

6. J. Van Melle, « Où avez-vous passé vos vacances ? À quoi faire ? », *Toute l'édition*, 3 septembre 1938.

7. *Le Maître des âmes*, I, III, VI, VII, XX. Léon Poliakov a montré que ces stéréotypes, très répandus, pouvaient être ceux d'auteurs peu suspects d'antisémitisme, notamment Lacretelle ; on les retrouve presque semblables dans *Les Thibault* de Roger Martin du Gard : « Skada était un Israélite d'Asie Mineure, d'une cinquantaine d'années. Très myope, il portait sur un nez busqué, olivâtre, des lunettes dont les verres étaient épais comme des lentilles de télescope. Il était laid : des cheveux crépus, courts et collés sur un crâne ovoïde ; d'énormes oreilles ; mais un regard chaud, pensif, et d'une tendresse inépuisable. » (Cité par L. Poliakov, *Histoire de l'antisémitisme*, vol. 2. *L'Âge de la science*, Hachette, « Pluriels », 1981, p. 462.) Dans cette édition revue et abrégée de

son grand œuvre, L. Poliakov a fait disparaître le mot « antisémite » associé au nom d'Irène Némirovsky dans la première édition (1977).

8. *Le Maître des âmes*, XX.

9. Dans son journal de travail, Irène Némirovsky a souligné en rouge et en gras : « Loi 1935 : nul ne peut exercer la médecine en France s'il n'est muni du diplôme d'État français et sujet français. » Une note marginale précise : « En un mot, il faut qu'il soit français ! » Puis ce mot, en rouge : « naturalisé ».

10. *Le Maître des âmes*, XXI.

11. « La nuit en wagon », *Gringoire*, 5 octobre 1939, in *Destinées*, p. 218.

12. J. Van Melle, « Où avez-vous passé vos vacances ?... », *op. cit.*

13. O. Mony, « Jours heureux à Hendaye », *Le Festin en Aquitaine*, n° 54, été 2005, p. 81.

14. Entretien avec Denise Epstein, Toulouse, 11 janvier 2005.

15. *Les Chiens et les Loups*, XXVIII.

16. *Ibid.*, XXIV. Déjà Asfar, dans *Les Échelles du Levant*, s'écrie : « Simagrées inutiles de l'Europe ! » (*Le Maître des âmes*, I.)

17. *Les Chiens et les Loups*, XXII.

18. L. Rebatet, « J'ai vu un pogrom », *Je suis partout*, 2 septembre 1938.

19. *Les Chiens et les Loups*, I.

20. *Ibid.*, VIII.

21. *Ibid.*, VII.

22. *Ibid.*, XXXIII.

23. Dans ses mémoires, le comte Witte, ancien Premier ministre russe, rapporte les propos d'un avocat polonais se plaignant de l'afflux de Juifs russes dans son pays après les pogroms de Kichinev en 1905 : « Vos Juifs ont débauché les nôtres, lui dit-il, comme des animaux sauvages infestent de leur sauvagerie les animaux domestiques. Et, naturellement, vos Juifs ne peuvent manquer d'être sauvages puisque vous leur refusez tout ce qui existe dans les aspirations et dans les sentiments humains. » (*Mémoires du comte Witte*, Plon, 1921, p. 233.)

24. *Marianne*, 8 avril 1936.

25. M. Martin du Gard, *Les Mémorables*, Gallimard, 1999, p. 425.

26. *Le Maître des âmes*, X.

27. M.-L. Sondaz, « Sera-t-elle bonne et heureuse ? Ce que disent les astres pour 1939 », *Marie-Claire*, n° 96, 30 décembre 1938.

28. Mgr Piguet, préface à M. Perroy, *Sacerdos Alter Christus : l'abbé Roger Bréchard*, Clermont-Ferrand, 1949, p. 6.

29. « Testament » d'H. Bergson, 8 février 1937.

30. W. Rabinovitch, « La tragédie du peuple juif », *Esprit*, 1er mai 1933, cité par L. Landau, *De l'aversion à l'estime...*, *op. cit.*, p. 308-309.

31. « Testament » d'H. Bergson, 8 février 1937.

32. J.-J. Bernard, « Judaïsme et Christianisme », *Le Figaro*, 31 octobre 1946, cité par F. Gugelot, « De Ratisbonne à Lustiger. Les convertis à l'époque contemporaine », *Archives juives. Revue d'histoire des Juifs de France*, n° 35/1, 1er semestre 2002, p. 19.

33. *Les Chiens et les Loups*, XXIII.

34. I. Némirovsky, « Théâtre de l'Œuvre. *Les Races*, 8 tableaux de Ferdinand Brückner, adaptation de René Cave », *Aujourd'hui*, n° 323, 10 mars 1934.

35. *Les Biens de ce monde*, XXII.

36. H.-R. Petit, *Le Règne des Juifs* (Paris, Centre de documentation et de propagande, septembre 1937), cité par R. Schor, *op. cit.*, p. 116.

37. *Le Vin de solitude*, I, vii.

38. Entretien avec Denise Epstein, 10 janvier 2005.

39. M. Perroy, *Sacerdos Alter Christus...*, *op. cit.*

40. J. Maritain, « Les Juifs parmi les nations », conférence prononcée au Théâtre des Ambassadeurs le 5 février 1938, éditions du Cerf, 1938.

41. Entretien avec Denise Epstein, 10 janvier 2005.

42. J. Maritain, préface à V. Ghika, *Pensées pour la suite des jours*, Beauchesne, 1936.

43. Lettre à Mgr Ghika, 7 février 1939. Mgr Ghika venait d'adresser à Irène Némirovsky un exemplaire de ses *Pensées*.

44. Lettre à Mgr Ghika, 27 janvier 1939.

45. Lettre à Mgr Ghika, 25 mars 1939.

46. *Les Chiens et les Loups*, IX.

47. Cette dernière phrase demeure presque inchangée dans la version finale du roman.

48. Placard publicitaire pour *Juifs et Catholiques* de H. de Vries de Heekelingen, *Les Nouvelles littéraires*, 4 février 1939. Dans cet ouvrage comme dans le précédent de cet auteur (*L'Orgueil juif*, 1938), Vries de Heekelingen, idéologue antisémite, farouche défenseur de l'authenticité des *Protocoles des sages de Sion*, impute aux Juifs l'invention du racisme, d'où il ressort que « si l'on critique le racisme allemand ou italien, on doit également critiquer le racisme juif » (p. 19-20). (*Cf.* P.-A. Taguieff, « Des thèmes récurrents qui structurent l'imaginaire antijuif moderne », *L'Arche*, n° 560, novembre-décembre 2004.)

49. *Le Crapouillot*, février 1939.

50. « Les Juifs en France », *Je suis partout*, 17 février 1939.

51. Lettre à Mgr Ghika, 19 avril 1939.

52. Lettre à Mgr Ghika, 27 avril 1939.

53. Ces conférences, données dans l'après-midi des 4 et 18 janvier, 1er et 15 février et 1er et 15 mars 1939, n'ont fait l'objet ni d'un enregistrement, ni d'une publication dans les *Cahiers de Radio Paris*.

54. Placard publicitaire, *Les Nouvelles littéraires*, 25 mars 1939.

55. P. Lœwel, *L'Ordre*, 3 avril 1939.

56. *Le Maître des âmes*, I.

57. « Journal du *Charlatan* », 19 juillet 1938.

58. Lettre à Mgr Ghika, 3 juillet 1939.

59. « Comme de grands enfants », *Marie-Claire*, 27 octobre 1939, in *Destinées*, p. 171.

60. Denise Epstein, « Une photographie », in *Destinées, op. cit.*, p. 7.

61. « Le Spectateur », *Gringoire*, 7 décembre 1939 ; in *Dimanche, op. cit.*, p. 338.

62. « Comme de grands enfants », *Marie-Claire*, 27 octobre 1939 ; in *Destinées, op. cit.*, p. 177.

63. *Les Biens de ce monde*, XXIV.

NOTES DU CHAPITRE 10

1. *Chaleur du sang*, p. 80.

2. *Ibid.*

3. Lettre à A. Sabatier, 13 décembre 1940.

4. « Destinées », *Gringoire*, 5 décembre 1940 ; in *Destinées*, p. 255.

5. « À la recherche d'Irène Némirovsky... », *op. cit.*

6. « Les Revenants », *Gringoire*, 5 septembre 1941.

7. *Chaleur du sang*, p. 51.

8. « La Nuit en wagon », *Gringoire*, n° 569, 5 octobre 1939, in *Destinées*, p. 208.

9. M. Anissimov, « Les filles d'Irène Némirovski », *op. cit.*

10. « Le Spectateur », *Gringoire*, n° 578, 7 décembre 1939, in *Dimanche*, p. 336.

11. « Comme de grands enfants », *Marie-Claire*, n° 139, 27 octobre 1939. Le manuscrit de cette nouvelle est intitulé « La Querelle ».

12. « La Nuit en wagon », *op. cit.*, p. 213.

13. Il ne subsiste qu'un brouillon très raturé de cette nouvelle inédite, intitulée « En raison des circonstances », dont certains éléments seront repris dans *Les Feux de l'automne*.

14. L'image du shaker est empruntée à Evelyn Waugh, dont Irène Némirovsky avait apprécié, dans *Vile Bodies*, cette description d'une traversée houleuse : *« it's just exactly like being inside a cocktail shakes »*.

15. « Le Spectateur », *op. cit.*, p. 335, 342, 344, 347, 348, 349. Dans son *Journal*, lecture favorite d'I. Némirovsky, Katherine Mansfield mentionne, à la date du 18 janvier 1922, « un homme dont il faut se souvenir » : « H. collectionne toujours quelque chose – il collectionnera toujours. De la porcelaine, de l'argenterie, "toutes les vieilleries qui se présentent". »

16. Y. Moustiers, « Les femmes de lettres et la guerre », *Toute l'édition*, n° 483, décembre 1939.

17. « Aïno », *Revue des Deux Mondes*, 1er janvier 1940, in *Dimanche*, p. 57.

18. « ... et je l'aime encore », *Marie-Claire*, n° 153, 2 février 1940, in *Destinées*, p. 181.

19. « Le Sortilège », *Gringoire*, n° 586, 1er février 1940, in *Dimanche*, p. 296.

20. On doit à Maurois de nombreuses biographies, dont une de Tourgueniev, et à Eugène Semenoff des biographies populaires de Pouchkine et Tourgueniev (Mercure de France, 1933). Irène Némirovsky s'est notamment aidée, pour sa propre biographie de Tchekhov, des souvenirs de son ami Ivan Bounine, « un des critiques les plus pénétrants et les plus fins » (*La Vie de Tchekhov*, XVIII).

21. *La Vie de Tchekhov*, XVIII.

22. *Les Chiens et les Loups*, XII.

23. *Gringoire*, 4 avril 1940. Durant la drôle de guerre, le caricaturiste Roger Roy y raille alternativement Hitler et Staline, n'épargnant que la figure montante du maréchal Pétain, que *Gringoire* appelle de ses vœux en ces termes : « Hier, grand chef de guerre. Aujourd'hui, grand diplomate. Demain... » (26 mars 1940.) Trois mois avant qu'il n'embrasse la Collaboration, on peut encore voir dans *Gringoire* l'antisémite Philippe Henriot dénoncer « le culte de la force, cyniquement pratiqué par Hitler » (« Feu la neutralité », 11 avril 1940).

24. G. Higgins, « Les Conrad français », *Les Nouvelles littéraires*, 6 avril 1940.

25. « L'Autre Jeune Fille », *Marie-Claire*, n° 166, 3 mai 1940. Le manuscrit de cette nouvelle est intitulé « Deux jeunes filles ».

26. « Le Départ pour la fête », *Gringoire*, 11 avril 1940, in *Destinées*, p. 195.

27. Irène Némirovsky rétablira la citation exacte de Tchekhov dans « Destinées » : « Comme il souffre, comme il paie pour nous, ce peuple qui est en avant des autres, qui donne le ton à la culture européenne. » (*Gringoire*, 5 décembre 1940, in *Destinées*, p. 250.)

28. « Destinées », *op. cit.*, p. 250.

29. Notamment : Isabelle Rimbaud, *Dans les remous de la bataille*, Chapelot, 1917 ; Léon Wastelier du Parc, *Souvenirs d'un réfugié*, Perrin, 1916 ; Bernard Desuher, *Souvenirs d'un éclaireur*, Perrin, 1915.

30. Encart publicitaire, *Le Matin*, 24 avril 1940 ; *Les Nouvelles littéraires*, 27 avril 1940.

31. *Les Chiens et les Loups*, XXIII.
32. *Ibid.*, XVI.
33. *Conferencia. Les Annales*, n° XI, 15 mai 1940.
34. *Gringoire*, 25 avril 1940.
35. P. Lœwel, « Les Lettres. De Victor Serge à L. de Hoyer et Mme Némirovsky », *L'Ordre*, 1er juin 1940.
36. A. Labarthe, « La ligne Maginot, bouclier de la France », *L'Intransigeant*, 16 avril 1940.
37. Réclame dans *Gringoire*, 30 mai 1940.
38. Philippe Pétain, discours du 25 juin 1940.
39. A. Labarthe, *L'Intransigeant*, 22 mai 1940.
40. *La Jeunesse de Tchekhov*, « Variété historique inédite », *Les Œuvres libres*, n° 226, mai 1940 ; *La Vie de Tchekhov*, XIV.
41. Caroline Wyatt, « French Novel Survives Auschwitz », BBC News Paris, 27 janvier 2005.
42. « Monsieur Rose », *Candide*, 28 août 1940 ; in *Dimanche*, p. 369.
43. La ligne ne sera définitivement fixée, par relevés topographiques, qu'à la fin de l'année 1941. *Cf.* J. Gillot-Voisin, *La Saône-et-Loire sous Hitler. Périls et Violences*, Mâcon, Fédération des Œuvres laïques, 1996.
44. Maréchal Pétain, « L'Éducation nationale », *Revue des Deux Mondes*, 15 août 1940.
45. F. Brouty, lettre à Irène Némirovsky, 27 juillet 1940.
46. « La Voleuse », nouvelle inédite.
47. *La Vie de Tchekhov*, XXII.
48. Lettre à R. Esménard, 25 septembre 1940.
49. *La Vie de Tchekhov*, XXVIII.
50. L. Werth, *Déposition. Journal de guerre 1940-1944*, Viviane Hamy, 1992 (8 octobre).
51. M. Epstein, lettre à C.-A. de Boissieu, 16 octobre 1940.
52. C.-A. de Boissieu, lettre à M. Epstein, 14 octobre 1940.
53. *Cf.* E. Haymann, *op. cit.*, p. 234.
54. J. Fayard, lettre à Irène Némirovsky, 14 octobre 1940.
55. Lettre à J. Fayard, 16 octobre 1940.
56. J. Vignaud, entretien avec C. Chonez, *Marianne*, 8 avril 1936.
57. Lettre à J. Vignaud, 3 décembre 1940.
58. J. Fayard, réponse à l'enquête « Que pensez-vous de la collaboration franco-allemande ? », *Aujourd'hui*, 16 novembre 1940.
59. Ph. Henriot, *Gringoire*, 31 octobre 1940.
60. Entretien avec J.-L. de Carbuccia, 28 septembre 2005.
61. H. de Carbuccia, « Mémoire en réponse aux *Raisons d'un silence* », in H. Béraud, *Gringoire. Écrits 1940-1943*, Versailles, Consep, 2005, p. 464-465.
62. « La Confidente », *Gringoire*, 20 mars 1941 ; in *Dimanche*, p. 245.
63. *Aujourd'hui*, 15 septembre 1940.
64. « Les juifs n'ont pas choisi de l'être, et mon mépris va surtout à ceux qui renient leur race. » (M. Duran, « Les abjects », *Aujourd'hui*, 22 octobre 1940.)
65. « Un inédit de M. Louis Destouches dit... Louis-Ferdinand Céline », *Aujourd'hui*, n° 177, 7 mars 1941.
66. R. Desnos, *Aujourd'hui*, 26 octobre 1940 ; cité par H. Jeanson, *Soixante-dix ans d'adolescence*, Stock, 1971, p. 55.
67. *Suite française*, I, 11.
68. *La Vie de Tchekhov*, XXIV.

69. *Suite française*, I, 14.
70. *Ibid.*, I, 27.
71. *Ibid.*, I, 27.
72. H. du Moulin de Labarthète, *Le Temps des illusions. Souvenirs (juillet 1940-avril 1942)*, La Diffusion du livre, 1946, p. 238.
73. *Suite française*, I, 3.
74. Deux ans avant Hitler, déplorant le pacifisme bêlant et le sous-armement français, Lœwel renvoyait dos à dos fascisme et bolchevisme et prophétisait la guerre totale : « Demain l'Europe sera à feu et à sang. Des millions d'hommes, des centaines de villes, une civilisation tout entière sombrera dans une catastrophe sans exemple. » (*Inventaire 1931*, Librairie Valois, 1931, p. 250.) En 1938, il considérait toutefois, dans un article de *Samedi*, que les Juifs devaient « considérer d'un esprit ouvert toute critique dirigée contre eux », fût-ce celle, délirante, d'un Céline dans *Bagatelles pour un massacre* (*cf.* D. H. Weinberg, *Les Juifs à Paris de 1933 à 1939*, Calmann-Lévy, 1974, p. 100).
75. L. Bromfield, *La Mousson*, Stock, 1937 ; Le Livre de Poche, 1992, p. 335.
76. *Suite française*, I, 22.
77. *Ibid.*, I, 22.
78. *Ibid.*, I, 29.
79. *Ibid.*, I, 10.
80. *Ibid.*, I, 6.
81. *Ibid.*, I, 28.
82. Labarie, et non Sabarie : ces deux graphies se côtoient dans *Suite française*, mais Irène Némirovsky formait ses « L » comme des « S ». D'autre part, de même que Morcenx et Langon qui lui ont servi dans d'autres œuvres, Labarie est le nom d'une commune du Sud-Ouest.
83. *Suite française*, I, 30.
84. Lettre citée par M. Perroy, in *Sacerdos Alter Christus*, *op. cit.*, p. 75-76.
85. H. Pourrat, « Un mort du 20 juin » (1943), in *ibid.*, p. 88.
86. *Suite française*, I, 25.
87. *Ibid.*, I, 4.
88. M.-J. Viel, « Comment travaille une romancière », *op. cit.*
89. *Les Biens de ce monde*, XXV.
90. *La Vie de Tchekhov*, XV.
91. *Le Bal*, V.
92. V. Veresaev, *La Vie de Pouchkine*, suivi de textes de Pouchkine recueillis et annotés par J. E. Pouterman, Éditions sociales internationales, 1937.
93. Colette, « Fin juin 1940 », in *Journal à rebours*, Fayard, mars 1941.
94. Lettre à Madeleine Cabour, 27 mars 1941.
95. « L'Honnête Homme », *Gringoire*, 30 mai 1941 ; in *Dimanche*, p. 192. La citation textuelle de J. de Maistre diffère : « Je ne sais ce qu'est la vie d'un coquin, je ne l'ai jamais été ; mais celle d'un honnête homme est abominable. »
96. *Suite française*, I, 30.
97. *La Vie de Tchekhov*, XXVI.
98. « L'Ogresse », *Gringoire*, 24 octobre 1941 ; in *Dimanche*, p. 328.
99. *Les Biens de ce monde*, I.
100. *Ibid.*, XXX.
101. H. Béraud, « Et les Juifs ? », *Gringoire*, 23 janvier 1941 ; in *Sans haine ni crainte*, Les Éditions de France, 1942, p. 227 et 232.
102. « Mort au juif ! [...] Le juif n'est pas un homme. C'est une bête puante. On se débarrasse des poux. On combat les épidémies. On lutte contre les invasions

microbiennes. On se défend contre le mal, contre la mort – donc contre les Juifs. » (P. Riche, *Le Pilori*, 14 mars 1941.)

103. F. Vinneuil [L. Rebatet], *Les Tribus du théâtre et du cinéma*, « Les Juifs en France », IV, Nouvelles Éditions françaises, 1941, p. 59.

104. *David Golder*, I.

NOTES DU CHAPITRE 11

1. *Les Feux de l'automne*, III, III.

2. Michel Epstein indique dans une lettre la somme annuelle de 2 300 francs. La place du Monument a été renommée place Irène-Némirovsky le 2 septembre 2005.

3. É. Gille à M. Anissimov, « Les filles d'Irène Némirovsky », *op. cit.*, p. 72.

4. *Suite française*, II, 8.

5. Extraits de rapports du sous-préfet d'Autun, Archives départementales de Saône-et-Loire, série W, cités par R. Voyard, « Le tragique destin d'une femme de lettres. Irène Némirovsky. Kiev... Paris... Issy-l'Évêque... Auschwitz », Gueugnon, Les Amis du Dardon, 2005.

6. « Cour de justice. Quand les passions sont déchaînées... », *Le Courrier de Saône-et-Loire*, 21-22 octobre 1945.

7. *Suite française*, II, 20.

8. *Ibid.*, II, 11. Il se peut qu'Irène Némirovsky se soit souvenue d'Henri Falk, dialoguiste du *Bal*.

9. *Ibid.*, II, 17.

10. *Ibid.*, II, 11.

11. *Ibid.*, II, 3.

12. « Dimanche », *Revue de Paris*, 1er juin 1934 ; in *Dimanche*, *op. cit.*

13. M. Proust, *À l'ombre des jeunes filles en fleurs.*

14. *Chaleur du sang*, p. 22.

15. *Suite française*, II, 3.

16. Lettre à M. Bergeret, 27 septembre 1941.

17. « Les Revenants », *Gringoire*, 5 septembre 1941. La dactylographie de cette nouvelle est signée « Pierre Imphy ».

18. Lettre à W. I. Pahlen Heyberg, 9 août 1941, en réponse à son courrier du 6 précédent : « Madame Jane Nemirovski m'a chargé de lui rapporter ses fourrures qu'elle avait laissées dans les malles restées dans son appartement. Or, ces malles ont été vidées et la concierge de l'immeuble m'a dit que vous étiez venue et aviez emporté ce que ces malles contenaient. J'ai écrit à Madame votre Mère pour l'en prévenir. J'ai, à nouveau, reçu plusieurs cartes d'elle, me demandant de m'adresser à vous, pour que vous me remettiez les affaires emportées. Par conséquent, je me permets de vous demander de me fixer un rendez-vous, afin que je puisse accéder à son désir. » (IMEC.)

19. Cité par A. Lacroix-Riz, *Industriels et Banquiers sous l'Occupation. La collaboration économique avec le Reich et Vichy*, Armand Colin/HER, 1999, p. 265.

20. *L'Appel*, 30 septembre 1941.

21. Lettre à R. Esménard, 4 octobre 1941. Jean Fréville (1895-1971) a commencé par publier sous son nom judéo-russe d'Eugène Schkaff un opuscule sur *La Question agraire en Russie* (1922), suivi d'une étude sur *La Dépréciation monétaire, ses effets en droit privé* (1926). Naturalisé français en 1925, il est rédacteur à *Commune*, critique littéraire à *L'Humanité* à partir de 1931, romancier (*Pain de brique*, 1937), traducteur et éditeur de textes de Marx, Engels, Lénine et Staline. « Nègre » officieux de Maurice Thorez, il écrira à sa gloire une ode mise en musique par Louis Durey. Sous l'Occupation n'est

paru clandestinement qu'un seul de ses textes, sous le titre sans équivoque de *Pétain, maréchal de la trahison*.

22. R. Esménard, lettre à I. Némirovsky, 10 octobre 1941.

23. Lettre à R. Esménard, 30 octobre 1941.

24. Lettre à A. Sabatier, 20 novembre 1941.

25. *Ibid*.

26. Lettre à A. Sabatier, 21 décembre 1941.

27. Pierre Lepage [I. Némirovsky], « Un beau mariage », in *Destinées*, p. 263.

28. Pierre Neyret [I. Némirovsky], « L'Incendie », *Gringoire*, 27 février 1942 ; in *Dimanche*, p. 221.

29. A. Suarès, *Vita Nova*, Rougerie, 1977, p. 33-34.

30. « L'Incendie », *op. cit.*, p. 213.

31. *Les Feux de l'automne*, I, VI. Détang est un nom de la région d'Issy-l'Évêque.

32. *Ibid.*, I, IX.

33. *Ibid.*, II, IX.

34. *Ibid.*, III, VI.

35. *Ibid.*, III, I.

36. *Ibid.*, II, IX.

37. *Ibid.*, III, IX.

38. M. Epstein, lettre à Paul Epstein, 23 janvier 1942.

39. Lettre à la *Kreiskommandantur* d'Autun, 11 février 1942. Traduit de l'allemand par Amélie Robert.

40. Lettre à Hélène Morand, 12 février 1942, fonds Paul Morand, Bibliothèque de l'Institut.

41. Les audiences du procès de Riom sont suspendues le 11 avril 1942, sur pression d'Otto Abetz. Les accusés seront remis à l'occupant. Dans sa conclusion, Léon Blum a réaffirmé avec panache la légitimité de son œuvre, de « tradition républicaine et démocratique », et ridiculisé la doctrine officielle de Vichy : « La durée de l'effort humain ne commande pas le rendement d'un appareil industriel, le loisir n'est pas la paresse ; la liberté et la justice n'ont pas fait de la patrie une proie désarmée ; avec les ilotes on ne fait pas plus des ouvriers que des soldats. Qu'il s'agisse de manier l'outil ou de manier l'arme, ce sont la liberté et la justice qui engendrent les grandes vertus viriles, la confiance, l'enthousiasme et le courage. »

42. M. Anissimov, « Les filles d'Irène Némirovski », *op. cit.*, p. 72.

43. *Suite française*, II, 16.

44. Denise Epstein, lettre à ses parents, 8 avril 1942.

45. Entretien avec Denise Epstein, 12 janvier 2005.

46. Denise Epstein, lettre à ses parents, 28 avril 1942.

47. M. Anissimov, « Les filles d'Irène Némirovski », *op. cit.*, p. 72.

48. *Cf.* J. Gillot-Voisin, *La Saône-et-Loire sous Hitler*, *op. cit.*, p. 71.

49. *Cf.* S. Klarsfeld, « La tragédie juive de 1942 en France : ombres et lumière », *Le Monde*, 26 août 2003.

50. « Maman n'a jamais cousu. Sauf l'étoile jaune. » (Entretien avec Denise Epstein, Moscou, janvier 2006.)

51. Entretien avec Denise Epstein, 10 janvier 2005.

52. *Suite française*, II, 12.

53. Le *Concerto de chambre*, *op.* 87 d'Aulis Sallinen, a été créé le 2 mars 2006 à Espoo (Finlande). Il comporte trois mouvements : I. *Tempête en juin*. II. *Dolce*. III. *Épitaphe fragile*.

54. J. Benoist-Méchin, *L'Ukraine*, « Note liminaire », Albin Michel, juillet 1941.

55. Lettre à A. Sabatier, 17 mai 1942.

56. *Ibid.*
57. Denise Mérande [I. Némirovsky], « Les Vierges », *Présent*, 15 juillet 1942.
58. Lettre à A. Sabatier, 4 mai 1942.
59. Lettre à A. Sabatier, 17 mai 1942.
60. Katherine Mansfield, *Journal*, 19 décembre 1920.
61. Témoignage de Denise Epstein, in *Convoi n° 6*, Le Cherche Midi, 2005, p. 163-164.
62. Katherine Mansfield, *Journal*, 19 décembre 1920 : *« Everything in life that we really accept undergoes a change. So suffering must become Love. That is the mystery. »*

NOTES DU CHAPITRE 12

1. Lettre de M. Epstein à A. Sabatier, 14 juillet 1942.
2. *Suite française*, II, 19.
3. Lettre de M. Epstein à A. Sabatier, 29 septembre 1942.
4. Entretien avec Denise Epstein, 10 janvier 2005.
5. *Les Feux de l'automne*, III, III.
6. Cette lettre d'Alexandra Epstein à une amie est citée, sans référence, par S. Klarsfeld dans son *Calendrier de la persécution des Juifs de France, op. cit.*, p. 580-581 : « Chérie, nous sommes à Drancy. Sam est avec Paul. Je les vois quand on nous mène au cabinet. Ne nous oubliez pas. Natascha est française. On espère que les maris et les femmes seront envoyés ensemble en exil. On aura besoin des choses chaudes. Les gants chauds, chandail gris, triangle rouge, petite glace, brosse à dents (durs), lacets des chaussures, culottes, combinaisons, soutien-gorge, surtout des livres, j'ai préparé 4 volumes de Tolstoï, chaussettes de laine, manteau d'hiver, linge chaud de corps de Sam, son cache-nez, son gilet bleu. L'avocat peut faire peut-être des démarches. J'ai une voisine charmante. A laissé des parents de 86 ans, seuls et sans connaissance de langue. Faut les soulager. L'adresse : M. Simon, 123 boulevard Bessières Paris 17e. La misère et la détresse autour sont indescriptibles. Mes voisines de l'autre côté sont 9 orphelines d'un pensionnat d'orphelines. Le régime est le régime de la prison militaire. Saleté d'une cave à charbon. Paillasse pleine de poux et de punaises. Promiscuité atroce. 86 femmes, 6 robinets, on n'a pas le temps de se laver. Il y a des femmes enceintes, des femmes sourdes, muettes, aveugles, sur des brancards, qui ont laissé leurs tout petits enfants seuls. Des vieilles de 63 ans. On ne va pas aux cabinets pendant 16 heures. On a assisté à un départ des hommes. On rasait les hommes dans la cour. Les femmes reconnaissaient leurs maris, criaient et pleuraient. On a emporté les hommes sur des civières. La nuit on faisait descendre les femmes pour dire adieu aux maris. Deux sont devenues folles. Il y a des garçons détenus qui viennent aider les femmes. Ce sont des aryens avec l'étoile et l'inscription "ami des Juifs". Dites à Natascha, si elle ne nous revoit pas, qu'elle soit courageuse, que nous l'aimons infiniment, que nous lui laissons notre nom sans tache. Qu'elle soit honnête et propre. Jamais heureuse aux dépens des autres. Recherchez mes parents. [...] » Natacha, réfugiée en Afrique du Nord, ne sera pas déportée. Elle épousera le journaliste et homme de lettres Jean Duché.
7. Hélène Morand, lettre à Michel Epstein, 17 juillet 1942.
8. Michel Epstein, lettre à Otto Abetz, 27 juillet 1942. Ce courrier est cité dans son intégralité parmi les annexes de *Suite française*, auxquelles nous reportons le lecteur.
9. A. Sabatier, lettre à Hélène Morand, 29 juillet 1942.
10. A. Sabatier, lettre à Michel Epstein, 12 août 1942.
11. Lettre de Mavlik à Michel Epstein, 2 août 1942.
12. V. N. Kokovtzov, *Le Bolchevisme à l'œuvre. La Ruine morale et économique dans le pays des Soviets*, Paris, Marcel Giard, 1931.

13. A. Sabatier, lettre à Michel Epstein, 12 août 1942.

14. Hélène Morand, lettre à André Sabatier, 17 septembre 1942.

15. Entretien avec Denise Epstein, 10 janvier 2005.

16. Le sous-préfet d'Autun, préfet pour la ZO de Saône-et-Loire, au chef de la *Sicherheitspolizei*, annexe de Chalon-sur-Saône, 21 octobre 1942.

17. Denise Epstein à Myriam Anissimov, « Les filles d'Irène Némirovsky », *op. cit.*, p. 74.

18. Denise Epstein, Reuters, 9 mars 2006.

NOTES DE L'ÉPILOGUE

1. Conversation avec Denise Epstein.

2. A. Sabatier, lettre à Julie Dumot, 9 novembre 1944.

3. *Deux*, XXIX.

4. *Cf.* Olga Wormser-Migot, *Le Retour des déportés*, Complexe, 1985.

5. Lettre de Mme Ginoux à Julie Dumot, 22 juin 1945.

6. Entretien avec Francis Esménard, 27 septembre 2005.

7. André Sabatier, lettre à Julie Dumot, 1er juin 1945.

8. J.-J. Bernard, introduction à « La Mort de Tchékov », *La Nef*, n° 20, juillet 1946, p. 13-14.

9. Élisabeth Gille à Myriam Anissimov, « Les filles d'Irène Némirovsky », *op. cit.*, p. 71.

BIBLIOGRAPHIE

I. Œuvres d'Irène Némirovsky

A) Romans

Le Malentendu, in *Les Œuvres libres*, n° 56, Fayard, février 1926 ; Fayard, « Collection de bibliothèque », 1930.

L'Ennemie, in *Les Œuvres libres*, n° 85, Fayard, juillet 1928 *(Pierre Nerey)*.

David Golder, Grasset, coll. « Pour mon plaisir », 1929.

Les Mouches d'automne, ou la Femme d'autrefois, Kra, coll. « Femmes », 1931 ; Grasset, décembre 1931.

L'Affaire Courilof, Grasset, coll. « Pour mon plaisir », 1933.

Le Pion sur l'échiquier, Albin Michel, 1934.

Le Vin de solitude, Albin Michel, 1935.

Jézabel, Albin Michel, 1936.

La Proie, Albin Michel, 1938.

Deux, Albin Michel, 1939.

Les Chiens et les Loups, Albin Michel, 1940.

Les Biens de ce monde [1940-1941], Albin Michel, 1947.

Les Feux de l'automne [1941-1942], Albin Michel, 1957.

Suite française [1940-1942], Denoël, 2004.

Le Maître des âmes [*Les Échelles du Levant*, in *Gringoire*, 1939], Denoël, 2005.

Chaleur du sang [1941-1942], Denoël, 2007.

B) Œuvres biographiques

« La Jeunesse de Tchekhov », *Les Œuvres libres*, n° 226, Fayard, mai 1940.

« La Mort de Tchekho », *La Nef*, n° 20, juillet 1946.

« Le Mariage de Tchekhov », *Les Œuvres libres*, nouvelle série, n° 13 (239), 4e trimestre 1946.

La Vie de Tchekho, Albin Michel, octobre 1946.

c) NOUVELLES

« Nonoche chez l'extra-lucide », *Fantasio*, n° 348, 1er août 1921 *(Popsy)*, inédit.

« Nonoche au Louvre » [1921], inédit.

« Nonoche au vert » [1921], inédit.

« Nonoche au ciné » [1921] *(Topsy)*, inédit.

« La Niania » [1922 ?], inédit.

« L'Enfant génial », *Les Œuvres libres*, n° 70, avril 1927 ; *Un enfant prodige*, préface d'Élisabeth Gille, Gallimard, 1992.

« Le Bal », *Les Œuvres libres*, n° 92, février 1929 *(Pierre Nerey)* ; Grasset, 1930.

« Film parlé », *Les Œuvres libres*, n° 121, juillet 1931 ; repris in *Films parlés*, Gallimard, coll. « Renaissance de la nouvelle », 1934.

« La Comédie bourgeoise », *Les Œuvres libres*, n° 132, juin 1932 ; repris in *Films parlés*, Gallimard, coll. « Renaissance de la nouvelle », 1934.

« Un déjeuner en septembre », *Revue de Paris*, vol. 3, 1er mai 1933.

« Nativité », *Gringoire*, 8 décembre 1933.

« Ida », *Marianne*, n° 82, 16 mai 1934 ; repris in *Films parlés*, Gallimard, coll. « Renaissance de la nouvelle », 1934.

« Dimanche », *Revue de Paris*, vol. 3, 1er juin 1934.

« Les Fumées du vin », *Le Figaro*, 12/19 juin 1934 ; repris in *Films parlés*, Gallimard, coll. « Renaissance de la nouvelle », 1934.

« Écho », *Noir et Blanc*, n° 24, 22 juillet 1934, inédit.

« Les Rivages heureux », *Gringoire*, 2 novembre 1934.

« Jour d'été », *Revue des Deux Mondes*, n° 581, 1er avril 1935.

« Le Commencement et la Fin », *Gringoire*, 20 décembre 1935.

« Un amour en danger », *Le Figaro littéraire*, 22 février 1936, inédit.

« Liens du sang », *Revue des Deux Mondes*, 15 mars et 1er avril 1936.

« Fraternité », *Gringoire*, 5 février 1937.

« Épilogue », *Gringoire*, 28 mai 1937.

« Magie », *L'Intransigeant*, 4 août 1938, inédit.

« Nous avons été heureux », *Marie-Claire*, n° 75, 5 août 1938, inédit.

« Espoirs », *Gringoire*, 19 août 1938.

« La Confidence », *Revue des Deux Mondes*, 15 octobre 1938.

« La Femme de Don Juan », *Candide*, 2 novembre 1938.

« La Nuit en wagon », *Gringoire*, 5 octobre 1939.

« Comme de grands enfants », *Marie-Claire*, n° 139, 27 octobre 1939.

« En raison des circonstances », novembre 1939, inédit.

« Le Spectateur », *Gringoire*, 7 décembre 1939.

« Aïno », *Revue des Deux Mondes*, tome LV, 1er janvier 1940.

« Le Sortilège », *Gringoire*, 1er février 1940.

« ...et je l'aime encore », *Marie-Claire*, n° 153, 2 février 1940.

« Le Départ pour la fête », *Gringoire*, 11 avril 1940.

« L'Autre Jeune Fille », *Marie-Claire*, 3 mai 1940, inédit.

« M. Rose », *Candide*, 28 août 1940.
« La Peur » [automne 1940] *(C. Michaud)*, inédit.
« Les Cartes » [automne 1940] *(C. Michaud, puis J. Dumot)*, inédit.
« Destinées », *Gringoire*, 5 décembre 1940 *(Pierre Nérey)*.
« La Confidente », *Gringoire*, 20 mars 1941 *(Pierre Nerey)*.
« L'Inconnue » [avril 1941 ?] *(C. Michaud, puis J. Dumot)*, inédit.
« La Voleuse » [avril 1941 ?], inédit.
« L'Honnête Homme », *Gringoire*, 30 mai 1941 *(Pierre Nerey)*.
« L'Inconnu », *Gringoire*, 8 août 1941 *(« Nouvelle écrite par une jeune femme »)*.
« Les Revenants », *Gringoire*, 5 septembre 1941 *(Pierre Nerey)*, inédit.
« L'Ogresse », *Gringoire*, 24 octobre 1941 *(Charles Blancat)*.
« L'Incendie », *Gringoire*, 27 février 1942 *(Pierre Neyret)*.
« La Grande Allée » [juin 1942 ?], inédit.
« Les Vierges », *Présent*, 15 juillet 1942 *(Denise Mérande)*, inédit.
« Un beau mariage », *Présent*, 23 février 1943 (*Denise Mérande)*.
« L'Ami et la Femme » [s. d.], inédit.

Vingt-huit de ces nouvelles ont été rassemblées dans deux volumes anthologiques : Dimanche, et autres nouvelles, *préface de Laure Adler, Paris, Stock, 2000;* Destinées, et autres nouvelles, *avant-propos de Denise Epstein, Pin-Balma, Sables, 2004.*

D) QUELQUES ARTICLES PUBLIÉS D'IRÈNE NÉMIROVSKY

« *Tristan et Iseut*, 10 tableaux de MM. Joseph Bédier, de l'Académie française, et Louis Artur. Airs et chants de M. Paul Ladmirault », *Aujourd'hui*, n° 268, 14 janvier 1934.
« Une femme qu'a le cœur trop petit [*Fernand Crommelynck*] », *Aujourd'hui*, n° 272, 18 janvier 1934.
« Au théâtre Saint-Georges. *L'Homme*, de Denys Amiel. [*mise en scène de Raymond Rouleau*] », *Aujourd'hui*, n° 275, 21 janvier 1934.
« Au Studio des Champs-Élysées, *Émile et les détectives* », *Aujourd'hui*, n° 282, 28 janvier 1934.
« Impressions de "générale". Théâtre de la Michodière. *Les Temps difficiles*, pièce en trois actes de M. É. Bourdet », *Aujourd'hui*, n° 284, 30 janvier 1934.
« Théâtre de la Michodière. *Les Temps difficiles*, pièce en trois actes de M. É. Bourdet », *Aujourd'hui*, n° 285, 31 janvier 1934.
« Théâtre de l'Athénée. *File indienne*, comédie en 3 actes de MM. Albert Acremant et Max Daireaux », *Aujourd'hui*, n° 316, 3 mars 1934.
« Théâtre de l'Œuvre. *Les Races*, 8 tableaux de Ferdinand Brückner, adaptation de René Cave », *Aujourd'hui*, n° 323, 10 mars 1934.
« Théâtre des Ambassadeurs. *La Bête noire*, pièce en 3 actes de M. Stève Passeur », *Aujourd'hui*, n° 325, 12 mars 1934.
« Le Mariage de Pouchkine et sa mort », *Marianne*, 25 mars 1936.

II. INTERVIEWS ET TÉMOIGNAGES D'IRÈNE NÉMIROVSKY

Frédéric Lefèvre, « Une révélation. Une heure avec Irène Némirovsky », *Les Nouvelles littéraires*, 11 janvier 1930.

[« Souvenirs de Stockholm »], *Nord-Sud, Revue bi-mensuelle franco-scandinave*, 15 février 1930.

Nina Gurfinkel, « L'expérience juive d'Irène Némirovsky. Une interview de l'auteur de *David Golder* », *L'Univers israélite*, 28 février 1930.

Claude Pierrey, « En coup de foudre, le succès... », *Chantecler*, 8 mars 1930.

« Estimez-vous que le cinéma ait eu ou puisse avoir une influence sur le roman ? Et laquelle ? », réponse à l'enquête de René Groos, *L'Ordre*, 18 octobre 1930.

« Et vous, y croyez-vous ? Quelques petits sons de cloche », réponse à une enquête, *Bravo*, n° spécial « La chance », n° 26, février 1931.

« J'aime beaucoup le cinéma... », *Poslednija Novosti*, 1er mai 1931.

« Une femme de lettres peut-elle réussir sans accepter certains hommages de ses juges ? », réponse à une enquête, *Candide*, juin 1931.

Michelle Deroyer, « Irène Némirowsky et le cinéma. "Je ne pense qu'en images..." nous dit-elle », *Pour vous*, juin 1931.

« En marge de *l'Affaire Courilof.* Radio-Dialogue entre F. Lefèvre et Mme I. Némirovsky », Radio Paris, *Sud de Montpellier*, 7 juin 1933.

« Vacances d'écrivains », réponse à l'enquête de Joseph Van Melle, *Toute l'édition*, n° 188, 29 juillet 1933.

Marie-Jeanne Viel, « Comment travaille une romancière », interview radiodiffusée [1934].

Janine Auscher, « Sous la lampe. Irène Némirowsky », *Marianne*, n° 121, 13 février 1935.

J. d'Assac, « Maris de femmes. Monsieur Irène Némirovsky », source indéterminée [1935].

Janine Auscher, « Nos interviews : Irène Némirovsky », *L'Univers israélite*, 5 juillet 1935.

Jeanine Bouissounouse, « Femmes écrivains : leurs débuts », *Les Nouvelles littéraires*, 2 novembre 1935.

Robert Bourget-Pailleron, « La nouvelle équipe », *Revue des Deux Mondes*, n° 591, 1936.

Pierre Langers, « Mme Irène Némirovsky, peintre de mœurs », *Toute l'édition*, n° 331, 4 juillet 1936.

« Où avez-vous passé vos vacances ? Qu'avez-vous fait de vos vacances ? », réponse à l'enquête de Joseph Van Melle, *Toute l'édition*, n° 386, 18 septembre 1937.

« Une enquête en marge des souliers de Noël. Ce que voudraient lire les enfants des écrivains », *Toute l'édition*, n° 397, 4 décembre 1937.

« Comment elles travaillent », réponse à l'enquête d'Yvonne Moustiers, *Toute l'édition*, n° 410, 5 mars 1938.

Jeanine Delpech, « Chez Irène Némirovsky, ou la Russie boulevard des Invalides », *Les Nouvelles littéraires*, 4 juin 1938.

« Où avez-vous passé vos vacances? À quoi faire? », réponse à l'enquête de Joseph Van Melle, *Toute l'édition*, 3 septembre 1938.

« Les femmes de lettres et la guerre », réponse à l'enquête d'Yvonne Moustiers, *Toute l'édition*, n° 483, décembre 1939.

« Les Conrad français », réponse à l'enquête de Georges Higgins, *Les Nouvelles littéraires*, 6 avril 1940.

III. ARCHIVES

A) Institut Mémoires de l'édition contemporaine (IMEC)

- Fonds Irène Némirovsky : brouillons, manuscrits (*Suite française*, nouvelles diverses), épreuves, correspondance privée et professionnelle, contrats, gestion de l'œuvre, dossiers de presse, iconographie, etc.
- Fonds Albin Michel : manuscrits, brouillons, journaux de travail, épreuves *(David Golder, Le Pion sur l'échiquier, Le Vin de solitude, Les Échelles du Levant, Les Chiens et les Loups, Tempête en juin, Les Biens de ce monde, Les Feux de l'automne, Dolce, Captivité, Chaleur du sang)*, nouvelles diverses, etc.
- Fonds Grasset & Fasquelle : dossiers de presse de *David Golder, Le Bal, Les Mouches d'automne, L'Affaire Courilof.*
- Fonds *Revue des Deux Mondes* : correspondance avec René Doumic, André Chaumeix.
- Fonds Pierre Brisson : correspondance.

B) Archives Grasset & Fasquelle

Correspondance avec Bernard Grasset, Pierre Tisné, relevés de ventes, etc.

C) Bibliothèque de l'Institut

Correspondance avec Jacques-Émile Blanche, Hélène Morand, Henri de Régnier, Marie de Régnier.

D) Archives nationales

Dossier d'étudiante (Sorbonne).

E) Bibliothèque nationale de France

Collections de : *Action française*, *Aujourd'hui* (1934), *Aujourd'hui* (1940-1944),

Candide, Fantasio, Gringoire, L'Intransigeant, Journal de Saint-Pétersbourg, Marianne, Marie-Claire, Le Matin, Les Nouvelles littéraires, Présent (1941-1944), *Revue des Deux Mondes, Revue hebdomadaire, Toute l'édition*, etc.

IV. ENTRETIENS

Edwige BECQUART (Versailles, 26 mars 2005).
Jean-Luc de CARBUCCIA (Paris, 28 septembre 2005).
Samuel CHYMISZ (Neuilly-sur-Seine, 5 mars 2005).
Denise EPSTEIN (Toulouse, 10-12 janvier 2005 ; Moscou, 27-30 janvier 2006).
Francis ESMÉNARD (Paris, 27 septembre 2005).
Tatiana MOROZOVA (Moscou, 27-30 janvier 2006).
Marc SABATIER (entretien téléphonique, 28 février 2006).
Élisabeth ZEHRFUSS (Paris, 21 mars 2006).

V. OUVRAGES CONSULTÉS

Nous n'indiquons pas ici tous les ouvrages et les articles consultés pour les besoins de ce livre, mais ceux qui nous ont paru les plus utiles à la connaissance d'Irène Némirovsky, de son œuvre et de son temps. Nous n'indiquons pas non plus les innombrables articles de presse qui lui furent consacrés au cours des années 1930.

ALEIKHEM Cholem, *Menahem-Mendl le rêveur*, traduit du yiddish par Léa et Marc Rittel, Paris, Albin Michel, « Présences du judaïsme », 1975.

ANDRIEU Claire, *La Banque sous l'Occupation. Paradoxes de l'histoire d'une profession 1936-1946*, Paris, Presses de la Fondation nationale des sciences politiques, 1990.

ANISSIMOV Myriam, « Les filles d'Irène Némirovski », *Les Nouveaux Cahiers*, n° 108, printemps 1992, p. 70-74.

ASCH Sholem [Schalom], *Pétersbourg*, traduit de l'allemand par Alexandre Vialatte, préface de Stefan Zweig, Paris, Grasset, 1933 ; Belfond, 1985 ; Mémoire du livre, 1999.

——, *La Sanctification du nom*, traduit du yiddish par Aby Wieviorka et Henri Raczymov, préface de Itzhok Niborski, Lausanne, L'Âge d'Homme, 1985.

BABEL Isaac, *Contes d'Odessa*, traduit du russe par Adèle Bloch, Paris, Gallimard, 1967 ; « Folio bilingue », 1999.

——, *Chroniques de l'an 18 et autres chroniques*, traduit du russe par Irène Markowicz et Cécile Térouanne, Arles, Actes Sud, 1996.

——, *Entre chien et loup*, adaptation de Koukou Chanska et François Marié, suivi de *Marie*, traduit du russe par A. Bloch, Gallimard, « Théâtre du monde entier », 1970.

BARRÉ Jean-Luc, *Jacques et Raïssa Maritain. Les Mendiants du Ciel*, Paris, Stock, 1995.

BENOIT-MESCHIN Jacques, *À l'épreuve du temps. Souvenirs*, II. *1940-1947*, édition établie, annotée et présentée par Éric Roussel, Paris, Julliard, 1989.

——, *L'Ukraine. Des origines à Staline*, Paris, Albin Michel, 1941.

BÉRAUD Henri, *Gringoire. Écrits 1940-1943*, Versailles, Consep, 2005.

——, *Les Derniers Beaux Jours*, Paris, Plon, 1953.

——, *Les Raisons d'un silence*, Paris, Inter-France, 1944.

BERBEROVA Nina, *C'est moi qui souligne*, *Disparition de la Bibliothèque Tourgueniev*, etc., Actes Sud, coll. « Thesaurus », 1998.

BERNSTEIN Henry, *Samson*; *Israël*, in *Théâtre*, Paris, Éditions du Rocher, 1997.

BERNSTEIN GRUBER Georges, MAURIN Gilbert, *Bernstein le Magnifique. 50 ans de théâtre, de passions et de vie parisienne*, Paris, Lattès, 1988.

Biarritz. Villas et jardins 1900-1930, photographies de Dominique Delaunay, Paris, Institut français d'architecture/Norma, 1992.

BIÉLINKY Jacques, *Journal 1940-1942. Un journaliste juif à Paris sous l'Occupation*, présenté par Renée Poznanski, Paris, Cerf, coll. « Toledot-Judaïsmes », 1992.

BIÉLY Andréi, *Pétersbourg*, traduit du russe par Georges Nivat et Jacques Catteau, Lausanne, L'Âge d'Homme, 1967.

BONNEFILLE Éric, *Julien Duvivier. Le mal aimant du cinéma français*. Vol. I : *1896-1940*, Paris, L'Harmattan, 2002.

BORY Jean-Louis, *Mon village à l'heure allemande*, Paris, Flammarion, 1945 ; J'ai Lu, 1977.

BOTHOREL Jean, *Bernard Grasset. Vie et Passions d'un éditeur*, Paris, Grasset, 1989.

BOULGAKOV Mikhaïl, *La Garde blanche. Nouvelles, récits, articles de variétés*, Paris, Gallimard, « Bibliothèque de la Pléiade », 1997.

BOUNINE Ivan, *La Vie d'Arséniev. Jeunesse*, traduit du russe et annoté par Claire Hauchard, préface de Jacques Catteau, Paris, Bartillat, 1999.

BOURDET Édouard, *Vient de paraître*, Paris, La Petite Illustration, 1928 ; édition d'Olivier Barrot et Raymond Chirat, Paris, Gallimard, « Folio Théâtre », 2004.

BRASILLACH Robert, *Notre avant-guerre*, Paris, Plon, 1941.

——, *Œuvres complètes*. Tome XI : *Articles de « L'Action française », articles de « La Revue française », La causerie littéraire de « L'Action française »*, première édition annotée par Maurice Bardèche, Paris, Au Club de l'honnête homme, 1964.

BRIHOUM-REUS Malik, « Irène Némirovsky, les lieux d'une identité juive », mémoire de maîtrise, dir. Patrick Cabanel, université de Toulouse-II, UFR d'Histoire, s. d.

BROGLIE Gabriel de, *Histoire politique de la « Revue des Deux Mondes » de 1829 à 1979*, Paris, Librairie académique Perrin, 1979.

BROMFIELD Louis, *La Mousson*, traduit de l'anglais (États-Unis) par Berthe Vulliemin, Paris, Stock, 1937 ; Le Livre de Poche, 1960.

CALIMANI Riccardo, *Destins et Aventures de l'intellectuel juif en France 1650-1945*, traduit de l'italien par Loïc Cohen, Toulouse, Privat, 2002.

CARBUCCIA Adry de, *Du tango à Lily Marlène. 1900-1940*, Paris, Éditions France-Empire, 1987.

CHIRAT Raymond, « Julien Duvivier », *Premier Plan*, n° 50, Serdoc, Lyon, 1968.

COLETTE, *Journal à rebours*, Paris, Fayard, 1941.

COQUET James de, *Le Procès de Riom*, Paris, Librairie Arthème Fayard, 1945.

COSTON Henry (dir.), « Partis, Journaux et Hommes politiques d'hier et d'aujourd'hui », *Lectures françaises*, numéro spécial, décembre 1960.

COTTA Michèle, *La Collaboration 1940-1944*, Paris, Armand Colin, « Kiosque », 1964.

CULOT Maurice, TOULIER Bernard (dir.), *Le Pays basque. Architectures des années 20 et 30*, photographies de Dominique Delaunay, Paris, Institut français d'architecture/Norma, 1993.

DARRIEUX Danielle, *Danielle Darrieux, filmographie commentée par elle-même*, avec le concours de Jean-Pierre Ferrière, préface de Jean-Claude Brialy, Paris, Ramsay, « Cinéma », 1995 ; 2003.

DELAGE Jean, *La Russie en exil*, Paris, Librairie Delagrave, 1930.

DEUTSCHER Isaac, *Essais sur le problème juif*, présentation et préface de Tamara Deutscher, traduit de l'anglais par Elisabeth Gille-Némirovsky, Paris, Payot, 1969.

DREYFUS Jean-Marc, « Banquiers et financiers juifs de 1929 à 1962 : transitions et ruptures », *Archives juives. Revue d'histoire des Juifs de France*, n° 29/2, 2e semestre 1996, p. 83-99.

DUBOIS-JALLAIS Denise, *La Tzarine. Hélène Lazareff et l'aventure de « Elle »*, Paris, Robert Laffont, 1984.

EDALLIN Alexandre, *La Révolution russe par un témoin*, Paris, Éditions de la *Revue contemporaine*, 1920.

EISENBERG Josy, *Une histoire des Juifs*, Paris, Culture, Art, Loisirs, 1970 ; Le Livre de poche, 1976.

ELLIS LeRoy, *La Colonie russe dans les Alpes-Maritimes des origines à 1939*, Nice, Éditions Serre, « Actual », 1988.

EPSTEIN Efim, *Les Banques de commerce russes. Leur rôle dans l'évolution économique de la Russie. Leur nationalisation*, préface d'Yves-Guyot, Paris, Marcel Giard éd., 1925.

FAYARD Jean, *Dans le monde où l'on s'abuse*, illustrations de G. Arnoux, Marty, Sem et Chas Laborde, Paris, Arthème Fayard, 1926.

FLEURY Robert, *Marie de Régnier, l'inconstante*, Paris, Nouvelle Librairie française, 1932.

FRALIE Mario, *Le Secret d'Ivar Kreuger*, Paris, Plon, 1990.

GALILI-LAFON Jeanne, « Irène Némirovsky, le trouble d'une œuvre », thèse de doctorat, Université Paris 8-Vincennes-Saint-Denis, dir. Claude Mouchard, s. d.

GARBARZ Moshè et Élie, *Un survivant. Auschwitz-Birkenau-Buchenwald 1942-1945*, Paris, Ramsay, 2006.

GHIKA Prince Vladimir I., *Pensées pour la suite des jours*, Paris, Beauchesne, 1936.

GILLE Élisabeth, *Le Mirador. Mémoires rêvés*, Paris, Presses de la Renaissance, 1992 ; préface de René de Cécatty, Paris, Stock, 2000.

GILLOT-VOISIN Jeanne, *La Saône-et-Loire sous Hitler. Périls et Violences*, préface de Lucie Aubrac, Mâcon, Fédération des Œuvres laïques, 1996.

GORBOFF Marina, *La Russie fantôme. L'émigration russe de 1920 à 1950*, Lausanne, L'Âge d'Homme, 1995.

GORKI Maxime, *Pensées intempestives*, traduit du russe par Lucile Nivat et Sylvaine Drablier, avant-propos de Boris Souvarine, Lausanne, L'Âge d'Homme, 1975 ; Pluriel/Le Livre de Poche.

GOUZE Roger, *Les Bêtes à Goncourt. Un demi-siècle de batailles littéraires*, Paris, Hachette Littératures, 1973.

GRASSET Bernard, *La Chose littéraire*, Paris, Gallimard, 1929.

GUGELOT Frédéric, « De Ratisbonne à Lustiger. Les convertis à l'époque contemporaine », *Archives juives. Revue d'histoire des Juifs de France*, n° 35/1, 1er semestre 2002, p. 8-26.

GURFINKIEL Michel, *Le Roman d'Odessa. Ukraine, utopie russe et génie juif*, Paris, Éditions du Rocher, 2005.

HALÉVY Daniel, « Lœwenstein ou la vie d'un joueur », in *Courrier de Paris*, Paris, Éd. du Cavalier, 1932.

HAYET Pierre, « Mgr Vladimir Ghika, prince de l'Église », *La Nef*, n° 155, décembre 2004, p. 36-37.

HAYMANN Emmanuel, *Albin Michel, le roman d'un éditeur*, Paris, Albin Michel, 1993.

HRUSHEVSKY Mykhailo, *History of Ukraine-Rus'*, traduit du russe par Marta Skorupsky, Edmonton/Toronto, Canadian Institute of Ukrainian Studies Press, 1997.

JAFFRES Bleuenn, « La relation auteur-éditeur. Irène Némirovsky et les éditions Albin Michel 1933-1942 », mémoire de DEA, sous la direction de Jean-Pierre Dufief, université de Bretagne occidentale, 2002-2003.

JANKOWSKI Paul, *Cette vilaine affaire Stavisky. Histoire d'un scandale politique*, Paris, Fayard, 2000.

JEANCOLAS Jean-Pierre, *Le Cinéma des Français. 15 ans d'années trente (1929-1944)*, Nouveau Monde Éditions, 2005.

JOLY Laurent, *Vichy dans la « Solution finale ». Histoire du Commissariat général aux questions juives 1941-1944*, Paris, Grasset, 2006.

JULLIAN Philippe, *Sarah Bernhardt*, Paris, Balland, 1977.

JUTIKKALA Eino, PIRINEN Kauko, *Histoire de la Finlande*, traduit du finnois par Claude Sylvian, Neuchâtel, Éditions de la Baconnière, 1978.

KASPI André, *Les Juifs pendant l'Occupation*, Paris, Seuil, 1991 ; 1997.

KESSEL Joseph, *Nuits de princes*, Paris, Éditions de France, 1927.

KLARSFELD Serge, *La Shoah en France*, vol. 2, *Le Calendrier de la persécution des Juifs de France 1940-1944. I. 1er juillet 1940-31 août 1942*, Fayard, 2001.

KORLIAKOV Andreï, *L'Émigration russe en photos. France 1917-1947*, Paris, YMCA-Press, 2001.

KOVALEVSKY W. de (dir.), *La Russie à la fin du 19e siècle*, Paris, Paul Dupont/Guillaumin et Cie, 1900.

LACROIX-RIZ Annie, *Le Choix de la défaite. Les élites françaises dans les années 1930*, Paris, Armand Colin, 2006.

——, *Industriels et Banquiers sous l'Occupation. La collaboration économique avec le Reich et Vichy*, Paris, Armand Colin/HER, 1999.

LALOU René, *Le Roman français depuis 1900*, « Que sais-je ? », Presses universitaires de France, 1947.

LANDAU Lazare, *De l'aversion à l'estime. Juifs et catholiques en France de 1919 à 1939*, préface de Jacques Madaule, Paris, Le Centurion, 1980.

LAURENT François, MOUSLI Béatrice, *Les Éditions du Sagittaire 1919-1979*, Paris, Éditions de l'IMEC, 2003.

LÉAUTAUD Paul, *Journal littéraire*, I, *novembre 1893-juin 1928*, Paris, Mercure de France, 1986.

LECACHE Bernard, *Quand Israël meurt... Au pays des pogromes*, Paris, Éditions du « Progrès civique », 1927.

LESSING Theodor, *La Haine de soi. Le refus d'être juif*, traduit de l'allemand et présenté par Maurice-Ruben Hayoun, Paris, Berg International éditeurs, « Faits et Représentations », 1990.

LÉVY Jacob, *Juifs d'aujourd'hui*. I. *Les Pollaks*, Paris, J. Ferenczi & Fils éditeurs, 1925.

LEYMARIE Michel, « Les frères Tharaud. De l'ambiguïté du "filon juif" dans les années 1920 », *Archives juives. Revue d'histoire des Juifs de France*, n° 39/1, 1er semestre 2006, p. 89-109.

LIEBMAN Marcel, *La Révolution russe. Origine, étapes et signification de la victoire bolchevique*, préface d'Isaac Deutscher, Verviers (Belgique), Marabout Université, 1967.

LIED Jonas, *Prospector in Siberia*, New York, Oxford University Press, 1945 ; *Pionnier en Sibérie et dans la mer de Kara*, préface et traduction de René Jouan, Paris, Payot, 1951.

LO GATTO Ettore, *Le Mythe de Saint-Pétersbourg*, traduit de l'italien par Christine Ginoux, préface de Jean Kéhayan, Paris, Éditions de l'Aube, 1995.

LOUVIER Pascal, CANAL-FORGUES Éric, *Paul Morand, le sourire du hara-kiri*, Paris, Perrin, 1994 ; Éditions du Rocher, 2006.

MALINOVITCH Nadia, « Littérature populaire et romans juifs dans la France des années 1920 », *Archives juives. Revue d'histoire des Juifs de France*, n° 39/1, 1er semestre 2006, p. 46-62.

MANSFIELD Katherine, *Journal*, Paris, Stock, 1973.

——, *Les Nouvelles*, préface de Marie Desplechin, Paris, Stock, 2006.

MARIE Jean-Jacques, *Trotsky. Naissance d'un destin*, Paris, Éditions Autrement, 1998.

MARRUS Michaël, PAXTON Robert O., *Vichy et les Juifs*, Paris, Calmann-Lévy, « Diaspora », 1981 ; éd. revue et corrigée, Le Livre de Poche.

MARTIN DU GARD Maurice, *Les Mémorables 1918-1945*, préface de François Nourissier, Paris, Gallimard, 1999.

MAUROIS André, *Le Cercle de famille*, Paris, Bernard Grasset, 1932 ; « Les Cahiers rouges », 1996.

MAXENCE Jean-Luc, *L'Ombre d'un père*, Paris, Éditions Libres-Hallier, 1978.

MAXENCE Jean-Pierre, *Histoire de dix ans 1927-1937*, Paris, Gallimard, 1937 ; Éditions du Rocher, 2005.

MCKEAN Robert B., *St. Petersburg Between the Revolutions. Workers & Revolutionaries June 1907-February 1917*, New Haven/London, Yale University Press, 1990.

MÉMOIRES DU CONVOI N° 6 et Antoine MERCIER, *Convoi n° 6. Destination : Auschwitz 17 juillet 1942*, préfaces de Elie Wiesel et Serge Klarsfeld, Paris, Le Cherche Midi, « Documents », 2005.

MENNEVÉE Roger, *Monsieur Ivar Kreuger et le Trust suédois des allumettes*, Paris, Les Documents politiques, 1932.

MILLMAN Richard, « Les Croix-de-Feu et l'antisémitisme », *Vingtième Siècle*, vol. 38, n° 38, 1993, p. 47-61.

MIRIBEL Élisabeth de, *La Mémoire des silences. Vladimir Ghika 1873-1954*, Paris, Éditions Fayard, 1987.

MONY Olivier, « Jours heureux à Hendaye », *Le Festin en Aquitaine*, n° 54, été 2005, p. 79-81.

MORAND Paul, *La Nuit de Putney*, in *Les Œuvres libres*, n° XV, septembre 1922 ; *Nouvelles complètes*, I, Bibliothèque de la Pléiade, NRF, 1991.

——, *Lewis et Irène*, Bibliothèque du temps présent, Paris, Grasset, 1924 ; Paris, éditions Rombaldi, 1976.

——, *Nouvelles complètes*, I, édition présentée, établie et annotée par Michel Collomb, Paris, Gallimard, « Bibliothèque de la Pléiade », 1992.

MULLER Henry, *Trois pas en arrière*, Paris, La Table Ronde, 1952 ; « La Petite Vermillon », 2002.

NEBOIT-MOMBET Janine, *L'Image de la Russie dans le roman français (1859-1900)*, Clermont-Ferrand, Presses universitaires Blaise-Pascal/Maison de la Recherche, 2005.

NEHER-BERNHEIM Renée, *Histoire juive. Faits et documents*, vol. III. *20e siècle*, Paris, Klincksieck, 1973-1974.

OWEN Thomas C., *Capitalism and Politics in Russia. A Social History of the Moscow Merchants, 1855-1905*, Cambridge, Cambridge University Press, 1981.

PALÉOLOGUE Maurice, *La Russie des tsars pendant la Grande Guerre*, 3 vol., Paris, Librairie Plon, 1922.

PAOUSTOVSKI Constantin, *L'Histoire d'une vie*. I. *Les Années lointaines*, traduit du russe par Lydia Delt et Paule Martin, Paris, Gallimard, « Littératures soviétiques », 1963.

PERROY Marguerite, *Sacerdos Alter Christus : l'abbé Roger Bréchard*, préface de Mgr Piquet, Clermont-Ferrand, Imprimerie régionale, 1949.

PESCHANSKI Denis, *La France des camps. L'internement 1938-1946*, Paris, Gallimard, 2002.

PLUNKETT Jacques de, *Fantômes et Souvenirs de la Porte-Saint-Martin. Cent soixante ans de théâtre*, Paris, Ariane, 1946.

POLIAKOV Léon, *La Causalité diabolique*, I. *Essai sur l'origine des persécutions*, suivi de II. *Du joug mongol à la victoire de Lénine 1250-1920*, préface de Pierre-André Taguieff, Paris, Calmann-Lévy/Mémorial de la Shoah, 2006.

——, *Histoire de l'antisémitisme*, Paris, Calmann-Lévy, 1951 ; 1955 ; 1981.

PONTEIL Félix, *Les Classes bourgeoises et l'avènement de la démocratie 1815-1914*, Paris, Albin Michel, « L'Évolution de l'humanité », 1968.

PRAZAN Michaël, MENDÈS FRANCE Tristan, *La Maladie n° 9*, récit historique, Paris, Berg International Éditeurs, 2001.

PRÉVOST Marcel, *Les Demi-Vierges*, préface de François Nourissier, Paris, Mémoire du Livre, 2001.

PRIVAT Maurice, *La Vie et la Mort d'Alfred Lœwenstein*, Paris, La Nouvelle Société d'édition, 1929.

RABON Isroel, *Balut*, préface et traduction du yiddish par Rachel Ertel, Montreuil, Éditions Folies d'encre, 2006.

RACHMANOWA Alia, *Aube de vie, aube de mort. Journal d'une étudiante russe pendant la Révolution*, traduit de l'allemand par Tony Lesnée, Paris, Plon, 1935.

RADZINSKY Edvard, *Raspoutine. L'ultime vérité*, Paris, J.-C. Lattès, 2000.

RAJSFUS Maurice, *Les Français de la Débâcle. Juin-septembre 1940, un si bel été*, Paris, Le Cherche-Midi, « Documents », 2003.

REBATET Lucien, *Les Tribus du cinéma et du théâtre*, Paris, Nouvelles Éditions françaises, 1941.

REED John, *Dix jours qui ébranlèrent le monde*, Éditions sociales internationales, 1927 ; rééd. Éditions sociales, 1958.

RÉGNIER Henri de, *Les Cahiers inédits 1887-1936*, édition établie par David J. Niederauer et François Broche, Paris, Pygmalion/Gérard Watelet, 2002.

RIASANOVSKY Nicholas V., *Histoire de la Russie*, 5e édition, Paris, Robert Laffont, « Bouquins », 1994.

SAPIRO Gisèle, *La Guerre des écrivains 1940-1953*, Paris, Fayard, 1999.

SCHOR Ralph, *L'Antisémitisme en France pendant les années 30*, Bruxelles, Éd. Complexe, 1991 ; 2005.

SCHWOB René, *Itinéraire d'un Juif vers l'Église*, Paris, Éditions Spes, 1940.

SPIRE André, *Quelques Juifs et demi-Juifs*, 2 vol., Paris, Bernard Grasset, 1928.

SPIRIDOVITCH Alexandre (général), *Histoire du terrorisme russe 1886-1917*, traduit du russe par Vladimir Lazarevski, Paris, Payot, 1930.

TCHEKHOV Anton, *Carnets*, traduits du russe par Macha Zonina et Jean-Pierre Thibaudat, Paris, Christian Bourgois, 2005.

THARAUD Jérôme et Jean, *Quand Israël n'est plus roi*, Paris, Plon, 1933.

——, *Un royaume de Dieu*, Paris, Plon, 1920.

THAU Norman David, *Romans de l'impossible identité. Être juif en Europe occidentale (1918-1940)*, Berne, éditions Peter Lang, coll. « Contacts », 2001.

TOLSTOÏ Léon, *La Mort d'Ivan Ilitch*, Paris, GF-Flammarion, 1993.

TROTSKY Léon, *Histoire de la révolution russe*, traduit du russe par Maurice Parijanine, Paris, Seuil, 1950 ; « Points Politique », 2 vol., 1979 ; 1995.

VERNEUIL Henri, *Rideau à neuf heures. Souvenirs de théâtre*, Paris, Éditions des Deux Rives, 1945.

VIGNAUD Jean, *Niky. Roman de l'émigration russe*, Paris, Plon, 1922.

VOYARD René, « Le tragique destin d'une femme de lettres. Irène Némirovsky. Kiev... Paris... Issy-l'Évêque... Auschwitz », Gueugnon, Les Amis du Dardon, 2005.

WARDI Charlotte, *Le Juif dans le roman français. 1933-1948*, Paris, éditions A.-G. Nizet, 1973.

WERTH Léon, *Déposition. Journal de guerre 1940-1944*, présentation et notes de Jean-Pierre Azéma, Paris, Viviane Hamy, 1992.

——, *33 jours*, Paris, Viviane Hamy, 1992.

WIECZYNSKI Joseph L., *The Modern Encyclopedia of Russian and Soviet History*, USA, Academic International Press, vol. 24, 1981 ; vol. 38, 1984.

WIEVIORKA Annette, *Auschwitz, 60 ans après*, Paris, Robert Laffont, 2005.

——, *Les Biens des internés des camps de Drancy, Pithiviers et Beaune-la-Rolande*, mission d'étude sur la spoliation des Juifs de France, Paris, La Documentation française, 2000.

——, *Déportation et Génocide. Entre la mémoire et l'oubli*, Paris, Plon, 1992 ; Paris, Hachette, coll. « Pluriel », 2003.

YOUSSOUPOFF Félix (prince), *Mémoires*, Éditions du Rocher, 2005.

ZANGWILL Israël, *Comédies du ghetto*, trad. Mme Marcel Girette, revue par Marie-Brunette Spire, Paris, Éditions Autrement, coll. « Littératures », 1997.

ZIPPERSTEIN Steven J., *The Jews of Odessa. A Cultural History, 1794-1881*, Stanford, California, Stanford University Press, 1985.

ZOLA Émile, *La Débâcle*, 1892 ; Paris, Le Livre de Poche, préface de Roger Ripoll, 2003.

ZWEIG Stefan, *Destruction d'un cœur*, traduit de l'allemand par Alzir Hella et Olivier Bournac, in *Les Œuvres libres*, n° 82, avril 1928 ; Le Livre de Poche, 2004.

INDEX

TABLE

REMERCIEMENTS

Si Irène Némirovsky vit dans ce livre, elle le doit d'abord à sa fille aînée, Denise Epstein, à qui vont naturellement nos premiers et infinis remerciements.

Chère Denise, tu ne t'es pas contentée d'accueillir favorablement le projet d'une telle biographie dès son origine à la fin de l'été 2004, mais tu as voulu que nous puissions travailler en toute sérénité, facilitant sans aucune restriction l'accès à toutes les archives disponibles, y compris ta surprenante mémoire. Nous souhaitons que ce livre te tienne lieu d'immense MERCI.

NOUS EXPRIMONS TOUTE NOTRE GRATITUDE :

À Olivier Nora et Charles Dantzig, pour l'intérêt immédiat qu'ils ont porté à ce projet puis à sa réalisation, pour nous avoir ouvert les archives de la maison Grasset et pour les difficultés de toutes sortes qu'ils ont aplanies.

À Olivier Rubinstein qui s'est associé à l'entreprise, nous a lus, encouragés et conseillés avec passion.

À Olivier Corpet, directeur de l'IMEC, et Pascale Butel, responsable du fonds Irène Némirovsky, pour leur constante disponibilité, leur compétence et leur coopération enthousiaste ; à toute l'équipe de l'abbaye d'Ardenne pour son professionnalisme et la qualité de l'accueil réservé aux chercheurs.

À Mme Mireille Lamarque, M. J. Ben Zerrouk, Fabienne Queyroux, Olivier Thomas, Mireille Pastoureau, de la bibliothèque de l'Institut de France, pour la consultation de la correspondance de Paul Morand, d'Henri de Régnier et du journal de Jacques-Émile Blanche.

À Stéphanie Méchine et Carole Pena, archivistes du Rectorat de Paris.

À Édith Pirio, secrétaire de documentation du Centre historique des Archives nationales.

À Tatiana Morozova, Anastasia Pavlovitc et Daria : votre hospitalité fut magique comme le *Casse-Noisette* ! Que saurions-nous sans vous de la « vie antérieure » d'Irène Némirovsky ? Ayez toujours si bonne mémoire et si grand cœur.

À Jean-Luc Pidoux-Payot, notre premier intercesseur.

À Samuel Chimysz, l'un des trois survivants en 2006 du convoi n° 6 vers Auschwitz : nous n'oublierons ni votre accueil, ni votre récit, ni votre voix, ni votre message.

À Francis Esménard, qui a bien voulu évoquer la mémoire de son père, celle d'André Sabatier et des éditions Albin Michel.

À Jean-Luc de Carbuccia, pour la franchise et la liberté de sa conversation.

À Mme Edwige Becquart, pour l'évocation chaleureuse de son père, René Avot, et de sa famille.

À Mme Elizabeth Zehrfuss, pour son évocation des milieux littéraires des années 1930.

Au pasteur Marc Sabatier, qui a bien voulu évoquer la mémoire de son frère, André.

À Irène Dauplé, pour sa disponibilité, ses talents de généalogiste, son russe et son sourire.

À Pierre Hayet, fondateur et secrétaire général de l'Institut Vladimir Ghika, pour son aide généreuse et l'exhumation des lettres adressées par Irène Némirovsky à ce martyr de la foi.

À Daniel Wancier, président de l'association Mémoire du convoi n° 6, et à Antoine Mercier, dont l'ouvrage *Convoi n° 6* donne à lire avec le cœur ce que fut la Shoah en France, pour ceux qui l'ont subie et ceux qui la subissent.

À Mme Anna Kouslik, arrière-petite-fille de Boris Némirovsky, qui a contribué à reconstituer l'arbre généalogique de sa famille.

À Anastasia Lester, grâce à qui les premiers (et derniers !) poèmes d'Irène Némirovsky sont aujourd'hui révélés.

À Jean-Luc Maxence, pour son témoignage sur son père, et pour le beau livre qu'il lui a consacré.

À Rachit Yanguirov, spécialiste de l'émigration russe, pour les précieuses coupures de presse aimablement communiquées.

À François Albera, autre fin connaisseur des milieux russes dans la France de l'entre-deux-guerres.

À Ina Cohen, de la Jewish Theological Seminary Library de New York.

À Emmanuel Durand, amphitryon moscovite, qui nous a réchauffés d'un bortsch princier au cœur du rude hiver 2006.

À Christophe Parant, dont l'amour de la Côte basque, de son histoire et de son architecture nous fut précieux.

Pour leurs conseils et leur aide à des titres divers, un grand merci à Mmes Juliette Hayat, Chantal de Billy, à MM. Jean Bothorel, Alain-Bernard Boulanger, Philippe Landau, Charles Jaigu, Jacques Ferrand, Serge Obolensky, Serge Gordey et Pascal Aimar.

À Nickie Athanassi, l'âme joyeuse de notre Quatuor, pour son inestimable concours, ses précieux conseils, son enthousiasme immodéré, son humeur inentamable.

À Dominique Fanelli, Jocelyne Benchetrit et tous nos amis de la rue des Saints-Pères.

À Claire Anouchian, Frédérique Sourdais et tous nos amis des éditions Denoël.

À Sandra Smith, dont le professionnalisme et la curiosité nous ont aussi aidés.

À Amélie Robert, qui a bien voulu traduire la correspondance allemande de Michel Epstein.

À Valentina Chepiga : merci pour ta curiosité d'esprit !

Un clin d'œil complice à José Ruiz Funes : *gracias !*

À Jean-Yves Reuzeau, qui a fini sa biographie avant la nôtre, respectueux hommage de la tortue au castor.

À Émile Brami, jamais avare d'un coup de main : les auteurs *te* remercient !

À Malika : ce livre n'aurait pas vu le jour sans ton soutien, ta confiance, ton concours, ton amour. Je te dois infiniment. (O. P.)

À ma famille et mes amis qui ont entendu parler d'Irène Némirovsky quasiment chaque jour depuis trois ans... (P. L.)

Enfin, au service Gallica de la Bibliothèque nationale de France et à Google Book Search, pour toutes les bonnes pistes et les incitations à l'achat !

Cet ouvrage a été imprimé par

FIRMIN DIDOT

GROUPE CPI

Mesnil-sur-l'Estrée

pour le compte des Éditions Grasset
en août 2007

Imprimé en France
Dépôt légal : septembre 2007
N° d'édition : 14952 – N° d'impression : 86099